2015
Manual para **proclamadores** de la **palabra**

Raúl Duarte Castillo

LTP

RECURSOS
CATÓLICOS
EN ESPAÑOL

ÍNDICE

Las lecturas bíblicas han sido aprobadas por el Department of Communications de la USCCB.

MANUAL PARA PROCLAMADORES DE LA PALABRA 2015 © 2014
Arquidiócesis de Chicago
Liturgy Training Publications
3949 South Racine Avenue
Chicago IL 60609
1-800-933-1800
fax: 1-800-933-7094
e-mail: orders@ltp.org

Visítanos en internet:
www.LTP.org.

Diseño original: Jill Smith
Caligrafía de portada:
Barbara Simcoe

Impreso en los Estados Unidos de América

ISBN 978-1-61671-159-7

MP15

El compromiso editorial de LTP se extiende también al cuidado responsable del medio ambiente.

Manual para proclamadores de la palabra 2015 fue impreso con tinta a base de soya y en papel certificado por la SFI® (Iniciativa por una silvicultura sustentable). Certified Fiber Sourcing Standard CERT – 0048284 y Chain-of-Custody Standard SAI-SFICOC-013349 confirman que el productor del papel ha seguido un proceso responsable en la obtención de la fibra.

La pulpa de madera empleada en este papel proviene de materiales reciclados y de fuentes 100% responsables. Para minimizar el uso de combustible fósil, en la producción de este papel se emplearon biocombustibles renovables.

Nihil Obstat
Reverendo Daniel A. Smilanic, JDC
Vicario de Servicios Canónicos
Arquidiócesis de Chicago
14 de abril de 2014

Imprimatur
Reverendísimo Francis J. Kane, DD
Vicario General
Arquidiócesis de Chicago
14 de abril de 2014

INTRODUCCIÓN

Proclamar la Palabra de Dios es un privilegio y un gozo que nos transforma la vida en el pueblo de Dios, la Iglesia. La Palabra destierra la tristeza y la soledad, nos llama y nos une para caminar juntos. Ella va con nosotros, ora con nosotros y se vuelve principio y motor de nuestra vida, para transformarnos en familia de Dios, su pueblo.

Desde nuestro bautismo, con la unción del óleo santo, estamos injertados 'a Cristo sacerdote, a Cristo profeta y a Cristo rey'. Lo que se traduce en que nuestra identidad y nuestra vocación son las de Cristo, el Ungido. Por eso, los Padres de la Iglesia de los primeros siglos enseñaban que "el cristiano es otro Cristo".

Lo propio del rey es regir, procurando el bien de los gobernados; o en palabras del Buen Pastor: "...que tengan vida en abundancia". Lo propio del sacerdote es hacer santo lo profano. Lo distintivo del profeta es su ligazón con la palabra de Dios, palabra 'distinta' pero nunca distante. El pueblo de Dios, que vive "por Cristo, con él y en él", es pueblo regio, sacerdotal y profético. Estas notas van siempre unidas, aunque ahora meditamos nuestro vínculo con la Palabra.

En las Escrituras aprendemos que, desde antiguo, Dios ha hecho surgir en medio de su pueblo hombres y mujeres que pronuncian palabras de parte suya, para recriminar cuando camina en la injusticia, para orientar si anda en confusión, para darle luz cuando el futuro es oscuro, confianza cuando se mira solo y abatido, y para regenerarlo cuando se agota su esperanza. La palabra profética tiene esa vitalidad propia que le viene del Dios de la vida. Porque la palabra de Dios es "espíritu y vida". El espíritu profético siempre tiene un ojo atento a la vida y circunstancias del pueblo, y el otro puesto en Dios, el Señor de la historia.

Pero si las palabras de Dios son para su pueblo, también transforman a sus enviados proféticos. El mensajero no vive ajeno al pueblo, sino en su corazón para entregar el mensaje; lo hace no como un cartero la correspondencia. No. El profeta y la profetisa de Dios entregan la palabra sólo cuando se la han apropiado, como dan a entender esas imágenes del profeta comiéndose un libro o arrebatado a contemplar lo desconocido. Porque saben que la palabra es dulce y amarga, transforma y trastorna, cautiva, seduce pero compromete al punto de sufrir persecuciones y hasta de perder la vida, por fidelidad a Dios y por la fidelidad de Dios. Esto último hace que el profeta y la profetisa se conviertan en vigilantes de la palabra. Su quehacer no termina hasta que la palabra alcanza cumplimiento.

La profecía y el espíritu profético lejos de agotarse o declinar se han multiplicado, gracias a que Dios resucitó a Jesús de Nazaret de entre los muertos, y derrama continuamente su Espíritu sobre todos los creyentes, la Iglesia, para recrear la misma tarea de Cristo: regir, santificar y profetizar. Él nos hace pueblo profético, pueblo del Espíritu de Dios, pueblo de la Palabra encarnada. Domingo a domingo ella nos congrega para recibirla, asimilarla y vigilar su cumplimiento. Dios deposita su Palabra en nuestro corazón para vivir intensa y apasionadamente con ella y de ella: lo hace arder. Tenemos que decir, sin embargo, que no pocas veces andamos como amodorrados por la rutina, enajenados tras otros dioses y hasta peleando contra el Espíritu de profecía que nos incomoda y no se ajusta a nuestro gusto y criterio. Entonces es cuando más requerimos de la Palabra, como nos recuerda el papa Francisco en su Exhortación apostólica *El gozo del evangelio* (2013).

Escuchar la Palabra en la Iglesia

La Iglesia es "la casa de la Palabra", en palabras del papa emérito Benedicto XVI, pues ella tiene su lugar más propio en las celebraciones de la liturgia (cf. *Verbum Domini*, 52). El pueblo de Dios se alimenta y vive de esa Palabra disponible en la Liturgia de las horas, los sacramentales y los sacramentos, de un modo relevante en el de la Eucaristía, pues en estas celebraciones confluyen sus anhelos, trabajos y esperanzas; la liturgia es la cumbre y fuente de la vida del pueblo de Dios.

Los obispos del pueblo de Dios, reunidos en el Concilio Vaticano II, dispusieron que las sagradas Escrituras estuvieran abundantemente disponibles al pueblo de Dios en la liturgia. Con esa finalidad, en la misa dominical se proclaman ahora tres lecturas y un salmo; una tomada del Antiguo Testamento, otra de algún escrito apostólico y la tercea del Evangelio. Las lecturas bíblicas dominicales están organizadas en un ciclo de tres años, A, B y C, haciendo que cada uno de los evangelios sinópticos guíe durante un año: Mateo el año A, Marcos el B y Lucas el C. Escuchamos el evangelio de san Juan en tiempos como en Adviento-Navidad, Cuaresma-Pascua, y en algunas fechas especiales que complementan el ciclo de san Marcos, que nos guiará este año.

En nuestras biblias, el evangelio según san Marcos aparece después del de san Mateo, aunque quizá haya sido escrito antes que ninguno. ¿Dónde? Quizá en Siria, o al otro lado del Jordán, o en Galilea; Los testimonios más antiguos lo arraigan en Italia y lo ponen bajo el patrocinio de Pedro, aunque de esto tampoco hay indicios textuales rotundos.

La atribución a Marcos, intérprete de Pedro, viene avalada por Papías, obispo de Hierápolis (130 d.C.), Ireneo (180 d.C.) y Clemente de Alejandría (180 d.C.); el primero la recibió de un anciano o presbítero de la generación que escuchara a los mismos apóstoles del Cristo. Vincular al Marcos de esa tradición patrística con el de los Hechos de los Apóstoles (Hech 12:12, 25), compañero de Pablo y de Pedro (cf. 1Pe 5:13), sólo era cuestión de tiempo. Y si de los datos mismos de su obra nada se puede concluir sobre su persona, tampoco cabe cegar toda posibilidad de que aquel jovenzuelo de Jerusalén sea el escribano, al menos en cierta proporción, de las memorias de Pedro.

San Marcos escribe para que sus lectores comprendan que Jesús es el Mesías, el Hijo de Dios, que ha sido enviado para establecer el reinado de Dios entre sus fieles, conforme a las promesas de Dios en las Escrituras. Esto es el Evangelio: la Buena noticia de Jesucristo. Por eso pone especial interés en descubrir quién es Jesús y cómo es esto del reino de Dios. Marcos transparenta con toda claridad su propósito desde las primeras líneas (Mc 1:1–3) y luego en otros momentos claves: en el bautismo (1:9–11), en la confesión de fe petrina (8:29) y al momento morir Jesús crucificado (15:39).

Al momento del bautismo, y tras el descenso del Espíritu sobre Jesús, la voz celeste lo declara el Hijo amado que cumple la voluntad de Dios. A partir de allí, Jesús se convierte en el profeta del reino que Dios pone al alcance de todos.

Jesús enseña con acciones poderosas: cura enfermos, limpia leprosos, departe con gente indeseable, pero sobre todo expulsa demonios y hasta perdona pecados, como un modo de evidenciar que Dios está cerca de su pueblo. Pero Jesús también actúa con sabiduría: invita a las personas a seguirlo, explica las Escrituras, rechaza las doctrinas y preceptos que subyugan a las personas, enseña con bellas parábolas y muestra la misericordia apasionada de Dios hacia pecadores y desvalidos, especialmente niños y mujeres. Así vemos cómo Dios se complace en su Hijo amado, Jesús de Nazaret.

La confesión discipular de Pedro inaugura la ruta del Mesías a Jerusalén, flanqueada por curaciones de ciegos en sus extremos, como para indicar que hay que tener los ojos muy abiertos en el seguimiento. El camino está marcado por la cruz y la resurrección, no por la dominación y el sometimiento. Con ese nuevo ingrediente, Jesús va replanteando las condiciones para seguirlo, el orden de la casa de la familia de Dios que privilegia a mujeres y niños, la función de los bienes y de los líderes en la comunidad del reino, etc. Todo esto indica con toda claridad que el misterio de la muerte y resurrección del Mesías debe repercutir en modos alternativos y diferentes de organizarse, donde los últimos sean los primeros y el servicio con la entrega de la vida valga para rescatar a los muchos, tal y como hace Jesús, el Hijo del Hombre.

Los modos como Jesús hace realidad el reinado de Dios causan estupor entre los preceptores y un serio conflicto con los líderes civiles y religiosos pues no pueden tolerar doctrinas nuevas ni predicadores que 'desvíen' al pueblo de sus usos y costumbres. Se ve que los intereses que trastoca el Evangelio del reino son muchos y profundos, y de allí nace el complot que terminará por quitar de en medio a Jesús de Nazaret, por los cauces legales.

La parte final del evangelio de san Marcos cuenta lo que Jesús hizo en Jerusalén. Sus acciones y enseñanzas poderosas muestran que él es el Hijo de David, conforme a las Escrituras; igualmente, dejan claro que el templo y su sistema de salvación están secos, y su liderazgo es incapaz de dar los frutos que la fidelidad a la alianza con Dios exige. Esa esterilidad motiva el amplio discurso apocalíptico donde se van descubriendo las señales de los tiempos que anuncian no sólo la ruina del templo y de Jerusalén, sino también la venida judicial del Hijo del Hombre.

El complot de los líderes para acabar con Jesús se encauza en la entrega de Judas, y se concreta en el juicio amañado, la condena a muerte y la ejecución

Éste es mi mandamiento: que se amen los unos a los otros como yo les he amado.

Proclamemos la grandeza del Señor y alabemos todos juntos su poder.

vergonzosa del Mesías de Dios, a manos de las autoridades judías y romanas. Sin embargo, ya en la cruz, uno de los verdugos testimonia la muerte de Jesús diciendo que 'verdaderamente este hombre era hijo de Dios'. Sus palabras, en cierto sentido, siembran la esperanza de la resurrección. En el contexto de las entregas, san Marcos ha contado lo sucedido en dos cenas, una en la casa de Simón el leproso, donde tuvo lugar la unción de la vida para la sepultura, y la pascual, donde Jesús instituye la Eucaristía, que da el sentido de su entrega de la vida como sacrificio de salvación y prenda de vida nueva hasta el establecimiento del reino de Dios.

El evangelio concluye con el relato de la visita de las mujeres a la tumba y el anuncio celeste de que el crucificado ha resucitado. Ellas deben comunicar al grupo de discípulos y a Pedro esta Buena Nueva, para ir a Galilea, donde lo volverán a ver; sorpresivamente, se anota que 'ellas no dijeron nada a nadie porque temían'. Aquí terminaba la narración de Marcos, pero la Iglesia ha reconocido como inspirado y canónico también el resumen de varias apariciones de Jesús resucitado a los discípulos, que culminan con la encomienda de ir a proclamar el Evangelio y confirmarlo con las señales y prodigios ante todas las gentes.

Este poderoso evangelio de Jesús, el Mesías del Dios vivo, es el que nos guiará durante los domingos y solemnidades de este año litúrgico, pero también tendremos oportunidad de recibir palabras de Dios escritas en los libros de la Ley, en los Profetas y en los de Sabiduría o sapienciales. Tenemos la oportunidad de abrazarnos a esas palabras con la meditación de los Salmos, pues al cantar repetidamente su estribillo, permitimos que el sentido de sus palabras se adentre en nuestra mente y corazón. Finalmente, en cada asamblea será también proclamada alguna sección breve de algún escrito de los apóstoles, especialmente de Pablo, o de Hechos durante el tiempo pascual, que

son las primeras reflexiones de fe sobre la revelación de Dios en Jesús de Nazaret. Así es como nutrimos y refrescamos nuestra fe cristiana, bebiendo de las aguas abundantes y cristalinas de las Escrituras, en las que "Cristo mismo habla a su Iglesia" (SC 7).

Proclamar la Palabra en la asamblea

El Concilio Vaticano II urge a que los fieles participen 'plena, consciente y activamente' en la liturgia (SC 14, 19, 21, 27, 30, *passim*). Para meta tan necesaria, es indispensable que quienes ejercen el ministerio de lectores, incluso sin ser instituidos, adquieran una formación bíblica, litúrgica y técnica, como solicita el número 55 de la *Ordenación de las Lecturas de la Misa*, y lo recuerda *Verbum Domini* (58).

La formación bíblica debe llevar a los lectores a captar el sentido de las lecturas en su propio contexto y poder captar el mensaje de salvación revelado en ellas. Para esto ayuda conocer un poco el libro bíblico del que la lectura está tomada, su época de composición original, el autor o autores, el género literario o modos de expresión empleadas, las circunstancias históricas y culturales a las que responden sus líneas e, incluso, cómo esas palabras han motivado a otros creyentes en su camino de fe. El comentario de este *Manual para proclamadores de la palabra* procura dar los elementos más sustanciales en los comentarios a cada lectura, sobre todo en la fecha en la que comienza un libro o su sección. Por razones de espacio muchas de esas informaciones no caben en estas páginas, pero el lector o proclamador de la palabra debe procurarse medios que le ayuden en este renglón. La formación bíblica debe ser tomada con toda seriedad, como un estudio personal o de grupo, que ayude a profundizar la comprensión de lo que Dios ha querido revelarnos en palabras humanas y al modo humano.

La educación litúrgica quiere que los participantes puedan descubrir tanto la estructura como el significado de las lecturas bíblicas entre sí y con el misterio eucarístico o sacramental que se celebra. La armonía entre las diversas lecturas proviene del mismo Espíritu que las inspiró, pues tienen a Dios por autor, y también porque comunican la salvación que Dios realiza y actualiza en favor de sus fieles. La palabra de salvación se ofrece como continuidad, pero también como contraste y plenitud en Jesucristo, pues toda la Escritura está orientada hacia él, Palabra de Dios, eterna y encarnada. A esto ayuda mucho leer y meditar detenidamente todas las lecturas proclamadas, visualizándolas en conjunto, como un solo cuerpo orgánico portador de luz y de verdad. En este

Manual para proclamadores algunos de los comentarios y de las notas marginales ayudan a sintonizar las lecturas con la estación y fecha litúrgicas. Léelos todos con atención. Pero también ayudan a caminar al ritmo de la Iglesia que celebra el mismo misterio pascual del Señor Jesús en sus diversas facetas y ocasiones, pues contiene una riqueza inagotable. Cada vez, conviene adoptar un motivo o dos como máximo, que nos sirvan de guía y nos mantengan la atención para nutrir nuestra unión con Dios y la comunidad, a lo largo de la celebración y de la semana. El Salmo responsorial puede prestar una gran ayuda en esa dirección. Percibir los vínculos entre la Mesa de la palabra y la Mesa eucarística nos debe llevar a apropiarnos de las oraciones y los gestos del rito que celebra el misterio pascual, saborear la muerte y resurrección del Señor por nosotros. Es este dinamismo un tanto contemplativo de la vida nueva la que nos va a permitir comprender tanto la coherencia espiritual, interna de la palabra proclamada y revelada como la del pan y el vino que presentamos sobre el altar y que nos reúne en comunión, para alabanza de Dios.

La formación técnica procura que los lectores proclamen con mayor aptitud la palabra de Dios, conforme a las técnicas y prácticas del arte de leer, y la asamblea la pueda recibir con devoción y corazón sincero, como palabra de Dios que realiza su acción en los creyentes (cf. 1 Tes 2:13).

Consejos para leer en público

Proclamar las lecturas bíblicas es un ministerio del pueblo de Dios que hay que realizar con auténtica vocación profética, de enviado, de servidor de la Palabra. Por lo mismo, la actitud primera será la de recibir la palabra con respeto, humildad y verdad, pero también con toda responsabilidad, para poderla entregar y que cumpla su función. A la vocación y actitud interna debe corresponder la aptitud técnica y personal.

Comencemos por lo más externo. Es indispensable comprobar el buen funcionamiento de los micrófonos y que la acústica del recinto no obstruya la recepción de la lectura. Es importante que los lectores y proclamadores monitoreen la iglesia desde diversos ángulos, para cerciorarse de que todos los fieles de la asamblea escuchan con claridad lo que se pronuncia ante los micrófonos. El ambón, como el altar, debe ser visible, no sólo audible, desde todos los ángulos de la iglesia. Puede haber obstrucciones como ruidos de la calle, llanto de niños, chirriar de puertas, la calefacción, el aire acondicionado, sonido viciado, ecos y resonancias, que impiden recibir la palabra de Dios. Estos obstáculos físicos hay que solventarlos cuanto antes, pues son un verdadero escollo al Evangelio. Un buen equipo de sonido le hará un buen servicio a la asamblea del pueblo de Dios, tanto como unos buenos anteojos al lector que los requiere. Pasemos a algo más personal.

El respeto y cariño por nuestro ministerio deben llevarnos a leer, una vez y otra, el texto que nos corresponde, hasta familiarizarnos con él. En el primer repaso, debemos despejar toda sombra sobre el significado de cada palabra y frase del texto. Si es necesario, hay que acudir al diccionario, esclarecer el significado con sinónimos o antónimos, de modo que podamos formular, aunque sea generalmente, de qué trata la lectura.

Enseguida, hay que atender a la distribución litúrgica. Este *Manual* ayuda en ese renglón. Observa cada parágrafo, dónde comienza y termina, la extensión de sus líneas, pues quizá el espacio obligó a pasar otras líneas a la página siguiente, e incluso el sentido o idea de cada parágrafo, para percatarnos de los diferentes elementos que construyen el sentido del texto. Quizá puedas observar repeticiones, aliteraciones, comparaciones, variaciones, metáforas, y otras figuras del lenguaje que el autor ha empleado, y que puedes transmitir en tu lectura. Alguna vez, sobre todo en ciertas secciones de las cartas apostólicas o de algún escrito sapiencial, puede aparecer una idea suelta, sin una conexión evidente con lo que leemos, entonces habrá que recurrir a una biblia, para observar el panorama textual más amplio, e incluso acudir a algún comentario especializado que nos pudiera aclarar el sentido de esa particular idea o anotación. Hay textos narrativos, simples, y hay otros complejos, argumentativos, que hay que desgranar cuidadosamente. Sobra decir que cuanto mejor entendamos la

Dichosos los pobres de espíritu, porque de ellos es el Reino de los cielos.

Sincera es la palabra del Señor y todas sus acciones son leales.

lectura, la podremos proclamar mejor, y la asamblea la podrá recibir y abrazar con mayor facilidad.

Pero hay que tomar muy en cuenta también otras aptitudes técnicas que debemos cultivar siempre. La primera es la entonación. No hay que dramatizar o recargar la lectura con afectación ni exageración. La Palabra de Dios es la protagonista, no tú, ni tu voz. Descubre la mejor impostación y potencia natural de tu voz empujándola desde el diafragma, es decir, desde tu estómago, no desde la garganta. Para esto, hay que inhalar con la nariz, llenar la parte baja del estómago y expirar por la boca apretando el estómago. Sostén la intensidad de tu voz a lo largo de la línea hasta la coma y el punto. La respiración es fundamental para una buena lectura en público. Administra tu aire para que no te falte si las frases son muy largas, o tienes que unir dos o tres líneas porque conforman una sola expresión de la idea. Una buena respiración te ayudará a mantener el ritmo de lectura adecuado a lo que proclamas.

Obedece a los signos de puntuación. Haz las pausas que requieren las comas (cuenta 'uno', mentalmente) y los puntos (cuenta 'dos' en un punto y seguido, y 'tres' en el punto y aparte). Quítate de la cabeza que leer rápido es leer bien; no corras. Una buena lectura requiere de muchas condiciones, y nuestra lectura litúrgica es muy exigente. El silencio es también muy importante. Eleva apropiadamente la voz ante los signos de interrogación (¿?), para preguntar, y exclama en las expresiones que llevan esas marcas (¡!). El ritmo de tu voz va a transmitir no sólo informaciones, sino emociones, colores en los diálogos, actitudes y reacciones de los protagonistas. Disponte a ser instrumento dócil y eficaz en las manos de Dios.

Prepárate leyendo en voz alta, enfatizando la dicción y vocalización correctas; hazlo delante de otras personas que pueden ayudarte con sus consejos y observaciones a mejorar tu técnica personal de proclamación. Mucho te ayudará la reunión semanal del grupo de lectores y proclamadores con el equipo de liturgia de la parroquia; pastores y ministros podrán intercambiar orientaciones prácticas, pero también sus percepciones y reacciones ante las lecturas que servirán en la Mesa dominical.

Poco a poco aprenderás a diferenciar entre los géneros literarios diversos, los tonos y hasta a un personaje y de otro, sin necesidad de dramatizar. Recuerda que la Palabra de Dios tiene su propia fuerza y belleza capaz de transformar la vida de quien la escucha con sincero corazón. Es así como Dios toca muchos corazones, con su Palabra de vida.

Hay otros elementos que ayudan en la proclamación de la palabra de Dios como el contacto visual con la asamblea (mirada modesta y a distintos ángulos del recinto), tu lenguaje corporal (dinámico, ágil, enérgico sin llegar a ser militarizado ni acartonado) y tus gestos faciales (jovialidad, prestancia, ojos brillantes y abiertos, nada de tensión o nerviosismo irritante).

Finalmente, una palabra sobre tu postura corporal. Quizá debas entrar en la procesión con todos los ministros de la liturgia; sé puntual. En su momento, camina con naturalidad, pero erguido, con garbo y respeto hasta el ambón o sitio desde donde será proclamada la lectura. Nada de altanería ni desfachatez, y menos vulgaridad, en tu porte ni en tu vestido. Causa pésima impresión comenzar a hojear el leccionario en busca de la lectura. El leccionario debe estar ya listo, preparado, para la lectura. Llega hasta el ambón, ajusta el micrófono si es necesario y ubica con la mirada el texto; conviene mantener unas 30 pulgadas de distancia con el leccionario, de modo que distingas perfectamente las letras; quizá requieras colocar tu mano sobre el texto para ayudarte con el dedo a no saltar de líneas; hazlo sobriamente. Saluda a la asamblea con una mirada breve y discreta, y pronuncia la fórmula inicial con seguridad y claridad: "Lectura de…". No alteres los formulismos litúrgicos. Haz una pausa completa (tres tiempos) antes de iniciar con el texto sagrado. Conforme te acerques a la conclusión de la lectura aminora la velocidad, para que la asamblea se percate de que el final es inminente. Al final, haz lo mismo. Páusate antes de pronunciar la fórmula conclusiva: "Palabra del Señor", aguarda allí la respuesta de la asamblea y retírate del ambón.

I DOMINGO DE ADVIENTO

El Adviento es tiempo para mirar lo que va a pasar. Esta visión del encuentro de Dios con su pueblo está llena de esperanza y es el tono que hay que darle a la lectura.

I LECTURA   Isaías 63:16b–17, 19b; 64:2–7

Lectura del libro del profeta Isaías

Tú, Señor, eres nuestro **padre** y nuestro **redentor;**
  ése es tu nombre desde **siempre.**
¿Por qué, Señor, nos has permitido **alejarnos** de tus mandamientos
  y dejas **endurecer** nuestro corazón
  hasta el punto de no temerte?
Vuélvete, por amor a tus siervos,
  a las tribus **que son tu heredad.**
Ojalá rasgaras los cielos y bajaras,
  estremeciendo las montañas con tu presencia.

La distribución en líneas es poética. La proclamación tiene que tener tono dramático por momentos.

Descendiste y los montes **se estremecieron** con tu presencia.
Jamás se oyó decir, ni **nadie** vio jamás
  que otro Dios, fuera de ti,
  hiciera tales cosas en favor **de los que esperan** en él.
Tú sales al encuentro
  del que practica **alegremente** la justicia
  y **no pierde de vista** tus mandamientos.

Esta parte es francamente penitencial. Es una confesión de pecados que se refleja en la voz del que proclama.

Estabas airado porque **nosotros** pecábamos
  y te éramos **siempre rebeldes.**
Todos éramos **impuros**
  y nuestra justicia era como trapo **asqueroso;**
  todos estábamos **marchitos,** como las hojas,
  y nuestras culpas nos **arrebataban,** como el viento.

I LECTURA La lectura es parte de un salmo de lamentación que leemos en Isaías 63:7–64:11, compuesto quizá al retorno del destierro. Se nota un ambiente de angustia, desesperación y desánimo en la comunidad, pues las grandes promesas pronunciadas por un profeta (llamado Segundo Isaías: 40–55), no se habían cumplido; no como la mayoría de los exiliados había esperado. El país estaba en ruinas, la población era poca y de gente simple; el templo estaba en ruinas, y la comunidad expuesta a los bandidos que asolaban los alrededores.

El grito de "Tú eres nuestro Padre" (v. 15) es el centro de la súplica que la comunidad dirige a Dios. Aunque Abraham y Jacob nada quieran saber de sus descendientes, el Señor continúa siendo su Padre; a él le pertenece el derecho de "redentor", de liberar de la opresión. Es clara la alusión a la liberación de Egipto.

La comunidad pide un cambio rápido. Hacia el final hay una invitación a que Dios empiece de cero con el pueblo. Como una vez lo hizo con Adán, que ahora recree a sus hijos, que se ven débiles como arcilla (v. 7).

Ahora sí están bien dispuestos, dóciles y el alfarero los puede moldear bien.

Se nota en el pueblo el reconocimiento de sus pecados, la causa de su desmoronamiento. La comunidad huyó de Dios, pero reconoce su condición (64:5). Reconoce el pueblo y se agarra del Señor, su Padre y su alfarero. La comunidad se siente segura en sus manos. De esas manos saldrá una comunidad aceptable a los ojos divinos.

A nadie le gusta comenzar de cero, pero a veces no hay otra opción, máxime cuando lo construido por nosotros descansa en la arena, en las pasiones o entusiasmos

Nadie invocaba tu nombre,
   nadie se levantaba para **refugiarse en ti,**
   porque nos **ocultabas** tu rostro
   y nos dejabas a merced de **nuestras** culpas.
Sin embargo, Señor, tú eres nuestro **padre;**
   nosotros somos el barro **y tú** el alfarero;
   todos somos hechura de tus manos.

Para meditar

SALMO RESPONSORIAL   Salmo 79:2ac, 3b, 15–16, 18–19

R. Señor, Dios nuestro, restáuranos, que brille tu rostro y nos salve.

Pastor de Israel, escucha, tú que te sientas sobre querubines, resplandece. Despierta tu poder y ven a salvarnos. R.

Dios de los ejércitos, vuélvete: mira desde el cielo, fíjate, ven a visitar tu viña, la cepa que tu diestra plantó y que tú hiciste vigorosa. R.

Que tu mano proteja a tu escogido, al hombre que tú fortaleciste, no nos alejaremos de ti: danos vida para que invoquemos tu nombre. R.

II LECTURA   1 Corintios 1:3–9

Lectura de la primera carta del apóstol san Pablo a los corintios

Hermanos:
Les deseamos **la gracia y la paz** de parte de Dios,
   nuestro Padre, y de **Cristo Jesús,** el Señor.

Continuamente **agradezco** a mi Dios
   los **dones divinos** que les ha concedido a ustedes
      por medio de **Cristo Jesús,**
   ya que por él los ha enriquecido **con abundancia**
   en **todo** lo que se refiere a la palabra y al conocimiento;
   porque el **testimonio** que damos de Cristo
   ha sido **confirmado** en ustedes a tal grado,
   que no carecen de **ningún don**, ustedes,
   los que esperan **la manifestación** de nuestro Señor Jesucristo.

Es el saludo de Pablo que repetimos en misa. Hay que pronunciarlo con intensidad.

Las palabras de este párrafo son una oración de agradecimiento por la comunidad cristiana. En este momento, asegúrate de que las líneas sobre la venida de Cristo y sobre la unidad se queden en el pensamiento de la asamblea. Una pausa puede ayudar en esto.

---

febriles del momento. Somos barro que modela con facilidad el dinero, el poder, las pasiones. Entonces habrá que dejar todo y partir de cero. Esperar y anhelar que el gran Alfarero, el Señor, nos modele de acuerdo a su Hijo.

II LECTURA Estamos en los comienzos de la carta. Pablo, luego del saludo inicial, escribe una acción de gracias (o eucaristía) más o menos larga por alguna cualidad o acción de sus destinatarios.

Aceptando a Jesús, los corintios han recibido una serie de dones y gracias, entre los más valorados están la elocuencia y la sabiduría. La mayoría de aquellos cristianos corintios era de condición humilde pero también algunos acomodados. Éstos pretendían progresar más en el conocimiento de su fe. Pero la sabiduría y la elocuencia deben ser perfeccionadas, si no, vendrán a aumentar la soberbia; la sabiduría puede inflar y desorientar la *glosolalia*, el fenómeno de hablar en lenguas desconocidas.

El Apóstol recuerda a los corintios la manifestación de nuestro Señor Jesucristo; su venida era esperada con entusiasmo por la comunidad. De aquí que la liturgia haya escogido este trozo literario, pues también lo emplea en la fiesta de Navidad, que es precisamente la manifestación del Señor. Esperamos al Señor que vino en la fiesta, que viene en cada Eucaristía y que vendrá al final de los tiempos.

Deja Pablo al final de su acción de gracias una alusión a la venida futura, porque los corintios —y todo cristiano— debe aguardar con emoción continua la llegada inesperada del Señor. Esa esperanza la cincelamos en la jaculatoria, que repetimos hasta hoy: "¡Ven, Señor Jesús!".

Él los hará permanecer **irreprochables** hasta el fin,
　　hasta el día de su **advenimiento.**
Dios es quien **los ha llamado** a la unión con su Hijo Jesucristo,
　　y Dios **es fiel.**

EVANGELIO　Marcos 13:33–37

Lectura del santo Evangelio según san Marcos

En aquel tiempo, Jesús dijo a sus discípulos:
　　"Velen y **estén preparados,**
　　porque **no saben** cuándo llegará el momento.
Así como un hombre que **se va de viaje,**
　　deja su casa y encomienda a cada quien **lo que debe hacer**
　　y encarga al portero que **esté velando,**
　　así también **velen** ustedes,
　　pues **no saben** a qué hora va a regresar el dueño de la casa:
　　si al anochecer, a la medianoche, al canto del gallo
　　　　o **a la madrugada.**
No vaya a suceder que **llegue de repente** y los halle durmiendo.
Lo que les digo a ustedes, lo digo **para todos:** permanezcan **alerta".**

El evangelio nos pone en guardia permanente: para la venida próxima y repentina de Jesús con todas sus consecuencias. Las palabras de vigilancia son muy importantes para hoy.

Estas palabras son para que despierte la comunidad. Hay que despertarla para que reciban al Señor.

EVANGELIO San Marcos ajusta el ministerio de Jesús en Jerusalén en dos grandes secciones. La primera tiene el templo como escenario primario y contiene controversias y enseñanzas que van aclarando y hacen pública la identidad del Mesías frente a diversos grupos del universo judío. La segunda es un amplio discurso sobre la destrucción del templo. Pedro, Santiago, Juan y Andrés le han solicitado al Maestro que les revele el cuándo y la señal para que ocurra la debacle. Entonces, Jesús comienza a descubrir los eventos. El evangelio de hoy pertenece a la parte conclusiva de ese discurso que guarda un marcado tono apocalíptico.

El discurso de Jesús expone la crisis de Jerusalén, la de Israel, y luego describe la venida del Hijo del Hombre, que culmina con las dos parábolas conclusivas de la sección y hoy proclamadas: la de la higuera y la del señor de la casa que se va de viaje. Ambas parábolas son complementarias y aguijonean a los discípulos a vivir atentos a los signos de los tiempos para descubrir la llegada del Hijo del Hombre, el momento de la salvación.

La parábola de hoy está destinada a los líderes eclesiales, y les insta a no adormilarse ni a descuidar los encargos recibidos para el funcionamiento de la casa. ¿Cómo vigilar? Orando. ¿Cuál es el encargo? Servir. ¿Cómo se sirve? Entregando la vida.

Por supuesto que el evangelio nos involucra a todos en el buen funcionamiento de la casa, la casa de todos, la del reino, porque hemos aprendido que, al vivir bajo un mismo techo, todos somos colaboradores y responsables. Para bien y para mal, vivimos inter-conectados, y entre todos debemos discernir mejor la oportunidad de la salvación. Este Adviento nos da ocasión para orar, servir y comunicar nuestras percepciones de fe.

II DOMINGO
DE ADVIENTO

El profeta da voz al corazón compasivo de Dios. Estas son palabras de restauración que miran al futuro, no al pasado. Tu asamblea es la ciudad de Dios.

I LECTURA   Isaías 40:1–5, 9–11

Lectura del libro del profeta Isaías

"**Consuelen,** consuelen a mi pueblo,
    dice nuestro Dios.
Hablen **al corazón** de Jerusalén
    y díganle a gritos **que ya terminó** el tiempo de su servidumbre
    y que **ya ha satisfecho** por sus iniquidades,
    porque ya ha recibido de manos del Señor
    castigo doble por todos sus pecados".

Una voz clama:
    "**Preparen** el camino del Señor en el desierto,
    construyan en el páramo
    una calzada para nuestro Dios.
Que todo valle **se eleve,**
    que **todo monte** y colina se rebajen;
    que lo torcido **se enderece** y lo escabroso se allane.
Entonces **se revelará** la gloria del Señor
    y todos los hombres la verán".
Así ha hablado la boca del **Señor.**

Sube a lo alto del monte,
    mensajero de **buenas nuevas** para Sión;
    alza **con fuerza** la voz,
    tú que anuncias noticias **alegres** a Jerusalén.

Esta parte no es tan fácil, porque representa la voz de un pregonero real. Fíjate muy bien dónde se abren y dónde se cierran las comillas para que todo ese párrafo tenga una tonalidad diferente. Es voz firme y decidida.

I LECTURA La liturgia escoge un trozo del gran profeta del siglo VI a.C., al que la ciencia bíblica ha bautizado como Segundo Isaías.

El Señor Dios encomendó a este profeta una misión casi imposible: dar ánimo y esperanzas a un grupo desilusionado, que pensaba sólo en imposibles: la vida no podría funcionar como antes. Israel había dejado de ser pueblo, perdió tierra y autonomía. Ahora, los que se habían quedado en la tierra de los antepasados eran tratados como extranjeros e indeseables. Los que habían

sido expulsados del país vivían la incertidumbre y dureza del exilio, en tierra extraña y ajena, donde era difícil acomodarse y ser parte social.

En aquella situación oyen el grito de un profeta nuevo, que, en nombre de Dios, les anuncia un futuro mejor. Parecen puras palabras. Lo primero es el consuelo; convencerse de que su Dios no los ha abandonado y de que intervendrá de nuevo. Como había sacado a sus antepasados de Egipto, los sacará ahora de aquí, de Babilonia. La gracia de Dios estaba enfrente, no el castigo. Éste, necesario, ya se había acabado. Más aún,

este castigo les serviría de experiencia para el futuro, para convertirlo en algo gracioso.

Volverán los exiliados a su tierra. Dirán como en el Salmo 126: "Creíamos soñar, la boca se nos llenaba de risas, la lengua de cantos alegres… El Señor se ha portado espléndidamente con nosotros y estamos alegres".

Hay una nueva noticia: el Señor vuelve a morar entre ellos. Jerusalén será reconstruida y su templo, la morada de su Dios, será reconstruido. Sión ha expiado todo. El Señor "volverá a estar" con su pueblo, después de un silencio de años de exilio y desgracias.

Ahora es una presentación del poder de Dios. Lo que anunció antes, aquí está cumplido. Dios llega dispensando cariño y cuidado a su pueblo.

Alza la voz y **no temas;**
  anuncia a los ciudadanos de Judá:
    "**Aquí** está su Dios.
Aquí llega el Señor, lleno **de poder,**
  el que con su brazo **lo domina todo.**
El premio de su victoria **lo acompaña**
  y sus trofeos lo anteceden.
Como pastor **apacentará** su rebaño;
  llevará **en sus brazos** a los corderitos recién nacidos
  y atenderá **solícito** a sus madres".

Para meditar

SALMO RESPONSORIAL   Salmo 84:9ab–10, 11–12, 13–14

R. Muéstranos, Señor, tu misericordia y danos tu salvación.

Voy a escuchar lo que dice el Señor: Dios anuncia la paz a su pueblo y a sus amigos. La salvación está ya cerca de sus fieles, y la gloria habitará en nuestra tierra. R.

La misericordia y la fidelidad se encuentran, la justicia y la paz se besan; la fidelidad brota de la tierra, y la justicia mira desde el cielo. R.

El Señor nos dará la lluvia, y nuestra tierra dará su fruto. La justicia marchará ante él, la salvación seguirá sus pasos. R.

II LECTURA   2 Pedro 3:8–14

Lectura de la segunda carta del apóstol san Pedro

Queridos hermanos:
No olviden que para el Señor,
  un día es como **mil años**
  y mil años, **como un día.**
No es que el Señor **se tarde,** como algunos suponen,
  en **cumplir** su promesa,
    sino que les tiene a ustedes **mucha paciencia,**
    pues no quiere que **nadie perezca,** sino que **todos**
      se arrepientan.

La lectura mueve a la conversión, a arrepentirse de la maldad que uno haya cometido. Pero también guarda la forma de advertencia que no puede desecharse sin correr el gran riesgo de perderse.

Hoy también, la esperanza y la certeza del "Dios con nosotros" se anuncian con la fiesta del Adviento. El Señor vendrá. Dios se ha comprometido en nuestra historia. Esta venida es real cada vez que el hombre reconoce su pecado y se muestra abierto a seguir la voluntad de Dios. Es el momento de orientarse a una vida más justa. La misericordia de Dios, manifestada en su próxima venida, es parte de su justicia.

II LECTURA Las primeras generaciones cristianas vivían de la esperanza de la próxima llegada del Mesías.

Jesús había rehusado señalar una fecha, dejando en el futuro la esperanza. Algunos ansiosos hasta niegan la venida del Señor. Contra esos "imprudentes" se dirigen las palabras de esta lectura (2 Pe 2:10).

Para el Señor no cuenta el tiempo como limitación: "Mil años son como un ayer", por decir algo. Para nosotros el tiempo sí cuenta y nos limita. Pero, al saber que estamos en las manos de Dios, él nos dará el tiempo necesario para arrepentirnos y para desarrollar nuestra tarea, nuestra encomienda. El tiempo de Adviento es tiempo propicio y oportuno para repensar nuestra vida y ver

cómo va la encomienda dada a cada uno por Dios. La llegada próxima del Señor en Navidad, es acicate y llamada de atención para componer y reorientar nuestra vida.

EVANGELIO El evangelio de Jesús, el Mesías, arranca con Juan Bautista. Su figura y su quehacer pertenecen al núcleo de la predicación cristiana más vieja; eso que se llama el kerigma primero. El dato se nota en la prédica de Saulo en Hechos 13:23–25, o la de Pedro en Hechos 10:37, o en el compendio que menciona los requisitos para ocupar el lugar vacante de

La llegada del Señor va a ser catastrófica para todo lo que necesita ser purificado. También nosotros. Esta lectura nos incluye a todos, como un llamado a la santidad. Esto es lo importante y hay que remarcarlo.

El día del Señor llegará como los ladrones.
Entonces los cielos **desaparecerán** con gran estrépito,
    los elementos serán **destruidos** por el fuego
    y perecerá la tierra **con todo lo que hay en ella.**

Puesto que todo va a ser destruido,
    piensen con **cuánta santidad y entrega** deben vivir ustedes
    esperando y **apresurando** el advenimiento del día del Señor,
    cuando **desaparecerán** los cielos, consumidos por el fuego,
    y se **derretirán** los elementos.

Esta parte final es de confianza y seguridad. Los fieles del Señor estamos cobijados por su palabra que nos recrea siempre. Anima a la asamblea de culto a vivir en gracia y santidad.

Pero nosotros **confiamos** en la promesa del Señor
    y esperamos **un cielo nuevo** y una tierra nueva,
        en que habite la justicia.
Por tanto, queridos hermanos,
    apoyados **en esta esperanza,**
    pongan **todo su empeño** en que el Señor
    los halle **en paz** con él,
    sin mancha **ni reproche.**

EVANGELIO   Marcos 1:1–8

Lectura del santo Evangelio según san Marcos

Con los tonos de la voz hay que señalar cuáles palabras son de las Escrituras, para que se note que el evangelio prolonga el anuncio antiguo de la salvación de Dios y lo hace nuevo.

Éste es **el principio** del Evangelio de Jesucristo, Hijo de Dios.
En el libro del profeta Isaías **está escrito:**

He aquí que yo envío a mi mensajero **delante de ti,**
    a **preparar** *tu camino.*
Voz del que **clama** *en el desierto:*
    "**Preparen** *el camino del Señor,*
    enderecen *sus senderos".*

Hay que distinguir las palabras entre las comillas dándoles fuerza y firmeza.

Judas en Hechos 2:22. El dato es fundamental para la fe cristiana y todos los evangelistas conocen esto. Digámoslo otra vez: con Juan Bautista inicia el Evangelio de Jesucristo, Hijo de Dios, y la liturgia nos presenta hoy el primero de dos arcos con los que san Marcos introduce su narración. Nos coloca a Juan Bautista, enlazando tres elementos sustanciales: las Escrituras, la prédica de conversión y el anuncio mesiánico.

Las palabras de las Escrituras, que explícitamente refieren a Isaías (40:3), repiten evocaciones del Éxodo (23:20) y de Malaquías (3:1). Isaías es el profeta preferido de

los escritores del Nuevo Testamento, pues reconocieron sus palabras escritas en la historia de Jesús. Marcos, entonces, presenta su evangelio en sintonía —por no decir en continuación— con la voz profética que anunciaba la salvación que Dios va a traer a su pueblo. Si san Marcos abre así su narración, da a entender que lo que contará sobre Jesús el Mesías, Hijo de Dios, estará tamizado por las revelaciones de Dios a lo largo de la historia del pueblo. Dios se da a conocer en la historia. Lo acontecido en Jesús, para algunos debía parecer tan novedoso que había que rechazarlo, conforme a

"la sana tradición"; para otros, estaría tan claramente avalado por Dios que no había más que darle fe entusiasta y asunto arreglado. La primera y segunda generación de creyentes, sin embargo, se dieron a la tarea de tejer y cotejar la historia de Jesús con las Escrituras, para subrayar sus afinidades y también sus discordancias. Este ejercicio de los grupos de discípulos para comprender, analizar y discernir el significado de las palabras, acciones y actitudes de Jesús fue esencial para figurar la continuidad y la ruptura con lo circundante. Ese ejercicio lo atribuimos al Espíritu Santo y ha quedado

La descripción de Juan tiene que ser muy viva. La gente la retiene con facilidad, pero también hay que darle énfasis a las palabras que él pronuncia, sobre todo las que hablan de Jesús. Hay que conseguir que la gente mire al que nos describe el texto.

En **cumplimiento** de esto,
aparece **en el desierto** Juan el Bautista
predicando un bautismo **de arrepentimiento,**
para **el perdón** de los pecados.
A él acudían **de toda la comarca** de Judea
y muchos habitantes de Jerusalén;
reconocían sus pecados y él **los bautizaba** en el Jordán.

Juan usaba un vestido **de pelo de camello,**
ceñido con un cinturón de cuero
y **se alimentaba** de saltamontes y miel silvestre.
Proclamaba:
"Ya viene **detrás de mí** uno que es **más poderoso** que yo,
uno ante quien no merezco **ni siquiera** inclinarme
para **desatarle** la correa de sus sandalias.
Yo los he bautizado a ustedes **con agua,**
pero él los bautizará **con el Espíritu Santo**".

plasmado en las letras inspiradas. Estos elementos son básicos para poder creer en el Evangelio de Jesús Mesías, y son los que ayudan a entender que la revelación de Dios es histórica; tiene su ancla en la memoria histórica del pueblo de Dios. Un pueblo que no tiene memoria, ni pueblo es, porque no tiene identidad.

El quehacer de Juan es profético —contracultural, diríamos hoy—. No sólo se viste como los profetas, sino que realiza gestos o signos para hacer ver la voluntad de Dios respecto a su pueblo. Realiza su actividad en el desierto y quiere que la gente

se convierta, es decir, que transforme su modo de vida para que sus pecados le sean perdonados; la marca de la conversión es el bautismo, un baño ritual en las aguas del Jordán, un rito de entrada en la tierra prometida. El resultado es un pueblo purificado, perdonado y listo para vivir la alianza de salvación con Dios.

El anuncio mesiánico de Juan apunta al futuro. Juan es un nuncio, no el que porta la salvación de Dios. La purificación no es la realización del reino, sino su preparación. El bautismo en el Espíritu Santo sólo será realidad cuando la historia de Jesús esté

completada y se pueda cotejar con las Escrituras. Ese bautismo consiste en la inteligencia mesiánica de las revelaciones escritas en los libros santos del pueblo de Dios. Es la conexión con ese pueblo cualificado, la que dispone a la salvación del Señor.

Esperamos al Mesías leyendo atentamente las Escrituras y haciendo signos de conversión.

INMACULADA CONCEPCIÓN DE LA VIRGEN MARÍA

Esta lectura es muy conocida, pero hay que darle su lugar a los detalles, sobre todo a los diálogos y a las palabras que aparecen en negrillas.

El diálogo entre Dios y Adán es el de todos los hombres que reconocen su complicidad en el mal. "Nadie debe sentirse excluido": mal. Nadie debe sentirse excluido. Por eso, estamos incluidos en Adán, el padre de la humanidad.

Este es el momento de dictar sentencia. El culpable ha sido descubierto y es terriblemente castigado. Pero las palabras deben mostrar la diferencia entre la serpiente y la mujer y cómo Dios abre una puerta grande a la esperanza. Esas palabras son las que nos dan vida. Somos hijos de la esperanza de la vida.

I LECTURA   Génesis 3:9–15, 20

Lectura del libro del Génesis

Después de que el hombre y la mujer
    comieron del fruto del árbol **prohibido**,
    el Señor Dios **llamó** al hombre y le preguntó:
    "¿Dónde estás?"
Éste le respondió:
    "**Oí** tus pasos en el jardín; y **tuve miedo**,
    porque estoy **desnudo**, y me **escondí**".
Entonces le dijo Dios:
    "¿Y **quién** te ha dicho que estabas **desnudo**?
    ¿**Has comido** acaso del árbol del que te **prohibí** comer?"

Respondió **Adán**:
    "**La mujer** que **me diste** por compañera
    me **ofreció** del fruto del árbol **y comí**".
El Señor Dios dijo a **la mujer**: "¿**Por qué** has hecho esto?"
Repuso la mujer: "La serpiente **me engañó** y comí".

Entonces dijo el Señor Dios a la serpiente:
    "Porque has hecho **esto**,
serás **maldita** entre **todos** los animales
    y entre **todas** las bestias salvajes.
Te **arrastrarás** sobre tu vientre
    y **comerás polvo** todos los días de tu vida.

I LECTURA   En la primera parte del libro del Génesis (caps. 1–11), se encuentran preguntas y respuestas a los problemas fundamentales que experimenta la humanidad de todos los tiempos; entre otros, la pregunta sobre el origen del mal y su posible remedio.

El texto de hoy se concentra en la falta humana, sus consecuencias: la entrada del mal, y la solución ofrecida por parte de Dios. La primera pregunta que aparece en el texto, es "¿Dónde estás?". No le pregunta Dios a Adán por lo que haya hecho, sino que trata de preguntarle por su situación: ¿Cómo te encuentras? Dios sabe que el hombre desobedeció, pero va como padre amoroso a tratar de continuar el diálogo, roto por la falta. Adán quiso ser más, no aceptó sus limitaciones de creatura; quiso ser como Dios: "Se les abrirán los ojos y serán como Dios, conocedores del bien y del mal" (Gen 3:5). Adán se encierra en sí mismo. Se escondió. No quiere dar la cara. De aquí la iniciativa divina.

Adán, el hombre, intenta dar una respuesta. No ha cortado completamente el diálogo con Dios. Pero ha aparecido en su mente el miedo, que se extenderá a toda la humanidad. El miedo paraliza. Adán da una respuesta cierta, pero no completa.

Adán no acepta su culpa. Al no aceptarla, no se acepta a sí mismo. Pierde su identidad. Es fácil la solución de culpar a otro. Acusa al mismo Dios, pues su respuesta va, en el fondo, contra Dios, que le dio una compañera en Eva.

Pero Dios conoce su obra y le abre al hombre posibilidades. Habrá enemistad entre el bien y el mal. Habrá en el futuro una solución: la mujer, la débil en esos momentos, será la que venza el mal, identificado en la serpiente.

Pondré **enemistad** entre ti y la mujer,
  entre tu descendencia y **la suya**;
  y su descendencia **te aplastará** la cabeza,
  mientras tú **tratarás** de morder su talón".

El hombre le puso a su mujer el nombre de "**Eva**",
  porque ella fue la madre de **todos** los vivientes.

Para meditar

SALMO RESPONSORIAL   Salmo 97:1, 2–3ab, 3cd–4

R. Canten al Señor un cántico nuevo, porque ha hecho maravillas.

Canten al Señor un cántico nuevo, porque ha hecho maravillas. Su diestra le ha dado la victoria, su santo brazo. R.

El Señor da a conocer su victoria; revela a las naciones su justicia: se acordó de su misericordia y su fidelidad en favor de la casa de Israel. R.

Los confines de la tierra han contemplado la victoria de nuestro Dios. Aclamen al Señor, tierra entera, griten, vitoreen, toquen. R.

II LECTURA   Efesios 1:3–6, 11–12

Lectura de la carta del apóstol san Pablo a los efesios

La lectura tiene que resaltar el nombre de Cristo, porque él es el que nos da la gran identidad cristiana, lo que somos a los ojos de Dios. Hay que hacer una pausa en todos los nombres de nuestro Señor: Jesucristo, Cristo, Hijo.

En este párrafo final hay que subrayar con la voz para que los que escuchan se sientan aludidos. Tu voz tiene que estar llena de justo orgullo y honor.

Bendito sea Dios,
  Padre de nuestro Señor **Jesucristo**,
  que nos ha bendecido **en él**
  con **toda** clase de bienes espirituales y celestiales.
Él nos **eligió** en Cristo, **antes** de crear el mundo,
  para que fuéramos **santos e irreprochables** a sus ojos,
  por **el amor**, y **determinó**, porque **así** lo quiso, que,
  por medio de Jesucristo, **fuéramos** sus hijos,
  para que **alabemos y glorifiquemos** la gracia
  con que nos **ha favorecido** por medio de su Hijo amado.

La mujer viene presentada enseguida como la que da la vida. Abre Dios un futuro a la descendencia de Adán, un futuro en que el hijo "nacido de mujer" (Gal 4:4) aplastará la cabeza del mal. Así el Apocalipsis (12:10–12) cantará el canto de la definitiva victoria sobre la bestia.

II LECTURA Esta lectura está tomada de una larga bendición con la que Pablo, después del saludo, empieza su carta a los Efesios. Generalmente, se trata de una acción de gracias, donde alude a algunas cualidades o virtudes de sus destinatarios.

Ahora, Pablo compone una bendición llena de entusiasmo, más que para ser leída, para proclamarla con gran viveza frente a la comunidad.

Objeto de esa bendición a Dios es el inmenso don de la elección. Dios eligió, cierto, a Israel para que manifestara su designio de salvación entre los demás pueblos. Pero ya antes de esa elección, la intención de Dios era ampliarla. O, si se quiere, la elección al pueblo hebreo en el Sinaí estaba destinada a convertirse en un gran torrente que se expandiera y abarcara a todos los hombres de buena voluntad.

La elección de Dios es para que el elegido o elegidos sean santos, separados de los que ven al mundo alejado de Dios. Como sólo Dios es santo, nosotros estamos llamados a imitarlo, aceptando sus gracias, que consisten en llevar una vida sin pecado. De aquí la elección litúrgica de esta bendición. El misterio de la Inmaculada Concepción nos recuerda el objetivo de toda vida cristiana: un comportamiento como el de la "Llena de gracia". Fue elegida por Dios para manifestar la bondad divina, entregándonos a Jesús, que nos dio la adopción por su sangre (v. 5), redimiéndonos del pecado (v. 7).

Con Cristo somos **herederos** también nosotros.
Para **esto** estábamos destinados,
   por **decisión** del que lo hace todo **según** su voluntad:
   para que **fuéramos** una alabanza **continua** de su gloria,
   nosotros, los que ya antes **esperábamos** en Cristo.

EVANGELIO   Lucas 1:26–38

Lectura del santo Evangelio según san Lucas

En aquel tiempo,
   el **ángel** Gabriel fue enviado por Dios
   a una ciudad de Galilea, llamada **Nazaret**,
   a una **virgen** desposada con un varón de la estirpe de David,
   llamado **José**. La virgen se llamaba **María**.

Entró el ángel a donde ella estaba y le dijo:
   "**Alégrate**, **llena** de gracia, el Señor **está** contigo".
Al oír **estas** palabras,
   ella se preocupó **mucho**
   y se preguntaba **qué querría decir** semejante saludo.

El ángel le dijo:
   "**No temas**, María, porque **has hallado** gracia ante Dios.
   Vas **a concebir** y a dar a luz **un hijo**
   y le pondrás por nombre **Jesús**.
Él será **grande** y será llamado **Hijo** del Altísimo;
   el Señor Dios le dará el trono de David, **su padre**,
   y él **reinará** sobre la casa de Jacob **por los siglos**
   y su reinado **no tendrá fin**".

La proclamación de este evangelio hay que hacerla marcando bien los momentos de la escena: la introducción y las batutas del diálogo entre el ángel y la virgen. Guarda las pausas entre un párrafo y otro.

El saludo es importante, pero la reacción de María lo es más; léela con detenimiento y como meditando tú mismo en ellas.

Aquí hay dos momentos. El primero se enfoca en María, el segundo en Jesús y lo que será para su pueblo. Los verbos del futuro son los que tienen que jalar la atención.

El objeto final de toda la elección, de la nuestra y, sobre todo, de María, es que "todo tenga a Cristo por Cabeza" (v. 10).

El objetivo que tenemos enfrente y nos jala en cada momento para que lo hagamos real, es ser santos, es decir, vencer al pecado con la bondad. En el fondo, en esto consiste el misterio de la Inmaculada Concepción de María.

EVANGELIO El evangelio nos hace repensar los eventos de la salvación 'como se han verificado entre nosotros'. De modo particular, vale fijarse en algunos rasgos culturales que con frecuencia sepultamos, pero que esta lectura revive sobre la bienaventurada Virgen María.

Lucas subraya la condición virginal de María, al señalarla en tres momentos. En la Escritura, y también fuera de ella, la virginidad refiere primero a la edad núbil o casadera, y sólo contextualmente a la integridad física; en nuestro modo occidental de pensar, hemos invertido la primacía. Como edad núbil se consideraban los 10 u 11 años para ellas, y los 12 para ellos. La virginidad física femenina era altamente valorada para aspirar a un matrimonio digno y honorable, y pesaba mucho a la hora de las negociaciones entre los patriarcas de las familias de los contrayentes.

El matrimonio era menos asunto de los cónyuges que de las familias que lo concertaban para establecer una relación de mutuo apoyo y 'compartir' sus bienes, incluida la prole. Era asunto más social o colectivo que individual. Al hacer público el enlace familiar, el padre del novio entregaba al de la novia el *mohar*, una cantidad de dinero o bienes para garantizar la unión, y que en caso de ruptura matrimonial, repudio, divorcio o viudez, serviría para la manutención

La parte final del discurso del ángel infunde confianza. Hay que pronunciarla sin sombra de duda y con solemne autoridad.

María le dijo entonces al ángel:

"**¿Cómo** podrá ser esto, puesto que yo **permanezco virgen**?"

El ángel le contestó:

"El Espíritu Santo **descenderá** sobre ti

y el **poder** del Altísimo te cubrirá con su sombra.

Por eso, **el Santo**, que va a nacer **de ti**,

será llamado **Hijo de Dios**.

Ahí tienes a tu parienta **Isabel**,

que a pesar **de su vejez**, **ha concebido** un hijo

y ya va en el **sexto** mes la que llamaban **estéril**,

porque no hay **nada imposible** para Dios".

María contestó:

"**Yo soy** la esclava del Señor;

cúmplase en mí lo que me has dicho".

Y el ángel **se retiró** de su presencia.

de la mujer. El anuncio formal de la unión matrimonial podía ocurrir años antes de que los contrayentes llegaran a convivir. Sin embargo, los novios estaban obligados a la fidelidad marital; la infidelidad se castigaba como adulterio. Lo que en la Biblia aparece como bodas o fiesta del matrimonio, es el momento en el que la novia era conducida a vivir a la casa de su esposo; con esto, ella quedaba bajo la potestad de su señor e insertada en la comunidad familiar de su marido.

San Lucas establece que María estaba 'desposada con un varón de la casa de David'. La honorabilidad de José es la más alta, pues David era el prototipo de rey y de nobleza israelita. La honorabilidad no se mide necesariamente por el dinero, sino por la buena fama, la integridad y la prestancia social de la familia a la que se pertenece. En su condición de desposada, María será miembro de la casa davídica. De la propia casa de María nada se dice, salvo el parentesco con Isabel, casada con un sacerdote. Quizá la línea patriarcal de María fuera sacerdotal. A los ojos israelitas, la unión de José con María debía representar algo deseable y promisorio. Sólo que...

El sí de María al ángel echa por tierra las expectativas 'normales'. Un embarazo fuera del matrimonio, sin el concurso de José, equivale a adulterio; vendría el repudio y hasta la muerte. El hijo, lo menos, cargará el estigma de 'bastardo' con sus consabidas secuelas. Pero nada de eso habla Gabriel. Antes al contrario, para el hijo anuncia una grandeza inigualable y para ella la fuerza y protección del Espíritu Santo. Algo que ese mismo Espíritu nos garantiza para caminar, sin miedo, por sus sendas.

NUESTRA SEÑORA
DE GUADALUPE

Los dos párrafos de la lectura tienen tono diferente. En el primero dale rostro y voz al profeta que le habla con entusiasmo desbordante a la asamblea, el pueblo de Dios.

Haz un breve silencio para pronunciar estas palabras, y otro antes de la fórmula de conclusión con la que pasas a retirarte.

I LECTURA   Zacarías 2:14–17

Lectura del libro del profeta Zacarías

"Canta de gozo y regocíjate, Jerusalén,
pues vengo a vivir **en medio de ti**, dice el Señor.
Muchas naciones se unirán al Señor en aquel día;
ellas también serán **mi pueblo**
y yo habitaré **en medio** de ti
y sabrás que el Señor de los ejércitos
me ha enviado **a ti**.
El Señor tomará nuevamente a Judá
como su **propiedad personal** en la tierra santa
y Jerusalén volverá a ser la ciudad elegida".

¡Que todos guarden silencio ante el Señor,
pues **él se levanta** ya de su santa morada!

O bien:

Esta visión del profeta Juan es extraordinaria. Con tus palabras transporta a tu auditorio al templo de Dios en el cielo. Tu voz tiene que mostrar asombro y novedad ante el arca de la alianza.
La descripción de la mujer es como el retrato de la asamblea. Dale viveza a los detalles, y drama al comienzo del párrafo del dragón gigantesco.

I LECTURA   Apocalipsis 11:19a; 12:1–6a, 10ab

Lectura del libro del Apocalipsis del apóstol san Juan

Se abrió el templo de Dios en el cielo
   y dentro de él se vio el **arca de la alianza**.
Apareció entonces en el cielo una figura prodigiosa:
   una mujer envuelta por el sol,

I LECTURA Nuestro texto es una prolongación de la visión del cordel de medir (2:5–17). El texto habla de la Jerusalén renovada, puesto que habitará de nuevo el Señor en ella, es decir, el templo será reconstruido. Jerusalén no será más una ciudad defensiva, es decir amurallada, ahora será una ciudad abierta a todos los pueblos.

Israel estaba expuesto a distintas influencias y amenazas de sometimiento. Por esto amó tanto la libertad y se encerró en sus valores. Esta actitud defensiva tuvo sus ventajas: no ser un pueblo aniquilado o desbaratado y seguir la suerte de los gran-

des imperios de los que sólo queda su nombre. Israel ha resistido a todos los vientos. Pero, al mismo tiempo, esa cerrazón le trajo deficiencias: no participó de los bienes y novedades que se inventaban en los pueblos extranjeros, diríamos, se empobreció culturalmente.

Ahora, Zacarías anuncia, después de tantas esperanzas muertas en una reconstrucción del reino davídico y demás tradiciones y costumbres judías, la llegada de algo nuevo. Jerusalén será una ciudad abierta. Todos los pueblos son invitados a visitarla y ¿por qué no? A habitarla. La influencia

será de parte de Israel, o mejor dicho, de parte de su Dios. Esos pueblos serán pueblo de Dios. Esto representa una novedad enorme ante el exclusivismo y cerrazón de la elección, entendida a la manera humana. Dios abre la fe que salva a todos los pueblos.

Por lo anterior, fue escogida esta explicación de la visión del cordón de medir. La medida es para comprobar que la extensión de la ciudad sea lo suficientemente amplia como para que quepan todos los pueblos. Lo importante: la presencia de Dos estará allí. Cierto que los desterrados tendrán su

con la luna bajo sus pies
y con una corona de doce estrellas en la cabeza.
Estaba encinta y a punto de dar a luz
y gemía con los dolores del parto.

Pero apareció también en el cielo otra figura:
un enorme dragón, color de fuego,
con siete cabezas y diez cuernos,
y una corona en cada una de sus siete cabezas.
Con su cola
barrió la tercera parte de las estrellas del cielo
y las arrojó sobre la tierra.
Después se detuvo delante de la mujer que iba a dar a luz,
para devorar a su hijo, en cuanto éste naciera.
La mujer dio a luz un hijo varón,
destinado a gobernar todas las naciones
con cetro de hierro;
y su hijo fue llevado hasta Dios y hasta su trono.
Y la mujer huyó al desierto, a un lugar preparado por Dios.

Entonces oí en el cielo una voz poderosa, que decía:
"Ha sonado la hora de la victoria de nuestro Dios,
de su dominio y de su reinado, y del poder de su Mesías".

SALMO RESPONSORIAL Judit 13:18bcde, 19

R. Tú eres el orgullo de nuestra raza.

El Altísimo te ha bendecido, hija, más que a todas las mujeres de la tierra. Bendito el Señor, creador del cielo y tierra. R.

Que hoy ha glorificado tu nombre de tal modo, que tu alabanza estará siempre en la boca de todos los que se acuerden de esta obra poderosa de Dios. R.

El drama llega a su clímax en este momento. Prolonga la pausa justo antes de la línea que anuncia que la mujer da a luz.

Las últimas palabras son una declaratoria majestuosa del momento de la salvación. El drama jala y viene a desembocar en este punto.

Para meditar

---

lugar, pero también los pueblos, sin ninguna restricción.

La fiesta de la Virgen de Guadalupe quiere traer a cuento la realidad del anterior oráculo. La fe empezó a hacerse visible con la aparición de María en el Tepeyac. Los misioneros se dieron cuenta de que avanzaba la conversión de los naturales del centro de México, y pronto fue una realidad una iglesia joven que alababa a Jesús, bajo el patrocinio de su madre.

Había sido una obligación de Israel difundir su sabiduría, la Palabra santa, aunque a veces no la cumplió. La revelación no le pertenece a él solo, sino a toda la humanidad.

Entre los pueblos a quienes estaba dirigida la Palabra estaba la América, desconocida por mucho tiempo. Por esto, al ser descubierto este continente, María de Guadalupe vino a fundar ese nuevo pueblo, para ofrecerle la misma palabra santa que se había predicado antes a tantos pueblos y que la habían aceptado por la fe. Para esto se quedó María en el Tepeyac, para seguir fungiendo su labor de madre, como lo había sido históricamente con Jesús en Nazaret. Como dio a su hijo, el Mesías, al mundo hace tanto tiempo, así ahora sigue ofreciendo a este mismo Hijo suyo a nuestros pueblos americanos.

| I LECTURA | Esta visión del profeta Juan forma parte de la séptima y última trompeta que encierra una serie de tres señales en el cielo, de las que hoy escuchamos dos: la mujer revestida de sol y la del enorme dragón. Son figuras antagónicas o enemigas. Hablar de señales quiere decir aguzar la inteligencia espiritual para entender bien lo que Dios nos comunica.

La mujer celeste es cifra o símbolo del pueblo de Dios. Un pueblo de belleza deslumbrante, poderosa y cósmica, y lleno de vitalidad y esperanza: está por dar a luz. Ese pueblo, sin embargo, es vulnerable, no tiene defensas ante el enorme dragón rojo, capaz

EVANGELIO   Lucas 1:39–48

Lectura del santo Evangelio según san Lucas

En aquellos días, María se **encaminó presurosa** a un pueblo de las montañas de Judea, y entrando en la casa de Zacarías, saludó a Isabel. En cuanto ésta oyó **el saludo de** María, la creatura **saltó en su** seno.

Entonces Isabel **quedó llena** del Espíritu Santo, y levantando la voz, exclamó: "¡**Bendita tú** entre las mujeres y **bendito el fruto** de tu vientre! ¿Quién soy yo, para que la madre de mi Señor venga a verme? Apenas llegó **tu saludo** a mis oídos, el niño saltó **de gozo** en mi seno. **Dichosa** tú, que has creído, porque **se cumplirá** cuanto te fue anunciado de parte del Señor".

Entonces dijo María: "Mi alma **glorifica** al Señor *y mi espíritu se llena* **de júbilo** *en Dios, mi salvador, porque puso sus ojos en la* **humildad** *de su esclava*".

O bien: Lucas 1:26–38

Este encuentro está impregnado de la alegría de la salvación. La asamblea debe experimentar esto desde que llega a la iglesia a celebrar. Hoy debe ser un día especial para la hospitalidad.

A las palabras de Isabel llénalas de alegría y euforia. Únete a su espíritu y a su desbordado ímpetu. La salvación de Dios así alcanza a más personas.

La respuesta de María también es eufórica, pero más breve. Reposa cada oración siguiendo la puntuación correspondiente.

---

de aniquilar a los astros del cielo, es decir, a los santos de Dios. El dragón, sin embargo, no ataca a la mujer sino que acecha al que está por nacer para devorarlo. En juego está el futuro. Cuando ella da a luz ocurre el prodigio. Sin aparecer, Dios salva a su Mesías y le da un refugio seguro, en el desierto, a la mujer. La victoria de Dios es segura y total.

Esa certeza es la que María de Guadalupe vino también a transmitir a los pueblos indígenas de este continente, sobajados por el poderío del dragón y sus secuaces. Ella es como una señal para nosotros, y la liturgia nos la coloca delante para que cobremos conciencia de que éste es el momento del

dominio y del gobierno del Mesías. Un reinado donde lo humano, lo bello y la vida misma derrote a lo draconiano y monstruoso.

EVANGELIO San Lucas nos regala el Magníficat. Allí ocurre lo extraordinario: un Pentecostés femenino. El canto se fija en la propia María reconociéndose objeto de la largueza y compasión de Dios; luego pasa a ensalzar a Dios por sus hazañas poderosas y mantener sus promesas. El "brazo" de Dios es su poder que somete a sus adversarios. En cambio, los que le temen, los hambrientos, se benefician de él. No es una simple inversión de

posiciones, poco se ganaría, sino un estado de cosas en el que Dios impera rescatando a sus fieles y mantiene sus promesas de una generación a otra… hasta la nuestra.

San Lucas inscribe a Isabel y a María con las matriarcas y profetisas de Israel; unas eran mujeres impedidas para tener hijos y con la intervención de Dios dieron a luz, otras anunciaron las proezas de Dios en favor de su pueblo. Cada una de ellas alumbra esperanza para los más vulnerables. A las mujeres jóvenes y ancianas, Dios nos las pone como caminos de vida y de dicha.

III DOMINGO DE ADVIENTO

I LECTURA Isaías 61:1–2a, 10–11

Lectura del libro del profeta Isaías

El espíritu del Señor **está sobre mí,**
  porque me ha **ungido**
  y me **ha enviado** para anunciar la **buena nueva** a los pobres,
  a curar a los de corazón **quebrantado,**
  a proclamar **el perdón** a los cautivos,
  la libertad a los prisioneros
  y a pregonar **el año de gracia** del Señor.

Me alegro en el Señor **con toda el alma**
  y me **lleno de júbilo** en mi Dios,
  porque me **revistió** con vestiduras de salvación
  y me **cubrió** con un manto de justicia,
  como el **novio** que se pone la corona,
  como la novia que **se adorna** con sus joyas.

Así como la tierra **echa** sus brotes
  y el jardín hace **germinar** lo sembrado en él,
  así el Señor **hará brotar** la justicia
  y la alabanza ante **todas** las naciones.

El profeta le da voz al Siervo del Señor, y ahora tú se la prestas para que esta comunidad vuelva a escuchar palabras de liberación y de gracia. Es muy importante cambiar los ritmos en esta lectura.

El profeta habla de sí mismo como delegado de justicia y de salvación. Dios lo ha investido para esa misión. Es novio de justicia resplandeciente. Así tiene que ser el temple de tus palabras.

Haz el fraseo de este párrafo de modo que se note muy bien la comparación: "Así como… así…". Con tus ojos y tu voz abarca a toda la asamblea con las últimas dos líneas.

I LECTURA Los exiliados habían vuelto a su país de origen; no todos, pero sí un número representativo. Pronto vieron las dificultades. Antes, cuando los primeros refugiados llegaron, aprovechando el decreto de Ciro, encontraron dificultades, pero éstas pesaban más en los que ya tenían tiempo en su nueva tierra. La realidad desmorona su esperanza y el país soñado.

No sabemos la identidad del que habla, pero la unción y el espíritu lo califican como profeta. Él anuncia y trae la Buena noticia (el evangelio), de la paz y liberación. Los destinatarios son la gente oprimida, los cautivos,

los prisioneros, términos que se resumen en "los afligidos". Para ellos es el año de gracia, año jubilar, que anuncia salvación y no venganza.

La esperanza del profeta y de la gente a la que le habla, es una salvación de entorno universal, aunque el profeta no deja la idea de cierta primacía de Israel. Tenían dos instituciones: el templo y la Ley. Esto los podía llevar a la magia. Por eso ser "pobres" consiste en vivir "encorvados" ante el Dios viviente.

Las palabras de hoy anuncian que los últimos tiempos ya llegaron. La venida del

Señor obra una transformación completa, creando un nuevo tipo de relaciones con Dios, con los hombres y con el universo. Es la mejor manera de preparar la fiesta que se avecina.

II LECTURA Esta carta, escrita a principios del año 51, intenta animar y completar la enseñanza que Pablo no había podido llevar a cabo por haber sido perseguido y echado de la ciudad. El texto que leemos en la liturgia de hoy contiene consejos del apóstol.

15

Para meditar

SALMO RESPONSORIAL   Lucas 1:46–48, 49–50, 53–54

R. Se alegra mi espíritu en Dios mi Salvador.

Proclama mi alma la grandeza del Señor,
se alegra mi espíritu en Dios mi salvador;
porque ha mirado la humillación de su
esclava. Desde ahora me felicitarán todas las
generaciones. R.

Porque el Poderoso ha hecho obras
grandes por mí; su nombre es santo, y su
misericordia llega a sus fieles de generación
en generación. R.

A los hambrientos los colma de bienes y a los
ricos los despide vacíos. Auxilia a Israel, su
siervo, acordándose de la misericordia. R.

II LECTURA   1 Tesalonicenses 5:16–24

Lectura de la primera carta del apóstol san Pablo a los tesalonicenses

Es Domingo de *Gaudete*, de gozo, de alegría. Ese es el sentimiento que san Pablo nos ayuda a interiorizar y a transmitir. Busca que la asamblea sienta gusto en la espera del Mesías.

Hermanos:
Vivan **siempre** alegres,
   oren **sin cesar,** den gracias **en toda ocasión,**
   pues esto es lo que Dios **quiere de ustedes** en Cristo Jesús.
No **impidan** la acción del Espíritu Santo,
   *ni des***precien** el don de profecía;
   pero **sométanlo todo** a prueba y **quédense** con lo bueno.
Absténganse **de toda clase** de mal.
Que el Dios de la paz **los santifique** a ustedes
   en todo y que **todo su ser,** espíritu,
   alma y cuerpo, se conserve **irreprochable**
   hasta **la llegada** de nuestro Señor Jesucristo.
El que los ha llamado es **fiel** *y* **cumplirá** su promesa.

Esta es una bendición que debe llegar a todos los escuchas con tono de seguridad. Las últimas dos líneas del párrafo refuerzan esta certeza de toda la Iglesia.

EVANGELIO   Juan 1:6–8, 19–28

Lectura del santo Evangelio según san Juan

Este evangelio nos tiene que salir de adentro, porque somos testigos de la luz de Dios, enviada a todos los hombres. Esa luz nos hace ser lo que somos. Este momento de anunciar la luz de Jesucristo, tiene que llevar a los oyentes de Juan a identificar quiénes son.

Hubo un hombre **enviado** por Dios,
   que se llamaba **Juan.**

Llama la atención que el Apóstol ponga en primer lugar la alegría. También en Filipenses invita a estar siempre alegres (Flp 4:4–6). La alegría a la que se refiere el apóstol, proviene de aguas profundas. Es que la alegría es un fruto del Espíritu (Gal 5:22); enraíza en la esperanza.

Los tesalonicenses conocen las manifestaciones del Espíritu, pero no las tenían en gran estima, como los corintios. Por esto los invita a no despreciarlas. Pero, ¿cómo identificar al Espíritu? Pablo da un excelente consejo que puede servir para esto y para todo: "Examínenlo todo y quédense con lo

mejor". Lo mejor será la caridad. Esta es la prueba de toque.

Para un judío y para un cristiano con mayor razón, la santificación, esa cualidad que nos depara la presencia de Dios, es lo que hay que procurar. Esto no se puede sin Dios. De aquí la petición a que la santidad, que viene de Dios, nos lleve a un progreso. Esta santificación abarca a todo el hombre: espíritu, alma y cuerpo.

EVANGELIO   El evangelio enlaza unos versos del himno del prólogo de san Juan, con la declaración del

Bautista ante los emisarios de las autoridades religiosas a interrogarlo.

El interrogatorio guarda cierto carácter oficial, porque los enviados son peritos en "religión y costumbres". Tratan de fijar judicialmente la identidad de Juan, en razón de lo que hace. Por eso también se anota el lugar del testimonio. Desde aquí, este evangelio será como un proceso judicial. Aquí tenemos la declaracion del primer testigo.

Juan asume no ser el mesías, ni el profeta, sino la voz que anticipa la llegada del Señor. Vale la pena subrayar que, en el imaginario religioso, el mesías o ungido sería el

Éste vino como **testigo,** para dar **testimonio** de la luz,
    para que **todos** creyeran por medio **de él.**
Él **no era** la luz, sino **testigo** de la luz.

En este párrafo comienza la narración del evangelio. Tu voz tiene que cobrar ese tono del narrador que conoce bien una historia, pero también haz que se note la voz de cada uno de los protagonistas.

Éste es el **testimonio** que dio Juan el Bautista,
    cuando los judíos enviaron **desde Jerusalén**
    a unos sacerdotes y levitas para preguntarle:
        "**¿Quién** eres tú?"
Él reconoció y **no negó** quién era.
Él **afirmó:** "Yo **no soy** el Mesías".
De nuevo le preguntaron:
    "**¿Quién** eres, pues? ¿Eres Elías?"
Él les respondió: "**No lo soy**".
    "¿Eres el **profeta?**" Respondió: "**No**".
Le dijeron: "Entonces dinos **quién** eres,
    para poder llevar **una respuesta** a los que nos enviaron.
¿Qué dices **de ti mismo?**"
Juan les contestó:

La respuesta de Juan viene de las Escrituras. Dale esa autoridad solemne que tienen las palabras de Dios. Es la verdad de la salvación.

    "Yo soy la voz que **grita** *en el desierto:*
    '**Enderecen** *el camino del Señor',*
    como **anunció** *el profeta Isaías".*

Los enviados, que pertenecían a la secta de **los fariseos,**
    le preguntaron: "Entonces ¿**por qué** bautizas,
    si no eres el Mesías, ni Elías, **ni el profeta?**"
Juan les respondió:

La presencia de Jesús es real en la asamblea reunida en su nombre. Por eso estas palabras tienes que decirlas dirigidas a la reunión, con la certeza de que Jesús está allí, en medio de todos.

    "Yo bautizo **con agua,** pero en medio de ustedes
    hay **uno,** al que ustedes **no conocen,**
    alguien que viene **detrás** de mí,
    a quien yo **no soy digno** de desatarle las correas
        de sus sandalias".

Esto sucedió en **Betania,** en la otra orilla del Jordán,
    donde Juan **bautizaba.**

---

líder del pueblo elegido que validaría la salvación de Dios a favor de sus fieles. Cabe entender la salvación como una era de bienestar y prosperidad bajo el régimen de la Ley de Dios. Sería la "nueva era", la mesiánica. Se debe subrayar que la figura mesiánica era concebida de modos diferentes según los distintos círculos sociales y grupos religiosos de la época. Saduceos, nacionalistas, fariseos, esenios, herodianos, sacerdotes, galileos, judeos, samaritanos, repatriados,… tenían su propio perfil mesiánico, sus propias necesidades y sus ilusiones. De por sí, mesías significa 'ungido', y se

unge a alguien para elegirlo o designarlo para un cargo o función específica en favor del pueblo necesitado. La unción consagra para un quehacer beneficioso. Así, en las Escrituras encontramos ungidos que se desempeñan como reyes, o sacerdotes o profetas. Ellos operan beneficios concretos de Dios para su pueblo. Y Juan está trabajando en favor del pueblo, pero no es el Mesías.

Entre los escuchas de este evangelio, había seguidores de Juan Bautista. Ellos deben entender el papel importantísimo de su maestro. Su quehacer era encaminar hacia la Luz. A tales seguidores se les invita

a pertenecer al movimiento de Jesús, sin sentir pena o vergüenza por dejar las filas del Bautista. El bautismo de agua era puerta de entrada a la revelación de la Luz.

Los creyentes en Jesús son puestos bajo sospecha e interrogados por las autoridades religiosas, atentas a cuanto movimiento pudiera atentar contra la estabilidad religiosa, para saber a qué atenerse. Lo que hace Juan puede ser riesgoso para la ortodoxia y su liderazgo. Hoy también el mensaje es claro: ¡Disciernan el camino del Señor! ¡Descubran al que está en medio de ustedes!

IV DOMINGO
DE ADVIENTO

Somos el nuevo pueblo de Dios; por eso las palabras de Natán las vemos cumplidas en la casa del Mesías, Jesús de Nazaret.

I LECTURA   2 Samuel 7:1–5, 8b–12, 14a, 16

Lectura del segundo libro de Samuel

Tan pronto como el rey David **se instaló** en su palacio
   y el Señor le concedió **descansar** de todos los enemigos
      que lo rodeaban,
   el rey dijo al profeta Natán:
   "¿Te has dado cuenta de que **yo vivo** en una mansión de cedro,
      mientras **el arca de Dios** sigue alojada en una **tienda
      de campaña**?"
Natán le respondió:
   "Anda **y haz todo** lo que te dicte el corazón,
      porque el Señor **está contigo**".

Aquella **misma noche** habló el Señor a Natán y le dijo:
   "**Ve** y dile a mi siervo David que el Señor
      le manda decir esto:
   '¿Piensas que **vas a ser tú** el que me construya una casa,
      para que **yo** habite en ella?
Yo **te saqué** de los apriscos y de andar tras las ovejas,
   para que fueras **el jefe de mi pueblo,** Israel.
Yo estaré contigo **en todo** lo que emprendas,
   acabaré con tus enemigos
      y te **haré tan famoso** como los hombres más famosos
      de la tierra.

Este párrafo es otro momento del relato. Dios le revela al profeta el futuro de la dinastía davídica. Esta sección abarca el resto de la lectura, de modo que hay que darle ritmo propio a cada parte. Aquí Dios le habla al rey, para que reconozca que todo se lo debe a él.

I LECTURA El hombre intenta prolongarse. Como ve que la vida se le escapa sin poderla dominar, entonces se proyecta en su descendencia. Los reyes de la tierra poseen las mismas tendencias. Ellos han querido fundar su dinastía firmemente y sueñan en la eternidad. Igual David. Sólo que tuvo que contar con otra voluntad, la de Dios.

La promesa de Natán a David de que su descendencia sería estable duró mucho, hasta el exilio babilónico; cuatro siglos, no es poco decir. El profeta aludió a una condición que, por desgracia, no se cumplió:

observar la Ley de Dios. Es decir, cumplir con aquello para lo cual Israel había pedido un rey: alguien que los guiara a la batalla y les impartiera la justicia entre ellos. Dos cualidades fundamentales para la sobrevivencia de cualquier grupo social: la identidad y la cohesión entre las partes. En la biblia se llaman elección y justicia.

David intentó cumplir la condición. Y logró mucho. No en balde, el Señor Dios afirmaba después, por medio de sus distintos enviados, que si él no castigaba o endurecía su castigo, era en atención a su amigo David.

Esta incapacidad de gobernar, de servir, se mostró pronto en la dinastía davídica. De allí la necesidad de la nueva intervención divina. Llegará por un descendiente davídico, que tenga la fuerza del Espíritu. Su descendiente es Jesús que estuvo lleno del Espíritu Santo. Por esto inauguró un reino parecido al que David había querido fundar. Jesús es el auténtico rey, el jefe, el pastor que sí se preocupa y ayuda al pueblo, sobre todo, al que necesita tanto el pan como la fuerza del Espíritu.

Esta parte de la lectura trata sobre el pueblo de Dios. Dirígete con la mirada y la intención de tus palabras a la asamblea. Es un anuncio de liberación que tiene que llegar a todos.

El heredero del trono es Jesús. Ese sentido tienes que darle a lo que vas leyendo. Baja el ritmo en las últimas cuatro líneas. Es como la nuez que encierra la promesa de Dios a su pueblo.

Le **asignaré** un lugar a mi pueblo, Israel;
　lo plantaré allí para que habite en **su propia tierra.**
Vivirá **tranquilo**
　y sus enemigos ya **no lo oprimirán más,**
　como lo han venido haciendo
　desde los tiempos en que **establecí** jueces
　para **gobernar** a mi pueblo, Israel.
Y a ti, David, te haré **descansar** de todos tus enemigos.

Además, yo, **el Señor,**
　te hago saber que te daré **una dinastía;**
　y cuando tus días se hayan **cumplido**
　y descanses para siempre con tus padres,
　engrandeceré a tu hijo, sangre de tu sangre,
　y **consolidaré** su reino.
Yo seré para él **un padre** y él será para mí **un hijo.**
Tu casa y tu reino
　permanecerán para siempre **ante mí,**
　y tu trono será estable **eternamente**'".

Para meditar

SALMO RESPONSORIAL　Salmo 88:2–3, 4–5, 27, 29

R. Cantaré eternamente las misericordias del Señor.

Cantaré eternamente las misericordias del Señor, anunciaré tu fidelidad por todas las edades. Porque dije: "Tu misericordia es un edificio eterno, más que el cielo has afianzado tu fidelidad". R.

Sellé una alianza con mi elegido, jurando a David, mi siervo: "Te fundaré un linaje perpetuo, edificaré tu trono para todas las edades". R.

Él me invocará: "Tú eres mi padre, mi Dios, mi Roca salvadora". Le mantendré eternamente mi favor, y mi alianza con él será estable. R.

II LECTURA　Esta lectura está tomada de un himno. La Iglesia toma la amplia doxología con que termina san Pablo su carta a los Romanos. Aquí resume los temas tratados en esa carta, sobre todo, el central: la salvación por la fe. Habla del misterio dado a conocer. Esto alude a la primera Lectura la profecía de Natán.

　El Apóstol resume. Quiere expresar la insondable sabiduría de Dios (Rom 11:33) que consolida y refuerza la fe de los cristianos de Roma (Rom 16:25). Para David, el misterio anunciado por Dios de una casa eterna, estuvo escondido. No se dio cuenta

del alcance de esta promesa. Ni Salomón pudo dilucidar hacia dónde iba esa promesa, que era parte de la sabiduría de Dios. Esta revelación enorme le fue concedida a Pablo, administrador de los misterios de Dios (1 Cor 4:1), que la recibió en el camino de Damasco (Gal 1:16). Este misterio está revelado en Jesús resucitado.

　La Buena Noticia ofrecida por Jesús era la salvación del hombre, realizada a través de su muerte y resurrección. Misterio de salvación predicado por Pablo (1 Cor 1:21). Pablo fue llamado por Dios desde el vientre materno para revelar este misterio a los

paganos y judíos y así naciera la obediencia de la fe (Ef 3:1–13). Se trata del tema central de esta carta: la justificación por la fe. Ahora, al final de su carta, Pablo alude al Dios que puso en acto su poder (*dynamis*) en Jesús.

　Los tiempos pasados y futuros se condensan en Jesús. Él es el gran revelador del misterio del Padre. Con la muerte y resurrección de Jesús, empieza el acceso nuevo de cada hombre a Dios.

　La doxología alaba al único que se puede glorificar por haber revelado este misterio a los hombres y haber dado su comprensión y beneficios de este misterio, el Padre

Breve y sustanciosa esta alabanza de Pablo para despedirse de los Romanos. No es fácil de seguir el curso, por lo que es necesario darle a cada línea su tiempo y su sentido.

II LECTURA   Romanos 16:25–27

Lectura de la carta del apóstol san Pablo a los romanos

Hermanos:
A aquél que puede darles fuerzas para **cumplir** el Evangelio
    que yo he proclamado, **predicando** a Cristo,
    conforme a la **revelación** del misterio,
    mantenido **en secreto** durante siglos,
    y que ahora, en cumplimiento del **designio eterno** de Dios,
    ha quedado **manifestado** por las Sagradas Escrituras,
    para atraer **a todas** las naciones a la **obediencia** de la fe,
    al Dios **único, infinitamente** sabio,
    démosle **gloria,** por Jesucristo, para **siempre.** Amén.

La Anunciación es un ejemplo claro de cómo evangelizar con la palabra. La historia es de gente simple y sencilla. Esta asamblea de Dios también es así. No le demos más vueltas al evangelio queriéndolo hacer complejo y rebuscado. Con toda sencillez, cuéntale a la reunión los inicios del cumplimiento de la promesa de Dios.

EVANGELIO   Lucas 1:26–38

Lectura del santo Evangelio según san Lucas

En aquel tiempo,
    el ángel Gabriel **fue enviado** por Dios
    a una ciudad de Galilea, llamada **Nazaret,**
    a una **virgen** desposada con un varón de la estirpe de David,
    llamado **José.**
La virgen se llamaba **María.**

Entró el ángel a donde ella estaba y le dijo:
    "**Alégrate,** llena de gracia, el Señor está **contigo**".
Al oír estas palabras, ella se **preocupó mucho**
    y se preguntaba **qué querría decir** semejante saludo.

El ángel le dijo:
    "No temas, María, porque **has hallado** gracia ante Dios.
Vas **a concebir** y a dar a luz un hijo
    y le **pondrás** por nombre Jesús.

Revive las palabras del ángel con tu propia expresión. Recuerda que María es imagen también del pueblo mesiánico. No es un pueblo complicado, sino uno de gente bondadosa y bien dispuesta a escuchar la palabra de salvación.

---

celestial. La acción de gracias a Dios por medio de su Hijo Jesucristo, es la respuesta a la vanagloria y orgullo de cualquiera que quiera gloriarse de sus capacidades y sabiduría.

 Este evangelio está muy vivo en la imaginación de todos. Lo que a veces olvidamos es que a san Lucas le gusta presentar escenas pareadas o dípticos para transmitir verdades profundas; de esa manera, hace más claro el contraste y el complemento entre los elementos. Antes contó el anuncio de la

concepción y nacimiento de Juan al sacerdote Zacarías, en el templo de Jerusalén, al momento del culto. Estrechamente unido a ese cuadro, tenemos el de hoy, concentrado en María, la virgen desposada con un varón de la casa de David, José.

Podemos notar tres contrastes 'superficiales' y complementarios entre los dos anuncios. El primero está destinado a un sacerdote viejo, Zacarías, el padre de Juan; el segundo a una campesina, María, virgen ya comprometida y futura madre. Uno ocurre en el santuario mismo de Jerusalén, con una multitud expectante; el segundo, en un

pueblo periférico galileo, aparte. Tercero, en tanto que la esposa de Zacarías es mencionada y tiene un rol en el anuncio del nacimiento de Juan, el cónyuge de María, José, pasa sin mención ni rol alguno en el de Jesús; incluso será ella quien le imponga el nombre a su hijo. Esto debe ayudarnos a entender que el proyecto de salvación de Dios opera con variaciones, no es monótono ni uniforme, ni se atiene sólo a lo consabido. Pero podemos aprender algo más de los anuncios de nacimiento.

Con sus variantes, los anuncios del nacimiento de un varón que será un héroe, son

Subraya con tu tono de voz las palabras que refieren a Jesús: hijo, Jesús, él, Hijo, etc.

Él será **grande** y será llamado **Hijo del Altísimo;**
    el Señor Dios le dará **el trono de David,** su padre,
    y él **reinará** sobre la casa de Jacob
    por los siglos y su reinado **no tendrá fin**".

María le dijo entonces al ángel:
    "**¿Cómo** podrá ser esto,
    puesto que yo **permanezco** virgen?"
El ángel le contestó:
    "El Espíritu Santo **descenderá** sobre ti
    y el **poder** del Altísimo **te cubrirá** con su sombra.

Esta frase es contundente; pronúnciala en un solo golpe.

Por eso, el Santo, que **va a nacer de ti,**
    será llamado **Hijo de Dios.**
Ahí tienes a tu parienta **Isabel,**
    que **a pesar** de su vejez, ha **concebido** un hijo
    y ya va en el **sexto** mes la que llamaban **estéril,**
    porque no hay **nada imposible** para Dios".
María contestó:
    "**Yo soy** la esclava del Señor;
    cúmplase en mí lo que me has dicho".
Y el ángel se retiró de su presencia.

El párrafo contiene una señal que corrobora el anuncio, y la respuesta de María. Haz que sea como una invitación a la audiencia a repetir las palabras de la virgen.

bastante conocidos fuera de las Escrituras, pero también en ellas; baste recordar los de Isaac, Sansón, Samuel, y el famoso anuncio de Isaías 7:14 que guarda sus propias características. Literariamente hablando, después del saludo, viene el anuncio realizado por algún medio extraordinario, sea un enviado celeste, alguna señal cósmica o un sueño. El destinatario normalmente reacciona con un temor que hay que aplacar. Enseguida se describe el futuro magnífico del varón que está por venir. Luego se da una señal o signo que confirma lo anunciado,

y no pocas veces, se anticipan las dificultades, persecuciones o tribulaciones que pasará el anunciado. Estos elementos recurren también en anuncios de nacimientos de personajes que no pertenecen a las páginas de la Biblia. Tales nacimientos ocurren en situaciones críticas, de apuro y desesperanza, cuando parece que la salvación está más lejos que nunca. Entonces Dios se hace presente con un rayo de luz y esperanza que reaviva la confianza de sus fieles. Los niños anunciados representan tanto la restauración del pueblo como la fidelidad de Dios. ¿Qué aportarán Juan y Jesús?

En cuanto a la forma todavía, hay que notar que este anuncio se desarrolla como un diálogo entre el mensajero y la mujer implicada. El ángel entrega su amplio mensaje como respuesta a una pregunta de María. Las intervenciones de María son mínimas, una pregunta y su voluntad de acatar lo dispuesto por el Señor. Así, san Lucas muestra que Dios solicita la colaboración de sus fieles para su salvación: varones y mujeres, judeos y galileos, levitas y laicos, escépticos y creyentes, todo mundo está invitado a participar de la liberación que Dios ofrece a su pueblo.

NATIVIDAD DEL SEÑOR, MISA DE LA VIGILIA

Las bodas de Dios con su pueblo son causa de alegría, por más que se trata de un compromiso de máxima seriedad. Esta vez, es el empeño de Dios por la justicia y la salvación. Anuncio e invitación a la fiesta; esto ha de ser tu proclamación hoy.

Son puros piropos al pueblo de Dios, a Jerusalén que había sido relegada. Es el amor de Dios el que la restaura. Hay que hacer énfasis en la condición presente y gloriosa del pueblo que se renueva.

La complacencia pronúnciala con sabor, con la boca llena. En realidad, es momento para gozarse por lo que Dios hizo y sigue haciendo con su pueblo.

Piensa en lo que alegra la vida. Si los esposos no se alegran la vida, si el trabajo y el ministerio no nos alegran la vida, si los hijos y la familia no nos alegran la vida, no vamos a poder pronunciar estas palabras con entereza.

I LECTURA   Isaías 62:1–5

Lectura del libro del profeta Isaías

Por amor a Sión no me callaré
   y por **amor** a Jerusalén no me daré **reposo**,
   hasta que **surja** en ella esplendoroso el justo
   y **brille** su salvación como una antorcha.

Entonces las naciones verán tu justicia,
   y tu gloria **todos** los reyes.
Te llamarán con un nombre **nuevo**,
   pronunciado por **la boca** del Señor.
Serás corona de gloria en la **mano** del Señor
   y **diadema** real en la palma de su mano.

Ya no te llamarán "**Abandonada**",
   ni a tu tierra, "**Desolada**";
   a ti te llamarán "**Mi complacencia**"
   y a tu tierra, "**Desposada**",
   porque el Señor se ha complacido **en ti**
   y se **ha desposado** con tu tierra.

Como un joven se desposa con una doncella,
   se desposará **contigo** tu hacedor;
   como el esposo **se alegra** con la esposa,
   así **se alegrará** tu Dios contigo.

I LECTURA Estamos ante un profeta que habla con gran fuerza de lo que Dios va a llevar a cabo en favor de Israel. Como que el profeta está observando una noche oscura del cielo jerosolimitano, donde pequeñísimas luces se asoman aquí y allá. El vidente se cuelga de estas pequeñas luces que agranda y extiende lo más que puede para que se hagan soles.

El pueblo de Dios sufría no sólo su pobreza endémica y debilidad, sino que se sentía abandonado por Dios. Entonces alza su voz este profeta, que grita en medio de la soledad, logrando que su grito se aumente y se multiplique.

Un profeta, el Segundo Isaías, había vivido un poco después del exilio en Jerusalén. Predicó el pronto regreso del exilio, la reconstrucción del templo y la llegada pronta del reino de Dios. El rey persa, Ciro, había permitido el regreso del exilio y la reconstrucción del templo. Con todo, quedaba la llegada definitiva y gloriosa de Dios en medio de su pueblo. Pero ésta tardaba y la desesperación era lo común entre los habitantes de Jerusalén.

Apareció un nuevo profeta, Tritoisaías, quien va a decir con nuevas palabras y gran entusiasmo, lo que el profeta anterior había anunciado esplendorosamente. Habla este nuevo profeta cortamente de su misión: "Me ha enviado para dar una buena noticia a los que sufren" (Is 61:1).

El tenor de la profecía de pronto cambió. Este profeta deja la amenaza y el castigo para emplear un lenguaje amable y lleno de ternura. Así es Dios. El profeta de alguna manera quiere imitar ese cambio de actitud de Dios hacia su pueblo. Por eso, coloca la confianza ya no en el comportamiento

Para meditar

SALMO RESPONSORIAL   Salmo 88:4–5, 16–17, 27, 29

R. Cantaré eternamente las misericordias del Señor.

Sellé una alianza con mi elegido, jurando a David mi siervo: "Te fundaré un linaje perpetuo, edificaré tu trono para todas las edades". R.

Dichoso el pueblo que sabe aclamarte: caminará, oh Señor, a la luz de tu rostro; tu nombre es su gozo cada día, tu justicia es su orgullo. R.

Él me invocará: "Tú eres mi padre, mi Dios, mi Roca salvadora". Le mantendré eternamente mi favor y mi alianza con él será estable. R.

El relato de los Hechos empuja a reconocer la coherencia de Dios. Como un hilo de agua que baja de la montaña de la historia entre peñascos y quebradas, pero que nunca se pierde, antes agarra fuerza. Así esta lectura, hazla con una intensidad que crezca.

Las palabras de Pablo son para los reunidos, los fieles de Dios, los que creen en su palabra. Dirígete a la asamblea haciéndole sentir que han sido elegidos por Dios para realizar sus designios.

La venida del Redentor nos lleva a pensar en si estamos preparados para recibirlo. Si nuestro corazón ha hecho penitencia y está allanado. Recalca esas palabras en esta parte, haciéndolas tuyas, primero.

II LECTURA   Hechos 13:16–17, 22–25

Lectura del libro de los Hechos de los Apóstoles

Al llegar Pablo a Antioquía de Pisidia,
    se puso **de pie** en la sinagoga
    y haciendo una señal **para que se callaran**, dijo:

"Israelitas y cuantos temen a Dios, **escuchen**:
    El Dios del pueblo de Israel **eligió** a nuestros padres,
    engrandeció al pueblo
    cuando éste vivía como **forastero** en Egipto y lo
sacó de allí con todo su poder.
Les dio por rey a David, de quien hizo **esta alabanza**:
He hallado a David, hijo de Jesé,
    hombre según mi corazón,
    quien realizará todos mis designios.

Del **linaje** de David, conforme a la promesa,
    Dios hizo nacer para Israel **un Salvador,** Jesús.
Juan **preparó** su venida,
    predicando **a todo el pueblo** de Israel
    un bautismo **de penitencia**,
    y hacia **el final** de su vida,

humano, sino en la voluntad divina. La salvación vendrá pronto para Sión. El profeta ama a Jerusalén entrañablemente. Quiere que venga la tranquilidad y el bienestar a la comunidad.

   Los cumplimientos de lo prometido quedan siempre algo a deber. Al menos esa impresión dejan. Como dice un texto de la liturgia navideña: "El Señor viene para redimirnos y mañana veremos su señorío". Es lo que pasa en nuestra liturgia. La redención de Dios llegó a nosotros y se cumplió. Pero, al mismo tiempo, quedó algo para mañana, que es cuando se completará definitivamente.

| II LECTURA | En Antioquía de Pisidia Lucas coloca el primer discurso de Pablo en una sinagoga. Enviado, junto con Bernabé por la iglesia de Antioquía a evangelizar, Pablo tomó la palabra. Como pasó con Jesús en la sinagoga de Nazaret, los visitantes fueron invitados a tomar la palabra. Es decir, a que explicaran el texto leído ese día en la sinagoga. Como solían hacer muchos predicadores judíos, Pablo empezó con el inicio de la historia de la salvación del pueblo. Tomó un punto focal: la esclavitud en Egipto y la liberación por parte de Dios. |

La liturgia de hoy dejó de lado muchos episodios y se contenta con una alusión a David, tomando un verso del Salmo 89 (v. 21). A Pablo le importaba indicar la descendencia davídica de Jesús, según la promesa hecha por Natán (2 Sam 7:12–16). La promesa era enviar un salvador, que es lo que significa el nombre de Jesús. Jesús salvará al ser humano de los pecados. Añade Pablo el testimonio de Juan. La comunidad, se supone, estaría enterada del movimiento bautista juaneo y de las esperanzas que había suscitado entre el pueblo. Sin embargo,

Juan decía:
    'Yo **no soy** el que ustedes piensan.
    Después de mí
    viene uno a quien **no merezco** desatarle las sandalias' ".

EVANGELIO   Mateo 1:1–25

Lectura del santo Evangelio según san Mateo

Genealogía de Jesucristo,
    hijo de David, hijo de Abraham:
Abraham **engendró** a Isaac, Isaac a Jacob,
    Jacob a Judá y **a sus hermanos**;
    Judá **engendró** de Tamar a Fares y a Zará;
    Fares a Esrom, Esrom a Aram, Aram a Aminadab,
    Aminadab a Naasón, Naasón a Salmón,
    Salmón engendró **de Rajab** a Booz;
    Booz engendró de Rut a Obed,
    Obed a Jesé, y Jesé **al rey David**.

David engendró de la mujer de Urías **a Salomón**,
    Salomón a Roboam, Roboam a Abiá, Abiá a Asaf,
    Asaf a Josafat, Josafat a Joram, Joram a Ozías,
    Ozías a Joatam, Joatam a Acaz, Acaz a Ezequías,
    Ezequías a Manasés, Manasés a Amón, Amón a Josías,
    Josías engendró a Jeconías y a sus hermanos,
    durante **el destierro** en Babilonia.

Después del destierro en Babilonia,
    Jeconías **engendró** a Salatiel, Salatiel a Zorobabel,
    Zorobabel a Abiud, Abiud a Eliaquim,
    Eliaquim a Azor, Azor a Sadoc, Sadoc a Aquim,
    Aquim a Eliud, Eliud a Eleazar, Eleazar a Matán,
    Matán a Jacob, y Jacob engendró **a José**,
    el esposo de María, de la cual nació **Jesús**, llamado Cristo.

Somos proclamadores de la Palabra. Pronunciar estos nombres no debe resultarnos complicado. Pero hay algunos que hay que recalcar, sobre todo en su relación con la gran historia de la salvación. Dales su lugar y su énfasis a todos los nombres que están en negrillas.

El destierro es una gran cicatriz en la piel del pueblo de Dios. Aquello fue traumático y por eso la repetición en la lectura. Pero la promesa de Dios a Abraham no se detuvo; la generación prosigue. Esos nombres tan hebreos, nos tienen que recordar que nosotros hemos sido injertados en ese gran tronco de salvación.

En este párrafo aparece el nombre de Cristo. Pronúncialo así, como una culminación de las promesas de Dios. Jesús es el nombre de la salvación de Dios para nosotros.

Juan no era el esperado. El que viene después de él, es el digno, el salvador.

EVANGELIO Para 'ser alguien' era determinante tener el respaldo de una familia de abolengo o de un personaje prestigiado; y más, si el individuo tenía aspiraciones a cargos públicos que exigían honorabilidad familiar a toda prueba y por varias generaciones. Para eso se hacía gala de la parentela. En el caso de Jesús, lo que está en juego es nada menos que su condición mesiánica para el pueblo de Israel. Por eso san Mateo muestra ya en la primera página, que Jesús nace de la mejor estirpe israelita, a la que le asiste el derecho mesiánico y pertenece al pueblo de las promesas divinas. Pero el evangelista no lo hace sin exhibir las anomalías de los criterios asumidos socialmente como los mejores.

San Mateo muestra que Jesús es el fruto mejor de las promesas de Dios; el culmen de la historia. Y para esto, organiza todas las generaciones israelitas en tres series de catorce generaciones cada una, pero sin sujetarse al detalle de las historias de las páginas bíblicas. De hecho, hay que sumar a David dos veces para llegar a catorce, y, por si poco fuera, Mateo modifica el listado de reyes davídicos. El interés mateano es mostrar que todas las generaciones de la entera familia de Israel 'se ven cumplidas' con el nacimiento del Cristo.

De igual modo que David y la migración a Babilonia representan puntos nuevos de la historia, Jesucristo encarna un ciclo nuevo de 'generación' en el proyecto de Dios, un nuevo 'Génesis' de cumplimientos. Por otro lado, la manera de organizar la historia en etapas o ciclos que se suceden, naciendo, cumpliéndose y cerrándose, es propio de los sabios de la época que buscan entender el tiempo y el espacio como predeterminados y con cierta congruencia o sentido. En este caso, toda la historia del

De modo que **el total** de generaciones
desde Abraham hasta David, es de **catorce;**
desde David **hasta la deportación** a Babilonia, es **de catorce,**
y de la deportación a Babilonia **hasta Cristo,** es de **catorce.**

Cristo vino al mundo de la siguiente manera:
Estando María, su madre, **desposada** con José,
y **antes** de que vivieran juntos,
sucedió que ella, **por obra** del Espíritu Santo,
estaba **esperando** un hijo.
José, su esposo, que era hombre **justo,**
no queriendo ponerla **en evidencia,**
pensó dejarla **en secreto.**

Mientras pensaba en estas cosas,
un ángel del Señor le dijo **en sueños:**
"José, **hijo** de David,
no dudes en recibir en tu casa a María, tu esposa,
porque ella ha concebido **por obra** del Espíritu Santo.
Dará a luz un hijo
y **tú** le pondrás el nombre de **Jesús,**
porque él **salvará** a su pueblo de sus pecados".

Todo esto sucedió
para que **se cumpliera** lo que había **dicho** el Señor
por boca del profeta **Isaías:**
He aquí que la virgen concebirá y dará a luz un hijo,
a quien pondrán el nombre de Emmanuel,
que quiere decir Dios-con-nosotros.

Cuando José **despertó** de aquel sueño,
hizo lo que **le había mandado** el ángel del Señor
y **recibió** a su esposa.
Y sin que él **hubiera tenido** relaciones con ella,
María dio a luz un hijo
y él le puso por nombre **Jesús.**

Forma breve: Mateo 1:18–25

---

pueblo de Dios cobra sentido en y desde Jesucristo. Si la conexión del Cristo con los antepasados resulta clara, también lo es su proyección al futuro. Sólo que esa avanzada en la historia ya no se hace 'por generación' o sucesión de raza o linaje, sino, 'generando' al Cristo en todas las personas que entiendan que Dios se hace de hijos e hijas de una manera novedosa.

La sucesión generacional descansa en los varones, en su 'semilla' y su buen nombre. Mateo, sin embargo, no se ciñe a esa llana convención patriarcal. Él menciona a cuatro no muy recomendables mujeres extranjeras que muestran que la estirpe mesiánica y la pertenencia al pueblo elegido se deben más a la fidelidad y gracia de Dios que a la pureza y honor de sus varones. Tamar, Rahab, Rut y la mujer de Urías, muestran modos 'irregulares', y hasta impuros, en la propia familia regia y mesiánica. Pero esas irregularidades han abierto puertas tapiadas para encontrar la salvación de Dios.

La irregularidad mayor, sin embargo, viene con María y el nacimiento de Jesús. Mateo no anota que José hubiera engendrado de María a Jesús, no obstante ser él "su hombre", sino que "de María *fue nacido* Jesús, el llamado Cristo". Lo escribo así para hacer notar la irregularidad al generar la vida, como Mateo lo hace. Terminemos diciendo que María no es extranjera, como las otras mujeres, 'el extranjero', el que rompe incluso la forma de ser generado, es Jesús. Sólo en el siguiente cuadro, Mateo contará pormenores para entender cómo y porqué Jesús vino a ser descendiente de David: "para salvar a su pueblo de sus pecados". Jesús pertenece a la familia de David y a la de Abraham, y a la de toda la humanidad. Hoy es el día de la fe que engendra salvación.

NATIVIDAD DEL SEÑOR, MISA DE MEDIANOCHE

Estos tres párrafos sellan la promesa cumplida. La satisfacción y el contento deben hacerse evidentes en tu modo de hacer esta lectura. Como si tú mismo estuvieras presentando a tu hijo a toda tu familia. Con mucho orgullo y satisfacción.

Acentúa el verbo de la liberación: 'quebrantaste…' Y todo con el simple nacimiento de un hijo.

Señala con gallardía los nombres grandiosos del niño nacido. Es un príncipe de sabiduría y de justicia. Es muy importante que se note que todo esto se debe a la acción de Dios. Reconócela en el texto y mira el mejor modo de hacerlo entender a la asamblea.

I LECTURA   Isaías 9:1–6

Lectura del libro del profeta Isaías

El pueblo que caminaba en tinieblas
  vio una **gran luz**;
  sobre los que **vivían** en tierra de sombras,
  una luz **resplandeció**.

Engrandeciste a tu pueblo
  e hiciste **grande** su alegría.
Se gozan en tu presencia como gozan al **cosechar**,
  como **se alegran** al repartirse el botín.
Porque tú **quebrantaste** su **pesado** yugo,
  la barra que **oprimía** sus hombros y **el cetro** de su tirano,
  como en el **día** de Madián.

Porque un niño **nos ha nacido**, **un hijo** se nos ha dado;
  lleva sobre sus hombros **el signo** del imperio y su nombre será:
"Consejero **admirable**", "Dios **poderoso**",
"**Padre** sempiterno", "**Príncipe** de la paz";
  para **extender** el principado con una paz **sin límites**
  sobre el **trono** de David y sobre su reino;
  para **establecerlo** y consolidarlo
  con la **justicia** y el derecho, desde **ahora y para siempre**.
El **celo** del Señor lo **realizará**.

I LECTURA El oráculo profético, puesto por la liturgia para este día, es el más adecuado para evocar el nacimiento del Señor. Aunque algunos niegan la autoría de Isaías, es casi seguro que provenga del profeta. Forma parte de los textos que hablan del Emmanuel (Dios con nosotros: Is 7:10–25 y 11:1–9).

El país padece la amenaza de ser convertido en provincia asiria. Sin embargo, en sus estrecheces, la pequeña comunidad de Judá ve un futuro, una restauración, un reino ideal: v. 5. Isaías habría proclamado su fe en la llegada de un rey ideal. Contra los desconfiados y críticos negativos, que preferían contar en las alianzas terrestres, el profeta se inclina por la actualidad permanente de la elección. El Dios de la alianza transformará a Israel.

El oráculo va más allá de lo que pudo significar en los momentos en que salió de boca de Isaías. La alianza del Señor no puede fallar. No se reduce a una descendencia o a una tierra, sino que implica desarrollos posteriores; habrá la restauración final de una comunidad reducida, el resto, santificado por el Señor. Pero su jefe dominará más allá de la estrechez del país, a toda la humanidad.

Por lo mismo, la imagen de este rey descrito por Isaías coagula una esperanza grande, que no llena ningún soberano de la tierra. Por eso entendemos que la liturgia haya escogido este texto para hacer pasar a través de él a Jesús o, mejor, al revés, para que Jesús le dé consistencia a este oráculo de Isaías.

II LECTURA Pablo habló antes (2:1–10) de distintos deberes de los miembros de la comunidad, ahora ofrece el

Para meditar

SALMO RESPONSORIAL   Salmo 95:1–2a, 2b–3, 11–12, 13

R. Hoy nos ha nacido un Salvador: el Mesías, el Señor.

Canten al Señor un cántico nuevo, canten al Señor, toda la tierra; canten al Señor, bendigan su nombre. R.

Proclamen día tras día su victoria. Cuenten a los pueblos su gloria, sus maravillas a todas las naciones. R.

Alégrese el cielo, goce la tierra, retumbe el mar y cuanto lo llena; vitoreen los campos y cuanto hay en ellos. Aclamen los árboles del bosque. R.

Delante del Señor, que ya llega, ya llega a regir la tierra: regirá el orbe con justicia y los pueblos con fidelidad. R.

II LECTURA   Tito 2:11–14

Lectura de la carta del apóstol san Pablo a Tito

La lectura es breve pero el lector necesita 'medirla' para no quitarle sentido, y el auditorio no se quede con la impresión de que falta algo. Procura leer de a dos líneas en cada respiración amplia. Respetar el punto será importante.

Querido hermano:
La **gracia** de Dios se ha **manifestado**
para salvar a **todos** los hombres
   y nos ha enseñado a **renunciar**
   a la vida sin religión y a los deseos mundanos,
   para que vivamos, ya **desde ahora**,
   de una manera **sobria**, justa y fiel a Dios,
   en espera de la **gloriosa** venida del **gran** Dios y Salvador,
   Cristo Jesús, **nuestra** esperanza.
Él se entregó por nosotros para redimirnos
   de todo pecado y purificarnos,
   a fin de convertirnos en **pueblo suyo**,
   fervorosamente entregado a practicar el bien.

La comunidad de culto es la beneficiada con la obra de Cristo Jesús. Tienes que mirar a la asamblea al decir 'él se entregó por nosotros…'.

EVANGELIO   Lucas 2:1–14

Lectura del santo Evangelio según san Lucas

Este relato pone el nacimiento del Señor en el escenario mundial. Por eso es importante que la audiencia distinga los nombres y los lugares que no le son tan familiares.

Por **aquellos** días,
   se **promulgó** un edicto de César Augusto,
   que **ordenaba** un censo de todo el imperio.

fundamento: la manifestación de la gracia de Dios. El fundamento de toda moral cristiana es un hecho: la venida del Señor Jesús. Al aparecer él, apareció la gracia, la bondad de Dios.

Esta gracia nos enseña. Antes era la Ley el pedagogo, ahora es la gracia. Toda la vida del Señor es una enseñanza. La enseñanza se refiere, primero, a renunciar a la impiedad y a los dones de este mundo.

La impiedad es negar al Mesías. La palabra mundo significa aquí al que está unido al pecado y que lo alimenta con viva fuerza. La gracia nos sirve para alejar a ese mundo.

Nuestra moral es vivir de acuerdo a la redención.

La venida de Jesucristo marca la irrupción de la alegría del cielo en el mundo de la tristeza. La alegría de Navidad debe iluminar nuestra vista para poder contemplar al Señor que viene en la fiesta y vendrá pronto con nosotros.

La humillación a que había sido sometido el Mesías Jesús, continuaba presente en la comunidad cristiana. Por esto deseaban tanto la manifestación de su gloria.

La vida cristiana con sus renuncias y la tensión de su piedad, se sitúa entre la humilde venida en Belén y su venida en gloria del cielo. Nuestra vida está entre estas dos venidas, identificadas como gracia y gloria.

EVANGELIO San Lucas relaciona el nacimiento del Mesías con un decreto imperial (*dogma*) romano, un censo. El emperador era Octavio, hijo adoptivo y heredero del gran Julio César; adoptó el nombre de Augusto, "reverendo". Él detentaba el mando político y militar junto con el religioso, "al que hay que venerar". Su nacimiento era considerado una "buena nueva" para la humanidad, y por todo el imperio

Este **primer** censo se hizo cuando **Quirino**
    era gobernador de Siria.
Todos iban a empadronarse, **cada uno** en su **propia** ciudad;
    así es que **también** José,
        perteneciente a la casa y familia **de David**,
    se dirigió **desde** la ciudad de **Nazaret**, en Galilea,
    a la ciudad de David, llamada **Belén**, para **empadronarse**,
    juntamente con María, **su esposa**, que estaba encinta.

Mientras estaban ahí, le **llegó** a María el tiempo de **dar a luz**
    y tuvo a su hijo **primogénito**;
    lo **envolvió** en pañales y **lo recostó** en un pesebre,
    porque **no hubo** lugar para ellos en la posada.

En **aquella** región había unos pastores
    que pasaban la noche en el campo,
    vigilando **por turno** sus rebaños.
Un ángel del Señor se les apareció
    y **la gloria** de Dios los **envolvió** con su luz
    y **se llenaron** de temor.
El **ángel** les dijo: "**No teman**. Les traigo una **buena** noticia,
    que causará **gran** alegría a **todo** el pueblo:
    hoy les ha nacido, en la ciudad de David, **un salvador**,
    que es el **Mesías**, **el Señor**.
Esto les servirá **de señal**:
    encontrarán al niño **envuelto** en pañales
        y **recostado** en un pesebre".

De pronto se le unió al ángel **una multitud** del ejército celestial,
    que **alababa** a Dios, diciendo: "**¡Gloria** a Dios en el cielo,
    y en la tierra **paz** a los hombres de **buena** voluntad!"

El alumbramiento, aunque es algo muy natural, siempre trae dramatismo y angustia que hay que respetar en la lectura. Un buen narrador no es plano, distingue los momentos de lo que cuenta.

El anuncio del ángel debe ir acompañado de gozo, de alegría que nace desde adentro.

Este cuadro final es grandioso, y puedes ayudar a la asamblea a visualizarlo y a escucharlo para que le nazca el deseo de unirse a él.

---

había templos y altares dedicados a honrarlo como "divino", junto a la diosa Roma, pues era él garante del orden, la paz y el bienestar: era el salvador del mundo.

Al nacimiento de Jesús, san Lucas le pone un marco muy grande, casi como pretexto para entender por qué ocurrió en la ciudad de David y no en el pueblo galileo de Nazaret, donde residían José y María. Del nacimiento mismo, apenas menciona el alumbramiento y lo que hizo su madre con el recién nacido. Sí, en cambio, prolija lo que ocurrió en torno al natalicio, referente a los pastores.

Es probable que José y su bien amada no fueran bien vistos debido a las circunstancias cuestionables de aquel embarazo; sin concurso de José. El pesebre es un corral doméstico, que toda casa de rancho tiene para sus cabras, ovejas, burros, vacas y otros animales. Ese pesebre cabe en cualquier casa. Pero al Mesías se le puede identificar por la señal que el ángel anunció: el niño envuelto en pañales y yaciendo en un pesebre.

Era costumbre, hasta no hace mucho tiempo, limpiar con agua y restregar con sal al recién nacido, para luego fajarlo, envuelto en pañales, porque se creía que siendo tierno de huesos, podría dislocarse con algún movimiento brusco o adquirir alguna malformación. Todo normal. Pero la señal recuerda el reproche de Isaías como lo transmite la biblia griega: "Conoce el buey al que lo maneja, y el asno el pesebre de su señor, pero Israel no me conoce, el pueblo no me distingue" (1:3). ¿Serán más inteligentes bueyes y asnos?

NATIVIDAD DEL SEÑOR, MISA DE LA AURORA

I LECTURA   Isaías 62:11–12

Lectura del libro del profeta Isaías

El anuncio profético es breve pero intenso. La brevedad no debe hacerlo penosamente tortuguesco. Observa el paralelismo de algunas frases y respétalas en la proclamación.

Escuchen lo que el Señor hace oír
  hasta el **último** rincón de la tierra:

"**Digan** a la hija de Sión:
  Mira que **ya llega** tu salvador.
El **premio** de su victoria lo acompaña
  y **su recompensa** lo precede.
Tus hijos serán llamados '**Pueblo santo**',
  '**Redimidos** del Señor', y **a ti** te llamarán
  'Ciudad **deseada**, Ciudad **no abandonada**'".

Los hijos de Sión somos ahora nosotros, los reunidos a la voz del Señor. Dejemos esa sensación en la asamblea.

Para meditar

SALMO RESPONSORIAL   Salmo 96:1, 6, 11–12

R Hoy brillará una luz sobre nosotros, porque nos ha nacido el Señor.

El Señor reina, la tierra goza, se alegran las islas innumerables. Los cielos pregonan su justicia y todos los pueblos contemplan su gloria. R.

Amanece la luz para el justo, y la alegría para los rectos de corazón. Alégrense, justos con el Señor, celebren su santo nombre. R.

I LECTURA Este profeta borda sobre las palabras del profeta anterior, el Segundo Isaías (Is 40–55), para adaptarlas a una situación nueva, se le conoce como Tritoisaías. El profeta sabe hablar a una comunidad desordenada, diezmada y llena de desilusiones. Las enérgicas y esperanzadoras palabras del profeta anterior habían quedado en poca cosa. El pueblo no veía lo prometido. Algunos dirían: mucho ruido y pocas nueces. Ahora Dios volvía a interesarse por su pueblo y se dirigía a la comunidad concreta de esa Jerusalén.

Viene no el Señor, sino la salvación. Será esta venida como una nueva irradiación sobre los habitantes de la ciudad. Se invita a la comunidad jerosolimitana a salir de la ciudad para recibir esta salvación. Deben quitar las piedras y hacer una calzada para que los que vienen del exilio, lleguen bien a la ciudad, se integren a la comunidad.

El profeta anuncia algo para el inmediato futuro. Está enfrente. No es una realidad completa. Hay que esperarlo con fe. Vendrá. Esto mismo pasa con Jesús que viene en la fiesta y vendrá después. Queda algo para el futuro. Ese futuro jala. La comunidad no es

la Abandonada, sino la Buscada por Dios. Esta seguridad que da la fe, la esperanza la convierte en una tensión hacia algo por conseguir, algo que, en lo fundamental, viene de Dios, del mismo que nos llega esa noche santa y que vendrá pronto. Y, como decía el Señor, hay que saberlo esperar. Ser cristiano es saber esperar.

II LECTURA La segunda lectura empieza con un trozo de un himno insertado en la carta, puesto en el centro de una parénesis sobre las buenas obras. Pablo habla de la bondad, de esa bondad sinónimo

Antes de llegar al ambón deberás haber captado cuál es la médula de este fragmento de las Escrituras. Todo está centrado en los beneficios que nos trajo el Hijo y en cómo los hacemos nuestros.

El bautismo nos otorgó el Espíritu y todas las bendiciones. Pronuncia estas líneas con pleno convencimiento. Es lo más grande que tenemos.

Nuestra situación es privilegiada. Pero es un privilegio que compromete a vivir santamente en la esperanza de la vida eterna. Tu tono no debe ser de presunción, sino de humilde seguridad.

II LECTURA   Tito 3:4–7

Lectura de la carta del apóstol san Pablo a Tito

Hermano:
Al **manifestarse** la bondad de Dios, nuestro salvador,
   y su amor **a los hombres**, él **nos salvó**,
   no porque nosotros hubiéramos hecho algo **digno de merecerlo**,
   sino por **su misericordia.**
Lo hizo mediante **el bautismo**, que nos **regenera** y nos renueva,
   por **la acción** del Espíritu Santo,
   a quien Dios derramó **abundantemente** sobre nosotros,
   por Cristo, nuestro **Salvador.**
Así, **justificados** por su gracia,
   nos convertiremos en **herederos**,
   cuando se realice **la esperanza** de la vida eterna.

---

de la filantropía, de la beneficencia que, en el fondo, sólo da Dios.

Nuestra salvación, explica san Pablo, no viene de nuestras obras, sino de la acción de Dios. Dios, como es rico en misericordia, nos expresa su amor y, movido por éste, nos salva. El hombre entra en esta salvación por el baño de la regeneración y de la renovación. Pablo toma el término de regeneración, empleado entre los judíos, con el que se indicaba al pagano que estaba en una vejez. Este pagano se regeneraba de esta vejez, al entrar en contacto con la Ley. El cristiano al abrirse a Jesús, se convierte en un hombre nuevo, llega a ser un ser, una creación nueva. Enseguida llegará la renovación.

Al final del himno Pablo desea la eternidad a sus oyentes. Esa efusión del Espíritu es lo característico de los tiempos mesiánicos.

EVANGELIO Conviene leer este evangelio como si fuera un camino de fe que aquella gente ruda recorrió, los pastores.

Lucas escribe "los acontecimientos cumplidos entre nosotros", para que el lector constate la solidez de las palabras de la instrucción cristiana. Volvamos a los pastores. Ellos reciben una señal como garantía de verdad. Se aprestan a constatarla, pero antes dialogan entre ellos y toman una resolución. El diálogo es un instrumento magnífico para asegurarse en lo que Dios revela. No basta escuchar anuncios de regocijo celestes, hay que dialogarlos, reconocerlos y constatarlos tomando decisiones.

¿Cómo eran los pastores? Se les tomaba por gente sin instrucción, agreste, sospechosa por ladronzuela, y que, por no atenerse a las normas de la sociedad urbana, podían ser asociales y periféricos.

EVANGELIO   Lucas 2:15–20

Lectura del santo Evangelio según san Lucas

Cuando los ángeles los dejaron para **volver** al cielo,
    los pastores se dijeron unos a otros:
        "**Vayamos** hasta Belén,
    para ver **eso** que el Señor nos ha **anunciado**".

Se fueron, pues, **a toda prisa** y encontraron a María,
    a José **y al niño**, recostado en el pesebre.
Después de verlo, **contaron** lo que se les había dicho
        de aquel niño,
    y cuantos los oían quedaban **maravillados.**
María, por su parte,
    guardaba todas estas cosas y las **meditaba** en su corazón.

Los pastores se **volvieron** a sus campos,
    alabando y **glorificando** a Dios
    por **todo** cuanto habían visto y oído,
    según lo que se les había **anunciado.**

Los pastores son gentes sencillas y sabias. Y al proclamar este evangelio debes sumarte a ellos. Hay que proclamarlo sin pretensiones de grandeza. La grandeza es de Dios, y por eso se nos da en un pesebre.

Este es el momento de la contemplación. Conviene hacer una pausa tras las dos primeras líneas, y otra después de la palabra "maravillados".

La asamblea debe sentirse llamada a glorificar a Dios. Cierra con un tono que invite a hacer fiesta en el corazón de la asamblea.

El pastoreo de rebaños familiares en Judea estaba diezmado por la presencia de asaltantes, los excesivos impuestos de todo órden, imperial, monárquico local y religioso, y el endeudamiento creciente que obligaba a vender sus pertenencias a los ricos terratenientes e influyentes. Entonces, ellos reciben la noticia de gran alegría para todo el pueblo: el nacimiento de un nuevo soberano.

Los pastores constatan la señal recibida. Lo que encuentran no coincide al detalle con lo dicho por el ángel. Ellos encuentran a María y a José con el descrito recién nacido.

Pero no discuten inútilmente sobre si ésa es o no la señal revelada. No son académicos como los escribas, ni piadosos como los fariseos. Son prácticos y de sentido común. La fe discierne las condiciones de la realidad. Ilumina el camino, no lo elimina. Sin discernimiento no hay fe.

Los pastores reconocen la sintonía entre lo anunciado y lo que ven. Es la coherencia de la fe. Y esto es lo que causa alegría grande. Si no hay coherencia, no hay fe; habrá fideísmo o credulidad, pero no fe, en el sentido de la revelación bíblica. Una fe que no causa gran alegría está desarticulada

y es contradictoria; no mira la revelación de Dios.

Finalmente, los pastores cuentan lo que han oído y visto. Y quienes los oyen se asombran. Ellos hacen lo mismo que los mensajeros celestes. De hecho, aquellos "chiveros" se vuelven ángeles, porque regresan de su peregrinación glorificando y cantando a Dios.

NATIVIDAD DEL SEÑOR, MISA DEL DÍA

Estás ante un anuncio de alegría grande. Apodérate de ese sentimiento y contágialo a la asamblea que está siendo rescatada por Dios, en el envío de su Hijo.

La gente reacciona con gritos de alborozo. Resalta esto también en tu proclamación.

La comunidad restaurada es el trofeo que Dios exhibe a los ojos de todas las naciones. Esta imagen de la salvación de Dios tiene que ser patente en la comunidad.

I LECTURA   Isaías 52:7–10

Lectura del libro del profeta Isaías

¡**Qué hermoso** es ver correr sobre los montes
　al mensajero que **anuncia** la paz,
　al mensajero que trae **la buena nueva**,
　que **pregona** la salvación,
　que dice a Sión: "Tu Dios **es rey**"!

Escucha: Tus centinelas **alzan** la voz
　y todos a una gritan alborozados,
　porque ven **con sus propios ojos** al Señor,
　que retorna a Sión.

Prorrumpan en gritos **de alegría**, ruinas de Jerusalén,
　porque el Señor **rescata** a su pueblo, **consuela** a Jerusalén.
Descubre el Señor su santo brazo
　a la vista **de todas** las naciones.
Verá la tierra **entera**
　la salvación que viene de **nuestro** Dios.

I LECTURA Este texto nos llega del siglo VI a. C., de un profeta exiliado pero con el encargo de anunciar el perdón de Dios. Parecía misión fácil anunciar el regreso a la tierra ancestral. Sin embargo, para los que ya se habían instalado en el extranjero o sufrían los efectos de un destierro prolongado, era muy difícil creer que ahora sí se haría realidad este regreso a Israel.

　La lectura desborda júbilo. Jerusalén, sus ruinas, deben rebosar júbilo ante el mensajero de esta buena noticia. La misma creación debe tomar parte en este júbilo, impulsada por lo inesperada y sublime liberación anunciada: "Grita de alegría, cielo; alégrate, tierra; prorrumpan en aclamaciones, montañas, porque el Señor consuela a su pueblo y se compadece de los desamparados". ¿La causa? El Señor cumple su promesa, será redentor, él va a pagar por la libertad de Israel.

　Para lo anterior, el Señor "extenderá su santo brazo". Como en el Éxodo, Dios con mano poderosa y brazo extendido liberó a su pueblo del dominio del faraón, lo hará de nuevo, liberando a su pueblo y regresándolo a su tierra.

La situación desde la que habla el texto es como la que padecemos en la actualidad. Personas y comunidad estamos necesitados de liberación y salvación, pues vivimos prisioneros y esclavizados de muchos y fuertes poderes que no nos dejan expandirnos. Estamos encerrados y somos cautivos de tantas pasiones, sobre todo, de ese egoísmo que rezuma por todos nuestros poros. Hemos perdido muchas veces la frescura de la novedad del amor de Dios, de nuestra llamada a ser fermento en la sociedad y nos asemejamos a esas piedras que despiden sólo dureza y frialdad.

Para meditar

SALMO RESPONSORIAL   Salmo 97:1, 2–3ab, 3cd–4, 5–6

R. Los confines de la tierra han contemplado la victoria de nuestro Dios.

Canten al Señor un cántico nuevo, porque ha hecho maravillas. Su diestra le ha dado la victoria, su santo brazo. R.

El Señor da a conocer su victoria; revela a las naciones su justicia: se acordó de su misericordia y su fidelidad en favor de la casa de Israel. R.

Los confines de la tierra han contemplado la victoria de nuestro Dios. Aclamen al Señor, tierra entera, griten, vitoreen, toquen. R.

Toquen la cítara para el Señor, suenen los instrumentos: con clarines y al son de trompetas aclamen al rey y Señor. R.

II LECTURA   Hebreos 1:1–6

Lectura de la carta a los hebreos

Cristo está presente en la palabra proclamada y recibida en la asamblea litúrgica. Dios nos habla y tú, lector o proclamador, le das tono y modulación a su palabra.

En **distintas** ocasiones y **de muchas** maneras
     habló Dios en el pasado a nuestros padres,
     por **boca de los profetas**.
Ahora, **en estos** tiempos,
     nos ha hablado **por medio de su Hijo**,
     a quien constituyó **heredero** de todas las cosas
     y por medio del cual **hizo** el universo.

La descripción de Cristo como sumo sacerdote que realiza la expiación de los pecados es el punto culminante de esta exposición. Dale esa relevancia en la lectura.

El Hijo es el **resplandor** de la gloria de Dios,
     la imagen **fiel** de su ser
     y el sostén **de todas las cosas** con su palabra **poderosa**.
Él mismo, después de efectuar la **purificación** de los pecados,
     se sentó **a la diestra** de la majestad de Dios, en **las alturas**,
     tanto **más encumbrado** sobre los ángeles,
     cuanto **más excelso** es el nombre que, **como herencia**,
     le corresponde.

Hacemos fiesta por la llegada de un niño que trae la salvación, la liberación completa del pecado y la posibilidad de vivir como los seres humanos imaginados por Dios. En el nombre del niño, Jesús (*Jehoshua*=salvación), ya se anuncia que su misión es sacar al género humano del encadenamiento en que se encuentra. Nos viene a librar del tipo de sociedad que hemos construido, basada en la ganancia, el placer, el egoísmo. Jesús trae la paz, la integridad. La lucha económica, política y militar entre las naciones muestra que la paz (no como el

mundo la da, decía), es lo que anuncia y proporciona la Buena Noticia de la Navidad.

II LECTURA Al hablar, me comprendo y me identifico. Hablar es abrirse uno al otro u otros. Sin mi palabra, los demás no podrán saber qué pienso, siento o deseo. En esto está la utilidad y grandeza del habla. Es, por otro lado, una manifestación de amistad, de amor.

Dios escogió comunicarse con nosotros por medio de su Palabra. Se adaptó a nuestra manera de comunicarnos. Sin su intervención habría, además, verdades que

ignoraríamos. El misterio de Dios nos ha sido abierto. La evangelización es hacer oír la Palabra de Dios a los hombres. Es favorecer la entrada de Dios por medio de su palabra, a la inteligencia, voluntad y sentimientos de los hombres. Por esto la primera obligación de todo cristiano es anunciar el Evangelio.

La revelación divina se hizo por hechos y palabras. Y Dios empleó las distintas formas de la comunicación: los relatos, los cuentos, las parábolas, las elegías, los himnos, los dichos, etc. No hay forma de comunicación humana que el Señor no haya tomado.

Esta última parte es un tanto retórica, para mostrar lo singular del sacerdocio de Cristo. Por eso, la invitación a la adoración también debe incluir a la asamblea.

Porque ¿**a cuál** de los ángeles le dijo Dios:
> Tú eres mi Hijo; yo te he engendrado hoy?
> ¿O de qué ángel dijo Dios: Yo seré para él un padre
> y él será para mí un hijo?

Además, en **otro** pasaje,
> cuando introduce en el mundo a **su primogénito**, dice:
> Adórenlo todos los ángeles de Dios.

EVANGELIO   Juan 1:1–18

Lectura del santo Evangelio según san Juan

En el principio **ya existía** aquel que es la Palabra,
> y aquel que es **la Palabra** estaba con Dios y **era Dios**.
Ya en el principio él estaba **con Dios**.
Todas las cosas vinieron a la existencia **por él**
> y sin él **nada** empezó de cuanto existe.
Él era **la vida**, y la vida era **la luz** de los hombres.
La luz **brilla** en las tinieblas
> y las tinieblas **no la recibieron**.

Hubo un hombre **enviado** por Dios, que se llamaba Juan.
Este vino como **testigo**, para dar **testimonio** de la luz,
> para que todos creyeran **por medio de él**.
Él no era la luz, sino **testigo** de la luz.

Aquel que es la Palabra era la luz **verdadera**,
> que ilumina **a todo hombre** que viene a este mundo.
En el mundo **estaba**;
> el mundo había sido hecho **por él**
> y, sin embargo, el mundo **no lo conoció**.

Este evangelio nos da notas teológicas envueltas en formas poéticas para acercarnos al misterio de la Palabra encarnada. El encadenamiento de una línea con otra se hace repitiendo una palabra; tu inflexión de voz debe recrear ese sentido en los oyentes. La Palabra es luz y vida. Ha recorrido su camino desde el misterio de Dios, hasta el testimonio de Juan, y ha vuelto al Padre.

Este párrafo dedicado a Juan Bautista subraya su función de testigo. La Luz está testificada por él. Hay un cambio de nivel en la exposición, y debes marcarlo.

La fraseología de este párrafo retoma el tema de la Palabra, no es algo nuevo. Aquí hay cierta marca de incredulidad ante lo sucedido y debes hacerla. Es inaudito que el mundo que había sido hecho por la Palabra no lo haya reconocido como luz.

Por otro lado, Dios al comunicar, se comunicó. Es decir, se nos dio Él mismo, primero, en su comunicación, preparando que sus palabras fueran tomando cada vez mayor densidad para preparar ese tremendo acercamiento en su propio Hijo.

Con esta comunicación, las anteriores adquieren su propósito. Además, la suprema revelación lleva también a la suprema comunión. En adelante, creer en el Dios vivo, es creer "en el nombre del Hijo único de Dios" (Jn 3:18), adherirse a su persona. El autor nos da un inventario de todo lo que es y nos trae Jesús, el Hijo de Dios.

En nuestra época en la que el hombre se está divinizando, es decir, se cree dueño de un futuro en el que dominará todas las fuerzas del universo, y, por lo mismo, denuncia la alienación religiosa; por eso vale la pena anotar que la fe en Cristo afirma una promoción insospechada de la humanidad. Y no en conciencia y oposición con Dios, sino en plena dependencia, conjunción e integridad. Eso es lo que nos representa la encarnación del Hijo de Dios.

EVANGELIO Escuchamos el *prólogo de san Juan*. El prólogo es como una probadita o, como aquí, una 'probadota' de lo que se va a tratar. Por eso es importante. En su brevedad, el prólogo es capaz de engancharnos o decepcionarnos. Nos da elementos para entender lo que vendrá después. Y aunque es lo primero que uno lee, en realidad es lo último que se escribe. En su prólogo, san Juan recogió este himno y le hizo ajustes para expresar la fe que ya dos generaciones de creyentes habían ido gestando y expresando.

¿De quién habla este prólogo? Hay preguntas que sobran. Sólo que una lectura atenta nos revela que el nombre de Jesucristo

Estas líneas señalan el drama del rechazo pero también el de la recepción de la Palabra. Al pronunciar la frase de 'hijos de Dios', procura decirla de memoria y mirando a todo el auditorio también en las siguientes líneas.

Son las líneas de la encarnación en términos de la antigua tienda o morada de Dios entre los suyos. Haz que la asamblea sienta la reverencia y la gratitud por este misterio de la carne y la gloria unidos en Jesucristo. Páusate un poco antes de "Hemos visto…" Deja que la nota de la encarnación acabe de llegar al oído de todos.

Reaparece Juan con su testimonio de luz. Pronúncialo con toda confianza, como quien sabe de lo que habla. Tú también eres testigo de la Luz.

El párrafo final exhibe los beneficios aportados por la Palabra. Hay que señalar lo único de Jesucristo. Alarga la frase de "A Dios nadie…". Y pausadamente pronuncia las dos últimas líneas.

Vino a los suyos y los suyos **no lo recibieron**;
   pero **a todos** los que lo recibieron
   les **concedió** poder llegar a ser **hijos** de Dios,
   a los que **creen** en su nombre,
   los cuales **no nacieron** de la sangre,
   ni del deseo de la carne, ni por voluntad **del hombre**,
   sino que nacieron **de Dios**.

Y aquel que es la Palabra **se hizo hombre**
   y **habitó** entre nosotros.
Hemos visto **su gloria**,
   gloria que le corresponde como a **Unigénito** del Padre,
   lleno de gracia y **de verdad**.

Juan el Bautista **dio testimonio** de él, clamando:
   "**A éste** me refería cuando dije:
   'El que viene **después** de mí, tiene **precedencia** sobre mí,
   porque **ya existía** antes que yo' ".

De su plenitud hemos recibido **todos** gracia sobre gracia.
Porque **la ley** fue dada por medio de Moisés,
   mientras que la gracia y la verdad vinieron **por Jesucristo**.
A Dios **nadie** lo ha visto **jamás**.
   El Hijo **unigénito**, que está en el seno del Padre,
   es quien lo **ha revelado**.

Forma breve: Juan 1:1–5, 9–14

sólo aparece hacia el final del himno. En más de sus dos terceras partes, habla del *Lógos*, una palabra griega traducida como Palabra, Verbo, o Proyecto en nuestras biblias, con mayúscula. Esos términos quieren traducir la coherencia entre lo que se piensa y lo que se habla, pero no tanto como algo dicho o pronunciado, sino en su dinamismo, con su potencia ejecutándose o su posibilidad en desarrollo. Eso puede ser relevante a la hora de leer a san Juan. San Juan es un poeta que sugiere más que define, un teólogo que abre horizontes, no los cierra, pintor que simboliza

más que fotografía, creyente que explora el misterio pero sin cerrar los ojos ante él.

Comienza diciendo el quehacer del Verbo de Dios "en el principio", luego habla de su "venida a los suyos" y termina con su estado actual, junto a Dios. Esos tres momentos del *Lógos* están intercalados con el testimonio de Juan Bautista, mencionado dos veces. El camino del *Lógos* inicia en Dios, viene a la humanidad y retorna a Dios, donde se encuentra ahora. Así podemos entender que la historia de Jesús, el hijo de José de Nazaret, sólo tiene su verdadero peso y significado en línea con la revelación

de Dios platicada y conjuntada en las Escrituras sagradas, desde la misma Creación, 'en el principio'.

En efecto, el libro del Génesis enseña que con su palabra, Dios hizo todas las cosas, ordenando el caos primordial. El cosmos, pues, ha sido formado *lógicamente*. Ese sello *Lógico* en las creaturas es lo que los hombres perciben como vida y luz. Esa es nuestra coherencia: ser luz y vida. A esto estamos llamados.

LA SAGRADA FAMILIA DE JESÚS, MARÍA Y JOSÉ

Quizá la mejor forma de prepararse para esta lectura sea meditando en nuestra propia familia, en las relaciones que tenemos o debemos sostener entre todos.

La piedad familiar parece olvidada estos días. Pero por algo el cuarto mandamiento pertenece a la primera tabla de la Ley, que habla de los deberes con Dios. No sientas que estás proclamando algo desusado y pasado de moda, sino algo necesario para vivir con rectitud y alegría.

Reverenciar a los mayores quiere decir reconocerles un lugar en la comunidad. Esta lectura no es un regaño, sino una seria recomendación.

I LECTURA   Eclesiástico 3:2–6, 12–14

Lectura del libro del Eclesiástico (Sirácide)

El Señor **honra** al padre en **los hijos**
  y **respalda** la autoridad de la madre **sobre** ellos.
El que **honra** a su padre queda **limpio** de pecado;
  y **acumula** tesoros, el que **respeta** a su madre.

Quien **honra** a su padre,
  encontrará **alegría** en sus hijos
  y su oración **será escuchada**;
  el que **enaltece** a su padre, tendrá **larga vida**
  y el que **obedece** al Señor, **es consuelo** de su madre.

Hijo, **cuida** de tu padre **en la vejez**
  y en su vida **no** le causes tristeza;
  aunque chochee, **ten** paciencia con él
  y **no** lo menosprecies por estar tú en **pleno** vigor.
El bien hecho al padre **no quedará** en el olvido
  y **se tomará a cuenta** de tus pecados.

Lectura alternativa: Génesis 1:5, 1–6

I LECTURA El Sirácide ofrece a sus conciudadanos la sabiduría ancestral. Ante la invasión masiva de la cultura griega, que se había apoderado del Oriente Medio, este sabio dice a sus connacionales que también el pueblo judío atesora una sabiduría tan importante como la griega. Más aún, mejor. Este maestro judío quiere formar a su pueblo.

La liturgia de hoy escogió un trozo del libro del Sirácide para hablar de la familia. Para este sabio es muy importante, pues coloca el comportamiento del judío, inmediatamente después de las exhortaciones a ser fiel a Dios. El comportamiento de los miembros de la familia es básico para la salud de cada individuo. El joven generalmente se deja llevar por lo nuevo y llamativo. Va tras las nuevas ideas, las nuevas costumbres y modas. Lo nuevo tiene una fascinación especial. Por lo mismo lo antiguo y tradicional no le es tan apetecible. El Sirácide acepta el reto y trata de poner las dos posturas, midiéndolas con la tradición bíblica y la luz de la experiencia, que es la regla fundamental de toda sabiduría.

El texto propone la relación padre-hijo como una comunidad fundamental para toda comunidad humana, donde se da la posibilidad de unir lo antiguo con lo nuevo. Sugiere que no se puede construir el futuro, echando por la borda todo lo antiguo, que está representado por los padres. El apoyo fundamental le viene del cuarto mandamiento (Ex 20:12); es voluntad de Dios, y con esto está dicho todo. Además, yendo a la experiencia, afirma el autor que la correcta relación entre padres e hijos funda la felicidad. Un argumento deducido más de la experiencia, que de la ley divina. En la pedagogía con los jóvenes es muy importante hacer ver que lo que la experiencia muestra, es lo contrario de lo que el joven, con sus locuras, quiere llevar a cabo en su vida.

Para meditar

SALMO RESPONSORIAL   Salmo 104:1b–2, 3–4, 5–6, 8–9

R. El Señor se acuerda de su alianza eternamente.

Den a conocer las hazañas del Señor a los pueblos; cántenle al son de instrumentos, hablen de sus maravillas. R.

Gloríense de su nombre santo, que se alegren los que buscan al Señor. Recurran al Señor y a su poder, busquen continuamente su rostro. R.

Recuerden las maravillas que hizo, sus prodigios, las sentencias de su boca. ¡Estirpe de Abraham, su siervo; hijos de Jacob, su elegido! R.

Se acuerda de su alianza eternamente, de la palabra dada, por mil generaciones; de la alianza sellada con Abraham, del juramento hecho a Isaac. R.

II LECTURA   Colosenses 3:12–21

Lectura de la carta del apóstol san Pablo a los colosenses

Hermanos:
Puesto que Dios los ha elegido a **ustedes**,
    los ha consagrado **a él** y les ha dado **su amor**,
    sean **compasivos**, magnánimos, **humildes**, afables y **pacientes**.
Sopórtense **mutuamente**
    y **perdónense** cuando tengan quejas contra otro,
    como el Señor **los ha perdonado** a ustedes.
Y sobre **todas** estas virtudes, tengan **amor**,
    que es el vínculo de la **perfecta** unión.

Que en sus corazones **reine** la paz de Cristo,
    esa paz a la que han sido **llamados**,
    como miembros de un **solo** cuerpo.
Finalmente, sean **agradecidos**.

Que la palabra de Cristo **habite** en ustedes con **toda** su riqueza.
Enséñense y aconséjense **unos a otros** lo mejor que sepan.
Con el corazón **lleno** de gratitud, **alaben** a Dios
    con salmos, himnos y **cánticos espirituales**;
    y **todo** lo que digan y todo lo que hagan,
    háganlo en el nombre del **Señor Jesús**,
    dándole gracias a **Dios Padre**, por medio **de Cristo**.

La gratitud es una virtud muy apreciada. Y ésa tiene que ser nuestra actitud principal al proclamar esta lectura; toda nuestra vida es un dar gracias. También este momento de entregar a la comunidad la palabra de Dios. Una entrega agradecida.

La unidad de la comunidad familiar es muy importante. Este párrafo dilo con renovada energía, y con un fraseo sin prisa.

Subraya la motivación que mueve a los cristianos para su conducta, "en nombre de Cristo".

La familia es la unidad más pequeña de la comunidad, pero es la más importante. Para esto, aparte de aludir a la voluntad divina, toma el autor motivos del ideal de la vida sapiencial, mostrando que está en consonancia con el precepto divino. Expone ante el joven cómo una conducta correcta dentro de la familia le ofrece riqueza, amplia descendencia, larga vida, y honor.

El ideal descrito vale también para el que honra a sus padres. Sobre todo, le adquiere el beneplácito ante Dios, que es el objetivo final de todo israelita y de todo ser humano. Tanto en el campo del derecho divino como en el de la experiencia, aparecen

dos imágenes: plantar y construir, como ideal que proporciona una familia bien fundada. Finalmente, la bendición de Dios cierra estas recomendaciones para una familia bien integrada. En el fondo, partiendo del mandato divino y confirmándolo con la experiencia diaria, la familia feliz será aquella en la que se combinan dos virtudes fundamentales: la obediencia y el amor.

II LECTURA La Carta a los Colosenses está destinada a la comunidad cristiana completa, formada por hombres y mujeres, ancianos y niños, esclavos y libres; sin embargo, la liturgia nos la ofrece

hoy, porque los principios que va presentando ese escrito se acomodan muy bien a esta institución actual que llamamos familia.

El autor se va a la raíz: el arranque de toda vida cristiana es la elección de Dios. Dios nos ha elegido a todos y a cada uno, y esta elección trae un compromiso muy concreto: vivir en unidad. La unidad es el ideal cristiano que tiene que orientar todo comportamiento y actividad de los individuos. Bien sabemos que cada uno tiene un punto de vista sobre cada particular, y que lo estima como el mejor de todos. Aquí, precisamente, comienza a resquebrajarse la unidad. Por eso el Apóstol pone el amor como

En estas líneas también la motivación cristiana debe predominar.

Mujeres, **respeten** la autoridad de sus maridos,
    como lo quiere el Señor.
Maridos, **amen** a sus esposas **y no sean** rudos con ellas.
Hijos, obedezcan **en todo** a sus padres,
    porque eso es **agradable** al Señor.
Padres, no exijan **demasiado** a sus hijos,
    para que **no se depriman**.

Forma breve: Colosenses 3:12–17
Lectura alternativa: Hebreos 11:8, 11–12, 17–19

EVANGELIO   Lucas 2:22–40

Lectura del santo Evangelio según san Lucas

Las situaciones del relato cambian en varias oportunidades. Tu posición es la de un narrador que acompaña la acción, pero sin rebasar el relato con falsas dramatizaciones.

Transcurrido el tiempo de la **purificación** de María,
    según la ley de Moisés,
    ella y José llevaron al niño a Jerusalén
    para **presentarlo** al Señor, de acuerdo con lo escrito **en la ley:**
Todo **primogénito** varón será **consagrado** al Señor,
    y también para **ofrecer**, como dice la ley,
    un par de tórtolas o dos pichones.
Vivía en Jerusalén un hombre llamado Simeón,
    varón **justo** y temeroso de Dios,
    que **aguardaba** el consuelo de Israel;
    en él **moraba** el Espíritu Santo,
    el cual le había revelado que **no moriría**
    sin haber visto antes al Mesías del Señor.
Movido por el Espíritu, fue al templo,
    y cuando José y María entraban con el niño Jesús
    para cumplir con lo **prescrito** por la ley,
    Simeón lo tomó en brazos y **bendijo** a Dios, diciendo:
    "Señor, ya puedes dejar morir **en paz** a tu siervo,
    según lo que me habías prometido,

---

soporte de la vida común. El amor se expresa como compasión, generosidad, humildad, respeto, etc. Esas cualidades son muy necesarias para que la convivencia sea agradable, provechosa y hasta deseable. Nadie quiere estar en un sitio donde lo pisoteen, o lo menosprecien o le falten al respeto.

Pero el Apóstol va más lejos de la simple convivencia natural o humana, pues nos pone como modelo el perdón que el Señor nos otorgó, para que nosotros perdonemos. De allí, de sabernos perdonados, brota la paz cristiana. Sin esa conciencia profunda de saberse perdonado por Dios, el individuo se ensoberbece, se siente superior, impecable y daña seriamente la unidad cristiana. Vivir agradecidos con Dios, contentos, es resultado de sabernos perdonados.

Por último, el Apóstol exhorta a la comunidad a darle hospedaje a la palabra de Cristo. Esto se ha de notar en la participación de todos en la enseñanza cristiana, pero de una forma recíproca, no unilateral. Igualmente, esa palabra debe llenar el corazón de gratitud y alegría. Establecidos los principios mayores de la convivencia cristiana, aparecen los consejos domésticos familiares. El espíritu cristiano se convierte en la médula de las relaciones familiares, de modo que la unidad, no la uniformidad, sea la marca de la convivencia cristiana.

EVANGELIO El evangelista mezcla aquí la prescripción de la purificación ritual de la madre con la del rescate del primogénito. Guardada la cuarentena y antes de reintegrarse a la comunidad, la madre debía 'purificarse' pagando el precio de un sacrificio. Por su lado, el rescate de los primogénitos es una práctica muy antigua, ligada a las primicias o frutos primeros de tierra y ganados, que le corresponden a la divinidad; por eso, lo del rescate se saldaba pagando un sacrificio, equivalente a

porque mis ojos **han visto** a tu Salvador,
     al que has **preparado** para bien de **todos** los pueblos;
     luz que **alumbra** a las naciones y **gloria** de tu pueblo, Israel".
El padre y la madre del niño estaban **admirados**
     de semejantes palabras.
Simeón los **bendijo,** y a María, la madre de Jesús, le anunció:
     "Este niño ha sido puesto para ruina y **resurgimiento**
          de muchos en Israel,
     como signo que provocará **contradicción,**
     para que queden al **descubierto**
          los pensamientos **de todos** los corazones.
Y a ti, una espada te **atravesará** el alma".
Había también una **profetisa,**
     Ana, hija de Fanuel, de la tribu de Aser.
Era una mujer **muy** anciana.
De joven, había vivido siete años casada
     y tenía ya **ochenta y cuatro** años de edad.
No se apartaba del templo ni de día ni de noche,
     sirviendo a Dios con ayunos y oraciones.
Ana se acercó en aquel momento,
     dando gracias a Dios y hablando del niño
     a todos los que aguardaban la **liberación** de Israel.
Y cuando cumplieron **todo** lo que prescribía la ley del Señor,
     se volvieron a Galilea, a su ciudad de **Nazaret.**
El niño iba creciendo y **fortaleciéndose,**
     se llenaba de **sabiduría** y la gracia de Dios **estaba con él.**

Forma breve: Lucas 2:22, 39–40

Las últimas líneas cierran el relato pero abren el futuro. Es importante que también los oyentes dejen crecer estas palabras en su interior.

cinco siclos del santuario, unos diez días de jornal. Más que los ritos, a Lucas le interesa retratar a los protagonistas como cumplidores fieles y puntuales de las leyes del Señor.

Así que los padres de Jesús van al templo de Jerusalén. Allí, un par de piadosísimos ancianos se encuentran al rescatado y le auguran su futuro. Motivos parecidos se encuentran en libros griegos, latinos e incluso en la Biblia; un anciano o dos, fieles a una casa o familia caída en desgracia o pasando por una dramática situación, sobreviven para reconocer o avalar la llegada de un desconocido o un hijo perdido que se convertirá en héroe y salvador. Por otro lado,

sabemos que Lucas gusta de parear escenas y equilibrarlas; ahora coloca enfrente a un varón y una mujer, como cifras o símbolo de todos los israelitas que cultivan esperanzas en la redención del pueblo.

El anciano Simeón figura las añejas esperanzas de la consolación del pueblo; esta ilusión lo mantiene vivo. Y por eso bendice a los padres de Jesús y a Dios mismo, con el infante en sus brazos. Esa minúscula familia, tan especial por ser doblemente anormal, por los cónyuges y por el hijo, abriga en su seno la luz y la gloria del pueblo. Simeón puede bendecir porque ha confiado en la palabra empeñada de Dios a sus fieles.

La profetisa y piadosa Ana, ya de ochenta y cuatro años y después de siete años de matrimonio, es nuncio entusiasta del Mesías de Israel los que aguardan el rescate o la redención del pueblo.

Ana y Simeón mantienen la esperanza de aquellos que alimentan un futuro mejor para todos. Impulsados por el Espíritu de Dios, ambos son perceptivos y activos ante lo que sus ojos contemplan y lo descubren a la gente piadosa, fiel a las leyes del Señor. Esos ancianos son sembradores de esperanza en la joven familia de Nazaret.

SANTA MARÍA, MADRE DE DIOS

Esta fecha es muy importante y la lectura es breve. Mide bien las frases para que la bendición alcance a toda la asamblea. Fíjate que todos estén atentos, y luego comienza.

Pronuncia la bendición pausada y solemnemente.

El mandato final está dirigido a esta asamblea. Dilo con toda convicción.

Para meditar

I LECTURA   Números 6:22–27

Lectura del libro de los Números

En **aquel** tiempo, el Señor **habló** a Moisés y le dijo:
"Di a Aarón y a sus hijos:
'De **esta manera** bendecirán a los israelitas:
El Señor te bendiga y te proteja,
    haga **resplandecer** su rostro sobre ti y te conceda su favor.
Que el Señor te mire con **benevolencia**
    y te conceda la paz'.

Así invocarán mi nombre sobre los israelitas
    y yo los bendeciré".

SALMO RESPONSORIAL   Salmo 66:2–3, 5, 6, 8

R. El Señor tenga piedad y nos bendiga.

El Señor tenga piedad y nos bendiga,
ilumine su rostro sobre nosotros: conozca
la tierra tus caminos, todos los pueblos
tu salvación. R.

Que canten de alegría las naciones, porque
riges la tierra con justicia, riges los pueblos
con rectitud y gobiernas las naciones de
la tierra. R.

¡Oh Dios, que te alaben los pueblos, que
todos los pueblos te alaben! Que Dios nos
bendiga; que le teman hasta los confines
del orbe. R.

I LECTURA Lo nuevo provoca expectativas. La liturgia elige para su primera lectura la bendición. Dios mismo da la fórmula a Moisés. Desde luego, no se trata de un deseo, sino de realidades. Dios es garante de que estas palabras se convertirán en hechos. La salvación consiste en la intervención puntual de Dios en una acción determinada, como en la salida de Egipto o en la destrucción de Jericó. Se libera, se salva de un peligro, cuando no hay salida. En cambio, la bendición es respuesta del hombre, pero también bondad de Dios que produce una acción continua, un estado, la permanencia en un estado determinado. La bendición prolonga el acto creador de Dios como santificación; es como una re-creación en la que participan y colaboran los seres vivos. Por eso, se entienden como bendiciones la salud, la cosecha, un viaje feliz, la generación de hijos.

La bendición tiene su origen en Dios. Sólo Dios puede crear. Dios, al decir, crea. Así sucedió al principio del mundo, creado por su sola palabra. Por esto la acción de bendecir está anclada en el acto creador de Dios. En cambio, la salvación, en el rescate de Dios. Es el mismo Dios: bendice y salva.

La bendición sacerdotal tiene seis verbos, de algún modo, semejantes, pero cada uno expresa algo propio. Bendecir es algo propio de Dios. Los hombres bendicen en un sentido secundario. Ponen las manos sobre la cabeza del que van a bendecir y con esto indican la efusión de una fuerza, de un poder. Se participa esa fuerza divina por las palabras y gestos.

El verbo 'guardar' tiene un sentido claro de defender, librar de peligros, acompañar. La vida humana es frágil; por eso necesita guarda.

II LECTURA Gálatas 4:4–7

Lectura de la carta del apóstol san Pablo a los gálatas

Hermanos:
Al llegar la **plenitud** de los tiempos,
    envió Dios a su Hijo, nacido de **una mujer**,
    nacido **bajo la ley**,
    para **rescatar** a los que **estábamos** bajo la ley,
    a fin de hacernos **hijos suyos**.

Puesto que **ya son ustedes hijos**,
Dios envió a sus corazones **el Espíritu** de su Hijo,
    que clama "**¡Abbá!**", es decir, ¡Padre!
Así que ya no **eres siervo**, sino hijo;
    y siendo hijo, eres también **heredero** por voluntad de **Dios**.

EVANGELIO Lucas 2:16–21

Lectura del santo Evangelio según san Lucas

En **aquel** tiempo,
    los pastores fueron a **toda prisa** hacia Belén
    y encontraron a **María**, a José y al **niño**,
    recostado en el pesebre.
Después de verlo,
    contaron lo que se les **había dicho** de aquel niño
    y **cuantos** los oían, quedaban **maravillados**.
María, por su parte, guardaba **todas** estas cosas
    y las meditaba **en su corazón**.

Haz esta lectura con todo cariño y reverencia, teniendo en cuenta que la misma Madre de Dios está presente ante la comunidad. Ella es la madre de todos.

Dale su peso a la palabra aramea 'Abbá'. Enfatiza la palabra hijo y sus equivalentes.

Hay que acentuar la maternidad de María, pero hay que conseguir que la asamblea capture su figura acompañada de su Esposo y del Niño.

La imagen meditativa de María es de quien recibe una revelación. Esa misma imagen hay que difundirla y ayudar a la asamblea a que la adopte, al momento de la homilía.

La segunda serie de bendiciones abarcan dos aspectos: una cara radiante, signo de alegría y salud, tanto corporal como espiritual. La segunda expresión, "te sea propicio", invoca que Dios sea bueno contigo, que te dé su gracia.

Viene el último par. Primero, "que te muestre su rostro", es como si antes Dios tuviera escondido su rostro y ahora lo muestra, en signo de perdón y de gracia. Finalmente, la última frase resume las cinco anteriores y amasa lo que todo israelita desea en la vida: la paz, *Shalom*, la integridad, que todo el ser funcione en todas sus

facultades, físicas y espirituales. Para un cristiano es la paz, que el hombre no puede dar, sino sólo Dios.

La virgen María es el mejor ejemplo de esta bendición de Dios. Ella es, por otro lado, nuestra protectora y ayuda. Es la que más cercana está de su Hijo y es la que muestra en su persona lo que es una bendición. No en balde el ángel le dijo que "era bendita entre todas las mujeres".

II LECTURA En esta segunda lectura, Pablo insiste en el tema de la filiación divina. Nosostros somos hijos de

Dios. Lo somos por adopción, gracias a que tomó carne la segunda Persona de la Santísima Trinidad en el vientre de María: "nacido de mujer, nacido bajo la ley".

El proyecto de Dios se hace historia y va haciendo más denso y más cercano en una muchacha pueblerina, María de Nazaret. Desde allí, Dios empuja la historia humana hacia la plenitud.

María tiene un lugar escogido en la historia de salvación. Por esto uno de los primeros títulos dados por la iglesia en su comprensión cristológica, fue el de la *Theotokos*: madre de Dios.

La algarabía de los pastores es evangelizadora. Hay que recuperar esto en nuestras comunidades: el entusiasmo y la alegría.

Comunica la certeza de que todo se ha desarrollado conforme al designio divino.

Los pastores se volvieron a sus campos,
alabando y **glorificando** a Dios
por todo cuanto habían **visto y oído**,
según lo que se les **había anunciado**.

Cumplidos los **ocho** días, **circuncidaron** al niño
y le pusieron el nombre **de Jesús**,
aquel mismo que había dicho el ángel,
antes de que el niño fuera concebido.

Como la madre de Dios, así es la Iglesia: escucha como María los grandes hechos realizados por Dios en el nombre de Jesús y los reflexiona, para tratar de discernir lo que Dios quiere que hoy hagamos y construyamos.

EVANGELIO Hoy celebramos la maternidad de María, maternidad divina, que los obispos reunidos en el Concilio de Éfeso en el 431 decretarían, desechando lo que un brillante teólogo, Nestorio, propagaba, que María era sólo *Christotokos*, es decir, la que da a luz al Cristo.

Éfeso era asiento del más importante santuario de Artemisa o Cibeles, diosa virginal y madre fecunda de aquellos pueblos politeístas. El cristianismo de los orígenes también floreció en Éfeso (cf. Hech 19), donde, añejas tradiciones cristianas, hacen residir a la madre de Jesús y al discípulo amado. Confesar la maternidad divina de María es un derivado 'natural' de la confesión de la plena divinidad y la plena humanidad de Jesús.

Dios ha querido andar el curso humano para operar nuestra salud. Desde lo más simple, ordinario y hasta vulnerable, nos rescata.

San Lucas dice todo de María con una sola frase, "...conservaba todas estas cosas considerándolas en su corazón". Ella es creyente que contempla y se adentra en la revelación de Dios, y la experimenta como salvación.

María Madre invita a reposarnos y observar lo que Dios ha hecho por nosotros para poder entendernos en lo que nos sucede.

EPIFANÍA DEL SEÑOR

I LECTURA   Isaías 60:1–6

Lectura del libro del profeta Isaías

Renueva ante la asamblea el exhorto del profeta para caminar al encuentro del Señor. Esta lectura es muy plástica o gráfica, de modo que hay que procurar acompañar las descripciones con tu modulación de voz y tu lenguaje corporal.

Levántate y resplandece, **Jerusalén**,
    porque **ha llegado** tu luz
    y **la gloria** del Señor alborea sobre ti.
Mira: las tinieblas **cubren** la tierra
    y **espesa** niebla **envuelve** a los pueblos;
    pero sobre ti **resplandece** el Señor
    y **en ti** se manifiesta su gloria.
Caminarán los pueblos **a tu luz**
    y los reyes, **al resplandor** de tu aurora.

La procesión es exuberante; nadie puede ser ajeno a este desfilar de alegría y riquezas. Todo en honor del Señor. Recita este pasaje como describiéndolo, con colores en tu voz.

Levanta los ojos y mira **alrededor**:
    todos se reúnen **y vienen** a ti;
    tus hijos llegan **de lejos**, a tus hijas las traen **en brazos**.
Entonces verás esto **radiante** de alegría;
    tu corazón **se alegrará**, y se ensanchará,
    cuando se **vuelquen** sobre ti los **tesoros** del mar
    y te traigan **las riquezas** de los pueblos.
Te **inundará** una multitud de camellos y dromedarios,
    procedentes de **Madián** y de **Efá**.

Estos nombres extraños, deben sonar así, exóticos. También gentes que no conocemos alaban al Señor. Él siembra la apertura en nuestras comunidades.

Vendrán **todos** los de Sabá
    trayendo **incienso y oro**
    y proclamando **las alabanzas** del Señor.

I LECTURA Los capítulos 60–62 del libro de Isaías forman una pequeña unidad, cuyo tema es la nueva Jerusalén. En este capítulo 60, de donde viene la lectura litúrgica de hoy, el profeta retoma el oráculo de Ag 2:6–9 y lo aplica a la ciudad santa. Primero interpela a la ciudad (1–3) y después evoca la procesión que llevará a todos las naciones a la ciudad de David (4–9).

En el v. 1 el profeta interpela a Jerusalén. Contempla su gloria escatológica. Sobresale el tema de la luz. Expone la alegría de la salvación, que aportará el Señor. Todos

los pueblos de la tierra se encontraban en la oscuridad (2a). En esta oscuridad emerge la ciudad santa con su luz, símbolo de la presencia divina. No se alude a un nuevo éxodo. Éste ya tuvo lugar. Los exiliados han regresado a su tierra. Ahora la gloria de Dios se eleva sobre la ciudad santa, como había residido en el Sinaí. Es decir, es la irrupción de lo eterno en el tiempo, la inauguración de un mundo nuevo en Jerusalén. Jesús en su persona y, luego, en sus obra (la iglesia), cumple esta promesa.

La gloria divina se manifestó en los milagros de Jesús. Por su resurrección se abre

a la iglesia la manifestación de su gloria. Jerusalén es la madre de un pueblo, pero también es el lugar a donde se encaminan todos los pueblos. ¿A qué van? Van buscando la presencia divina. Llegarán a la ciudad santa llevando su homenaje al Señor. Este homenaje se expresa en sus regalos. Por esta razón la nueva Jerusalén se convierte en un signo de unidad para todo el género humano reconciliado.

Esta Jerusalén renovada es para el cristiano la "Jerusalén de lo alto", que es nuestra madre: la Iglesia de Jesucristo, cuya misión es manifestar la presencia divina

Para meditar

SALMO RESPONSORIAL Salmo 71:1–2, 7–8, 10–11, 12–13

R. Se postrarán ante ti, Señor, todos los pueblos de la tierra.

Dios mío, confía tu juicio al rey, tu justicia al hijo de reyes: para que rija a tu pueblo con justicia, a tus humildes con rectitud. R.

Que en sus días florezca la justicia y la paz hasta que falte la luna; que domine de mar a mar, del Gran Río al confín de la tierra. R.

Que los reyes de Tarsis y de las islas le paguen tributo; que los reyes de Sabá y de Arabia le ofrezcan sus dones, que se postren ante él todos los reyes, y que todos los pueblos le sirvan. R.

Porque él librará al pobre que clamaba, al afligido que no tenía protector; él se apiadará del pobre y del indigente, y salvará la vida de los pobres. R.

II LECTURA   Efesios 3:2–3a, 5–6

Lectura de la carta del apóstol san Pablo a los efesios

Hermanos:
Han oído hablar de la **distribución** de la **gracia** de Dios,
   que se me ha **confiado** en favor de ustedes.
Por revelación se me **dio a conocer** este misterio,
   que no **había sido** manifestado a los hombres en otros tiempos,
pero que ha sido revelado **ahora** por el Espíritu
   a sus **santos** apóstoles y profetas:
es decir, que por el Evangelio,
también los paganos son **coherederos** de **la misma** herencia,
miembros del **mismo** cuerpo
y **partícipes** de **la misma** promesa en Jesucristo.

Practica este párrafo inicial porque es largo y complejo. Después del punto, distribúyelo en tres partes bien marcadas, la de la revelación al apóstol mismo, la de la revelación actual, y la que alcanza a los paganos.

Las últimas líneas son fundamentales: la unidad d los creyentes nos incluye a todos.

---

entre los hombres (Epifanía) y ser el motor, el impulso que lleva a la unificación de todos los pueblos.

Al celebrar la Iglesia la Epifanía, la manifestación de Dios, está aludiendo a su misión de llevar a Dios a la humanidad y de esta forma, a promover la unidad de todos los pueblos. Una fe vivida es lo que unifica a la humanidad.

II LECTURA La Epifanía no consiste en recordar lo pasado. Los Magos, el reconocimiento de Jesús por estos

venerables ancianos. Conmemora la revelación del misterio para nosotros y nuestro mundo.

El pueblo cristiano se mueve en una hilera de manifestaciones de Dios, llevadas a cabo por sus palabras y acciones. Nuestra existencia es una parte de la historia de la salvación.

La Epifanía es la revelación del misterio de Dios. Esta revelación se ha realizado por palabras y acciones en la historia humana. Cristo es el que da una finalidad a esta historia. La iglesia llegará hasta el final de esa historia, dirigida por Dios.

La vocación y la misión están intrínsecamente unidas. Pablo lo reconoce al hablar del sentido de su vida, que encontró en su encuentro con Cristo en Damasco su sentido y finalidad. Dios ha tenido un objetivo que llama Pablo el misterio de Dios. Pablo ha recibido de Dios la explicación de este misterio. Fue llamado a llevar la Buena Noticia a los paganos. Del encuentro que tuvo con el resucitado, provino su conocimiento del misterio de Dios. El misterio es el propósito que tiene Dios sobre los hombres y sobre el mundo, Consiste en el restablecimiento de todo y de todos bajo la cabeza, Jesús.

EVANGELIO   Mateo 2:1–12

Lectura del santo Evangelio según san Mateo

Jesús nació en **Belén de Judá**, en tiempos del rey Herodes.
Unos **magos** de Oriente
    llegaron entonces a Jerusalén y **preguntaron**:
"**¿Dónde** está el rey de los judíos que **acaba** de nacer?
Porque **vimos surgir** su estrella y **hemos venido** a adorarlo".

Al enterarse **de esto**,
    el rey Herodes se **sobresaltó** y **toda** Jerusalén con él.
Convocó entonces a los sumos sacerdotes
      y a los escribas del pueblo
    y les preguntó **dónde** tenía que nacer el Mesías.
Ellos le contestaron:
"**En Belén de Judá**, porque **así** lo ha escrito el profeta:
Y tú, **Belén**, tierra de Judá,
    no eres **en manera alguna** la menor
    entre las ciudades **ilustres** de Judá, pues **de ti** saldrá un jefe,
    que será el pastor de mi pueblo, Israel".

Entonces Herodes llamó **en secreto** a los magos,
    para que le **precisaran** el tiempo
    en que se les había aparecido la estrella
    y los mandó a Belén, **diciéndoles**:
"**Vayan** a averiguar **cuidadosamente qué hay** de ese niño,
    y cuando lo encuentren, **avísenme**
    para que yo **también** vaya a adorarlo".

Después de oír al rey, los magos se pusieron **en camino**,
    y **de pronto** la estrella que habían visto surgir,
    comenzó a guiarlos,
    hasta que se detuvo **encima** de donde estaba el niño.
Al ver **de nuevo** la estrella, se llenaron de **inmensa** alegría.

Sin tensión no hay relato. Este es muy conocido, pero no hay que perder los detalles, principalmente los de las emociones. Recuerda que eres narrador y voz de los protagonistas, pero esto no es una emisión de radio, ni pieza de teatro, sino una proclamación de la palabra.

Hay sentido de urgencia. No recites esta parte como si nada pasara. El rey se siente amenazado y actúa con doblez.

La recomendación de Herodes debe sonar casi natural porque el auditorio ya lo conoce.

La tensión parece disiparse; dale un matiz de gozo y reverencia a esta parte del evangelio.

No es suficiente un conocimiento conceptual, sino vital. El cristiano debe ir profundizando este misterio con su experiencia del don del Espíritu, que lo lleva a realizar la voluntad de Dios. Esta consiste en una labor eminentemente unificadora. El objetivo de la humanidad no es la dispersión, sino la unificación. Es tratar de ir integrando todo, es decir, ir dando a mi vida una finalidad, donde todo sea claro y señale quién soy y a dónde voy. Los demás al ver mis acciones y palabras, irán comprendiendo este misterio. Mejor, la develación paulatina de este misterio. Como el apóstol Pablo, voy revelando el misterio unificador que Jesús ha imprimido a la creación entera.

EVANGELIO El relato de los Magos que vienen a adorar al Rey de los Judíos está lleno de elementos misteriosos, novelescos e imaginativos, que lo acercan a ese género bien conocido entre los judíos y de amplio arraigo popular, en eso que los estudiosos llaman *midrash haggadah*; se trata de relatos embellecidos que tomando pie en algún motivo de las escrituras buscaban entretener e ilustrar sobre una determinada actitud o inculcar una verdad.

En este caso, estamos ante un relato cristiano que ilustra la auténtica identidad de Jesús, el recién nacido.

Los Magos de Mateo serían sabios o científicos, quizá sacerdotes de las religiones persas, que entre los griegos eran llamados matemáticos o caldeos, debido a sus amplios conocimientos de los astros y sus movimientos, así como de la naturaleza, los sueños y el calendario. Esos magos orientales tienen sus pares en los sacerdotes y escribas de Jerusalén, conocedores de las escrituras proféticas. Tal suerte de astrólogos podía escudriñar el cielo para anticipar

Las dos líneas finales recuperan la tensión del relato. Los Magos también son astutos, y esto también se le debe transmitir a la comunidad. No se puede secundar a los tiranos.

Entraron en la casa y **vieron** al niño con **María**, su madre, y **postrándose**, lo adoraron.
Después, abriendo sus cofres, le ofrecieron regalos: oro, **incienso y mirra**.
Advertidos durante el sueño de que **no volvieran** a Herodes, **regresaron** a su tierra por **otro** camino.

el deseo de los dioses y satisfacerlos, bien evitando catástrofes a los humanos, bien acarreándoles dicha y ventura. Esto tenía gran importancia, porque se creía que la vida y el destino humanos estaba regido por los astros, a los que se les consideraba seres vivos, una especie de ángeles, que revelaban no sólo el deseo oscuro de los dioses, sino el verdadero sentido de todos los acontecimientos, oculto a los ojos de los necios, descuidados y destinados a la perdición. Por eso es tan importante el juego de oculto/manifiesto, saber/ignorar en este relato de Mateo.

Si bien los capítulos primeros del evangelio se entienden mejor a contraluz de los relatos de la infancia de Moisés, en este, san Mateo subraya el motivo davídico, pero no sin un tono irónico: ¡Unos extranjeros llegan hasta la casa real a anunciar el nacimiento de un nuevo rey! Si entendemos que Herodes no era de sangre davídica, que mantenía un control férreo sobre todo su territorio y que asesinó a cuantos consideraba una amenaza para su gobierno, incluidos sus hijos, el relato adquiere tonos más vivos. El rey recién nacido en Belén tiene

que ser tan diferente que ¡hasta los extranjeros vienen a verlo! ¿Qué le verán?

BAUTISMO DEL SEÑOR

El Siervo es una figura que Dios levanta para darle esperanza al pueblo disperso. Esa esperanza es lo que hay que comunicarle a la asamblea hoy. Hay que despertar la esperanza enraizada en Dios.

El poder de la palabra lleva a disfrutar de la justicia. Es el estado de derecho que hay que implantar en donde la violencia parece la única forma.

Dios le habla a su elegido y le descubre su misión de luz y de salud. Es la misión de todos los que reciben la palabra de Dios.

I LECTURA   Isaías 42:1–4, 6–7

Lectura del libro del profeta Isaías

Esto dice el Señor:
   "Miren a mi siervo, a quien **sostengo**,
   a mi **elegido**, en quien tengo **mis complacencias**.
En él he puesto mi espíritu
   para que **haga brillar** la justicia sobre las naciones.

No gritará, **no clamará, no hará** oír su voz por las calles;
   no romperá la caña resquebrajada,
   ni apagará la mecha que aún humea.
Promoverá con firmeza la justicia,
   no **titubeará** ni se doblegará hasta haber
   establecido el derecho sobre la tierra
   y hasta que las islas **escuchen** su enseñanza.

Yo, el Señor,
   fiel a mi designio de salvación,
   te llamé, te tomé de la mano, **te he formado**
   y te he constituido **alianza** de un pueblo,
   luz de las naciones,
   para que **abras** los ojos de los ciegos,
   saques a los cautivos de la prisión
   y de la mazmorra a los que **habitan** en tinieblas".

Lectura alternativa: Isaías 55:1–11

I LECTURA La enigmática figura del "Siervo de Dios" es muy significativa para este tiempo navideño. Con el capítulo 55 cierra su menaje este profeta anónimo del siglo VI a.C. Dios ha enviado a este Siervo a anunciar una Buena Noticia.

Empieza la lectura con una proclamación solemne. Alza la voz el profeta como un vendedor que ofrece su mercancía: ¡Vengan! ¡Atiendan! Es como la Sabiduría en el libro de los Proverbios. Ofrece alimento gratis a sus oyentes.

La oferta es para los que heredan al Siervo sufriente, y consiste en acoger el orden mundial descrito en Is 54:9. Dios motiva su generosidad. Ésta se expresa en la plenitud de bienes, descritos con una bina: comer y beber ante Dios con alegría. Esa frase condensa los dones materiales y espirituales para Israel. El objetivo es obtener vida gozosa (v. 3a) y esto sólo cabe en la alianza de paz, fundada en el amor de Dios (54:10). Lo que produce vida es la palabra divina, palabra creadora que nutre y fecunda la tierra.

La promesa hecha a David (2 Sam 7) es para los oyentes del profeta. La promesa no se refiere al rey, sino a los siervos, para un resto fiel, que obrará en función de la gloria de Dios. Dios es fiel a su promesa, pero ahora, debido a la infidelidad de los sucesores de David, la promesa se amplía y se extiende al pueblo auténtico de Israel. Esta manera de obrar es propia de Dios. Un hecho o palabras dichas por él, tienen un sentido concreto al momento de ser pronunciadas, pero con el tiempo, esas mismas palabras o hechos significan más, crecen.

Al final, invita a buscar a Dios mismo. El oráculo cierra aludiendo a la fuerza de la palabra de Dios. Ésta llevará a cabo su objetivo. Será a través del juicio de la salvación.

Para meditar

SALMO RESPONSORIAL   Isaías 12:2–3, 4bcd, 5–6

R. Ustedes sacarán agua con alegría de las vertientes de la salvación.

¡Vean cómo es Él, el Dios que me salva, / me siento seguro y no tengo más miedo, / pues el Señor es mi fuerza y mi canción, / Él es mi salvación! / Y ustedes sacarán agua con alegría de los manantiales de la salvación. R.

¡Denle las gracias al Señor; vitoreen su nombre! / Publiquen entre los pueblos sus hazañas. / Repitan que su nombre es sublime. R.

¡Canten al Señor porque ha hecho maravillas / que toda la tierra debe conocer! / ¡Griten de contento y de alegría, habitantes de Sión, / porque grande se ha portado contigo / el Santo de Israel! R.

II LECTURA   Hechos 10:34–38

Lectura del libro de los Hechos de los Apóstoles

En aquellos días,
Pedro se dirigió a **Cornelio** y a los que estaban en su casa,
    con **estas** palabras:
  "Ahora caigo en la cuenta de que Dios
no hace distinción de personas,
    sino que **acepta** al que lo teme y practica la justicia,
    sea de la nación que fuere.
Él **envió** su palabra a los hijos de Israel,
    para **anunciarles** la paz por medio de Jesucristo,
      Señor de todos.

Ya saben ustedes lo sucedido **en toda Judea**,
    que tuvo principio **en Galilea**,
    después del bautismo **predicado** por Juan:
    cómo Dios ungió con el **poder** del Espíritu Santo
      a **Jesús de Nazaret**
    y cómo éste pasó haciendo el bien,
    sanando a **todos** los oprimidos por el diablo,
    porque Dios **estaba con él**".

Lectura alternativa: 1 Juan 5:1–9

En la comunidad cristiana no debe haber sino igualdad. Proclamar la palabra no nos separe de la comunidad, más bien nos debe ligar más a ella. Alimenta esta actitud de servicio para todos.

Este resumen del evangelio tienes que marcarlo en sus aspectos diferentes. Los adverbios de tiempo y los 'cómos' van a ayudar en esto.

II LECTURA   El episodio de Pedro visitando a Cornelio se organiza alrededor de tres ciudades: Cesarea, Jope y Jerusalén. Ante la comunidad cristiana de esta última ciudad, Pedro justifica sus actos. Ofrece su quinto y último discurso, aunque sin esgrimir ningún argumento de las Escrituras.

Para Lucas, Pablo no fue el que abrió el Evangelio a los paganos, sino Pedro. O mejor, el de la iniciativa es el Espíritu Santo pues convierte al cristianismo en algo universal; a Pedro no le queda otra cosa que obedecer al Espíritu.

Pedro explica lo sucedido: "Dios no hace acepción de personas" (v. 34), y repite que en todo "acepta a quien lo respeta y practica la justicia, de cualquier nación que sea" (v. 35).

La imparcialidad es una de las doctrinas más claras del AT y del NT. Basta recordar la elección de David, a manos de Samuel (1 Sam 15:7). Tal vez Pedro aluda a Dt 10:17–18, donde habla de Dios que no tiene acepción de personas y hace justicia con los olvidados por la justicia humana.

Dios exige una conducta recta para entrar a su presencia (Sal 15 y 24). En el discurso, Pedro como que alude a la ofrenda. Una ofrenda de netamente moral y espiritual. No es necesario pertenecer a Israel para dar a Dios un culto agradable (v. 43).

Pedro no dice que la piedad y justicia sean suficientes para ser salvados, independientemente de otra consideración. Alude más bien a los presupuestos de la fe: hay disposiciones religiosas que acercan a la gracia de la fe, que es la que salva.

Pedro proclama que Jesucristo "Es el Señor de todo". No sólo, pues, de los judíos. En la resurrección aparece en su señorío universal.

EVANGELIO   Marcos 1:7–11

Lectura del santo Evangelio según san Marcos

En aquel tiempo, Juan predicaba diciendo:
    "Ya viene **detrás de** mi uno que es **más poderoso** que yo,
    uno ante quien no merezco **ni siquiera** inclinarme
    para **desatarle** la correa de sus sandalias.
Yo los he bautizado a ustedes **con agua,**
    pero él los bautizará con el **Espíritu Santo**".

Por esos días, vino Jesús desde Nazaret de Galilea
    y fue bautizado **por Juan** en el Jordán.
Al salir Jesús del agua, vio que los cielos **se rasgaban**
    y que el **Espíritu,** en figura de paloma,
    descendía **sobre él.**
Se **oyó** entonces una voz del cielo que decía:
    "Tú eres **mi Hijo amado;** yo tengo **en ti** mis complacencias".

Juan es un hombre de Dios recio, forjado en el desierto, y sabio. Dale su lugar, no hay que diluirlo como si no existiera. Dale realce a su declaración.

Narra la visión de Jesús como quien se asoma a la interioridad de una persona: con respeto y reverencia profundos. La voz del cielo debe encontrar eco en la audiencia.

EVANGELIO   Juan Bautista apunta al que es "más fuerte". La fuerza o poder mesiánico se expresa como bautizar con Espíritu Santo, distinto a bautizar con agua para el perdón de los pecados. Quien lo administre tendrá una autoridad como la de Dios, por una parte. Por otra, ese bautismo tiene una virtud mayor a la de perdonar pecados.

El bautismo consiste en un baño ritual público, en el que la persona confiesa sus pecados y re-presenta morir (ahogada) para liberarse de ellos, para luego re-vivir o recuperar una vida purificada y adentrarse en la tierra nueva. El trasfondo bíblico le viene del paso del Mar Rojo y del Jordán, y del diluvio. El bautismo, Juan lo entendía como inútil si no "producía frutos de conversión".

El bautismo de Jesús cabe entenderlo en ese trasfondo. Al ir desde Nazaret hasta Judea, Jesús se suma a la renovación del pueblo promovida por el profeta Juan. Pero algo peculiar aconteció, según nos cuenta san Marcos: Jesús experimenta una visión y escucha unas palabras que le cambian el rumbo a su vida.

La rasgadura de los cielos implica violencia, no algo 'ordenado', o algo acostumbrado. Dios está por actuar con todo su poder.

El Espíritu que baja va a re-ordenar las cosas, a liberarlas del caos. El Espíritu es invisible, de allí que Jesús lo vea "como paloma bajando hasta...". Se trata de una experiencia espiritual que sella el carácter mesiánico de Jesús como "bautizador" con Espíritu Santo; él es "el más fuerte", porque Dios pone en él su Fuerza para vencer todo desorden diabólico y divisor.

II DOMINGO ORDINARIO

I LECTURA   1 Samuel 3:3b–10, 19

Lectura del primer libro de Samuel

Es un relato de reconocimiento de la voz de Dios que habla en su santuario, de noche. Hay que destacar los elementos que ayuden a captar esto ante la audiencia, en cada una de las tres partes desiguales.

En aquellos días,
    el joven Samuel servía en el templo
    a las órdenes del sacerdote **Elí.**
Una noche, estando Elí acostado en su habitación
    y Samuel en la suya,
    dentro del santuario donde se encontraba **el arca de Dios,**
    el Señor **llamó** a Samuel
    y éste respondió: "**Aquí** estoy".
Fue **corriendo** a donde estaba Elí y le dijo:
    "**Aquí** estoy. ¿**Para qué** me llamaste?"
Respondió Elí: "Yo **no** te he llamado. **Vuelve** a acostarte".
Samuel se fue a acostar.
Volvió el Señor a llamarlo y él **se levantó,**
    fue a donde estaba Elí y le dijo:
    "**Aquí** estoy. ¿**Para qué** me llamaste?"
Respondió Elí: "**No** te he llamado, hijo mío. **Vuelve** a acostarte".

Las primeras dos líneas hacen de puente con el siguiente cuadro. La disposición de Samuel es ejemplar, y hay que pronunciar sus palabras mostrando la diligencia del muchacho.

Aún **no conocía** Samuel al Señor,
    pues **la palabra** del Señor no le había sido **revelada.**
Por **tercera** vez llamó el Señor a Samuel;
    éste se **levantó,** fue a donde estaba Elí y le dijo:
    "**Aquí** estoy. ¿**Para qué** me llamaste?"

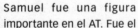 Samuel fue una figura importante en el AT. Fue el "Hacedor de reyes", pues a él se debe la consagración de los dos primeros reyes de Israel: Saúl y David. Además, fue el último de los Jueces de Israel.

La lectura de hoy habla de la elección de Samuel. Los grupos hebreos estaban en una situación difícil y borrascosa. Había desunión entre las tribus y clanes, y en el horizonte la amenaza de un pueblo guerrero conquistador: los filisteos.

Samuel había sido consagrado al Señor por su madre desde su concepción. Entregado a Dios, se fue preparando desde niño bajo la mirada y guía del Juez Elí.

El Señor llamó a Samuel en la noche, reflejo de la oscuridad por la que atraviesa Israel, y la penuria de revelación, pues "la palabra del Señor era rara en aquellos días" (3:1b). El joven Samuel habitaba al interior del templo, o carpa de cuero "donde se encontraba el arca de Dios" (v. 3). El arca era símbolo de la presencia divina. Por esto, se podría decir que Samuel vivía con Dios. En esa cercanía va a aprender algo de la manera

de ser de Dios y así tratará de obrar cuando sea grande. Samuel actuará con el sentido de Dios.

El texto dice que hubo un intercambio entre Dios y Samuel. Esa llamada cambió a Samuel totalmente y le dio la dirección de su vida. Será un profeta y un juez. Vivirá a la escucha de Dios. Ese "Habla Señor, que tu siervo escucha" (v. 9), adelantó lo que la virgen Madre dirá: "que me suceda lo que tú me dices" (Lc 1:38). Con Samuel inició la era del gran profetismo (Hch 3:21), que pone en su verdadera luz la fuerza autoritativa de la Palabra de Dios. Aclarar, dar luz a Israel en

Entonces **comprendió** Elí
   que era el Señor **quien llamaba** al joven
   y dijo a Samuel:
   "**Ve a acostarte** y si te llama alguien responde:
   '**Habla,** Señor; tu siervo te **escucha**'".
Y Samuel se fue a acostar.

De nuevo el Señor se presentó y lo llamó **como antes:**
   "**Samuel,** Samuel".
Éste respondió: "**Habla,** Señor; tu siervo **te escucha**".

Samuel **creció** y el Señor estaba **con él.**
Y **todo** lo que el Señor le decía, **se cumplía.**

El reconocimiento llega con esta parte. El Señor respalda siempre a Samuel. La línea final debe quedarse en el auditorio; páusate antes de decir la fórmula conclusiva.

Para meditar

SALMO RESPONSORIAL   Salmo 39:2, 4ab, 7–8a, 8b–9, 10

R. Aquí estoy, Señor, para hacer tu voluntad.

Yo esperaba con ansia al Señor: él se inclinó y escuchó mi grito; me puso en la boca un cántico nuevo, un himno a nuestro Dios. R.

Tú no quieres sacrificios ni ofrendas, y, en cambio, me abriste el oído; no pides sacrificio expiatorio, entonces yo digo: "Aquí estoy". R.

Como está escrito en mi libro: "para hacer tu voluntad". Dios mío, lo quiero, y llevo tu ley en las entrañas. R.

He proclamado tu salvación ante la gran asamblea; no he cerrado los labios, Señor, tú lo sabes. R.

II LECTURA   1 Corintios 6:13–15, 17–20

Lectura de la primera carta del apóstol san Pablo a los corintios

Hermanos:
El cuerpo **no es** para fornicar,
   sino para **servir** al Señor;
   y el Señor, para **santificar** el cuerpo.
Dios **resucitó** al Señor
   y nos resucitará **también** a nosotros con su poder.

No te dejes arrastrar por la tentación de querer como regañar a la asamblea. Este trozo tiene que ser una enseñanza de lo que es vivir en santidad. Atempera tu porte y tu voz para que los escuchas abracen esta invitación. Pablo es padre de la comunidad, y ese tono paternal y cariñoso tienes que asumir.

sus problemas, será la vocación de Samuel y la de todo profeta.

II LECTURA Esta lectura alude a la "vocación" propia del cristiano: construir en comunidad el único pueblo de Cristo en el mundo. Los cristianos estamos llamados a forjar la unidad. Ya los corintios habían interpretado mal esta unidad de los llamados a edificar con Cristo un solo cuerpo. Habían admitido en su comunidad grupismos divisorios.

En Corinto se sentía muy fuerte la tentación permanente de la sensualidad, empujada por el culto a Afrodita, diosa griega del amor, y su pujante santuario en la ciudad; la inercia de la sensualidad circundante ayudaba a tener en poco el valor del cuerpo humano. El cuerpo tiene dignidad propia, en sí mismo. Además, para el cristiano, el cuerpo hospeda a un huésped divino especial: al Espíritu.

Los corintios hacían como hace el hombre moderno hoy en día. La sexualidad, decían ellos, es algo neutral. Lo material (el cuerpo) está separado del alma. Por lo que la sexualidad no estaría influenciada por la profunda realidad cristiana. Decían también que la sexualidad es algo natural, no tiene acepción moral; es como beber o comer. Así se piensa en nuestro mundo. Si dos seres se quieren y no molestan, ni van contra el derecho de otras personas y deciden tener relaciones sexuales, lo que hagan nada tiene que ver con la moral. Es algo, dicen, que se reduce a la esfera privada.

Pero no, para el cristiano, el cuerpo forma un todo con el alma. El cuerpo pertenece al Señor, es parte inseparable de la persona humana. No es algo separable. El que vive unido al Señor y está animado por el Espíritu, contradice su nuevo estado de gracia en su relación con una prostituta (v. 16), porque lleva a cabo una relación carente de amor. La persona humana tiene

La enseñanza sobre la grande dignidad del cuerpo del cristiano es algo que hay que recibir de buen grado; ahora lo llaman auto—aceptación. Tu porte debe reflejar esto, decoro y seguridad. Las posturas sexys nada tienen que ver con este modo de entender la nobleza del cuerpo humano.

El tono tiene que ser seguro y hasta como queriendo sacar una mala idea de la cabeza, con toda sabiduría. Subraya la segunda parte de la oración de "No son ustedes sus propios dueños…"

¿**No saben** ustedes que sus cuerpos son **miembros** de Cristo?
Y el que se une al Señor, se hace un solo espíritu con él.
Huyan, por tanto, de la fornicación.
Cualquier **otro pecado** que cometa una persona,
    queda **fuera** de su cuerpo;
    pero el que fornica, peca contra su propio cuerpo.

¿O es que no saben ustedes
    que su cuerpo **es templo** del Espíritu Santo,
    que han **recibido** de Dios y habita **en ustedes**?
No son ustedes sus **propios** dueños,
    porque Dios los ha comprado a un precio **muy caro.**
Glorifiquen, pues, a Dios con **el cuerpo.**

EVANGELIO   Juan 1:35–42

Lectura del santo Evangelio según san Juan

En aquel tiempo,
    estaba **Juan el Bautista** con dos de sus discípulos,
    y **fijando** los ojos en Jesús, que pasaba, dijo:
    "**Éste es** el Cordero de Dios".
Los dos discípulos, al **oír** estas palabras, **siguieron** a Jesús.
Él se **volvió** hacia ellos, y viendo que lo seguían, les preguntó:
    "**¿Qué buscan?**" Ellos le contestaron:
    "**¿Dónde** vives, Rabí?" (Rabí significa "**maestro**").
Él les dijo: "**Vengan** a ver".

Fueron, pues, vieron dónde vivía
    y se quedaron **con él** ese día.
Eran como las **cuatro** de la tarde.

Hay que hacer notar que los que siguen a Jesús son personas concretas, de carne y hueso, como los que están escuchando el evangelio. Dale viveza al relato haciendo que todos acompañen a Andrés y a Simón hasta donde está el Mesías.

una dimensión relacional. Por medio del cuerpo nos relacionamos con las personas.

Además, el cristiano está llamado a la libertad. Así fue creado y para que el hombre fuera libre, el Señor pagó muy caro con su muerte redentora. La sujeción al pecado, en especial a los pecados carnales, nos quita esa libertad por la que Cristo murió.

 Es el tercer día de testimonios de Juan Bautista. Lo da frente a dos de sus discípulos. Ellos comienzan a seguir a Jesús. Es el primer día de

discipulado. Al siguiente, ellos darán testimonio y conducirán a otros hasta el Mesías. Este es el modo de ir viendo cumplido aquello de que Juan vino "para que todos creyeran por él".

Juan habla mientras ve a Jesús "viniendo hacia él". El Mesías es "el que ha de venir" y "el que viene detrás de mí", y al que Juan "prepara el camino". Pero también el libro de Daniel habla de uno "como hijo de hombre que viene sobre las nubes del cielo" (Dan 7:13), y que debía ser el Mesías.

Jesús no es ángel, ni extraterrestre, no flota ni levita; él camina con pies propios.

Esto será muy importante, porque las generaciones posteriores de creyentes, conocieron a Jesús sólo en el culto, a Jesús confesado, reverenciado y adorado; lo proclamaron Hijo de Dios, Unigénito y Uno con el Padre. Esas confesiones tan altas llevaron a otros a relegar la humanidad de Jesús, su carne, que es el apoyo primero y fundamental de la fe en Cristo: muerto y resucitado. Sin la carne de Jesús no hay pascua cristiana. La carne viva es lo que más nos liga a la creación de Dios.

Dale la importancia y solemnidad que tiene el cuadro. Jesús le está cambiando el destino de vida a un hombre hecho y derecho. 'Kefás' somos todos. No dejes sitio al titubeo.

Andrés, hermano de Simón Pedro,
　　era uno de los dos que **oyeron** lo que Juan el Bautista decía
　　y **siguieron** a Jesús.
El **primero** a quien encontró Andrés,
　　　fue a su hermano **Simón,** y le dijo:
"Hemos encontrado al Mesías" (que quiere decir "el Ungido").
Lo llevó a donde estaba Jesús y éste fijando en él la mirada,
　　　le dijo:
"Tú eres **Simón,** hijo de Juan. Tú te llamarás **Kefás**"
(que significa **Pedro,** es decir "roca").

Encontraremos también que el evangelio registra también desplazamientos de muchas gentes hacia Jesús. 'Ir hacia Jesús' indica un movimiento de discipulado, aunque sea inicial. Al mirar a Jesús caminando se despierta el deseo de andar tras él, a unírsele; tiene algo que nos jala. Esa atracción exige esfuerzo para no quedarse estacionado en un sitio. Aceptar ser discípulo es disponerse a asemejarse al Maestro, a aprender a ser como él. No se trata de perder la propia personalidad, sino de moldearla conforme a lo que aprendemos de Dios en Jesús, "el Cordero de Dios que quita el pecado del mundo".

Simón, el hijo de Juan, debe abrazar sus raíces arameas, y Andrés su fraternidad con Simón, para poder ir tras de Jesús. Así se va dando la unión con Dios, en las relaciones más cercanas, incluso aquéllas que no son fruto de nuestra decisión. No hay que abandonar nuestras raíces, o lo que somos, sino abrazarlo con el Mesías para seguirlo con todas nuestras relaciones saludables, para no perder de vista que sólo él es el Cordero de Dios. En otras palabras, el que va a Jesús va con todo lo que es, no en partes, y se une a Dios reconociendo al Cordero que quita el pecado del mundo.

"Cordero de Dios" equivale a Mesías y a Maestro, en este contexto, porque así se desenvuelve ese día. Aunque el Bautista mismo no se hace su discípulo, los primeros seguidores de Jesús vienen de filas bautistas.

Juan da a entender que Jesús es el cordero que reúne a todo Israel reconciliado con su Dios. Cordero que expía, que enseña y que guía a los pecadores, alumnos y discípulos.

III DOMINGO ORDINARIO

I LECTURA   Jonás 3:1–5, 10

Lectura del libro del profeta Jonás

En aquellos días,
   el Señor **volvió** a hablar a Jonás y le dijo:
   "**Levántate** y vete a Nínive, la gran capital,
   para **anunciar** ahí el mensaje que te voy a indicar".

Se levantó Jonás y **se fue** a Nínive,
   como le había mandado el Señor.
Nínive era una ciudad **enorme:**
   hacían falta **tres días** para recorrerla.
Jonás caminó por la ciudad durante un día, **pregonando:**
   "Dentro de **cuarenta días** Nínive será **destruida**".

Los ninivitas **creyeron** en Dios,
   ordenaron un ayuno y se vistieron de sayal, grandes
      y pequeños.
Cuando Dios **vio sus obras** y cómo se **convertían**
   de su mala vida,
   cambió de parecer y no les mandó el castigo
   que había **determinado** imponerles.

Dios hace un encargo a Jonás porque quiere la conversión de Nínive. Hay un mandato, su ejecución y el resultado. Estos tres momentos debes señalarlos con tu forma de frasear el relato.

El anuncio de destrucción debe ser categórico, que no deje espacio a ninguna duda. Este anuncio tiene que quedarse en los oídos de la asamblea.

I LECTURA El libro del profeta Jonás tiene más importancia de la que le da el pueblo, quien lo estima por el rasgo folklorista de la ballena que tragó por un tiempo al personaje. Pero este libro es una voz de protesta y de advertencia al pueblo. La vocación del pueblo elegido era servir de modelo a los demás pueblos, ser un ejemplo concreto de cómo debían ser las relaciones con el único Dios.

El texto de hoy recalca la misericordia de Dios y la grandeza del perdón. En estos pocos versos se describe el itinerario de la conversión o, más en general, de la fe.

Jonás es invitado a anunciar la buena noticia del perdón de Dios a un pueblo, a los habitantes de la capital del imperio asirio; precisamente, el símbolo de la opresión para Israel. Los asirios fueron los que destruyeron al reino del norte y los que invadieron al reino del sur, Judá.

La llamada de Jonás a la conversión tiene un tiempo preciso: cuarenta días. Este pueblo duro y cruel se pone en estado de penitencia. Pero más que el pueblo, Jonás es invitado a una auténtica conversión. La conversión del propio Jonás tiene que ver con la imagen que él se había hecho de

Dios; una imagen deforme, que debía echar al mar, porque Dios no era un Dios justiciero, sino un Dios bueno y misericordioso.

La conversión de los ninivitas causa la amargura del profeta. Está alrevesado, porque se debería alegrar. Dios no se alegra de la muerte del pecador, sino de que se arrepienta y viva (Ez 18:23). Jonás debe rectificar su imagen de Dios. Como el padre amoroso que invita, en la parábola de Jesús, a entrar a la fiesta que había preparado para su hijo, así Jonás.

Tal vez lo más importante de nuestra conversión consista en cambiar la imagen

Para meditar

SALMO RESPONSORIAL   Salmo 24:4bc–5ab, 6–7bc, 8–9

R. Señor, instrúyeme en tus sendas.

Señor, enséñame tus caminos, instrúyeme en tus sendas. Haz que camine con lealtad; enséñame, porque tú eres mi Dios y Salvador. R.

Recuerda, Señor, que tu ternura y tu misericordia son eternas; acuérdate de mí con misericordia, por tu bondad, Señor. R.

El Señor es bueno y es recto, y enseña el camino a los pecadores; hace caminar a los humildes con rectitud, enseña su camino a los humildes. R.

II LECTURA   1 Corintios 7:29–31

Lectura de la primera carta del apóstol san Pablo a los corintios

Hermanos:
Les quiero decir una cosa: el tiempo apremia.
Por tanto, **conviene** que
    los casados vivan como si no lo **estuvieran;**
    los que sufren, como **si no sufrieran;**
    los que están alegres, como si no **se alegraran;**
    los que compran, como **si no compraran;**
    los que disfrutan del mundo, como si **no disfrutaran de él;**
    porque este mundo que vemos **es pasajero.**

EVANGELIO   Marcos 1:14–20

Lectura del santo Evangelio según san Marcos

Después de que **arrestaron** a Juan el Bautista,
    Jesús se fue a Galilea para **predicar** el Evangelio de Dios y decía:
    "Se **ha cumplido** el tiempo y el Reino de Dios ya **está cerca.**
Conviértanse y crean en el Evangelio".

Pablo invita a poner los ojos en lo perdurable: los bienes celestiales. La frase de "el tiempo apremia" es fundamental. Hay que hacer notar que todo depende de ella.

La última línea engarza con la frase del comienzo. Puedes hacer una pausa antes de pronunciar las dos últimas palabras, como si fueran el cerrojo de la exposición.

Los tres párrafos marcan momentos distintos en la lectura. En el primero hay que destacar lo que Jesús anuncia. Puede hacerse como en dos inspiraciones unidas por la 'y'. Juntas arman el mensaje de Jesús.

---

que nos hemos fabricado de Dios, que no es la del Padre de nuestro Señor Jesús.

II LECTURA El tiempo es breve, dice el Apóstol. Los creyentes le preguntaban sobre su estado de vida: si deberían casarse, separarse los casados —por cuestión del apostolado— o permanecer célibes los no casados. Lo que preocupa a Pablo es la aparición del Mesías Jesús que anuncia la irrupción del reino de Dios en la vida presente y que ha relativizado todos los valores humanos.

El tiempo es un don de Dios. El tiempo está pegado a las criaturas. Por la creación, Dios sometió todo a la ley inexorable del tiempo. Cuando interviene el Señor, el tiempo se condensa, se comprime para recalcar esos momentos. Por eso el Señor acostumbraba decir: "Se ha cumplido el tiempo" (Mc 1:15).

Este tiempo cualitativo empuja a Pablo a exhortar a sus discípulos a que capten el significado de cada cosa. Por lo tanto "deben usar el mundo como si no lo usaran" (7:31). Todo, porque ninguna criatura puede ponerse como obstáculo entre Dios y el hombre, ni puede constituir un fin, que siempre será Dios.

Pablo no es un estoico que recomienda la imperturbabilidad ante los problemas de la vida. Su objetivo es tener en frente una realidad: Dios se ha acercado al hombre. La respuesta del hombre debe ir en esta misma dirección. Las realidades más nobles y sanas, como el matrimonio, no pierden su valor, sino que son colocadas en su óptica adecuada: en la irrupción del reino de Dios y en su consecuencia de adecuar uno toda su vida ante esta realidad. Se trata de reorientar la vida, que en esto consiste la llamada de Dios. En el fondo, Dios es la única y definitiva finalidad del ser humano.

La escena es muy gráfica; Jesús no solo mira a los pescadores, sino a cada uno de la asamblea reunida. Dirígete a ella cuando pronuncies la invitación al seguimiento.

Tu propia experiencia de seguimiento tiene que animar este párrafo y toda la proclamación de hoy. La invitación al seguimiento sigue abierta a todos, y tiene que ser percibida con toda claridad.

Caminaba Jesús por la orilla del lago de Galilea,
    cuando vio **a Simón** y a su hermano, Andrés,
    echando las redes en el lago, pues eran **pescadores.**
Jesús les dijo:
    "**Síganme** y haré de ustedes pescadores **de hombres**".
Inmediatamente dejaron las redes y lo siguieron.

Un poco más adelante, vio a **Santiago** y a **Juan,** hijos de Zebedeo,
    que estaban en una barca, **remendando** sus redes.
Los llamó, y ellos, **dejando** en la barca a su padre
    con los trabajadores, **se fueron** con Jesús.

EVANGELIO Retomamos el hilo de san Marcos que nos guiará este año litúrgico, el B. Lo que escuchamos tiene dos partes: un como resumen de la actividad de Jesús que proclamado el reino de Dios, y un cuadro doble de discipulado.

El primer ingrediente suena dramático y se volverá trágico, conociendo la historia de Juan Bautista. El arresto de Juan, obliga a Jesús a retornar a Galilea, de donde había venido ser bautizado. Se entiende que esto del reino de Dios acarrea serias consecuencias.

El reinado de Dios está cerca, gracias a que el tiempo se ha cumplido. En cierta manera, el arresto de Juan marca la oportunidad (*kairós* no *chronos*) para que el reinado de Dios se verifique en el quehacer de Jesús. ¿En qué consiste este reinado? En convertirse y creer en el evangelio. Los cuadros sobre el discipulado dirán cómo.

Convertirse y creer en la Buena Nueva equivale a seguir a Jesús. Convertirse significa dar la vuelta, corregir lo equivocado, retomar el buen sendero. En el relato, esto se ejemplifica como 'dejarlo todo' y andar tras el Maestro de Nazaret, para hacer lo

que él hace. Seguir a Jesús tiene una funcionalidad concreta: "llegar a ser pescadores de hombres". Se usaba en la antigüedad atrapar hombres, mujeres y niños para los mercados de esclavos. Era un negocio lucrativo. Las técnicas de la pesca novedosa del reino están por verse en el relato, pero ya sabemos que las enseñanzas, las curaciones y el compartir la vida de Jesús con los suyos harán realidad que Dios reine entre los hombres. Los "pescados" tendrán un nuevo Señor y una nueva realidad.

IV DOMINGO ORDINARIO

I LECTURA   Deuteronomio 18:15–20

Lectura del libro del Deuteronomio

En aquellos días, habló **Moisés** al **pueblo,** diciendo:
  "El Señor **Dios** hará **surgir** en medio de **ustedes,**
  entre sus **hermanos,** un **profeta** como **yo.**
A él lo **escucharán.**
Eso es lo que **pidieron** al Señor, su **Dios,**
  cuando estaban **reunidos** en el monte **Horeb:**
  'No queremos **volver** a oír la **voz** del **Señor** nuestro **Dios,**
  ni **volver** a ver **otra vez** ese gran **fuego;**
  pues no queremos **morir'.**

"El **Señor** me respondió:
  'Está **bien** lo que han **dicho.**
Yo haré **surgir** en medio de sus **hermanos** un **profeta** como **tú.**
Pondré mis **palabras** en su **boca**
  y él **dirá** lo que le **mande** yo.
A quien no **escuche** las **palabras** que él **pronuncie** en mi **nombre,**
  yo le pediré **cuentas.**
Pero el **profeta** que se **atreva** a decir en mi **nombre**
    lo que yo no le haya **mandado,**
  o **hable** en **nombre** de otros **dioses,**
  será reo de **muerte'".**

Dios hace surgir profetas que entreguen su palabra. Esta función también la tienen los proclamadores, gracias al bautismo cristiano. Renueva tu conciencia de unión con Cristo profeta.

La palabra es pobre, débil, pero avalada por el espíritu de Dios, adquiere una fuerza irresistible. Siente esa fuerza para abrazar la voluntad de Dios, para ser fiel y compártela con la asamblea.

I LECTURA Los hebreos se asustaron en el Sinaí ante la presencia divina manifiesa en medio de rayos, truenos, temblores y fuego. De aquí que, según el Deuteronomio, éstos le pidieran a Dios que no les hablara, es decir, que no les dirigiera la palabra, sino a través de un intermediario, de Moisés. Así el Deuteronomio funda la función de un profeta. Dios habla al hombre a través del mismo hombre; se vale de todas sus capacidades comunicativas para hacer comprensible a los hombres lo que piensa, quiere y desea.

La iniciativa de hacer surgir un profeta, es exclusivamente de Dios y no es producto de cierta habilidad o preparación. El profeta surge en el seno de una comunidad, pero por acción directa de Dios: "suscitaré un profeta de entre sus hermanos como tú" (18:18) y traerá las palabras de Dios.

El profeta, al recibir este carisma, se convierte en algo distinto dentro de la comunidad y se pone al servicio de Dios para guiar al pueblo en un momento determinado de su vida. Generalmente los profetas surgen en los momentos más oscuros de la historia de Israel. Los grandes profetas estuvieron presentes en la gran catástrofe de la destrucción de Samaria y de Jerusalén. La palabra de Dios se mostró eficaz al advertir que venía el castigo. Esta voz, desgraciadamente no fue oída y vino la desgracia. Después, entre las ruinas de lo destruido, se volvió a oír la voz profética para reconstruir al pueblo.

Poco a poco se va a ir manifestando el misterio de Dios: salvar a través de Jesús, el hombre-Dios. Jesús será confundido con algunos de los grandes profetas.

Los profetas no pudieron llenar los zapatos del que era la misma Palabra encarnada

Para meditar

SALMO RESPONSORIAL   Salmo 94:1–2, 6–7, 8–9

R. Ojalá escuchen hoy la voz del Señor: "No endurezcan el corazón".

Vengan, aclamemos al Señor, demos vítores a la Roca que nos salva; entremos en su presencia dándole gracias, vitoreándole al son de instrumentos. R.

Entren, postrémonos por tierra, bendiciendo al Señor, creador nuestro. Porque él es nuestro Dios y nosotros su pueblo, el rebaño que él guía. R.

Ojalá escuchen hoy su voz: "No endurezcan el corazón como en Meribá, como el día de Masá en el desierto; cuando los padres de ustedes me pusieron a prueba y me tentaron, aunque habían visto mis obras". R.

II LECTURA   1 Corintios 7:32–35

Lectura de la primera carta del apóstol san Pablo a los corintios

Hermanos:
Yo **quisiera** que ustedes **vivieran** sin **preocupaciones.**
El hombre **soltero** se **preocupa** de las **cosas** del **Señor**
  y de cómo **agradarle;**
  en **cambio,** el hombre **casado** se **preocupa** de las **cosas**
  de **esta** vida y de cómo agradarle a su **esposa,**
  y por eso tiene **dividido** el **corazón.**
En la **misma** forma, la **mujer** que ya no tiene **marido** y la **soltera**
  se **preocupan** de las **cosas** del **Señor**
  y se pueden **dedicar** a **él** en **cuerpo** y **alma.**
Por el **contrario,** la mujer **casada** se **preocupa** de las **cosas**
  de esta **vida**
  y de cómo **agradarle** a su **esposo.**

Les digo **todo** esto para **bien** de **ustedes.**
Se lo digo, **no** para ponerles una **trampa,**
  sino para que puedan vivir **constantemente**
  y **sin** distracciones en **presencia** del **Señor,** tal como **conviene.**

Las preocupaciones están allí, pero no hay que ahogarse en ellas. Hay que destinar tiempo y atención a las cosas de Dios. Tu voz tiene que darle serenidad y calma a la asamblea. Entre un párrafo y otro, recuerda hacer contacto visual con diferentes sectores de la reunión.

Préstale una actitud de encarecimiento a los consejos de Pablo. Esta es la parte conclusiva y guarda cierto apremio.

---

de Dios, que de este modo se acercó lo más posible al hombre.

| II LECTURA | La lectura de de hoy continúa la segunda del domingo pasado y debe ponerse a la misma luz. Pareciera que Pablo invitaba a los cristianos a una vida muelle y sin preocupaciones. Nada de eso; su pensamiento y recomendación van por otro sendero.

Entre los colaboradores de Pablo había casados y célibes. Aquí les habla Pablo de un estado de vida en vistas a la predicación de la Buena Noticia. La fe, decía Jesús, da

seguridad. Adherirse a Dios da serenidad. Lo decía Jesús de una manera simple y hermosa: "A cada día le basta su propia preocupación" (Mt 6:34). Pablo les habla de esta misma serenidad.

El cristiano puede vivir su pertenencia al Señor en cualquier estado de vida que haya escogido, ya sea el del matrimonio o el del celibato. Pero esto no obsta para que haya estados de vida, como el celibato, que puedan ser más apropiados para predicar la Buena Nueva. Todo, porque el celibato no tiene las exigencias del matrimonio. Pablo es realista. El esfuerzo para agradar

al Señor, que aquí consiste en predicar la Buena Noticia, pasa por los deberes de los esposos de agradarse. Esto exige tiempo y está bien; es la ordenanza de Dios al amor de los esposos.

El célibe está llamado a trabajar en la predicación del Evangelio sin estas exigencias que trae consigo el matrimonio. El célibe puede dedicar todo su tiempo a evangelizar. Aquí está el meollo de la entrega total del celibato, la virginidad en la Iglesia.

Matrimonio y virginidad son llamados específicos de Dios y los dos son perfectos. Lo que no quita que "por el Reino", que es

EVANGELIO   Marcos 1:21–28

Lectura del santo Evangelio según san Marcos

En aquel tiempo, llegó **Jesús** en **Cafarnaúm**
   y el **sábado** fue a la **sinagoga** y se puso a **enseñar**.
Los **oyentes** quedaron **asombrados** de sus **palabras**,
   pues **enseñaba** como quien tiene **autoridad**
     y **no** como los **escribas**.

Había en la **sinagoga** un hombre **poseído**
   por un **espíritu** inmundo,
   que se puso a **gritar**:
   "¿Qué quieres **tú** con **nosotros, Jesús** de **Nazaret**?
¿Has venido a **acabar** con **nosotros**?
Ya sé **quién** eres: el **Santo** de **Dios**".
Jesús le **ordenó**:
   "¡**Cállate** y **sal** de él!"
El espíritu inmundo, sacudiendo al hombre con **violencia**
   y dando un **alarido**,
   salió de él.
Todos quedaron **estupefactos** y se **preguntaban**: "¿Qué es **esto**?
¿Qué nueva doctrina es **ésta**? Este **hombre** tiene **autoridad**
   para **mandar** hasta a los espíritus **inmundos** y lo **obedecen**".
Y muy pronto se extendió su **fama** por **toda** Galilea.

Te corresponde recrear la escena de la sinagoga. Hay que hacerlo sentado a los pies de Jesús, no enfrente de él. La proclamación obliga a remitir la autoridad a la enseñanza de Jesús, no a sus ministros.

El poseso grita. Estas frases deben ser dichas con cierta celeridad. La voz de Jesús es imperativa y tajante. Recuerda que en san Marcos Jesús entabla una auténtica guerra contra los espíritus inmundos.

Las cuatro líneas finales recogen el estupor de los reunidos. Procura que las reacciones sean distinguibles de la conclusión.

---

como Jesús motivó el celibato, se pida la entrega total para construir la comunidad mesiánica. Pablo lo corrobora con su ejemplo. Él pudo tener tiempo para fundar tanta comunidad, por haber orientado su celibato en este sentido.

Pablo no sopesa el matrimonio en sí, sino la urgencia que estaba enfrente: la Buena Noticia debía ser predicada pronto porque, pensaba, el Señor vendría pronto. Esta dimensión de la entrega total al Señor, sigue siendo un carisma indispensable para edificar la Iglesia, que labora esperando la venida del Señor.

EVANGELIO   La sinagoga es el lugar, pero sobre todo la reunión de los fieles del pueblo para honrar a Dios; es un espacio de santidad comunitaria, y un pilar de ella es la enseñanza del reino.

El exorcismo nos dice en qué consiste el reino: destruir la impureza. Aquel poseído es figura del estado de la comunidad reunida para el culto. De hecho, Jesús es 'el Santo de Dios', y, al pronunciar su nombre, el espíritu impuro no quiere que enseñe, lo quiere dominar y someter.

La santidad de Dios no es otra cosa que su presencia cercana y liberadora, no autoritaria y esclavista. Una comunidad dominada por los espíritus de impureza y por las enseñanzas autoritarias es una comunidad excluyente, no incluyente; por eso, deberá ser exorcizada con la enseñanza nueva de la santidad de Dios, tal y como la aprendemos en Jesús de Nazaret. El Evangelio es el camino para renovar la experiencia del reino de Dios entre nosotros, y en nuestros espacios de reunión.

V DOMINGO
ORDINARIO

I LECTURA   Job 7:1–4, 6–7

Lectura del libro de Job

En aquel día, **Job** tomó la palabra y dijo:
   "La **vida** del hombre en la tierra es como un servicio militar
   y sus días, como días de **un jornalero.**
Como el esclavo suspira **en vano** por la sombra
   y el jornalero se queda **aguardando** su salario,
   así me han tocado en suerte meses **de infortunio**
   y se me han asignado noches **de dolor.**
Al acostarme, pienso: '¿**Cuándo** será de día?'
La noche se alarga y **me canso** de dar vueltas
   hasta que **amanece.**

Mis días corren **más aprisa** que una lanzadera
   y se consumen **sin esperanza.**
Recuerda, Señor, que mi vida **es un soplo.**
Mis ojos **no volverán** a ver la dicha".

SALMO RESPONSORIAL   Salmo 146:1–2, 3–4, 5–6

R. El justo brilla en las tinieblas como una luz.

Alaben al Señor, que la música es buena; nuestro Dios merece una alabanza armoniosa. El Señor reconstruye Jerusalén, reúne a los deportados de Israel. R.

Él sana los corazones destrozados, venda sus heridas; cuenta el número de las estrellas, a cada una la llama por su nombre. R.

Nuestro Señor es grande y poderoso, su sabiduría no tiene medida. El Señor sostiene a los humildes, humilla hasta el polvo a los malvados. R.

Job es un hombre práctico que mira la vida dura e insoportable por tanta desgracia. No hay que suavizar esa experiencia. Job habla de la ausencia de Dios, pero sólo si se nota lejos podremos notar su cercanía. Estas situaciones nos llevan a la madurez espiritual que renueva la esperanza. Hay que hacer esta lectura con gravedad y cierta lentitud, sin que haya que arrastrarla. No. Basta darle las pausas marcadas por puntos y comas.

Este también es un lamento ante Dios. Esa oración mueve el corazón de Dios, sin duda, y el lector puede identificarla como suya. No marques distancia con Job.

Para meditar

I LECTURA Desde el inicio de su existencia, el hombre se ha preocupado por el mal. Ha buscado y sigue buscando una razón que lo convenza de su existencia y que, sobre todo, lo libere de su aniquilación.

La figura de Job invita a no pensar en Dios de acuerdo a una lógica humana, sino a confiarse en su designio y finalidad.

Job se pregunta sobre el origen, mejor, sobre la finalidad del mal, del dolor. Desgraciadamente, las respuestas que encuentra se van por el facilismo. La teoría tradicional se ha conservado intacta hasta nuestros días: al que hace el mal, le va mal y al que obra bien, le va bien. La experiencia, a la que alude Job, dice que eso no es cierto. Es como si Dios siguiera la lógica del mérito. El hombre es mucho más que eso. Y Dios no gobierna con nuestra *meritocracia.*

Al protestar Job contra la solución tradicional, se coloca en la verdadera perspectiva de una búsqueda auténtica. Ésta es larga y dolorosa. Hay dos puntos que no puede unir: la bondad de Dios y el mal que embarra a Job, y que también observa por dondequiera, hasta en su misma persona. El personaje Job quiere respuestas reales.

Job, el hombre, va tras de una razón que no sea la de la lógica humana, pues le equivale a "meses vacíos" (Job 7:2). Pide una lógica que no sea de "sombras que se alargan" (Job 7:4), de inquietud como cuando se espera el salario. Dentro de esa lógica del absurdo que experimenta, ve que va apareciendo una lógica divina.

Job aquí toca una cuerda que ha sido tocada por varias culturas. En concreto, la griega, que veía la vida humana desarrollarse al capricho de los dioses. El hombre griego y latino siempre luchó por encontrar una seguridad en la vida, fuera de ese destino

II LECTURA   1 Corintios 9:16–19, 22–23

Lectura de la primera carta del apóstol san Pablo a los corintios

Hermanos:
No tengo por qué **presumir** de predicar el Evangelio,
    puesto que ésa es mi **obligación.**
¡Ay de mí, si no anuncio el Evangelio!
Si yo lo hiciera por **propia iniciativa,**
    merecería recompensa;
    pero si no, es que se me ha **confiado** una misión.
Entonces, ¿**en qué** consiste mi recompensa?
Consiste en predicar el Evangelio **gratis,**
    renunciando al derecho que tengo a vivir de la predicación.

Aunque no estoy sujeto **a nadie,**
    me he convertido en esclavo **de todos,**
    para **ganarlos** a todos.
Con los débiles **me hice débil,** para ganar a los débiles.
Me he hecho todo **a todos,** a fin de ganarlos a **todos.**
Todo lo hago por el Evangelio,
    para participar **yo también** de sus bienes.

EVANGELIO   Marcos 1:29–39

Lectura del santo Evangelio según san Marcos

En aquel tiempo,
    al salir Jesús de la sinagoga,
    fue con Santiago y Juan a casa **de Simón** y Andrés.
La **suegra** de Simón estaba en cama, con fiebre,
    y **enseguida** le avisaron a Jesús.
Él se le acercó, y **tomándola** de la mano, la levantó.
En **ese** momento se le **quitó** la fiebre y se puso **a servirles.**

Los profetas de Dios padecen por causa de la palabra. Esta convicción hay que compartirla con el auditorio. Si nuestro ministerio no nos espolea a la fidelidad radical, le estamos fallando a nuestra vocación.

Todos entregamos lo mejor al servicio de Dios, pero no hay que andarlo cantando. Dios nos conoce a fondo y nos recompensa siempre. Ser discípulo de la Palabra es la satisfacción más grande que tenemos y lo que le da sentido a nuestra vida entera.

Esta parte hay que irla recitando y mirando a diferentes sectores de la asamblea, hasta abarcarlos a todos.

Reproduce tus sentimientos de cuando visitas a algún enfermo en casa o en el hospital. Comparte la impotencia y la necesidad de salud con Dios y con la asamblea. A partir de allí, Dios se irá abriendo paso para realizar su salvación.

---

que nunca entendió y, menos, aceptó. Esa diosa fortuna que traía siempre pegada a su labio una sonrisa, para burlarse del hombre y de sus esperanzas.

Job entiende que su Dios le va a responder. Que sólo él le puede dar razón del sentido de su vida y de sus males. El Deuteronomio decía que el Dios de Israel era un Dios cercano, por esto, Job va a dejar de lado las respuestas humanas, las de sus amigos, e irá a oír la respuesta de Dios.

Sólo Jesús, tomando sobre sí el dolor, podrá dar una respuesta total a Job: La muerte se debe abrir a la vida. El grano necesita podrirse para dar fruto. Por eso, sin esa luz clara de la resurrección, no hay respuesta satisfactoria al mal. No en balde Pablo también vislumbró que, sin la resurrección, era vano el anuncio de la fe.

II LECTURA Pablo se ofrece como ejemplo al que se puede seguir e imitar. La comunidad corintia le exigía dar ese paso. Apunta ya la relación que hay entre libertad y caridad.

Los corintios estaban todavía muy impregnados de costumbres y pensamientos paganos. Necesitaban claridad y concretez.

Por eso, Pablo se pone de ejemplo. Le preguntan a Pablo sobre la posibilidad de comer carne inmolada a los ídolos. Desde luego, dado que los ídolos no existen, se puede comer sin ningún temor, salvo si alguno de los hermanos se escandaliza. El valor absoluto de la conducta cristiana es la caridad. La vida de Pablo es la prueba concreta de este principio de la caridad. Siendo libre, se hizo servidor de todos. Es lo que había enseñado y mostrado Jesús.

Pablo subordina su libertad al bien del hermano, más aún, está al servicio de la salvación de todos. La lógica es la del Evangelio.

Mira al auditorio al momento de pronunciar estas líneas, para que toda la asamblea con sus males se sienta transportada ante el Señor.

Al **atardecer**, cuando el sol se ponía,
le llevaron a **todos** los enfermos y poseídos del demonio,
y todo el pueblo **se apiñó** junto a la puerta.
Curó a muchos enfermos de diversos males
y **expulsó** a muchos demonios,
pero **no dejó** que los demonios hablaran,
porque **sabían** quién era él.

Dale relieve al silencio impuesto. La asamblea ya conoce de qué se trata. Simplemente alude a su memoria de quién es Jesús.

De madrugada, cuando todavía estaba **muy oscuro**,
Jesús **se levantó**, salió y se fue a un lugar **solitario**,
donde se puso **a orar.**
Simón y sus compañeros lo fueron a buscar,
y al encontrarlo, le dijeron:
"**Todos** te andan buscando".

Lee la respuesta de Jesús como invitando a la asamblea a ir con él. Súmala al quehacer del reino. Haz la invitación con ganas de que sea aceptada.

Él les dijo: "**Vamos** a los pueblos cercanos
para predicar **también allá** el Evangelio,
pues para eso **he venido**".
Y recorrió **toda** Galilea,
predicando en las sinagogas
y **expulsando** a los demonios.

Pablo ha hecho vida esa "Buena Noticia de salvación" en su vida. Los corintios, como nosotros, necesitamos no sólo de doctrinas, sino de personas en quienes veamos la "fuerza de salvación" que es el Evangelio.

El Evangelio no puede ser un "objeto" que el predicador pueda poseer y que simplemente lo entregue, sin más, a los hombres como mercancía. El Evangelio es la misma salvación. Cuando ejerce su ministerio, el Apóstol participa de esa misma salvación con sus fieles.

II LECTURA El reino de Dios trae buenas noticias para los más necesitados. Pensemos en la suegra de Simón. Ella está postrada y no pudo acudir a la sinagoga, a beneficiarse de la enseñanza y poder liberador del Santo de Dios. Jesús llega hasta donde ella vive. La casa es de Simón. Quizá la suegra de Simón viviera allí, lo que indica que no tenía un lugar propio donde vivir y que quizá su hija, la mujer de Simón Pedro, se la habría traído a vivir con ellos. Está allí, sin espacio propio y sin nombre o identificación personal ni social, pues una mujer 'era o *de* su marido o *de* su padre'.

Su dependencia se ve agravada por su enfermedad, de modo que son los discípulos los que le hablan a Jesús de ella. ¿En razón de qué? Lo único que precede ha sido la expulsión del demonio en la sinagoga. Jesús secunda el deseo discipular, se acerca y le toma la mano para levantarla, sanándola. El gesto de Jesús está cargado de simbolismos: rompe el aislamiento de aquella mujer y la levanta (el mismo verbo empleado para hablar de la resurrección). El grupo discipular aprende de su maestro, y tiene que repetir lo que él hace. ¿A quién hemos levantado?

VI DOMINGO ORDINARIO

Estas normas sanitarias buscan más preservar a la comunidad que excluir al enfermo. Es el mal menor. Ante la comunidad hay que pronunciar esta lectura como cuando se tienen que dar noticias ingratas.

La descripción del leproso es dramática. Hay que hacerla con ese tinte, pero sin hacerla teatral.

Se avizora la reincorporación del excluido. Hay que ponerle esa esperancita a la frase. Un enfermo se aferra a cualquier brizna de salud.

I LECTURA   Levítico 13:1–2, 44–46

Lectura del libro del Levítico

El Señor dijo a Moisés y a Aarón:
"Cuando alguno tenga **en su carne**
    una o varias manchas escamosas
o una mancha blanca **y brillante,** síntomas de la lepra,
será llevado ante el sacerdote Aarón
o ante cualquiera de sus hijos sacerdotes.
Se trata de **un leproso,** y el sacerdote lo declarará impuro.
El que haya sido **declarado** enfermo de lepra,
    traerá la ropa **descosida,** la cabeza descubierta,
    se cubrirá la boca e irá **gritando:**
    '¡Estoy **contaminad**o! ¡Soy impuro!'
Mientras le dure la lepra,
    seguirá **impuro** y vivirá solo, fuera del campamento".

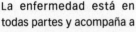 **I LECTURA** La enfermedad está en todas partes y acompaña a todo hombre en algún momento de su vida. La enfermedad es parte de nuestro ser y anuncia la precariedad de ser creatura. Todo ser creado tiene asignado su final.

Además, la exclusión y marginación es parte de ciertas enfermedades. Algunas, como la lepra, excluían al hombre de todo contacto con la comunidad.

La lectura del Levítico toma una serie de leyes confeccionadas para librar al individuo y a la comunidad del mal, representado aquí por la enfermedad.

La normativa más que higiénica es teológica. El hombre es imagen de Dios, y todo lo que lo deforma o disminuye lo hace impuro. Sólo así se entiende la crueldad de esta ley y se entrevé el deseo de tener viva la memoria del origen divino de la persona y la esperanza de volver a imagen transparente del Dios creador.

No obstante su crueldad, estas normas pueden mantener viva la conciencia de que somos, imagen y semejanza de Dios, en un mundo duro que caminamos conprecariedad hacia el misterio de Dios.

Los leprosos de hoy son los pobres que viven en barracas, los ancianos, inmigrantes, los discapacitados, los jóvenes drogadictos, los que han sido excluidos de la sociedad, víctimas de una civilización que sólo ve en el consumo y éxito, la razón de ser de la vida humana.

II LECTURA La lectura se concluye con la célebre invitación del apóstol Pablo a que lo imitemos como él imita a Cristo.

Imitar tiene en nuestro siglo mala fama. Es signo de falsa creatividad. Una confesión

Para meditar

SALMO RESPONSORIAL   Salmo 31: 1–2, 5, 11

R. Tú eres mi refugio; me rodeas de cantos de liberación.

Dichoso el que está absuelto de su culpa,
a quien le han sepultado su pecado; dichoso
el hombre a quien el Señor no le apunta
el delito. R.

Había pecado, lo reconocí, no te encubrí
mi delito; propuse: "Confesaré al Señor
mi culpa", y tú perdonaste mi culpa y
mi pecado. R.

Alégrense, justos, con el Señor; aclámenlo,
los de corazón sincero. R.

II LECTURA   1 Corintios 10:31—11:1

Lectura de la primera carta del apóstol san Pablo a los corintios

Hermanos:
Todo lo que hagan ustedes, sea comer, o beber,
   o cualquier **otra** cosa,
   háganlo todo para **gloria de Dios.**
No den motivo **de escándalo**
   ni a los judíos, ni a los paganos,
   ni a la **comunidad** cristiana.
Por mi parte,
   yo procuro dar gusto a todos **en todo,**
   sin buscar mi propio interés, sino el **de los demás,**
   para que **se salven.**
Sean, pues, imitadores **míos,**
   como yo lo soy **de Cristo.**

La vocación cristiana nos dedica al Señor. Es muy importante que la asamblea se sienta incluida en este dar gloria a Dios. Amonesta con suavidad en la parte de las advertencias.

Este párrafo no debe sonar altanero ni lleno de orgullo, sino humilde y simple.

de nuestra a incapacidad de hacer, de fabricar algo propio, que tenga sello distintivo. Se aprecia la originalidad. Si algo no es original, no vale. Así se considera en la moda y así se comportan los que se visten con tal o cual trapo. Se pavonean porque traen puesto el "original".

Sin embargo, hay algo que se olvida muy fácilmente: no puede llegarse a lo original, a la obra perfecta, si antes no se ha tenido un trabajo duro de repetir modelos, de hacer o deshacer, porque no logramos imitar bien a los modelos. Los grandes autores del renacimiento pasaban largos años en las famosas bodegas florentinas, copiando modelos de sus maestros. Si no, que lo diga Miguel Ángel. Le enseñó bastante su maestro, el creador del "cupulone" de la catedral florentina, para que él pudiera forjar la cúpula de San Pedro en Roma.

Así pasa en la vida espiritual. Se debe ir paso a paso, mirando a los que nos han precedido. Jesús llamó a sus discípulos a que lo siguieran. Ellos iban, como era costumbre, viendo cómo andaba el Maestro, cómo comía, cómo hablaba. En una palabra, trataban de imitar sus gestos y palabras.

Jesús es el único y verdadero maestro, al que todos trataremos de imitar, sin llegar jamás a igualarlo ni a superarlo. La imitación aquí consiste en acercarnos lo más que podamos al modelo.

Pablo nunca predicó algo que él no hubiera vivido en plenitud. Entendió que fue llamado por el Señor a vivir de modo especial el misterio de la participación en la muerte y resurrección del Señor. Invitó a sus discípulos a que lo imitaran, para que se acercaran al modelo de Jesús. Pablo no pretende ser un modelo perfecto, sino que propone a sus corintios su propio esfuerzo para

EVANGELIO   Marcos 1:40–45

Lectura del santo Evangelio según san Marcos

En aquel tiempo,
    se le acercó a Jesús un leproso
    para **suplicarle** de rodillas:
    "Si **tú quieres,** puedes curarme".
Jesús se **compadeció** de él,
    y extendiendo la mano, **lo tocó** y le dijo:
    "¡Sí quiero: **Sana!**"
Inmediatamente se le quitó la lepra y quedó **limpio.**

Al despedirlo, Jesús le mandó **con severidad:**
    "No se lo cuentes **a nadie;**
    pero para que conste, ve a **presentarte** al sacerdote
    y **ofrece** por tu purificación lo prescrito por Moisés".

Pero aquel hombre comenzó a divulgar **tanto** el hecho,
    que Jesús **no podía ya** entrar abiertamente en la ciudad,
    sino que se quedaba fuera, en lugares **solitarios,**
    a donde acudían a él **de todas partes.**

El cuadro es conmovedor. Dale el tono de súplica a las palabras del leproso. Tu voz debe sonar llena apremio, como poniéndose totalmente en manos de Jesús.

La severidad de Jesús no debe pasarse por alto; dale esa inflexión a tu voz.

Carga estas frases últimas con cierta incredulidad o admiración. El curado no se aguanta lo sucedido, y obliga a todos a salir en busca de Jesús.

---

llegar a Cristo. El Apóstol no está en el centro de la exhortación, sino el Señor, al que de algún modo llega Pablo y sus corintios en tiempos y modos distintos.

EVANGELIO La gente que sufría de enfermedades de la piel, manchas, llagas o supuraciones, era tenida por impura, expulsada de la comunidad, y sobrevivía mendigando de lejos. Eran vidas marcadas por la desgracia.

El leproso de hoy vence el miedo a ser rechazado y se acerca para suplicar su curación. Jesús lo cura y lo toca con su mano;

una clara transgresión a la regulación de santidad social. Luego lo declara limpio. Pero le da dos fuertes indicaciones: una que silencie lo ocurrido y que cumpla con la prescripción de la Ley. Había sacerdotes por todos los pueblos de Israel, pero es probable que la ofrenda prescrita se debiera hacer en el templo. Marcos no dice si el curado cumplió la ordenanza, pero lo que sí desobedeció rotundamente fue la orden de silencio absoluto.

El curado se convierte en predicador —testigo— de su propia curación, y de tal manera, que los papeles quedan invertidos

en la narración de Marcos. Si al leproso le estaba vedado entrar en contacto con la sociedad, es Jesús el que se mira impedido por el entusiasta anuncio del curado. Pero este apartarse de Jesús no impide que las gentes acudan a él. Así que Jesús parece asumir las condiciones de vida del leproso, y éste el papel de Jesús. Las buenas noticias son irrefrenables, pero es el beneficiario el mejor cualificado para publicarlas. Podemos preguntar ¿qué es lo que nosotros anunciamos?

MIÉRCOLES DE CENIZA

Comienza la cuenta retroactiva de la Cuaresma que tiene que regenerar el corazón y la fe. La penitencia y la oración son los motores que nos mueven a la Pascua. Esta lectura es como una nuez donde se encuentra lo sustancial. Hay que hacerla con tono persuasivo en cada uno de sus momentos.

Alarga, como haciendo más pausadas, las cualidades que describen la bondad de Dios, para que se queden en la mente de la asamblea. Marca bien cierta distancia entre este párrafo y el siguiente que habla de la esperanza del perdón.

La penitencia pública le toca a todos, también a la asamblea; hay que renunciar a toda alegría, como para granjearse el indulto.

I LECTURA   Joel 2:12–18

Lectura del libro del profeta Joel

Esto dice el **Señor:**
 "**Todavía** es tiempo.
 Conviértanse a mí de todo corazón,
 con ayunos, con **lágrimas** y **llanto**;
 enluten su **corazón** y **no** sus **vestidos**.

Vuélvanse al Señor Dios nuestro,
 porque es **compasivo** y **misericordioso**,
 lento a la **cólera**, **rico** en **clemencia**,
 y **se conmueve** ante la desgracia.

Quizá se arrepienta, **se compadezca** de nosotros
 y nos deje una **bendición**,
 que haga posibles las **ofrendas** y **libaciones**
 al Señor, nuestro Dios.

Toquen la trompeta en Sión, **promulguen** un ayuno,
 convoquen la asamblea, **reúnan** al pueblo,
 santifiquen la reunión, **junten** a los ancianos,
 convoquen a los niños, aun a los niños de pecho.
 Que el recién casado **deje su alcoba**
 y su tálamo la recién casada.

I LECTURA Joel es un profeta del siglo V a.C. llamando al pueblo a penitencia, a un cambio. De hecho, originalmente, él invitaba al pueblo a que volviera, sí, a Dios, a repetir la situación en la que era fiel amigo de Dios.

Para esa vuelta o regreso, el pueblo debe mostrar que es personal y también social. El hombre vive en relación con otros y con su entorno. Aquí es donde se debe manifestar el regreso a Dios. Como se trata de un cambio de fondo y éste es muy difícil, entonces se cae fácilmente en la tentación del formalismo que toma la careta del ritualismo. Formas exteriores como ayuno, llanto y lamento son importantes, pero tienen el peligro de no cavar hondo. Las formas deben conducir a cambios internos, como insinúa el profeta. Por eso llama a que "desgarren su corazón y no sus vestidos".

Lo importante es el motivo que mueve al cambio, a volver a Dios. El motivo es la naturaleza de Dios. Es un Dios "misericordioso y benigno, tardo a la ira y rico en bondad" (Ex 34:6). Es un Dios que tiene compasión de los sufrimientos del pobre. Éste es el Dios que llama al pueblo a la conversión. Un Dios que tiene la mirada puesta en el pecador y que quiere sacarlo de su miseria.

Se retorna a Dios de manera visible, concreta. Hay puntos concretos que expresan el cambio. Hay que hacerlo delante de la asamblea del templo, convocando a todas las categorías de la población, aun a aquellos que son eximidos por motivos particulares: viejos, niños, adultos. Si no se presenta el pueblo en su complejidad delante de Dios, quiere decir que no quiere convertirse. Al quedarse nuestras iglesias vacías, ya estamos diciendo que no aceptamos la llamada divina.

Entre el **vestíbulo** y el **altar lloren** los sacerdotes,
ministros del Señor, diciendo:
'**Perdona**, Señor, **perdona** a tu pueblo.
No entregues tu heredad a la **burla** de las naciones.
Que no digan los paganos: ¿**Dónde está** el Dios de Israel?' "

Y el Señor **se llenó** de celo por su tierra
y tuvo **piedad** de su **pueblo**.

SALMO RESPONSORIAL   Salmo 50:2–3, 5–6a, 12–13, 14, y 17

R. Misericordia, Señor, hemos pecado.

Misericordia, Dios mío, por tu bondad,
por tu inmensa compasión borra mi culpa;
lava del todo mi delito, / limpia mi pecado. R.

Pues yo reconozco mi culpa, / tengo siempre
presente mi pecado: / contra ti, contra ti solo
pequé. / Cometí la maldad que aborreces. R.

Oh Dios, crea en mí un corazón puro,
renuévame por dentro con espíritu firme;
no me arrojes lejos de tu rostro, / no me
quites tu santo espíritu. R.

Devuélveme la alegría de tu salvación,
afiánzame con espíritu generoso. / Señor,
me abrirás los labios, / y mi boca proclamará
tu alabanza. R.

II LECTURA   2 Corintios 5:20—6:2

Lectura de la segunda carta del apóstol san Pablo a los corintios

Hermanos:
Somos embajadores de **Cristo**,
y por nuestro medio, es como si **Dios mismo** los exhorta
a ustedes.
En nombre de **Cristo** les pedimos que **se dejen reconciliar** con
Dios.
Al que nunca cometió **pecado**,
Dios lo hizo "pecado" por **nosotros**,
para que, **unidos** a él recibamos la **salvación** de Dios
y nos volvamos **justos** y **santos**.

Estas líneas van cargadas de la súplica de perdón. Hazlas como implorando a Dios directamente.

Dios responde con su entrañable piedad. Hay que dejar estas dos líneas finales con tono exclamativo; vino la gracia que no se merecía.

Para meditar

Ensaya a memorizar estas primeras tres líneas para que las digas con pleno dominio ante la asamblea y haciendo contacto visual con ella, después del formulismo introductorio.

Esta solicitud hazla con prestancia y dignidad; estás apelando al corazón de la comunidad a que se reconcilie, sí, pero en nombre de Cristo.

Ayunar es un gesto dirigido a Dios. El hombre, privado del alimento, no tiene fuerzas para vivir. Así también, privado de Dios, no puede continuar viviendo. Dios le es al hombre tan necesario como el pan.

El ayuno acompaña la oración llena de llanto y queja. Quiere decir que esto sale del corazón. No se puede fingir al llorar. Es el signo de un arrepentimiento sentido en lo más profundo. El vestido y los gestos son signos del que ha tomado en serio la invitación de Dios a cambiar.

Dentro de estos signos se incluye la ceniza que recuerda al hombre su fragilidad y también es una garantía de la pascua que se celebrará, por la cual se nos quitará la realidad del pecado.

II LECTURA Pablo parte de un hecho: el cristiano es una creatura nueva. Retoma al profeta del exilio, con el que recuerda que las cosas antiguas ya pasaron, ahora hay que adaptarse a las nuevas, y en esa novedad, inaugurada por Cristo, se encuentra la reconciliación de Pablo con la comunidad. No a título privado, sino por lo que representa él: enviado por el Señor Jesús.

Corinto, que acababa de ser declarada ciudad franca en el año 44 por el César, no debe rechazar el ingreso al embajador de Dios, mandado a proclamar el Evangelio. Es cierto que hay muchos problemas de grupos de Corinto con Pablo, pero éste no puede dejar de cumplir su "ministerio de reconciliación". Quiere elevarse sobre la causa o defensa de las acusaciones. En juego está lo que anuncia Pablo: la reconciliación.

Esa reconciliación predica una nueva relación de los hombres entre sí. En el Mesías todos se han convertido en una nueva creatura, donde no cuentan ya las diferencias de raza, gremio o profesión.

Señala con tu acento que las palabras vienen de la Escritura, de modo que tienen vigencia permanente. El hoy de la salvación está a nuestro alcance.

Como **colaboradores** que somos de Dios,
los exhortamos a **no echar** su gracia en saco roto.
Porque **el Señor** dice:
*En el tiempo favorable te **escuché***
*y en el día de la salvación **te socorrí**.*
Pues bien,
ahora es el tiempo favorable;
ahora es el día de la **salvación**.

EVANGELIO   Mateo 6:1–6, 16–18

Lectura del santo Evangelio según san Mateo

Esta lectura es muy exigente, porque hay que evitar el tono irónico, y medio hipócrita, de quien condena al interlocutor, al de enfrente, y también el tono duro del preceptor. El tono puede ser más bien el de un maestro sabio que ya anduvo el camino.

En aquel tiempo, Jesús dijo a sus **discípulos**:
"Tengan cuidado de **no practicar** sus obras de piedad
delante de los hombres para que los **vean**.
De lo contrario, **no tendrán** recompensa con su Padre celestial.

Por lo tanto, cuando des **limosna**,
no lo anuncies con **trompeta**,
como hacen los **hipócritas** en las sinagogas y por las calles,
para que los **alaben** los hombres.
Yo les aseguro que **ya recibieron** su recompensa.
Tú, **en cambio**, cuando des limosna,
que no sepa tu mano **izquierda** lo que hace la **derecha**,
para que tu limosna quede **en secreto**;
y tu Padre, que ve lo secreto, **te recompensará**.

El discípulo de Cristo se goza en la interioridad de las obras cuaresmales. Esta fuente de alegría es la que hay que compartir e infundir en la congregación, incluso cuando se hacen obras de beneficencia a los ojos de todos. Habla desde tu corazón.

Cuando ustedes hagan **oración**,
no sean como los **hipócritas**,
a quienes **les gusta** orar de pie
en las **sinagogas** y en las esquinas de las **plazas**,
para que los vea la **gente**.
Yo les aseguro que **ya recibieron** su recompensa.

El ser humano por su propia fuerza es incapaz de reconciliarse con Dios. Tiene necesidad de una nueva alianza, de una nueva creación. Dios en su amor decidió reconciliar al mundo por el Mesías, al cargar éste las culpas nuestras. Al ser humano, a nosotros, no nos queda sino aceptar, dejarnos llevar por esta oferta de Dios. Con una frase atrevida: "aquel que no conoció el pecado, Dios lo trató por nosotros como un pecado" (5:21), Pablo se asombra ante un Dios que nos amó tanto y sin condiciones.

Este tiempo de cuaresma es un tiempo de reconciliación, recibida gratuitamente de parte de Dios. Esta reconciliación nos empuja a ofrecerla a los demás hermanos. Pongamos en práctica la invitación divina expresada en la oración dominical: "Perdónanos nuestras deudas como también nosotros perdonamos a nuestros deudores".

EVANGELIO En Cuaresma retomamos las prácticas de piedad con su sabor cristiano más fresco, el del Sermón del Monte. Tras las bienaventuranzas, el discurso de Jesús avanza por los principios de la relación con los demás y pasa a las prácticas de piedad que regulan la relación con

Dios: la limosna, la oración y el ayuno. Ellas son parte integral de la justicia del reino.

La limosna expresa compasión. Tanto limosna (*eleemosyne*) como misericordia (*éleos*) tienen la misma raíz. Ambas nacen en el interior de la persona humana, cuando sus entrañas se sacuden ante la miseria de otra persona, su necesidad o su desgracia, y siente una como obligación de remediar el dolor o la pena. De allí nace la limosna, como expresión del propio sufrimiento ante la necesidad humana. Ante el desequilibrio se busca recuperar la normalidad. Y a esto ayuda la solidaridad compasiva de la limosna,

Tú, **en cambio**, cuando vayas a orar,
    entra en tu cuarto, **cierra** la puerta y **ora** ante tu Padre,
    que está allí, en **lo secreto**;
    y tu Padre, que ve lo secreto, **te recompensará**.

Cuando ustedes ayunen, **no pongan** cara triste,
    como esos **hipócritas** que **descuidan** la apariencia de su rostro,
    para que la gente **note** que están ayunando.
Yo les aseguro que **ya recibieron** su recompensa.
Tú, **en cambio**, cuando ayunes,
    perfúmate la cabeza y **lávate** la cara,
    para que **no sepa** la gente que estás **ayunando**,
    sino tu Padre, que está en **lo secreto**;
    y tu Padre, que ve lo secreto, **te recompensará**".

Marca el contraste decididamente con el "tú en cambio…". El modo de proceder del discípulo es callado y eficaz, recompensado por la presencia del Padre. Procura entregar la última línea mirando al auditorio, uniéndote a él, no retándolo.

que tiene diferentes formas, pero que siempre tiende a aliviar o remediar la desgracia, de modo que restablezca a la persona caída en un estado de bienestar. Pero también el que da la limosna se restaura. Por lo mismo, la limosna es expresión de humanidad auténtica y va abrazada a la justicia. Se vuelve cristiana cuando en el caído, vemos los rasgos de Jesús necesitado, y remediamos su sufrir.

La piedad tenía establecidos sus momentos de oración pública, a la mañana y a la tarde; puestos de pie, había que orientarse al Santo de los Santos. Orar es una experiencia totalizante, por lo que se recomendaba al fiel levantar los ojos al cielo y someter el corazón a las exigencias del reino de Dios, para unirse a Israel. La oración es ocasión de súplica y de misericordia. Es momento de unión total, de alianza, de dejarse envolver enteramente, cuerpo y corazón, en la oración pronunciada.

El ayuno obligaba en días de duelo y penitencia nacional, pero también era una práctica personal. "El que ayuna por Dios embellece su propio rostro", aconsejaban los sabios, y los judíos eran reconocidos por sus ayunos frecuentes. Estos dos aspectos, el penitencial y el ascético deben ir unidos. Hacer penitencia expresa compunción, pena, vergüenza y dolor por ofender al Creador y a sus criaturas; de allí el duelo y la purificación por el pecado. Pero ayunar, además de gobernar las apetencias naturales, es también signo de depender sólo de Dios, de sentir su fuerza. Los sabios judíos aconsejaban ayunar para mejor entender las Escrituras y someterse a la voluntad de Dios.

I DOMINGO
DE CUARESMA

Es momento de reconciliación. Sólo Dios habla, pues se trata de una recreación, y esta impostación debes darle a tu voz. Debes subrayar las palabras de alianza. Y cuando aparezca el 'ustedes' mirar al auditorio.

I LECTURA   Génesis 9:8–15

Lectura del libro del Génesis

En aquellos días, dijo Dios a Noé y a sus hijos:
"Ahora **establezco** una alianza con ustedes
    y **con sus descendientes,**
con todos los animales que los acompañaron,
aves, ganados y fieras, **con todos** los que salieron del arca,
con todo ser viviente **sobre la tierra.**
Ésta es la alianza que establezco con ustedes:
No volveré **a exterminar** la vida con el diluvio
    ni habrá otro diluvio que destruya la tierra".

Y añadió:
"**Ésta es** la señal de la alianza perpetua
que yo **establezco** con ustedes
y **con todo ser viviente** que esté con ustedes:
pondré mi arco iris en el cielo **como señal**
de mi alianza con la tierra,
y cuando yo cubra de nubes la tierra,
aparecerá el arco iris y me **acordaré** de mi alianza
    con ustedes y con todo ser viviente.
No **volverán** las aguas del diluvio a **destruir** la vida".

Este párrafo segundo hay que pronunciarlo con solemnidad. Dios se juramenta a no destruir la vida con diluvios. Es importante que se noten los pronombres de primera persona (yo, mi, me, conmigo) y los de segunda (ustedes).

I LECTURA Con el texto de hoy (Gen 9:8–15) se cierra el relato del diluvio. El autor trasluce el amor de Dios por su creación. Los versos precedentes relatan lo que el hombre debe hacer después del diluvio. El texto de hoy proclama la alianza establecida por Dios con Noé. En Noé estamos representados todos los hombres.

Primero, Dios se compromete con nosotros y dice el porqué. La segunda parte presenta el signo que servirá de testigo de la alianza concluida. En adelante, la historia se desarrollará bajo la mirada de la misericordia de Dios, expresada en el arcoíris.

El arcoíris es un signo, digamos, de la conversión de Dios. De arco de guerra se convirtió en instrumento de paz. El hombre después del diluvio quedó igual, no cambió en nada, el que cambió fue Dios. Cuando todo aparezca negro, se verá aparecer la mano misericordiosa de Dos, para salvarlo.

El arcoíris dice que Dios está a favor del hombre con todo y contra todo. No pide de parte del hombre nada. Su iniciativa es muy libre. La variedad de colores que componen el arcoíris, representa la posibilidad de buscar caminos siempre nuevos para llegar a esa finalidad que quiso Dios en la

creación. Además, de esta forma quiere Dios recordarnos que no nos debemos dejar llevar por lo gris de la situación, sino con la contribución de todos los colores, debemos llegar a la hermosura de un mundo unido y participativo.

En muchos momentos aparecerá la catástrofe y la guerra. A veces el caos parecerá amenazar la misma existencia de la creación. En esos momentos, Dios se pondrá de parte del hombre y de la vida.

La Iglesia pone al inicio de su camino penitencial este signo, que es un buen augurio para el futuro. Dios está con el hombre

Para meditar

SALMO RESPONSORIAL   Salmo 24:4–5ab, 6, 7bc, 8–9

R. Tus sendas, Señor, son misericordia y lealtad, para los que guardan tu alianza.

Señor, enséñame tus caminos, / instrúyeme en tus sendas: / haz que camine con lealtad; / enséñame, porque tú eres mi Dios y Salvador. R.

Recuerda, Señor, que tu ternura / y tu misericordia son eternas. / Acuérdate de mí con misericordia, / por tu bondad, Señor. R.

El Señor es bueno, es recto, / y enseña el camino a los pecadores; / hace caminar a los humildes con rectitud, / enseña su camino a los humildes. R.

II LECTURA   1 Pedro 3:18–22

Lectura de la primera carta del apóstol san Pedro

Hermanos:
Cristo murió, **una sola vez** y para siempre, por los pecados
    de los hombres;
    él, el justo, **por nosotros,** los injustos, para **llevarnos** a Dios;
    murió en su cuerpo y **resucitó** glorificado.
En esta ocasión, **fue a proclamar** su mensaje
    a los espíritus encarcelados,
    que habían sido **rebeldes** en los tiempos de Noé,
    cuando la **paciencia** de Dios aguardaba,
    mientras se construía el arca, en la que **unos pocos,**
        ocho personas,
    se salvaron **flotando** sobre el agua.
Aquella agua era **figura** del bautismo,
    que **ahora** los salva a ustedes
    y que **no consiste** en quitar la inmundicia corporal,
    sino en el **compromiso** de vivir
        con una **buena conciencia ante** Dios,
    por la **resurrección** de Cristo Jesús, Señor nuestro,
    que **subió** al cielo y está a la **derecha** de Dios,
    a quien están **sometidos** los ángeles,
    las potestades y las virtudes.

Los tres párrafos están muy unidos entre sí. Procura que se note esto pronunciando las primeras palabras con las que comienza el nuevo párrafo como si pertenecieran al previo. Haz notar ese encadenamiento.

---

recordándole, por medio del arcoíris, la unidad y la pluralidad que debe cultivar en la vida. Así es la Iglesia de Dios, una y diversa.

 La comunidad a la que está dirigida esta carta, está metida en un clima hostil dentro del mundo pagano. Ante esta situación, el autor recomienda "mejor sufrir haciendo el bien que obrar el mal" (1 Pe 3:17).

El texto que sigue cierra la sección parenética del comportamiento cristiano, aludiendo al de Cristo, modelo de toda conducta cristiana. En estos versos se alude al

episodio del patriarca Noé. Todos ellos y los que vendrán, son salvados por Jesús.

El autor hace una lectura tipológica del diluvio; ve prefigurada en la salvación de Noé, la del hombre por el bautismo. De símbolo de muerte, el agua pasa a ser símbolo de vida para los que invocan el nombre de Jesús como Señor en el bautismo. Los que confían en Dios, son salvados. Así las ocho personas que entraron en el arca, son una prefiguración de los cristianos que entran a la vida nueva el día octavo de Cristo: en la Pascua. El bautismo, por medio y a través del agua, salva y da la vida en Cristo.

El arca abraza y sostiene la experiencia de fe de la pequeña comunidad de Asia Menor y de toda comunidad cristiana de nuestra época. Es una llamada a nuestra esperanza en medio de todas las dificultades y tragedias humanas.

No deberíamos ser catastróficos. Nuestra comunidad eclesial no es ni mejor ni peor que las pasadas. Vive en una época en la que sentimos ser guiados por Dios y redimidos por el Mesías.

EVANGELIO Este evangelio enlaza la nota de la estancia de

Para ponernos a tono con el espíritu cuaresmal, quizá convenga hacer la pausa entre ambos párrafos más pronunciada. Es día de ruptura y un nuevo comienzo. San Marcos no cuenta las tentaciones, pero conviene dejar tiempo para que el auditorio haga una breve memoria en su imaginación de las tentaciones que conoce de Jesús.

Estas líneas marcan el comienzo del quehacer de Jesús. Dirige las palabras de Jesús para que los escuchas las puedan recibir sin más mediación que tu voz.

EVANGELIO   Marcos 1:12–15

Lectura del santo Evangelio según san Marcos

En aquel tiempo, **el Espíritu** impulsó a Jesús a retirarse
al desierto,
donde permaneció **cuarenta días** y fue tentado por Satanás.
Vivió allí entre animales salvajes, y los ángeles le servían.

Después de que arrestaron a Juan el Bautista,
Jesús se fue a Galilea **para predicar** el Evangelio de Dios y decía:
"Se **ha cumplido** el tiempo
y el Reino de Dios **ya está cerca.**
Conviértanse y **crean** en el Evangelio".

Jesús en el desierto, más unida a la escena del bautismo precedente, con un resumen de la actividad de Jesús en Galilea, que encabeza relatos que describen a Jesús como Heraldo cualificado del Reino de Dios.

Sabemos que los cuarenta días en el desierto indican que algo muy importante está por suceder, como la alianza nueva de Dios con Noé después del diluvio, o la alianza en el Sinaí tras la estancia de Moisés en la cumbre, o la entrada del pueblo en la tierra de la libertad tras cuarenta años de marchar por el desierto, o el encuentro con Dios del profeta Elías al que el Espíritu llevaba de un lado a otro. Igual, Jesús será conducido por el Espíritu al desierto, pero él vive entre bestias salvajes y ángeles. Este es un dato extraño, por lo menos.

Los rabinos enseñaban que la armonía del Paraíso, entre Adán y las bestias salvajes, se había roto por el pecado cometido; argumentaban que ese pecado había borrado la imagen de Dios en el hombre y por eso las fieras no respetaban más a los humanos. También enseñaban que, en el Paraíso, Adán era alimentado por los mismos ángeles de Dios que le traían el pan de la mesa celeste. La nota de san Marcos indica bien que Dios está con Jesús, que le protege y alimenta como a Elías y que aquella armonía original y paradisíaca de las enseñanzas rabínicas, ha sido recuperada.

Lo que está a punto de suceder es el cumplimiento de los tiempos en Jesús de Nazaret. La cercanía del reino de Dios nos exige conversión, es decir, enmendarnos para recuperar la imagen de Dios instaurada en nosotros, pero que se ve con una cualidad distinta en Jesús de Nazaret, hombre del Espíritu, vencedor de Satanás y Heraldo poderoso del Reino.

II DOMINGO DE CUARESMA

I LECTURA   Génesis 22:1–2, 9a, 10–13, 15–18

Lectura del libro del Génesis

Es día de cambio, de transformación, y esto se realiza confiando en la palabra de Dios, obedeciendo su voz. Sométete a su palabra; proclámala con reverencia. Las palabras del sacrificio son dramáticas; déjalas caer sin precipitación.

En aquel tiempo, Dios le puso **una prueba** a Abraham y le dijo:
    "**¡Abraham, Abraham!**" Él respondió: "**Aquí estoy**".
Y Dios le dijo: "Toma a tu **hijo único,** Isaac,
    a quien tanto amas;
    vete a la región de Moria y ofrécemelo **como sacrificio,**
    en uno de los montes que yo te indicaré".

Este párrafo es puro relato, sin diálogo, pero la atmósfera es densa. Páusate en la atadura de Isaac y las siguientes acciones. Marca un silencio con el siguiente párrafo.

Cuando llegaron al sitio que Dios le había señalado,
Abraham **levantó** un altar y acomodó la leña.
Luego **ató** a su hijo Isaac, lo puso sobre el altar,
    encima de la leña **y tomó** el cuchillo para degollarlo.

Las primeras líneas deben leerse con cierta celeridad. Las últimas, léelas con contundencia.

Pero el ángel del Señor **lo llamó** desde el cielo y le dijo:
    "**¡Abraham, Abraham!**" Él contestó: "**Aquí estoy**".
El ángel le dijo:
    "**No descargues** la mano contra tu hijo,
    ni le hagas daño.
Ya veo que **temes** a Dios,
    porque **no le has negado** a tu hijo único".

En esta parte, recupera el tono 'objetivo' o 'neutro' del narrador.

Abraham levantó los ojos y vio un carnero,
    enredado por los cuernos en la maleza.
Atrapó el carnero y **lo ofreció** en sacrificio en lugar de su hijo.

El juramento de Dios está cargado de solemnidad. Subraya todas las acciones que miran al futuro. Haz contacto visual con la asamblea cuando hables de la descendencia de Abraham.

El ángel del Señor **volvi**ó a llamar a Abraham desde el cielo
        y le dijo:

I LECTURA Este capítulo del Génesis sirve de soporte a la fiesta de la *Akedah* (ligar, atar), tan importante para los judíos como para los mahometanos.

La primera vez que Dios habló con Abraham, lo invitó a que dejara a su padre, a su pasado; ahora en la última teofanía, le pide que sacrifique a su hijo amado, por lo cual, que corte con el futuro. Dios quiere a un Abraham sin lazos con el pasado ni con el futuro. Su único lazo sería con Dios.

Dios le manda ir a un lugar desconocido, con un propósito tremendo: "Toma a tu hijo, a tu favorito, al que quieres, y ofrécemelo". No se trata aquí de sentimiento,

evidentemente que va incluido en la petición. El Señor le pide no sólo lo que más quiere, sino le está pidiendo su misma esperanza, la que sostenía a Abraham y le daba sentido a su vida. La fe de Abraham está ante la prueba más difícil. Creer contra toda esperanza, más aún, sacrificar su esperanza. Y Abraham entrega a Dios su fe, su esperanza. Le da lo único que le quedaba. Por esto Abraham quedó señalado como el padre de todos los creyentes: de los judíos, de los musulmanes y de los cristianos.

Nuestra llamada no es tan grandiosa como la de Abraham, pero seguimos sus

pasos. Dios nos va mostrando el proyecto que tiene para nosotros. Lo hace poco a poco. Dios es el que ve delante, Él ve el futuro. Nosotros no. Debemos confiarnos en esta conducción divina que aunque sea paulatina, es segura.

II LECTURA Por el texto que leemos, Rom 8:31–34, concluye la segunda parte de la Carta (caps. 5–8). Con los versos siguientes intima el autor al amor de Dios. Pero tantas preguntas retóricas se acercan más a la diatriba o a la elocuencia

"Juro por **mí mismo,** dice el Señor, que por haber **hecho esto**
y no haberme negado **a tu hijo único,**
   yo te bendeciré y **multiplicaré** tu descendencia
como las estrellas del cielo y las **arenas del mar.**
Tus descendientes **conquistarán** las ciudades enemigas.
En tu descendencia serán bendecidos **todos los pueblos**
     de la tierra,
   porque **obedeciste** a mis palabras".

Para meditar

SALMO RESPONSORIAL   Salmo 115:10, y 15, 16–17, 18–19

R. Caminaré en presencia del Señor, en el país de la vida.

Tenía fe, aun cuando dije: / "Qué desgraciado soy". / Mucho le cuesta al Señor / la muerte de sus fieles. R.

Señor, yo soy tu siervo, / siervo tuyo, hijo de tu esclava: / rompiste mis cadenas. / Te ofreceré un sacrificio de alabanza, / invocando tu nombre, Señor. R.

Cumpliré al Señor mis votos, / en presencia de todo el pueblo; / en el atrio de la casa del Señor, / en medio de ti, Jerusalén. R.

II LECTURA   Romanos 8:31b–34

Lectura de la carta del apóstol san Pablo a los romanos

Hermanos: Si Dios está a **nuestro favor,**
   ¿**quién** estará en contra nuestra?
El que **no nos escatimó** a su propio Hijo,
   sino que lo entregó **por todos nosotros,**
     ¿cómo no va a estar dispuesto a dárnoslo **todo,**
       junto con su Hijo?
¿**Quién** acusará a los elegidos de Dios?
Si Dios **mismo** es quien los perdona,
   ¿quién será **el que los condene**?
¿Acaso **Jesucristo,** que murió, **resucitó**
   y está a la derecha de Dios para **interceder** por nosotros?

La seguridad del amor de Dios debe ser absoluta. Esta lectura no debe apabullar al auditorio sino impulsarlo a la certeza y a la alegría que produce el amor incondicional. Las preguntas son retóricas; al pronunciarlas puedes mirar algunos rostros de la asamblea, pero no como esperando objeciones, sino asentimiento.

Las líneas finales son una oración condicional que depende de la pregunta previa. No pierdas ese hilo, y comunícalo al proclamar.

empleada en los foros. Parece que nos encontramos en un tribunal.

La liturgia quiere relacionar este texto con la *Akedah* de Isaac. Lo hace a través del v. 32: "El que no reservó a su propio Hijo, sino que lo entregó por todos nosotros". Los Padres de la Iglesia consideran que este texto alude a Gen 22, viendo en Isaac al tipo o figura de Jesús. Leyeron alegóricamente.

El sufrimiento y la enfermedad a menudo son vistos en nuestro entorno como un castigo de Dios o una prueba. Nos asalta la pregunta del porqué. ¿Dónde está la justicia divina? Sin embargo, el don del Hijo de parte del Padre celestial echa por tierra esta pregunta y afirma sin duda el designio salvífico de Dios. Este amor de Dios está afirmado y comprobado. Ninguna prueba y ninguna potencia podrán separar jamás al cristiano de este amor. Un ejemplo es la vida de Pablo que ha experimentado la fuerza de este amor en toda una vida de ultrajes y persecuciones.

En la vida cristiana, el sacrificio y el dolor por el prójimo se transforman en gracia. Hoy el amor requiere sacrificio, especialmente en la familia cristiana se debe aprender a sacrificase por amor. Los papás deben enseñar a sus hijos que en la vida, para lograr algo valedero, el sacrificio es el camino. El esfuerzo debe ser una escuela normal del cristiano.

EVANGELIO La transfiguración viene justo después de que Jesús anuncia por primera vez el destino que le aguarda en Jerusalén. La gloria del Mesías corresponde a las esperanzas de Israel, pero ¿un Mesías sufriente? Suena descompuesto. La transfiguración, sin embargo, viene a reforzar la verdad del anuncio, y la confesión de Pedro, seis días antes. Para

EVANGELIO   Marcos 9:2–10

Lectura del santo Evangelio según san Marcos

En aquel tiempo,
Jesús tomó **aparte** a Pedro, a Santiago y a Juan,
subió con ellos a un monte alto y se transfiguró **en su presencia.**
Sus vestiduras se pusieron **esplendorosamente** blancas,
con una blancura **que nadie** puede lograr sobre la tierra.
Después se les aparecieron **Elías y Moisés,** conversando con Jesús.

Entonces Pedro le dijo a Jesús:
"**Maestro, ¡qué a gusto** estamos aquí!
Hagamos **tres chozas,**
una para ti, otra para Moisés y otra para Elías".
En realidad **no sabía** lo que decía, porque estaban **asustados.**

Se formó entonces una nube, que **los cubrió** con su sombra,
y de esta nube salió una voz que decía:
"**Éste** es mi Hijo amado; **escúchenlo**".

En ese momento miraron alrededor
y no vieron **a nadie** sino a Jesús, que estaba **solo** con ellos.

Cuando bajaban de la montaña,
Jesús les mandó que **no contaran a nadie** lo que habían visto,
hasta que el Hijo del hombre **resucitara** de entre los muertos.
Ellos guardaron esto **en secreto,**
pero discutían entre sí qué querría decir eso
de "**resucitar** de entre los muertos".

La descripción del fenómeno debe hacerse con un halo de que algo sobrenatural está sucediendo, no es un banal reporte de pasarela. Toda tu postura espiritual debe ser de reverencia ante el misterio que se revela.

La intervención de Pedro está marcada por la incomprensión. Esta intrusión, sin embargo, no la pronuncies como impertinente. Pedro dice una verdad incompleta todavía, pero le da voz a la fe que quiere dialogar con el Invisible.

En estas líneas, infúndele a tu voz acento de reverencia y temor por la presencia de Dios; no miedo ni terror. Haz una pausa más notable al finalizar este párrafo.

Recupera el tono del narrador, pero distánciate del grupo de discípulos para que se note cierta incoherencia entre la reserva y la discusión. Este es camino de transformación también.

---

san Marcos la identidad del Mesías es algo crucial y sólo se resuelve en seguirlo o no.

Lo que tenemos delante es la revelación de algo oculto o encubierto; en este caso, Dios descubre la identidad de Jesús, como ocurrió ya en el bautismo; la gloria de Dios testimonia en favor del Mesías.

Retomemos sólo un par de elementos del relato. Pedro menciona las tiendas, y despierta la memoria la fiesta judía que celebraba por una semana el don de la Ley en el Sinaí. La gente se salía de sus casas para vivir en cabañas en recuerdo de la presencia de la nube luminosa y protectora de Dios por el desierto. Eran días de estudio de las Escrituras para apegar el corazón a Dios y sus mandamientos. Pero no basta que el discípulo escuche el diálogo de los rabinos expertos en las Escrituras; él mismo debe participar en ese diálogo, tras la resurrección de Jesús.

Si Elías y Moisés hablan con Jesús, es porque están vivos. Aprendemos que un discípulo de Jesús que no dialogue con las Escrituras hebreas, no podrá andar el camino a Jerusalén, y perderá su identidad discipular.

Hay una conexión clara con la lectura del Génesis. Jesús es el Hijo amado, el nuevo Isaac que Dios Padre entrega a los hombres por puro amor. Ya no es Dios quien pone a prueba la fidelidad del hombre, sino el hombre el que está invitado a probar la fidelidad de Dios en la alianza de su Mesías, Jesús, al que hay que obedecer.

III DOMINGO
DE CUARESMA (B)

I LECTURA   Éxodo 20:1–17

Lectura del libro del Éxodo

En aquellos días, el Señor **promulgó** estos preceptos para su pueblo
en el monte Sinaí, diciendo:
"**Yo soy el Señor,** tu Dios, que te sacó de la tierra de Egipto
y de la esclavitud.
No tendrás **otros dioses** fuera de mí;
no te fabricarás ídolos **ni imagen alguna** de lo que hay arriba,
en el cielo, o abajo, en la tierra,
o en el agua, y debajo de la tierra.
No adorarás nada de eso ni le rendirás culto,
porque yo, el Señor, tu Dios, soy un Dios celoso,
que castiga **la maldad** de los padres en los hijos
hasta la tercera y cuarta generación de aquellos que me odian;
pero **soy misericordioso** hasta la **milésima** generación
de aquéllos que me aman y **cumplen** mis mandamientos.

No harás mal uso **del nombre** del Señor, tu Dios,
porque no dejará el Señor **sin castigo**
a quien haga **mal uso** de su nombre.

Acuérdate de santificar el sábado.
Seis días trabajarás y en ellos harás **todos** tus quehaceres;
pero el día **séptimo** es día de **descanso,**
dedicado al Señor, tu Dios.

Disponte a una lectura amplia. Dios entrega los mandamientos de su ley, a partir de lo que ha hecho con su pueblo: rescatarlo. A esta introducción histórica, donde Dios se presenta y basa su derecho, dale mucho peso.

Procura darle diferente velocidad a cada prohibición. Márcala bien, para que la asamblea pueda recibir mejor sus líneas.

Este mandamiento es positivo. Es una recomendación encarecida que se prolonga en el siguiente párrafo.

I LECTURA La alianza es el don más precioso de Israel. Por este acto jurídico, Israel se ligó con su Dios. Esto lo distinguía de los demás pueblos; era su carta de identificación (Ex 24). Lo importante de la alianza era la comunión que tenía Israel con su Dios, comunión expresada en unos preceptos u obligaciones.

Los hebreos siempre vieron la Ley, las ordenanzas, como instrucción. De hecho, así llaman al Pentateuco: La *Torah* = la Instrucción. De aquí que estos mandatos tratan de ayudar positivamente al hombre, ordenándole la vida. Es una instrucción que convierte al depositario en un ser humano capaz de comportarse bien en la vida y así, tener éxito.

La obligación fundamental del pueblo, era tener al Señor como su Dios en exclusividad y Dios, a su vez, se obligaba a tener a Israel como su pueblo, por lo mismo, a protegerlo. Esta obligación se desdoblaba en lo que se va a llamar el Decálogo. Éste tenía una relación estrecha con el culto. ¿Quién puede subir al monte del Señor? Sólo el que ha cumplido los preceptos del Señor (Sal 15; 24; Is 33:14–16).

El objetivo del Decálogo es tutelar y garantizar la vida. De aquí el no enfático que se eleva contra acciones que amenazan la vida: "no matarás… no hurtarás". El mandamiento es el camino sobre el cual el hombre y Dios pueden encontrarse y conocerse. La plataforma desde la cual Dios prescribe a su pueblo, es su benevolencia. "El Señor, tu Dios que te ha sacado de la esclavitud", es el título con que habla el Señor. Primero obra, agracia y después explica.

Los mandatos o caminos llevan a la felicidad. Al darlos al hombre, quiere Dios que el hombre sea feliz, que se confíe en su

No harás en él **trabajo alguno,**
    ni tú, ni tu hijo, ni tu hija, ni tu esclavo,
    ni tu esclava, ni tus animales,
    ni el forastero que viva contigo.
Porque **en seis días** hizo el Señor el cielo,
    la tierra, el mar y cuanto hay en ellos,
    pero el séptimo, **descansó.**
Por eso **bendijo** el Señor el sábado y lo **santificó.**

Honra a tu padre y a tu madre
    para que vivas **largos años** en la tierra
    que el Señor, tu Dios, te va a dar.
No matarás. No **cometerás** adulterio. No **robarás.**
No darás falso testimonio contra tu prójimo.
No codiciarás la casa de tu prójimo,
    ni a su mujer, ni a su esclavo,
    ni a su esclava, ni su buey, ni su burro,
    ni cosa alguna que le pertenezca".

Forma breve: Éxodo 20:1–3, 7–8, 12–17

Separa la prescripción de honrar a los padres del resto de las prohibiciones, aunque la disposición del texto no señale un nuevo párrafo. Los cinco vetos finales deben ser lapidarios, como dardos certeros.

Para meditar

SALMO RESPONSORIAL Salmo 18:8, 9, 10, 11

R. Señor, tú tienes palabras de vida eterna.

La ley del Señor es perfecta / y es descanso del alma; / el precepto del Señor es fiel / e instruye al ignorante. R.

Los mandatos del Señor son rectos / y alegran el corazón; / la norma del Señor es límpida / y da luz a los ojos. R.

La voluntad del Señor es pura / y eternamente estable; / los mandamientos del Señor son verdaderos / y enteramente justos. R.

Más preciosos que el oro, / más que el oro fino; / más dulces que la miel / de un panal que destila. R.

---

amor por él. En el fondo, los mandatos quieren ofrecer al hombre posibilidades reales para que no caiga en los nuevos Egiptos, en las nuevas esclavitudes, que siempre son tentadoras y cautivan.

II LECTURA Habla este texto del templo como mercado. Como en todo mercado, se va tras de los bienes religiosos más requeridos: los milagros y los signos por una parte, y por otra, por las últimas novedades en doctrinas religiosas.

Corinto era una ciudad cosmopolita, donde por sus dos puertos pasaban nove-

dades y doctrinas de todos los colores. El paso de hombres y mercancías del occidente al oriente, ocasionaba que las ideas más variadas se pulsaran, se aceptaran o rechazaran. Desde luego, un lugar especial en todo esto, tenía la confusión.

La comunidad cristiana de Corinto vivía ese frenesí de novedades, donde el sensacionalismo era fascinante. Esto traía sus consecuencias, buenas y malas. Pablo con su autoridad de apóstol y fundador de la comunidad, trata de defender a sus cristianos y contestarles sus preguntas. Quiere Pablo que no se huya de lo que es esencial a la

vida cristiana y que está al centro de la evangelización.

Pablo no escogió la clase de gente que debía creer; fue obra de Dios. Tampoco esta aceptación se debió a su capacidad de convencimiento. Todo motivo, pues, de vanagloria está en Dios y en su proyecto de amor y no en los recursos o méritos humanos.

En el centro de la primera parte está la predicación de Pablo, fundada en la "palabra de la cruz" (1:18). A la locura de la cruz corresponde la locura de la predicación; al poder de la primera, el poder de la segunda. No está la evangelización bajo el principio

Adopta la voz de Pablo que encarece a la comunidad a abrazar con cariño a Cristo crucificado. Al decir 'Pero nosotros', siéntete uno con la asamblea cristiana. De esta frase depende todo lo que sigue.

Pronuncia con énfasis las palabras marcadas en negrillas.

II LECTURA   1 Corintios 1:22–25

Lectura de la primera carta del apóstol san Pablo a los corintios

Hermanos:
Los judíos **exigen** señales milagrosas
    y los paganos piden **sabiduría.**
Pero nosotros predicamos a **Cristo crucificado,**
    que es **escándalo** para los judíos y **locura** para los paganos;
    en cambio, para los llamados, sean **judíos o paganos,**
    Cristo es **la fuerza** y **la sabiduría** de Dios.
Porque la locura de Dios es **más sabia** que la sabiduría
    de los hombres,
    y la debilidad de Dios **es más fuerte** que la fuerza
    de los hombres.

EVANGELIO   Juan 2:13–25

Lectura del santo Evangelio según san Juan

Cuando se **acercaba** la Pascua de los judíos,
    Jesús llegó a Jerusalén
    y encontró en el templo a los vendedores de bueyes,
    ovejas y palomas, y a los cambistas con sus mesas.
Entonces hizo un látigo de cordeles y **los echó** del templo,
    con todo y sus ovejas y bueyes;
    a los cambistas **les volcó** las mesas y les tiró al suelo
        las monedas;
    y a los que vendían palomas les dijo:
    "**Quiten** todo de aquí y **no conviertan** en un mercado la casa
        de mi Padre".

El episodio es dramático y profético. En su brevedad, hay que mantener la tensión en las acciones de Jesús y luego en la parte dialogal. Pero hay también dos momentos como de distanciamiento reflexivo, cuando los discípulos quedan enfocados. Señala los cuatro párrafos con claridad. Pero prepárate visualizando la confrontación en su totalidad.

nuclear de la mercadotecnia: la concurrencia de los otros predicadores itinerantes. Por antítesis se expresa la portada paradójica del discurso de la cruz: sabiduría-locura; fuerza-debilidad; escándalo-poder... También los destinatarios pasan por esta polaridad: los que aceptan la Buena Noticia y los que la rechazan.

Pablo no escogió el discurso pulido, armonioso y bello que cautivara a su auditorio, sino la palabra de la cruz que impregnaba su actividad y discurso. La cruz en lugar de generar vergüenza, era la fuerza que empujaba al Apóstol. A través del escándalo, la debilidad y la locura de la cruz, Dios reveló su potencia y sabiduría. El que se encierra en sus argumentos humanos y en su sabiduría, cierra la puerta a ese discurso que habla de la cruz como medio para comprender y amar a Dios.

Hoy tenemos la tentación de gastar nuestras energías en satisfacer las exigencias del mercado, tratando de ser competitivos en casi todo. Pablo nos pide que pensemos en la debilidad de nuestra Iglesia. Tal vez Dios nos pida vencer la tentación de querer que todos estén de acuerdo con nosotros. El Apóstol invita a anunciar el escándalo de la cruz en la palabra y en la vida.

EVANGELIO | En este episodio, san Juan como que acentúa la violencia ejercida por Jesús y el nervio financiero, además de que lo transforma en una *señal* para *creer* en el Resucitado.

La expulsión de comerciantes, vendedores y compradores, del área del templo de Jerusalén lleva a pensar en las denuncias de los antiguos profetas como Isaías, Amós y sobre todo Jeremías que levantaron su voz para desnudar las injusticias que el culto vestía de piedad y religión. Jesús denuncia que el templo ha sido convertido en un emporio, un lugar de compra y venta, y no en

Esta reflexión de los discípulos debe quedar señalada por una pausa que separe las palabras de Jesús de la confrontación con las autoridades judías.

La parte dialogal debe ser como de reclamo. Haz que se note que san Juan utiliza el malentendido para revelar quién es Jesús. Esta parte marca un nuevo momento con las palabras de "Por eso, cuando…" Ten cuidado en no confundir estas líneas como si pertenecieran a la parte del diálogo.

Esto no pertenece ya al episodio propiamente dicho. Es un resumen que globaliza el quehacer de Jesús en Jerusalén, y no debe tener la misma intensidad que lo previo.

En ese momento,
    sus discípulos **se acordaron** de lo que estaba escrito: *El celo de tu casa* **me devora**.

Después intervinieron los judíos para preguntarle:
    "**¿Qué señal** nos das de que tienes autoridad para actuar **así?**"
Jesús les respondió:
    "**Destruyan este** templo y en **tres días** lo reconstruiré".
Replicaron los judíos:
    "**Cuarenta y seis años** se ha llevado la construcción del templo,
    ¿y tú lo vas a levantar **en tres días?**"

Pero él hablaba del templo **de su cuerpo**.
Por eso, cuando resucitó Jesús de entre los muertos,
    se acordaron sus discípulos de que había dicho aquello
    y **creyeron** en la Escritura
    y en las palabras que Jesús había dicho.

Mientras estuvo en Jerusalén para las fiestas de Pascua,
    muchos creyeron en él, **al ver** los prodigios que hacía.
Pero Jesús no se fiaba de ellos, porque los conocía a **todos**
    y no necesitaba **que nadie** le descubriera lo que es el hombre,
    porque **él sabía** lo que hay en el hombre.

lo que debía ser: "Casa de mi Padre". El templo ha de ser un lugar de reunión para todos los hijos e hijas de Dios. Un espacio de gratuidad y de seguridad accesible a todos, no de explotación y exclusión. Por supuesto que el templo de Jerusalén abría sus atrios a todos los peregrinos piadosos. Pero si repensamos las cosas, sólo aquellos que podían comprar las víctimas para los sacrificios o pagar las monedas del tributo detentaban el derecho a "sentirse como en su casa", es decir, con derecho pleno. Por eso, Jesús no pugna porque bajen los precios de los artículos del consumo religioso, sino que excluye del espacio del culto el mercado mismo con todo su aparato. Más claro no lo puede poner.

El desmantelamiento del mercado endiosado en el propio templo de Dios, pasa por las Escrituras y la memoria de Jesús. Las Escrituras son el espejo del caminar del pueblo en su historia. Una comunidad sin memoria, corre el riesgo de caminar en círculos y repetir los yerros una vez y otra. Las Escrituras sirven para entender lo que está pasando ahora con el pueblo de Dios y lo que Dios llama a transformar, son el parámetro que inspira decisiones nuevas ante situaciones diferentes y cambiantes.

La Escritura sin Espíritu es letra que mata, con el Espíritu da vida.

Finalmente, la memoria de Jesús la realiza su grupo de discípulos. Reunirse es asunto básico. En la reunión se comparten experiencias, se enlazan los proyectos, se iluminan los senderos. La memoria se vuelve vida, vital. ¿Cómo? Apenas si es asunto de rito. Más bien, se trata de que los discípulos hablen, dialoguen, completen, e intensifiquen las palabras y las acciones de Jesús.

III DOMINGO
DE CUARESMA (A)

I LECTURA   Éxodo 17:3–7

Lectura del libro del Éxodo

En **aquellos** días, el pueblo, **torturado** por la sed,
   fue a **protestar** contra Moisés, diciéndole:
   "¿Nos has hecho **salir** de Egipto
   para **hacernos morir de sed** a nosotros,
   a nuestros hijos y a nuestro ganado?"
Moisés **clamó** al Señor y le dijo:
   "¿**Qué** puedo hacer con este pueblo?
Sólo falta que me apedreen".
Respondió el Señor a Moisés:
   "**Preséntate** al pueblo, llevando contigo a algunos
      de los ancianos de Israel,
   toma en tu mano el cayado con que **golpeaste** el Nilo **y vete**.
Yo **estaré** ante ti, sobre la peña, en Horeb.
Golpea la peña y **saldrá** de ella agua para que beba el pueblo".

Así lo hizo Moisés a la vista de los ancianos de Israel
   y puso por nombre a aquel lugar **Masá y Meribá**,
   por la **rebelión** de los hijos de Israel
   y porque habían **tentado** al Señor, diciendo:
   "¿**Está o no está** el Señor en **medio** de nosotros?"

La situación es seria y representa peligro de muerte para todo el pueblo. Dale un imperioso vigor al reclamo, porque todo el episodio pende de aquí.

El líder del pueblo también se angustia y acude a Dios para salvar su vida. En la respuesta del Señor debe notarse la confianza absoluta en que habrá agua para el pueblo.

La primera línea de este párrafo debe ser pronunciada como describiendo el milagro detallado antes: dale peso específico a esta oración. Ha quedado como cicatriz en la memoria del pueblo que sucumbe a la tentación. La línea final debe ser un auténtico reto a la asamblea que en su interior debe decir: "Dios está con nosotros".

I LECTURA Ha sido siempre una tentación de los creyentes, confundir la amistad o presencia divina con el bienestar humano. La lectura de hoy pone esta tentación en el centro de la preparación para la Cuaresma.

Massá y *Meribá* se convirtieron en el símbolo de la fatiga y rebelión del pueblo contra su Dios y sus dirigentes. De este episodio se tiene un doble (Núm 20:2–13). La postura de Israel ante su Dios es designada con tres verbos: murmurar (v. 3), protestar (v. 7) y poner a prueba (v. 7b). El pueblo se ve desamparado ante un desierto árido y silencioso, que no le da ninguna solución. Se puede decir, que ante el vacío y la nada, Israel no encuentra por dónde ir. Por esto lanza una acusación, un juicio contra su Dios. Esto significa el verbo protestar.

El pueblo se siente engañado por Dios, que no provee de los mínimos necesarios para subsistir. En la alianza Dios se había comprometido a cuidar de Israel. El pueblo pone a prueba a Dios (*Masah* = exigir). El pueblo exige de Dios pruebas y signos, es decir, lo desafía a que se decida en favor del pueblo; quiere que él obedezca al pueblo.

En el verso 7 se insiste en esta prueba o tentación: "¿Está o no el Señor en medio de nosotros?" Más allá del caso específico de la falta de agua, la protesta expresa la radicalidad con la que el hombre de todos los tiempos y culturas exige a un Dios que parece olvidarse las exigencias básicas del ser humano.

El hombre busca la satisfacción de sus necesidades primarias. La libertad puede dejar para después. Se acordarían del dicho de "primero está comer que ser cristiano". Dios respondió. Moisés golpeará con el bastón con que había convertido el agua del

Para meditar

SALMO RESPONSORIAL Salmo 94:1–2, 6–7, 8–9

R. Ojalá escuchen hoy la voz del Señor: "No endurezcan el corazón".

Vengan, aclamemos al Señor, / demos vítores a la Roca que nos salva; / entremos a su presencia dándole gracias, / aclamándolo con cantos. R.

Entren, postrémonos por tierra, / bendiciendo al Señor, creador nuestro. / Porque Él es nuestro Dios / y nosotros su pueblo, / el rebaño que Él guía. R.

Ojalá escuchen hoy su voz: / "No endurezcan el corazón como en Meribá, / como el día de Masá en el desierto, / cuando vuestros padres me pusieron a prueba / y me tentaron, aunque habían visto mis obras". R.

II LECTURA Romanos 5:1–2, 5–8

Lectura de la carta del apóstol san Pablo a los romanos

Hermanos:
Ya que hemos sido **justificados** por la fe,
    mantengámonos en paz con Dios,
    por mediación de nuestro **Señor Jesucristo**.
Por él hemos obtenido, con la fe,
    la entrada al mundo de la gracia, en la cual **nos encontramos**;
    por él, podemos **gloriarnos** de tener la esperanza de **participar**
    en la gloria de Dios.

La esperanza **no defrauda**,
    porque Dios **ha infundido** su amor en **nuestros** corazones
    por medio del **Espíritu Santo**, que **él mismo** nos ha dado.
En efecto, cuando **todavía** no teníamos fuerzas
    para **salir** del pecado,
    Cristo **murió** por los pecadores en el tiempo **señalado**.

Difícilmente habrá **alguien** que quiera morir **por un justo**,
    aunque puede haber alguno que **esté dispuesto** a morir
    por una persona **sumamente** buena.

La exposición de Pablo está fincada en lo conseguido por la fe en Jesucristo. Esta convicción transmítela subrayando las frases de "por él".

Deja que se quede resonando la primera frase de esta parte en la mente de los escuchas.

Nilo en sangre. Israel debe recordar este hecho, cuando le llegue la desesperación y la desconfianza.

 II LECTURA Después de haber descrito brevemente la situación de condena en que se encontraba el hombre, fuera griego o judío, antes de la llegada del Cristo (1:18—3:20), pasa Pablo a hablar de la justificación por la fe (3:21s).

En esta parte de la carta, Pablo habla de la salvación traída por el Señor. Fruto de la acción de Jesús es la paz con Dios y la esperanza de la gloria. La paz es el máximo objetivo del judío. Su saludo habitual para todas las actividades humanas está diciendo que los hebreos no pueden concebir o desear una felicidad que no tenga como resultado y expresión la integridad. Cuando todas las partes están perfectamente ensambladas, se tiene la armonía, la paz. De aquí el horror de los hebreos por el caos, no tanto por el vacío o la nada. Para ellos esta integración produce la armonía de todas las fuerzas. Y esto lo llaman paz.

Desde el principio, Dios hizo el mundo integrado, sacando de ese caos de agua tumultuosa, al mundo nuestro. El mundo es continuamente amenazado por la fragilidad, descuido y violencia de sus partes. Existe la amenaza de una desarticulación. Se entiende que el hebreo desea lo contrario, que continuamente lo expresa en su saludo del *Shalom*, de la paz.

La esperanza es el otro polo de la palabra de Dios que abre dimensiones amplias, donde el ser humano alcanza su perfección.

Jesús, dice Pablo, inauguró esta paz y dio esta esperanza. Lo expresa con la palabra redención. La sentimos confirmada por el Espíritu que asegura al creyente la certeza del amor de Dios, garantía de esa integración del hombre con Dios.

Y la prueba de que Dios **nos ama**
     está en que Cristo murió **por nosotros**,
     cuando **aún** éramos pecadores.

EVANGELIO   Juan 4:5–42

Lectura del santo Evangelio según san Juan

En **aquel** tiempo, llegó **Jesús** a un pueblo de Samaria,
     llamado **Sicar**,
     cerca del campo que dio Jacob a su hijo **José**.
Ahí estaba el pozo de Jacob.
Jesús, que venía **cansado** del camino,
se **sentó** sin más en el brocal del pozo.
Era **cerca** del mediodía.

Entonces llegó una mujer de Samaria a **sacar agua** y Jesús le dijo:
     "**Dame** de beber".
(Sus discípulos habían ido al pueblo a **comprar** comida).
La samaritana le contestó:
     "¿**Cómo** es que tú, **siendo judío**, me pides de beber **a mí**,
          que soy **samaritana**?"
(Porque los judíos **no tratan** a los samaritanos).
Jesús le dijo: "Si **conocieras** el don de Dios
     y **quién es** el que te pide de beber,
     tú le pedirías **a él**, y él te daría **agua viva**".

La mujer le respondió:
     "**Señor, ni siquiera** tienes **con qué** sacar agua
          y el pozo es **profundo**,
     ¿**cómo** vas a darme **agua viva**?
¿**Acaso** eres tú **más** que nuestro padre Jacob,
     que nos dio **este pozo**, del que bebieron él,
          sus hijos y sus ganados?"

Este espíritu derramado como agua en la vida del bautizado, da a éste la seguridad de ser amado por Dios y, por lo tanto, de haber sido sólidamente integrado en ese amor que fue tan fuerte, que llevó a Jesús a morir por nosotros.

EVANGELIO La lectura nos participa del diálogo más amplio de todos los registrados. Jesús, al brocal del pozo de Jacob, conversa con una mujer samaritana, a la que le va descubriendo su identidad más profunda, de mesías, profeta, revelador y enviado del Padre, hasta culminar aclamado como Redentor universal en medio de los descendientes de José. Pero en el diálogo, ella también va transformando su perfil de mujer de casa en busca de agua a perspicaz interlocutora en la revelación de Dios, y nuncio o testigo del mesías para la gente de su pueblo. Porque ella acoge la revelación y la comunica, se convierte en auténtica discípula del Mesías.

El escucha puede seguir el episodio pausadamente, con sus evocaciones, juegos de palabras y revelaciones del misterio del Cristo. Lo que importa es que lo acoja y se vaya adentrando en él. Porque esta es una página de revelación. Y es que la revelación de Dios va surgiendo con la experiencia, con lo que se vive, con lo que se reflexiona, más que con definiciones y fórmulas, como a veces hemos pensado. El misterio revelado de Dios, como el de toda persona, sólo se percibe si es acogido, abrazado y reverenciado para ser compartido y se torne refrescante, bullicioso, cristalino. Esto lleva tiempo y constancia, como agua que se filtra por las rocas de la montaña y abreva al viajero.

La revelación del Mesías comienza adquiriendo la forma del agua, agua inaccesible. Fuera de la ciudad, al mediodía y junto

Marca la oferta del agua viva con una certeza inalcanzable para la mujer.

Jesús le contestó:
"El que bebe de esta agua **vuelve** a tener sed.
Pero el que beba del agua que yo le daré, **nunca más** tendrá sed;
　　el agua **que yo le daré** se convertirá d**entro de él**
　　　　en un manantial **capaz** de dar la **vida eterna**".

La mujer le dijo:
"Señor, **dame** de esa agua para que **no vuelva** a tener sed
　　ni tenga que venir **hasta aquí** a sacarla".

Las preguntas de la mujer deben transmitir incredulidad.

Él le dijo: "**Ve** a llamar a tu marido y **vuelve**".
La mujer le contestó: "**No tengo** marido".
Jesús le dijo: "**Tienes** razón en decir: '**No tengo** marido'.
Has tenido **cinco**, y el de ahora **no es** tu marido.
En eso has dicho **la verdad**".

La mujer le dijo: "**Señor**, ya veo que eres **profeta**.
Nuestros padres dieron culto **en este monte**
　　y **ustedes** dicen que el sitio donde **se debe dar culto**
　　　　está **en Jerusalén**".
Jesús le dijo: "**Créeme**, mujer, que se **acerca** la hora
　　en que **ni en este** monte **ni en Jerusalén** adorarán al Padre.

Estas palabras de Jesús pueden sonar como acertijo. Separa bien las frases y ve diciéndolas con sentido completo hasta el final, cuando cierran las comillas.

Ustedes adoran **lo que no conocen**;
　　nosotros adoramos **lo que conocemos**.
Porque la salvación **viene** de los judíos.
Pero se **acerca** la hora, **y ya está aquí**,
　　en que los que quieran dar culto **verdadero**
　　　　adorarán al Padre **en espíritu y en verdad**,
　　porque **así** es como el Padre **quiere** que se le dé culto.
Dios **es espíritu**, y los que lo adoran **deben hacerlo**
　　en espíritu y en verdad".

La mujer le dijo: "**Ya sé** que va a venir el Mesías
　　(**es decir**, Cristo).
Cuando venga, **él** nos dará **razón de todo**".
Jesús le dijo: "**Soy yo**, el que habla contigo".

Jesús se descubre a la mujer con toda simplicidad pero también con toda la carga emocional e íntima que tiene ese "Yo soy, el que…". Pero el narrador no da tiempo a más. Tú dale la pausa para que esas palabras calen.

---

a un pozo, un Jesús cansado se sienta a esperar que llegue alguien a sacar agua, se compadezca de él y le dé de beber. Jesús está sobre el brocal del pozo, en griego dice que Jesús 'se sentó así sobre la fuente', pero no tiene forma de beber. Lo mismo le ocurre a la mujer que viene por agua; trae cubo y reata para sacarla, pero ese extranjero judío, sentado sobre la fuente, se lo impide.

La petición de Jesús rompe ese callejón sin salida. De haberse parapetado Jesús en las normativas socio-religiosas, nunca hubiera hablado. Es lo que la perspicaz samaritana puntualiza. Pero la necesidad pudo más que las convenciones, y Jesús es formi-

dable al romperlas. Por si poco fuera, él avanza un señuelo irresistible a la mujer, haciéndole ver que el que está sentado sobre la fuente conoce el don de Dios y es su dispensador. Los papeles se han invertido, y ahora es ella la que no tiene acceso a ese misterioso don.

El agua don requiere ya no la capacidad para acceder a ella y sacarla, cuanto disposición a recibirla. Los dones se reciben, se aceptan. Sólo que en nuestra sociedad consumista hacemos hasta listados de lo que queremos ¡que nos regalen! Esto tiene su lado práctico, pero ya perdió la espontaneidad del donante y la frescura de lo

inesperado. Esa secreta alegría que nos inundaba el corazón con el cariño de la persona y menos con el regalo. Jesús habla del don de Dios; ella del don de Jacob a los suyos. Cierto, Dios regala a través de las personas, no sin ellas. Pero también don y donante van juntos, de alguna manera. Con el regalo se da la persona.

Recibir el don, beber, transforma. No sólo la necesidad queda satisfecha y cierta normalidad se recupera, beber el don transforma en profundidad. Esto es lo que Jesús le asegura a la samaritana. La persona que recibe un don, que se lo apropia, cae en la cuenta de que es precaria y vulnerable. Una

Ponle entusiasmo a las palabras de la mujer. Ella está anunciando al Mesías entre los suyos. Subraya la buena disposición de la gente que va a Jesús. Esa gente es como nosotros también; hay que empatizar con ella.

En esto llegaron los discípulos
    y **se sorprendieron** de que estuviera conversando
      con una mujer;
    sin embargo, **ninguno** le dijo:
      '¿**Qué** le preguntas o **de qué** hablas con ella?'
Entonces la mujer **dejó** su cántaro,
    se fue al pueblo y **comenzó** a decir a la gente:
    "**Vengan** a ver a un hombre que me ha dicho **todo**
      lo que he hecho.
¿No será éste **el Mesías**?"
Salieron del pueblo y se **pusieron en camino**
    hacia donde él estaba.

Mientras tanto, sus discípulos **le insistían**: "Maestro, come".
Él les dijo:
    "Yo **tengo** por comida un alimento que ustedes **no conocen**".
Los discípulos comentaban **entre sí**:
    "¿Le **habrá** traído alguien **de comer**?"
Jesús les dijo:
    "Mi **alimento** es **hacer** la voluntad del que **me envió**
    y llevar a **término** su obra.
¿**Acaso** no dicen ustedes que **todavía** faltan **cuatro** meses
      para la siega?
Pues bien, **yo** les digo:
Levanten los ojos y **contemplen** los campos,
    que **ya están** dorados para la siega.
Ya el segador **recibe** su jornal y **almacena** frutos
      para la **vida eterna**.
De **este modo** se alegran **por igual** el sembrador y el segador.
Aquí se cumple el dicho:
    '**Uno** es el que siembra y **otro** el que cosecha'.
Yo **los envié** a cosecharlo que **no habían** trabajado.
Otros trabajaron y **ustedes** recogieron su fruto".

Al hablar de 'levantar los ojos' haz esta invitación a la asamblea, para que pongan sus ojos en la vida eterna.

cosa es experimentar y vivir bajo el imperativo de la necesidad, y otra la conciencia de la propia insuficiencia. Nuestro mundo pregona la autosuficiencia y la autonomía individual para tener éxito, ser 'como los dioses'. La realidad es otra: Somos seres precarios. La samaritana se ve desnuda. Y por eso abraza el don. Ella asume su realidad de creatura, limitada y frágil, afirma su deuda de gratitud profunda con el Donante que le sacia, y tiende hacia él con todas las fuerzas. Conforme la creatura se transforma en creatura Dios se deja descubrir como Dios. Es la dinámica del donante de Dios, la de la entrega mutua.

Vivir para el único Señor no es sino la consecuente decisión de descubrirlo Dios y Padre, o Madre, como ahora se dice. A Dios no cabe sino adorarlo; dedicarle alma, corazón y vida a su voluntad, a lo que hace y dispone en Jesús, su profeta y mesías. Los ritos forman parte de la adoración modelada en espíritu y verdad, y guardan su validez legítima sólo así. No son dos cualidades distintas, sino dos modos de decir lo mismo. 'Adorar en verdad' pertenece a la hora de Cristo, al ahora de su presencia donante. La adoración escatológica, sin mediación condicionante alguna, es como Cristo adora.

Este modo de adorar es lo que el adorador va haciendo propio, conforme se va uniendo a Cristo y configurándose con él. Gracias a este proceso transformativo, el adorador siente como Cristo siente, piensa como Cristo piensa, actúa como Cristo actúa. Esto es adorar en espíritu y verdad.

La transformación que opera el don es difusiva. El don no pierde cualidad ni fuerza por ser recibido. Al ser agua de la vida, no puede sino crecer, multiplicarse y difundirse. Cierto, no hay líneas o guiones a seguir, sino una efusión que no se acalla ni cuando se comunica y contagia alrededor. En esta

Igual que el evangelista, crea la sensación de que la fe en Jesús crece y se extiende hasta los más alejados rincones.

Es el culmen de todo el relato. Esta parte debe ser menos acelerada que la previa y como buscando detenerse completamente. Sin embargo, la línea final debe ser intensa.

Muchos samaritanos de aquel poblado
creyeron en Jesús por el testimonio de la mujer:
'Me dijo **todo** lo que he hecho'.
Cuando los samaritanos llegaron a donde él estaba,
le rogaban que se **quedara** con ellos, y se quedó allí **dos días**.
Muchos más **creyeron en él** al oír su palabra.
Y decían a la mujer:
"Ya **no** creemos por lo que **tú** nos has contado,
pues **nosotros mismos** lo hemos oído
y **sabemos** que **él** es, de veras, el **Salvador** del mundo".

Forma breve: Juan 4:5–15, 19b–26, 39a, 40–42

situación los impedimentos quedan abolidos, y cuantos estén dispuestos a recibir dones acuden al pozo de Jacob.

La revelación no se estanca. Jesús desvela a su grupo de discípulos su quehacer y alimento: Llevar a cumplimiento la obra del que lo envió. Esas palabras transparentan la conciencia del Enviado con toda llaneza, su dependencia y disponibilidad totales. El enviado tiene dignidad y autoridad de quien le envía. Y sólo en cuanto es fiel a quien le envía las mantiene. La fidelidad mide al misionero. Por ello, su quehacer no mira reposo sino hasta completarlo. Y aunque no

cabe en el horizonte de este capítulo, san Juan enseñará que la misión de Jesús estará coronada "cuando atraiga a todos hacia sí". Es decir, cuando se verifique la comunión de todos "en espíritu y en verdad".

La auténtica comunión discipular es también un punto que suscita la revelación aportada por el Hijo de José. Sembrar y cosechar son imágenes de la hora escatológica. Refieren a la tarea del discípulo auténtico de Jesús, de quien ha recibido su don y va transformándose en adorador y difusor de la obra de Dios. Al adorar y difundir, el que bebe agua viva crea relaciones y vínculos

con otros trabajadores o enviados. Los une la alegría. No buscan frutos para sí mismos, sino frutos que maduren en la obra de Dios. Esta es una obra salvífica, que produce bienestar, alegría y plena comunión. Por eso se le puede reconocer sin dudar.

Este evangelio quiere que nos lo apropiemos para que descubramos nuestra sed, las carencias y limitaciones que el agua viva inunda purificando y transformando en un torrente de vida auténtica, la vida de Dios.

IV DOMINGO DE CUARESMA (B)

I LECTURA   2 Crónicas 36:14–16, 19–23

Lectura del segundo libro de las Crónicas

Los tres párrafos de esta lectura son amplios; hay que ajustar el ritmo con las comas y los puntos y aparte. El recuento de la historia del pueblo tiene tonos amargos y recriminatorios, pero la tercera sección abre una rendija a la esperanza inmediata. No hay que aminorar la culpa pero no debe ser apabullante el tono de tu voz.

En aquellos días,
> **todos** los sumos sacerdotes y el pueblo
> **multiplicaron** sus infidelidades,
> practicando **todas** las abominables costumbres de los paganos,
> y **mancharon** la casa del Señor,
> que él se había consagrado en Jerusalén.
El Señor, Dios de sus padres, los exhortó **continuamente**
> por medio de sus mensajeros,
> porque sentía **compasión** de su pueblo
> y quería preservar su santuario.
Pero ellos **se burlaron** de los mensajeros de Dios,
> **despreciaron** sus advertencias y **se mofaron** de sus profetas,
> hasta que **la ira del Señor** contra su pueblo llegó **a tal grado,**
> que ya **no hubo remedio.**

Es el momento terrible del castigo: destrucción y exilio. Pronuncia estas líneas como la ejecución de la sentencia. Con todo, el castigo está limitado por las palabras proféticas. Siembra esa esperanza haciendo una pausa más larga, antes del siguiente párrafo.

Envió entonces contra ellos al rey de los caldeos.
Incendiaron la casa de Dios
> y **derribaron** las murallas de Jerusalén,
> pegaron fuego **a todos** los palacios
> y **destruyeron** todos sus objetos preciosos.

I LECTURA Con estas palabras del edicto de Ciro termina la Biblia hebrea. Tomadas de Esd 1:1–3, ellas dejan un mensaje de esperanza y hacer un mero recuerdo del exilio babilónico.

La ciudad capital, la joya de las naciones, terminó bajo la bota de los caldeos. El profeta Jeremías había dedicado su vida a intentar evitar la tragedia, pero sin lograrlo. Había llegado el final y la ciudad desolada, descrita en el libro de Lamentaciones, era la imagen más dolorosa que había quedado del reino de Judá.

Los reyes, sacerdotes y pueblo no hicieron caso a la voz de Jeremías. Rechazaron esa palabra y tacharon al profeta de loco, negándole aun su identidad de profeta (Jer 20:8–10; 28:10; 36:22–23; 38:6). Jeremías, con auténtico ojo clínico, había detectado la enfermedad del pueblo elegido (Jer 7:8–11; 22:13–17; 26). Los verdaderos culpables de la destrucción no fueron los invasores caldeos, sino los habitantes de Judá, que la destruyeron desde dentro, profanándola con su conducta inicua.

En el silencio de la destrucción vuelve a oírse la voz de Jeremías, partiendo de la Ley (Lev 26:34–35): La tierra puede descansar en el tiempo de la desolación. Ahora es el tiempo de la justicia de Dios, así se limpiará esta tierra de sus suciedades y volverá a ser pura. Así dará buenos frutos, volverá a ser tierra de la promesa.

Los años de la desolación fueron significativos. A los setenta años se unió el fin del reino babilónico con el inicio del dominio persa. El que invadió será invadido.

El texto termina con el verbo subir, con el que se designa la subida al monte santo de Dios, para reconstruir el templo; pero también significa ir al cielo, hacia Dios. Nuestra actitud será la de estar siempre subiendo hacia Dios.

A los que escaparon de la espada,
    los llevaron cautivos **a Babilonia,**
    donde fueron **esclavos** del rey y de sus hijos,
    hasta que el reino pasó al dominio de los persas,
    para que **se cumpliera** lo que dijo Dios
    por boca del profeta Jeremías:
Hasta que el país **haya pagado** *sus sábados perdidos,*
    descansará de la desolación,
    hasta que se cumplan **setenta años.**

En el año primero de Ciro, rey de Persia,
    en **cumplimiento** de las palabras que habló el Señor
    por boca de Jeremías, el Señor **inspiró** a Ciro, rey de los persas,
    el cual mandó **proclamar** de palabra y por escrito
    en todo su reino, lo siguiente:
"Así habla Ciro, **rey de Persia:** El **Señor,** Dios de los cielos,
    me ha dado **todos** los reinos de la tierra
    y me ha mandado que **le edifique una casa**
    en Jerusalén de Judá.
En consecuencia, **todo aquel** que pertenezca a este pueblo,
    que **parta** hacia allá, y que su Dios **lo acompañe".**

Un nuevo comienzo está marcado por la prontitud y la diligencia. El decreto de Ciro tiene que llevar el retintín imperial, pero sujeto a la voluntad de Dios. Esto lo tiene que notar la audiencia porque todo cuanto sucede obedece al designio divino.

Para meditar

SALMO RESPONSORIAL Salmo 136:1–2, 3, 4–5, 6

R. Que se me pegue la lengua al paladar si no me acuerdo de ti.

Junto a los canales de Babilonia / nos sentamos a llorar con nostalgia de Sión; / en los sauces de sus orillas / colgábamos nuestras cítaras. R.

Allí los que nos deportaron / nos invitaban a cantar, / nuestros opresores, a divertirlos: / "Cántennos un cantar de Sión". R.

¡Cómo cantar un cántico del Señor / en tierra extranjera! / Si me olvido de ti, Jerusalén, / que se me paralice la mano derecha. R.

Que se me pegue la lengua al paladar / si no me acuerdo de ti, / si no pongo a Jerusalén / en la cumbre de mis alegrías. R.

Es cierto que el hombre no siempre se abre a Dios. En lugar de elevar su alma, la abaja. Se va tras las bajezas más oscuras, que lo conducen a la desgracia. Desde allí, el pueblo está llamado a volver a algo distinto a lo anterior, diferente, más humano porque estará más cerca de Dios.

No olvidemos, Dios no condena a nadie. Nosotros somos los que con nuestro rechazo nos mantenemos deliberadamente lejanos de Dios.

II LECTURA La carta a los Efesios presenta la realidad del hombre nuevo, plasmado a la imagen de Cristo. El texto contiene dos partes: la primera habla de la pareja rico-riqueza; la segunda, del ustedes-nosotros, los receptores del don de Dios.

Nuestro texto se encuentra en un ambiente en que Pablo habla de la rotura que Cristo hizo del muro que separaba a los judeo-cristianos de los pagano-cristianos, al decir que ambos fueron redimidos por la misericordia de Dios y reunidos por su sacrificio en la cruz. La acción de Dios con nosotros se opone a la del príncipe de la potencia

del aire que instaura su reino entre Dios y los hombres, envenenando el oxígeno y produciendo la muerte del eón presente, contrario a Dios. Este aire inicuo es rechazado por todos. Nos infecta a hebreos y paganos con el pecado.

Ante el anterior ambiente interviene Dios, abriendo sus tesoros. Su primera riqueza es su misericordia. Es lo interior de Dios, su actitud interior de compasión y piedad hacia los hombres. Esta misericordia tiene un valor regenerativo: plasma, modela, da la vida como un padre y madre, que generan a su hijo. Es la primera cualidad con

Esta lectura tiene dos partes. La primera es general y menciona la situación de los que gozan los cristianos. Subraya la gran transformación que supone pasar de estar muertos por el pecado a vivir con y en Cristo.

Con el "nosotros" abarca a toda la comunidad cultural.

Esta parte está dirigida a los oyentes. El tono puede ser el de compartir la grandeza de la salvación que experimentamos, por pura gracia de Dios. La gratitud tiene que brotar del corazón de cada miembro de la asamblea.

Refuerza estas líneas haciendo contacto visual con la asamblea.

II LECTURA   Efesios 2:4–10

Lectura de la carta del apóstol san Pablo a los efesios

Hermanos:

La misericordia y el amor de Dios **son muy grandes;**
    porque nosotros estábamos **muertos** por nuestros pecados,
    y él **nos dio la vida** con Cristo y en Cristo.
Por pura generosidad **suya,** hemos sido **salvados.**
Con Cristo y en Cristo **nos ha resucitado** y con él **nos ha reservado** un sitio en el **cielo.**
Así, **en todos** los tiempos, Dios muestra, por medio **de Jesús,**
    la **incomparable** riqueza de su gracia y de su bondad
    para con nosotros.

En efecto, ustedes **han sido salvados** por la gracia,
    mediante la fe;
    y esto no se debe a **ustedes mismos,**
    sino que es un don de Dios.
Tampoco se debe a las obras, para que **nadie** pueda presumir,
    porque somos **hechura** de Dios,
    creados por medio de Cristo Jesús,
    para hacer el bien que Dios **ha dispuesto** que hagamos.

que se autodefine Dios ante Moisés (Ex 34:6). Esta misma cualidad divina fue tomada por el Islam para definir a Dios, a Alá.

El segundo regalo de Dios se llama amor desinteresado. Ama Dios al hombre como ama a su Hijo (1:6). Un amor que se manifiesta en la cruz del Calvario, ese amor que mostró el Señor precisamente cuando éramos sus enemigos, muriendo por nosotros.

El tercer regalo es la gracia. No es la gracia de los griegos con lo que designan la armonía. Es ese don completo de Dios, que se otorga libremente, sin exigir correspondencia del mundo, de nosotros. En un mundo donde rige la regla de te doy para que me des, aparece este don como algo inaudito, pero que, al mismo tiempo, es el único que da rumbo a nuestra vida. Sólo oponiéndonos al principio del interés, con que está aglutinada nuestra sociedad, podremos darle una forma humana, como la quiso Dios, donde sólo la gracia, el desprendimiento, forjará la comunidad. Dar en cristiano es distinto de comerciar. Dar es otorgar algo a los demás, sin esperar nada a cambio. El dar es propio de Dios, que es expansivo por naturaleza. Un modelo para nosotros, aunque sea inalcanzable por nosotros en su totalidad.

EVANGELIO El evangelio nos presenta un racimo de motivos para provecho espiritual, es decir, para movernos a creer y unirnos más a Jesucristo.

El primer motivo es el del levantamiento o enaltecimiento del Hijo del Hombre. Este es un modo muy de san Juan para referirse a la crucifixión; le quita todo lo doloroso y vergonzoso a la muerte en cruz, para revestirla de honor y dignidad: "Ser puesto en alto". Este es el primero de los tres anuncios del levantamiento del Hijo del Hombre (Jn 8:28; 12:32) y todos tienen un importe salvífico universal y de necesidad.

Esta parte pertenece al diálogo entre dos rabinos, pero Nicodemo ya ha desaparecido, por lo que estamos ante una exposición didáctica de Jesús que no es tan fácil de seguir. En la sección del levantamiento haz lo propio con tu tono de voz, elévala en esa palabra. Distingue muy bien hasta dónde llega cada asunto, y hacer las debidas pausas y entonaciones.

Frasea cuidadosamente esta parte, diferente de la del levantamiento y de la luz. La parte del juicio se compone de frases pareadas: una negativa y otra positiva. Haz que se note este pareo.

La sección de la luz tiene que ser luminosa. Trázala como una invitación para que la asamblea abrace esta opción.

EVANGELIO   Juan 3:14–21

Lectura del santo Evangelio según san Juan

En aquel tiempo, Jesús dijo a Nicodemo:
   "Así como **levantó** Moisés la serpiente en el desierto,
   así tiene que ser levantado **el Hijo del hombre**,
   para que **todo** el que crea en él **tenga** vida eterna.

Porque **tanto** amó Dios al mundo, que **le entregó** a su Hijo único,
   para que todo **el que crea** en él no perezca,
   sino que tenga **vida eterna.**
Porque Dios no envió a su Hijo **para condenar** al mundo,
   sino para que el mundo **se salvara** por él.
El que cree en él **no será condenado;**
   pero el que no cree **ya está** condenado,
   por **no haber creído** en el Hijo único de Dios.

La causa de la condenación **es ésta:**
   habiendo venido la luz al mundo,
   los hombres **prefirieron** las tinieblas a la luz,
   porque sus obras **eran malas.**
Todo aquél que hace el mal,
   aborrece la luz y no se acerca a ella,
   para que sus obras **no se descubran.**
En cambio, el que obra el bien conforme **a la verdad,**
      se **acerca** a la luz,
   para que **se vea** que sus obras están hechas **según Dios".**

El relato de la serpiente levantada sobre un mástil por Moisés para salvar a quien la mirase, es uno de los que se quedan en la memoria para siempre. El episodio lo cuenta el libro de los Números 21:4–9, y lo vuelve a leer el libro de Sabiduría 16:5–7, 11–14. Ocurrió durante la travesía de Israel por el desierto. Al comentarlo, el sabio señala que Dios otorgó "un signo de salvación para recordar los mandamientos de tu Ley". Con los ojos, los israelitas levantaban su corazón a Dios y en ese movimiento eran salvados por su "palabra que todo lo sana" (Sab 16:12). San Juan traspasa la eficacia salvadora desde la Ley que es palabra de Dios a Jesús, enaltecido en cruz, y enaltecido junto a Dios, su Palabra que todo sana. No basta con mirar con los ojos si el corazón no cree. Levantar los ojos y levantar el corazón para unirnos a Dios.

Un motivo más para nuestra reflexión es el del envío del Hijo único para salud del mundo, no para su juicio. En san Juan, 'mundo' es la humanidad necesitada de salvación. Y el juicio no es un proceso cuya decisión esté en suspenso, deliberándose. En lenguaje de san Juan 'juicio' equivale a condenación, pues ¿quién puede salir victorioso litigando contra Dios? No aceptar al Enviado es condenarse, vivir juzgado. El regalo que Dios, movido por amor, hace al mundo, no puede rechazarse. La disyuntiva en la que coloca san Juan a sus oyentes es o aceptar a Jesús, el Enviado divino, o rechazarlo. Pero si se le acepta, debe haber un compromiso público en ese sentido, "caminar en la luz", dicen sus palabras. Es una decisión ante Dios y ante la comunidad creyente. La Cuaresma nos da la oportunidad de replantear nuestra decisión ante el regalo del Hijo, para que nos abra los ojos y levantemos el corazón.

IV DOMINGO
DE CUARESMA (A)

Tres partes tiene esta lectura de la unción de David. La primera pone el escenario general, desde una iniciativa de Dios. Importan mucho los nombres, pronúncialos bien, porque por esas personas la salvación de Dios se nos ha acercado. Samuel es el protagonista, pero no es el foco de este relato popular.

En la primera parte de la elección hay que darle relevancia a la voz de Dios que está guiando el proceder de Samuel. Dios va haciendo su propio camino, y la asamblea debe sentirse interpelada por ese modo de proceder. Haz contacto visual con ella.

La resolución de Samuel es convincente.

I LECTURA   1 Samuel 16:1b, 6–7, 10–13a

Lectura del primer libro de Samuel

En **aquellos** días, dijo el Señor a **Samuel**:
  "**Ve** a la casa de Jesé, en Belén,
  porque de entre sus hijos me he escogido **un rey**.
Llena, pues, tu cuerno de aceite para ungirlo y **vete**".

Cuando llegó Samuel a Belén y **vio** a Eliab,
  el hijo **mayor** de Jesé, **pensó**:
  "Éste es, **sin duda**, el que voy a **ungir** como rey".
Pero el Señor **le dijo**:
  "No te dejes **impresionar** por su aspecto ni por su **gran estatura**,
  pues yo lo **he descartado**,
  porque **yo no juzgo** como juzga el hombre.
El hombre se fija **en las apariencias**,
  pero el Señor se fija e**n los corazones**".

Así fueron pasando ante Samuel **siete** de los hijos de Jesé;
  pero Samuel dijo: "**Ninguno** de éstos es el **elegido** del Señor".
Luego le preguntó a Jesé: "¿Son **éstos todos** tus hijos?"
Él respondió:
  "Falta el **más pequeño**, que está cuidando el rebaño".
Samuel le dijo: "**Hazlo venir**,
  porque **no** nos sentaremos a comer **hasta** que llegue".
Y **Jesé** lo mandó llamar.

I LECTURA | Samuel fue el 'Hacedor' de Reyes. Por haber designado a los dos primeros reyes de Israel, tomó esta característica. Bajo este aspecto, el autor colocó la elección de David al inicio de la tradición sobre este rey. Así había obrado en el caso del rey Saúl.

    La iniciativa es de Dios. Dios ha rechazado al primer rey de Israel por su desobediencia; ahora designará al segundo rey (v. 1). Samuel es sólo instrumento. El profeta quería mucho a Saúl. Se identificaba con ciertos valores del primer rey. Pero no había obrado Saúl como debía, como representante de Dios y del pueblo, y no de sí mismo.

    Samuel recibió indicaciones precisas en su encomienda: el próximo rey será de la familia de Jesé de Belén. Pero éste tenía ocho hijos. ¿Cuál de éstos sería el elegido? El Señor Dios le dio el criterio para reconocerlo: "No te fijes en las apariencias, ni en su buena estatura". Rechazó Dios al primer hijo de Jesé, "porque Dios no ve como los hombres, que ven las apariencias. El Señor ve el corazón" (v. 7). Con la palabra corazón está indicando el principio de interioridad, no el sentimiento. El corazón es la sede donde se toman las decisiones. Porque el corazón de Saúl había sido rebelde, por esto

lo había rechazado Dios. Sus acciones habían manifestado esa autosuficiencia que caracterizó al primer rey hasta el final. Samuel fue invitado, entonces, a ver con la mirada de Dios.

    En la historia del pueblo de Israel el Señor Dios siempre había obrado con el criterio anterior. El elegido por Dios debía entender que su obrar dependía de una mentalidad abierta a Dios y al servicio de los demás. Con este criterio fue elegido Jacob y no Esaú (Gen 25:23), Moisés (Ex 4:10–11), Jeremías (Jer 1:6–9).

    El que ha sido llamado fundará su vida en la decisión libre y gratuita de Dios. Dios

El muchacho era **rubio**, de ojos **vivos** y **buena presencia**.
Entonces el Señor dijo a Samuel:
  "**Levántate** y **úngelo**, porque **éste es**".
Tomó Samuel el cuerno con el aceite
  y lo **ungió** delante de sus hermanos.
A partir de aquel día, el espíritu del Señor estuvo con David.

La voz de Dios debe sonar entusiasta y como urgente. David es figura del Mesías, el libertador del pueblo. Haz más intensa la línea final.

Para meditar

SALMO RESPONSORIAL   Salmo 22:1–3a, 3b–4, 5, 6

R. El Señor es mi pastor, nada me falta.

El Señor es mi pastor, nada me falta: / en verdes praderas me hace recostar; / me conduce hacia fuentes tranquilas / y repara mis fuerzas. R.

Me guía por el sendero justo, / por el honor de su nombre. / Aunque camine por cañadas oscuras, / nada temo, porque tú vas conmigo: / tu vara y tu cayado me sosiegan. R.

Preparas una mesa ante mí, / enfrente de mis enemigos; / me unges la cabeza con perfume, / y mi copa rebosa. R.

Tu bondad y tu misericordia me acompañan / todos los días de mi vida, / y habitaré en la casa del Señor / por años sin término. R.

II LECTURA   Efesios 5:8–14

Lectura de la carta del apóstol san Pablo a los efesios

Hermanos:
En **otro** tiempo ustedes fueron **tinieblas**,
  pero ahora, **unidos** al Señor, **son luz**.
Vivan, por lo tanto, como **hijos** de la luz.
Los **frutos** de la luz son la **bondad**, la santidad **y la verdad**.
Busquen lo que es **agradable** al Señor
  y **no** tomen parte en las obras **estériles** de los que son **tinieblas**.

Al contrario, repruébenlas **abiertamente**;
  porque, si bien las cosas que ellos hacen en secreto
  da rubor **aun mencionarlas**,
  al ser reprobadas **abiertamente**, **todo** queda en claro,
  porque **todo** lo que es iluminado **por la luz** se convierte **en luz**.

Esta exhortación contrasta la condición previa a la actual de ser creyente. Aunque hay una especie de inclusión retórica con la palabra 'tinieblas', puesta al principio y al final del párrafo, procura darle un efecto diferente a la lectura tomando las dos líneas finales del primer parágrafo para unirlas al segundo. Ese es un modo más natural de entender la lectura.

---

es el que construye la casa, es decir, los albañiles no son más que ejecutores de la orden del Señor. Pero en el hombre hay la tendencia a la autonomía, una autonomía que al romper con la dependencia divina, se convierte en una cárcel para el hombre, que ya no ve sino su yo, su egoísmo.

En el contexto de este domingo de cuaresma, la unción de David abre los ojos del lector y orienta también a nuestra manera de ver y juzgar. Nos abre la inteligencia para ver los acontecimientos y situaciones más intricadas, con los criterios de Dios, en su auténtico significado. Tal manera de ver

es una consecuencia de una profunda conversión del corazón. David será un buen elegido, porque obrará, en la mayoría de los casos, de acuerdo a la voluntad de Dios.

II LECTURA Tomada de la parte final de la carta (Ef 4–6), el Apóstol anota exhortaciones prácticas para la vida. Después de haber invitado a sus lectores a la unidad como cuerpo de Cristo que son (4:1–16), hace una descripción de la vida cristiana, confrontando al creyente con su situación actual. Cuando éste era todavía

pagano, llevaba una vida de la que ahora se avergüenza.

Pablo se vale de la tan conocida oposición entre luz y tiniebla. Por el bautismo el cristiano ha recibido una especie de nueva existencia. "Ahora son luz por el Señor" (v. 8). El bautismo es un don otorgado por Dios. De aquí sigue el mandato a comportarse, a vivir "como hijos de la luz". Se enumeran tres virtudes fundamentales en la vida cristiana, que son muy admiradas por cualquier ser humano: la bondad, justicia y verdad. Ya con esta terna el cristiano irradiará a su

Hay que espabilar a la asamblea. La frase que culmina la lectura debe llevar tal fuerza que despierte a la audiencia y la anime a levantarse, a resucitar para vivir en la luz.

El evangelio trata de lo que significa ser discípulo. El camino puede ser largo, pero lo más importante es cómo lo presenta el evangelista a la audiencia, y su resultado. Tu voz y tu presencia van a surcar el caminar de la asamblea hasta encontrarse con Jesús en esta reunión. Es importante que tengas conciencia clara de lo que te mueve para seguir a Jesús, para comunicar este evangelio con claridad y firmeza.

Marca bien las palabras que refuerzan que la ceguera del enfermo es de nacimiento, así como el contraste con la afirmación de Jesús que vino para ser luz del mundo.

Busca acompasar los gestos de Jesús con tu propia voluntad de mirar la luz. Pronuncia desde adentro, llena las palabras con el deseo de que suceda algo.

La incredulidad de los vecinos tiene varias expresiones. Hay que resaltar la respuesta firme y natural del curado.

Por eso se dice:
Despierta, tú que duermes;
  levántate de entre los muertos y **Cristo** será tu luz.

EVANGELIO   Juan 9:1–41

Lectura del santo Evangelio según san Juan

En aquel tiempo, Jesús vio al pasar a un ciego **de nacimiento**,
  y sus discípulos le preguntaron:
    "**Maestro**, ¿**quién** pecó para que **éste** naciera ciego,
    él o sus padres?"
Jesús respondió: "**Ni él** pecó, **ni tampoco** sus padres.
Nació **así** para que **en él** se manifestaran las **obras de Dios**.
Es necesario que **yo haga** las obras del que **me envió**,
    mientras es **de día**,
    porque luego **llega** la noche y **ya nadie** puede trabajar.
Mientras **esté** en el mundo, yo soy la luz del mundo".

Dicho esto, escupió en el suelo, hizo **lodo** con la saliva,
    se lo puso en **los ojos** al ciego y le dijo:
    "**Ve** a lavarte en la piscina de **Siloé**" (que significa 'Enviado').
Él fue, se lavó y **volvió** con vista.

Entonces **los vecinos** y los que lo habían visto antes
    pidiendo limosna, preguntaban:
    "¿**No es éste** el que se sentaba a **pedir** limosna?"
Unos decían: "**Es el mismo**".
Otros: "**No es él**, sino que **se le parece**".
Pero **él** decía: "**Yo soy**".
Y le preguntaban: "Entonces, ¿**cómo** se te abrieron los ojos?"
Él les respondió: "El hombre que **se llama Jesús** hizo lodo,
    me lo puso en los ojos y me dijo: '**Ve** a Siloé **y lávate**'.
Entonces **fui**, me **lavé** y **comencé** a ver".
Le preguntaron: "¿**En dónde** está él?" Les contestó: "**No lo sé**".

alrededor y dejará ver a los que lo observan, al que está detrás de estas virtudes.

El creyente cristiano es colocado ante una serie de conductas con las que va a manifestar que esa fe, recibida en el bautismo, se hace práctica. Es decir, muestra e ilumina también el camino a otros.

Haber sido iluminado, equivale a haber sido "levantado de la muerte". El creyente es colocado en una batalla contra las tinieblas que, a veces son duras, pero sabe él que al final está la victoria con el que resucitó de la tumba, de la muerte. El creyente hará personal este paso.

La victoria de Cristo no es sólo un punto de llegada, sino el fundamento de una nueva existencia. Esta luz, siguiendo el mandato del Señor, exige que se transparente en nuestra manera de vivir y que no escondamos nuestra luz debajo de un cuarterón. Nuestra existencia tiene una misión: mostrar al Señor, por medio de nuestra cruz a través de nuestras obras y así glorificar al Padre, que está en los cielos.

EVANGELIO Moisés prescribe subir al santuario hacia comienzo del año nuevo para celebrar la Pascua,

cincuenta días después para Pentecostés, y allá por el otoño, para las Tiendas. Con ocasión de las Tiendas, Jesús opera este prodigio de darle luz a los ojos de un ciego. San Juan muestra claramente cuál es el sentido de las fiestas judías, pero sobre todo, la dimensión cristológica que adquieren para los seguidores de Jesús.

Las Tiendas o Cabañas celebraba la guía de Dios a su pueblo hacia la tierra de la libertad: columna de luz durante la noche y sombra protectora de día. Y aunque las liturgias del templo tenían ritos propios, los fieles construían tejabanes o tiendas fuera

Ahora son los fariseos los incrédulos. Este recuento de lo sucedido, aunque es ya el tercero, hazlo con viveza y como si fuera el primero.

Llevaron entonces ante los fariseos al que **había sido** ciego.
Era **sábado** el día en que Jesús **hizo** lodo y le **abrió** los ojos.
También los fariseos le preguntaron **cómo** había adquirido la vista.
Él les contestó: "Me puso **lodo** en los ojos, me lavé **y veo**".
Algunos de los fariseos comentaban:
     "Ese hombre **no viene** de Dios, porque **no guarda** el sábado".
Otros replicaban:
     "**¿Cómo** puede un pecador hacer **semejantes** prodigios?"
Y había **división** entre ellos.
Entonces **volvieron** a preguntarle al ciego:
     "**Y tú**, ¿**qué piensas** del que te **abrió** los ojos?"
Él les contestó: "Que es un profeta".

La confesión del curado debe sonar muy natural, como resultado lógico de los mismos pensamientos fariseos.

Pero los judíos **no creyeron** que aquel hombre, que **había sido ciego**,
     hubiera recobrado la vista.
Llamaron, pues, **a sus padres** y les preguntaron:
     "**¿Es éste** su hijo, del que **ustedes dicen** que **nació** ciego?
¿Cómo es que ahora ve?"
Sus padres **contestaron**: "**Sabemos** que **éste es** nuestro hijo
     y que **nació ciego**.

Los padres se distancian de su hijo por miedo a los fariseos. La nota es del narrador y hay que pronunciarla así, como una información extra. 'Mesías' es palabra clave aquí. El repetido testimonio de los padres lo hace materia legal.

Cómo es que **ahora ve** o **quién** le haya dado la vista,
     no lo sabemos.
Pregúntenselo a él; ya tiene edad **suficiente**
     y responderá **por sí mismo**".
Los **padres** del que había sido ciego dijeron **esto**
     por miedo a los judíos,
     porque **éstos** ya habían convenido en **expulsar** de la sinagoga
     a quien reconociera **a Jesús** como **el Mesías**.
Por eso sus padres dijeron: 'Ya **tiene** edad; **pregúntenle** a él'.

Este nuevo interrogatorio es más severo que el anterior. Haz que contraste la madurez del curado con la agresividad de los que lo interrogan.

Llamaron **de nuevo** al que había **sido ciego** y le dijeron:
     "**Da gloria** a Dios.
Nosotros sabemos que **ese hombre** es pecador".
Contestó **él**: "Si es pecador, **yo no lo sé**;
     sólo sé que yo era ciego y ahora veo".

de sus casas, para habitarlos durante una semana entera. Era el modo de ritualizar la providencia de Dios, que daba atención especial al agua, surgida de la roca al golpe de la vara de Moisés, y a la luz, símbolo de Dios mismo. Estos elementos están en el trasfondo de la gran revelación de Jesús en los capítulos 7–10 del evangelio de san Juan, de la que forma parte la señal de la curación del ciego de nacimiento.

El ciego está puesto allí como un ejemplo del tipo de obras que realiza Jesús, y el lector pueda discernir si son obras de luz o de oscuridad. Uno pudiera pensar que nada hay más oscuro que la ceguera; sin embargo, Jesús señalará que hay una oscuridad más tenebrosa.

La curación misma es breve, pero le antecede un breve diálogo de Jesús con los discípulos que le acompañan, y le sigue una serie de encuentros que le van moldeando al curado una identidad distintiva de discípulo de Jesús. Vamos a recorrer ese itinerario, en sus momentos más salientes de este caminar a la luz.

El ciego está allí como un objeto; objeto para otros. Recibe limosnas; pedía limosnas. No ve; no todos lo miran, muchos no lo quieren mirar, pero Jesús sí. Y esa mirada lo hace sujeto. Lo que Jesús hace recrea la masa del Alfarero formando a Adán. No le sopla en las narices, sino que le habla para que, mediante las aguas del Enviado, pueda ver.

Habiéndose lavado en Siloé, las aguas del Enviado, el sanado se vuelve irreconocible a los ojos de sus contemporáneos. Causa especulaciones entre ellos; lo han visto pordiosear, pero ahora él ve y habla; cuenta su breve historia y tiene un nuevo lugar en el mundo. Se vuelve interlocutor. Habla en primera persona, con toda seguridad: yo soy. Todas estas notas lo humanizan, pues ahora tiene los ojos abiertos.

Le preguntaron **otra vez**: "¿**Qué** te hizo? ¿**Cómo** te abrió los ojos?"
Les contestó: "**Ya** se lo dije a ustedes y **no** me han dado **crédito**.
¿**Para qué** quieren oírlo **otra vez**?
¿Acaso **también** ustedes quieren hacerse **discípulos** suyos?"
Entonces ellos **lo llenaron** de insultos y le dijeron:
    "Discípulo **de ése** lo serás **tú**.
Nosotros somos discípulos **de Moisés**.
Nosotros **sabemos** que a Moisés le **habló Dios**.
Pero ése, **no sabemos** de **dónde** viene".

Replicó aquel hombre:
    "Es **curioso** que **ustedes** no sepan **de dónde** viene
    y, sin embargo, me ha **abierto** los ojos.
Sabemos que Dios **no escucha** a los pecadores,
    pero al que lo teme y **hace su voluntad**, a **ése sí** lo escucha.
Jamás se había oído decir que alguien
        abriera los ojos a un **ciego** de nacimiento.
Si éste **no viniera** de Dios, no tendría **ningún** poder".
Le replicaron:
    "Tú eres **puro pecado** desde que naciste,
    ¿**cómo** pretendes darnos **lecciones**?"
Y lo echaron **fuera**.

Supo **Jesús** que lo habían echado **fuera**,
    y cuando lo encontró, **le dijo**:
    "¿**Crees tú** en el **Hijo** del hombre?"
Él **contestó**: "¿**Y quién es**, Señor, para que yo crea **en él**?"
Jesús le dijo: "**Ya** lo has visto;
    el que **está** hablando contigo, **ése es**".
Él dijo: "**Creo**, Señor". Y **postrándose**, lo **adoró**.

La tensión llega al límite y por eso explota en una especie de insulto: "¡Tú lo serás!". En esta parte debe quedar claro que ellos tachan de ignorante al curado, si acentúas los 'sabemos'.

El proceso concluye con la expulsión del curado. El último intercambio debe sonar 'fuera de tono', rabioso e iracundo.

El ciego pasa por un nuevo proceso, que le certifica lo que conoce y lo que ve. Es un proceso de acogida respetuosa y de revelación.

Es alguien nuevo y distinto, aunque no tenga respuesta a todas las preguntas.

De la propia experiencia, el de los ojos abiertos va haciendo su propia opinión, pero también de lo que oye, de lo que otros dicen y juzgan. Los fariseos son gente radical y doctrinaria, buenos observantes que tienen muy claro lo que deben hacer. No les cabe cuestionar sus propios puntos de vista originados en sus prácticas incontestables, más bien, desde ellas cuestionan a otros y deciden su aceptabilidad. A su turno, el curado formula su propio punto de vista sin medias tintas ni componendas, como respuesta a lo que le ha ocurrido.

Andar el propio sendero de discernimiento lleva al de los ojos abiertos al aislamiento; se queda solo. Pero también queda en posición de ejercer su responsabilidad. Él madura y paso a paso va adquiriendo mayoría de edad, pues no se deja intimidar ni por las autoridades. A éstas les queda imputar un fraude; a él tejer la propia coherencia. El curado aprecia su condición saludable y el camino que le condujo a ver. Esta es su experiencia intransferible, que él valora e interpreta en relación a Dios. No permite que la tuerzan ni la enturbien. A los otros no les importa que él vea. Lo que esos personajes que detentan autoridad quieren es que él vea como ellos, que juzgue como ellos, que interprete como ellos. Pero de aceptarlo, él se traicionaría, arruinaría su propia coherencia, borraría su propio caminar a las aguas del Enviado.

Así, en la exclusión y el aislamiento, sin las miradas inquisidoras y la vocinglería de los curiosos, el de los ojos abiertos se viene a crear un espacio donde encontrarse con el Hijo del Hombre, verlo, hablarle y arrodillarse. Es un espacio distinto. A solas, él sintoniza y reconoce tanto su caminar como la voz que lo remitió a las aguas del Enviado.

Las palabras sentenciosas de Jesús son fuertes y condenatorias. En esta parte ve bajando la velocidad de línea a línea, hasta detenerte totalmente en la palabra final. Marca la separación con la fórmula de conclusión.

Entonces le dijo **Jesús**:

"Yo **he venido** a este mundo para que se **definan** los campos:
para que los ciegos **vean**, y los que ven **queden ciegos**".

Al oír **esto**, algunos fariseos que estaban con él le preguntaron:

"¿Entonces, **también** nosotros estamos **ciegos**?"

Jesús les contestó: "Si **estuvieran** ciegos, **no tendrían** pecado;
pero como **dicen** que ven, **siguen** en su pecado".

Forma breve: Juan 9:1, 6–9, 13–17, 34–38

Ahora alguien se interesa por lo que él cree; lo certifica. Es un espacio de diálogo y de fe.

La inversión es inevitable ante Jesús luz del mundo: los que dicen ver en realidad están ciegos; los ciegos comienzan a ver. Aceptar al Enviado de Dios, obedecer su palabra, coloca ante la luz; no hacerlo sume en la ceguera y el pecado, es decir el odio a los de la propia fe y hermandad. Desobedecer el mandato de Dios significó para Adán y Eva que 'se les abrieran los ojos', que cobraran conciencia de su desnudez y condición mortal, que se volvieran 'dioses: conocedores del bien y del mal', y ser expulsados del paraíso,

de la presencia de Dios. Al ciego, obedecer las palabras del Enviado le representó hacer un camino propio que le llevó al encuentro con Jesús y su palabra.

El seguimiento de Jesús, el discipulado, es un andar lleno de adversidades y contradicciones en el propio espacio social. Uno se vuelve discípulo a partir de la propia coherencia y convicción. Se entiende que no se puede hilvanar una coherencia si no hay puntos de referencia, si no hay datos que vayan haciendo madurar al que camina, si no se identifican elementos que rompan la inercia consabida, para dar un viraje o nueva

energía al andar. No siempre nuestro 'lugar de nacimiento' favorece la percepción de la revelación de Dios en Jesús. Por eso se vuelve difícil hacer caso a la voz diferente que invita a lavarse los ojos o creer lo descabellado. Abrir los ojos es buscar la propia coherencia de los pasos dados, madurar, crecer y buscar los espacios para el encuentro de fe. Crecer y ser adulto es un proceso costoso y doloroso, pero termina por levantar la propia tienda para encontrar a Dios.

V DOMINGO DE CUARESMA (B)

La alianza anunciada por Jeremías es nueva. Hay que darle frescura y ánimo a esta lectura, de principio a fin. La parte primera es negativa, describe cómo no será el pacto nuevo; la segunda detalla cómo será.

Llena tu voz sosteniéndola desde el vientre, no de la garganta. Es muy importante que tras los dos puntos le des a tu tono una inflexión de certeza inquebrantable. La frase que sella la alianza dila como conclusiva y con solemnidad.

Esta parte pronúnciala como consecuencia de la alianza sellada. Fíjate en la extensión de cada frase y respétala para darle su sentido. Haz contacto visual con la asamblea cada dos líneas.

I LECTURA   Jeremías 31:31–34

Lectura del libro del profeta Jeremías

"**Se acerca** el tiempo, dice el Señor,
en que haré con la casa de Israel
y la casa de Judá una **alianza nueva**.
No será como la alianza que hice con los padres de ustedes,
cuando los tomé de la mano para sacarlos de Egipto.
Ellos rompieron mi alianza
y **yo tuve** que hacer un escarmiento con ellos.

Ésta **será** la alianza nueva
que voy a hacer con la casa de Israel:
Voy a poner mi ley en lo más profundo de su mente
y **voy a grabarla** en sus corazones.

Yo seré su Dios y ellos **serán** mi pueblo.
Ya nadie tendrá que instruir a su prójimo ni a su hermano,
diciéndole:

'**Conoce** al Señor',
porque **todos** me van a conocer,
desde el más pequeño hasta el mayor de todos,
cuando **yo les perdone** sus culpas
y **olvide** para siempre sus pecados".

I LECTURA Este oráculo es de los textos capitales de la Biblia. En él, Jeremías, después de una larga vida en que experimentó la acción de la Palabra de Dios, de la que era depositario, vio con horror que el pueblo no la aceptaba y que, por lo tanto, iba a su destrucción. Se dio cuenta de que el hombre tenía algo dentro, que lo orillaba a ir al precipicio. Fue entonces cuando le llegó la inspiración divina acerca de la necesidad de la nueva alianza.

Tal vez este texto lo dirigió a los habitantes del norte, ofreciéndoles una esperanza, cuando fue destruido aquel reino.

Después, cuando la destrucción de Jerusalén por Nabucodonosor en el año 586, adaptó el profeta este texto para los deportados del sur, desolados física y espiritualmente.

Jeremías emplea una expresión que sólo se lee aquí en el AT: nueva alianza. Jeremías se dio cuenta de que una alianza como la del Sinaí, volvería a ser rota por el pueblo. No quedaba otra solución que una intervención novedosa de Dios. Se necesitaba algo interno. Por lo cual, se requería cambiar desde dentro, que Dios obrara en el corazón. No olvidemos que para el semita

el corazón es sede del pensamiento, de las decisiones.

Dios hace un cambio en el hombre para que pueda llevar a cabo lo que es bueno y evitar lo que es malo. El Señor hará una especie de cirugía interna, en el corazón. Ahora después de la destrucción de las instituciones, Dios va a crear una comunidad no tutelada por la presencia de figuras institucionales (rey-profeta-sacerdote-maestro), sino fundada en el sentido de la responsabilidad de cada uno y de todos.

Dios mismo va a meter dentro del hombre, en el centro de sus decisiones, la Torá,

Para meditar

SALMO RESPONSORIAL   Salmo 50:3–4, 12–13, 14–15

R. Oh Dios, crea en mí un corazón puro.

Misericordia, Dios mío, por tu bondad, / por tu inmensa compasión borra mi culpa; / lava del todo mi delito, / limpia mi pecado. R.

Oh Dios, crea en mí un corazón puro, / renuévame por dentro con espíritu firme; / no me arrojes lejos de tu rostro, / no me quites tu santo espíritu. R.

Devuélveme la alegría de tu salvación, / afiánzame con espíritu generoso: / enseñaré a los malvados tus caminos, / los pecadores volverán a ti. R.

II LECTURA   Hebreos 5:7–9

Lectura de la carta a los hebreos

No es fácil este trozo de la epístola a los Hebreos. Deja que la asamblea se silencie para que pueda seguir el desarrollo dramático de las líneas. Este párrafo único debe tener fuerza y decisión.

Hermanos:
Durante su vida mortal, **Cristo ofreció** oraciones y súplicas,
    con **fuertes** voces y lágrimas,
    a **aquél** que podía librarlo de la muerte,
    y fue escuchado por **su piedad**.
A pesar de que **era** el Hijo, aprendió a **obedecer** padeciendo,
    y llegado a su **perfección**, se convirtió en **la causa de** la
        salvación eterna **para todos** los que lo obedecen.

EVANGELIO   Juan 12:20–33

Lectura del santo Evangelio según san Juan

Distingue en tu impostación las partes narrativas de las discursivas. Identifica la voz de Jesús y la del Padre.

Entre los que habían llegado a Jerusalén
    para adorar a Dios en la fiesta de Pascua,
    había algunos griegos,
    los cuales **se acercaron** a Felipe,
    el de Betsaida de Galilea, y le pidieron:
"Señor, **quisiéramos ver** a Jesús".

---

la Ley. Nace una nueva relación de conocimiento e intimidad. Un nuevo sentido de responsabilidad. Dios será el nuevo educador de su pueblo y reinscribirá su palabra en la conciencia de cada uno. Será una nueva primavera del Espíritu. El hombre nuevo que nacerá de esa alianza será el hombre perdonado, con una fuerza especial que lo ilumina y fortalece.

 La carta a los Hebreos describe la agonía de Jesús ante la muerte. Jesús se encontró más de una vez ante el peligro de su muerte y tuvo la pena y angustia natural en esta clase de situaciones. Entonces pidió que pasase esa hora, pero siempre estuvo dispuesto a cumplir la voluntad de su Padre.

Jesús es presentado como Sumo Sacerdote. No buscó esta gloria, sino que la obtuvo de su Padre. El autor se sitúa en los días angustiosos de Jesús, cuando va a enfrentar a la muerte. Lo hará sobre el altar de la cruz. Con fuertes gritos pide la salvación de la muerte. Pero como es el Hijo del Padre, obedece a éste y no rechaza el sufrimiento. Será un modelo en esto para nosotros los cristianos.

Jesús con su vida pasada entre los hombres y, sobre todo, por su cruz y resurrección, aprendió en el sufrimiento lo que es obedecer. De esa manera alcanzó la perfección. Con esto indica su perfección sacerdotal, obtenida con el ofrecimiento de sí mismo. Aplicada esta perfección al hombre, se le da a éste una transformación radical, obtenida mediante su ofrecimiento.

Esta carta nos muestra que la nueva alianza es la que está escrita en el corazón de Jesús, obediente a la palabra hasta su muerte y ésta de cruz. El que acepta andar por este camino, permite a Dios transformarle

Este discurso tiene tono sapiencial
y hay que respetarle su aire misterioso.
Las oraciones son breves y hay que
marcarlas en sus dos momentos: uno
condicional o negativo y el del resultado.

Con el dicho del servidor, tiende una
invitación a la gloria del discipulado.

Estas palabras son dramáticas.
No atenúes su gravedad. La voz del
Padre es la respuesta a la desolación. Dale su
momento a este cuadro con un breve silencio
antes del siguiente.

Las reacciones describen la incomprensión
de lo que sucede en realidad. Las palabras
de Jesús aclaran lo que está verificándose.
Las palabras del juicio no son una acusación
a la asamblea, sino la ratificación de que
participan en la victoria de Jesús sobre las
fuerzas del mal.

Felipe fue a decírselo a Andrés;
Andrés y Felipe **se lo dijeron** a Jesús y él les respondió:
  "Ha **llegado la hora** de que el Hijo del hombre sea glorificado.
Yo les aseguro que si el **grano de trigo**,
  sembrado en la tierra, no muere, **queda infecundo**;
  pero **si muere**, producirá mucho fruto.
El que se ama **a sí mismo**, se pierde;
  el que se aborrece **a sí mismo** en este mundo,
  se asegura para la vida **eterna**.

El **que quiera** servirme, que me siga,
  para que donde yo esté, **también esté** mi servidor.
El que **me sirve** será honrado por mi Padre.

Ahora que tengo miedo, ¿le voy a decir a mi Padre:
  'Padre, **líbrame de** esta hora'?
No, pues precisamente para esta hora he venido.
Padre, dale gloria a tu nombre".
Se oyó entonces **una voz** que decía:
  "Lo he glorificado y **volveré** a glorificarlo".

De entre los que estaban **ahí** presentes y oyeron **aquella** voz,
  unos decían que había sido **un trueno**;
  otros, que le había hablado **un ángel**.
Pero Jesús les dijo: "Esa voz no ha venido por mí,
  sino por **ustedes**.
Está llegando **el juicio** de este mundo;
  ya va a ser arrojado el **príncipe** de este mundo.
Cuando yo sea **levantado** de la tierra, atraeré a todos hacia mí".
Dijo esto, indicando de qué manera **habría de** morir.

el corazón, obrar en él una transformación profunda, darle una existencia nueva.

EVANGELIO Estamos ante el episodio de los griegos. Jesús introduce la glorificación del Hijo del Hombre, con una serie de pronunciamientos abarrotados de vocabulario de gloria,

A la fiesta de Pascua subían hasta Jerusalén gentes de todo el mundo conocido. Y los piadosos judíos subían "a ver al Señor"; era el lenguaje del peregrinaje. Por eso, lo que los griegos le dicen a Felipe de "Queremos ver a Jesús", suena a gloria y adoración,

pues sin duda que se da un empalme entre Dios y Jesús, que el lector no puede dejar de percibir. A estos griegos dispuestos a "verlo", Jesús les despliega el cuadro majestuoso de la glorificación del Mesías.

Ser glorificado significa para alguien ser reconocido y aclamado por las autoridades constituidas, por las conquistas o acciones heroicas benéficas para su pueblo. Así es como el héroe gana autoridad y mando. Jesús habla de su exaltación. El lector puede entender que está a punto de asistir al reconocimiento público del hacedor de señales.

La imagen del grano de trigo que cae a tierra y muere figura el misterio pascual. El punto de la comparación no va en la línea de que el grano de trigo vuelve a vivir sino en su fecundidad. Sus abundantes frutos son la prueba más contundente de que su caída y muerte son glorificativas. Es decir, ensalzan, dan autoridad y poder a Jesús. Sin embargo, Jesús no ha muerto para resucitar. La muerte de Jesús sólo tiene sentido si es fecunda. Es decir, si es benéfica y productiva. ¿Cuáles son los frutos de su muerte?

V DOMINGO
DE CUARESMA (A)

I LECTURA Ezequiel 37:12–14

Lectura del libro del profeta Ezequiel

Esto dice el Señor Dios:
  "Pueblo mío, **yo mismo abriré** sus sepulcros,
   los **haré salir** de ellos y **los conduciré** de nuevo
      a la tierra de Israel.
Cuando **abra** sus sepulcros y los saque de ellos, **pueblo mío**,
   ustedes dirán que **yo soy** el Señor.
Entonces **les infundiré** a ustedes mi espíritu y **vivirán**,
   los **estableceré** en su tierra
   y ustedes **sabrán** que yo, el Señor, lo dije **y lo cumplí**".

SALMO RESPONSORIAL Salmo 129:1–2, 3–4ab, 4c–6, 7–8

R. Del Señor viene la misericordia, la redención copiosa.

Desde lo hondo a ti grito, Señor: / Señor, escucha mi voz; / estén tus oídos atentos / a la voz de mi súplica. R.

Si llevas cuentas de los delitos, Señor, / ¿quién podrá resistir? / Pero de ti procede el perdón, / y así infundes respeto. R.

Mi alma espera en el Señor, / espera en su palabra; / mi alma aguarda al Señor, / más que el centinela la aurora. / Aguarde Israel al Señor, / como el centinela la aurora. R.

Porque del Señor viene la misericordia, / la redención copiosa; / y él redimirá a Israel / de todos sus delitos. R.

I LECTURA Ezequiel había sido llamado para hablar al pueblo ante la inminencia de la conquista babilónica del reino de Judá. Él sufrió en carne propia la primera conquista de Jerusalén y había sido exiliado al norte de Babilonia junto con los personajes importantes del reino. Después, desde el destierro, había sabido de la destrucción de Jerusalén y del templo. Su llamada a la penitencia había sido vana entre los exiliados. Judá, como reino, había desaparecido y lo que quedaba de la ciudad de David, eran ruinas y escombros.

Ezequiel tenía ante sí gente descorazonada, desesperada y también indiferente. Toda esperanza parecía estar irremediablemente destinada al naufragio. Un ambiente de muerte reinaba en todo Israel. En este ambiente era lógico pensar que el profeta alzaría su voz para el consabido: "Se los dije". Pero, no. El que había anunciado la incoherencia de Israel, ahora era enviado por Dios a consolar a Israel y anunciarle que habría un nuevo inicio.

El profeta contempla en un valle una enormidad de huesos secos, expuestos al sol. Representan al pueblo deshecho y des-articulado. "¿Podrán revivir esos huesos?" (v. 3). Es decir, ¿Hay posibilidad de salir de esta situación de muerte? Si así fuera, ¿cómo podría venir una reconstrucción de Israel? Sí, porque su misma alma, su espíritu fue herido de muerte.

Era claro para los desterrados: había nueva posibilidad de vida. Vendrá la vuelta a la tierra ancestral.

II LECTURA En la carta a los Romanos, Pablo describe lo que es la vida espiritual, es decir, la existencia humana moldeada por el Espíritu Santo.

El párrafo distingue a los incrédulos de los fieles cristianos. Hay que pronunciarlo de modo que no se entienda que los de otras confesiones son despreciables; nada de eso. El acento no está en ellos, sino en el gran horizonte de vida que nos da el Espíritu.

II LECTURA　Romanos 8:8–11

Lectura de la carta del apóstol san Pablo a los romanos

Hermanos:
Los que viven en forma **desordenada y egoísta**
　no pueden agradar a Dios.
Pero ustedes no llevan **esa clase de vida**,
　sino una vida **conforme** al Espíritu,
　puesto que el Espíritu de Dios habita **verdaderamente**
　　en ustedes.

Quien **no tiene** el Espíritu de Cristo, **no es** de Cristo.
En cambio, si Cristo vive **en ustedes**,
　aunque su cuerpo **siga sujeto** a la muerte a causa **del pecado**,
　su espíritu **vive** a causa de la actividad salvadora de Dios.

Si el **Espíritu** del Padre, que **resucitó** a Jesús de entre los
　　muertos, **habita** en ustedes,
　entonces **el Padre**, que resucitó a Jesús de entre los muertos,
　también les dará vida a sus cuerpos mortales,
　por obra de su Espíritu, que **habita** en ustedes.

Esta convicción debe llenar el recinto de la asamblea. El contacto visual debe ser intenso: es la médula de la fe cristiana, y hay que compartirla con calidez y orgullo en la voz.

EVANGELIO　Juan 11:1–45

Lectura del santo Evangelio según san Juan

En **aquel** tiempo, se encontraba enfermo **Lázaro**, en Betania,
　el pueblo de María y de su hermana Marta.
María era la que una vez **ungió** al Señor con perfume
　y le **enjugó** los pies con su cabellera.
El enfermo era su hermano **Lázaro**.
Por eso las dos hermanas le mandaron decir **a Jesús**:
　"**Señor**, el amigo a quien tanto quieres **está enfermo**".

Como es una lectura larga, hay que cuidar mucho el ritmo y entonar adecuadamente la secuencia. Es importante hacer como 'cápsulas' con las frases que forman una oración para conservar el sentido de la misma. Esa es la función de los puntos. Las comas no marcan oraciones completas, sino frases que hay que sostener como incompletas o inacabadas.

El Espíritu enviado por Jesús, ha liberado al cristiano de la ley del pecado y de la muerte. La Ley, el Pentateuco, no podía obtener una vida justa por la oposición de la carne, esa concupiscencia que se había revelado en la historia de la humanidad como superior a cualquier buen deseo humano. El ser humano, abandonado a sus fuerzas, no podía medirse con un enemigo más fuerte que él, la ley del pecado. Pero ahora tenía el Espíritu de Dios, traído por Jesús. La situación de desesperación descrita en el capítulo anterior (Rom 7:14–24) había sido vencida no por un esfuerzo titánico del hombre, sino por el Espíritu. Ese don lo ha recibido el cristiano

en el bautismo: "Por el bautismo fuimos sepultados con Él en el muerte, para que así como Cristo resucitó de la muerte por la acción gloriosa del Padre, nosotros llevemos una vida nueva" (Rom 6:4).

La cualidad de la vida no es sólo un problema económico, sino humano en un sentido global. La resurrección nos da una vida de cualidad infinitamente superior. Y de esa vida ya participamos y es la que nos da la fuerza y el ímpetu para ir dando de esta vida a nuestro mundo.

EVANGELIO　El más clamoroso de todos los milagros del evangelio

es el de la resurrección de Lázaro, la última de las señales de Jesús. Esas señales son percibidas por las autoridades religiosas y líderes del pueblo como transgresiones a las leyes y a la ortodoxia, en tanto que para el pueblo son indicios de que Dios ha visitado a sus fieles en Jesús, su Mesías.

Ya en el primer cuadro del relato de la resurrección de Lázaro se asoma la muerte en su sombra, una enfermedad.

Notamos que desde el comienzo, la suerte de Lázaro y la de Jesús quedan como entrelazada, gracias a la unción de María para la sepultura, este evento, a contar sólo

Las palabras de Jesús parecen responder a otra realidad. Interesa que la asamblea perciba esta doble dimensión y se disponga a la revelación de la gloria y la vida.

Esta información retrasa la acción, pero hay que darle su sitio, para que la audiencia sintonice con la dimensión de la gloria que está en juego.

Dale a la intervención de los discípulos un tono apremiante, y a la respuesta de Jesús uno de decisión.

Este párrafo agrupa cuatro momentos conectados; procura que el auditorio perciba este diálogo con claridad. Las palabras de la resolución de Jesús deben ser pronunciadas con toda convicción. Es la tercera vez que Jesús las expresa y hay que ver en esa repetición su voluntad inquebrantable de afrontar la muerte. El mismo tono deben tener las palabras de Tomás.

Al oír **esto**, Jesús dijo:
"**Esta** enfermedad **no acabará** en la muerte,
sino que servirá para **la gloria** de Dios,
para que el **Hijo de Dios** sea glorificado por ella".

Jesús **amaba** a Marta, a su hermana y a Lázaro.
Sin embargo, cuando **se enteró** de que Lázaro **estaba** enfermo,
se detuvo **dos días más** en el lugar en que se hallaba.
Después dijo a sus discípulos: "Vayamos **otra vez** a Judea".
Los discípulos le dijeron:
"**Maestro**, hace poco que los judíos querían **apedrearte**,
¿y tú **vas a volver** allá?"
Jesús les contestó: "¿**Acaso** no tiene **doce** horas el día?
El que camina **de día** no tropieza,
porque ve la luz **de este mundo**;
en cambio, el que camina de noche **tropieza**,
porque **le falta** la luz".

Dijo esto y luego **añadió**:
"**Lázaro**, nuestro amigo, **se ha dormido**;
pero yo voy ahora **a despertarlo**".
Entonces le dijeron sus discípulos:
"**Señor**, si duerme, es que **va a sanar**".
Jesús hablaba **de la muerte**,
pero ellos creyeron que hablaba del **sueño natural**.
Entonces Jesús les dijo **abiertamente**:
"Lázaro **ha muerto**, y me alegro por ustedes
de no haber estado ahí,
para que crean. Ahora, vamos **allá**".
Entonces **Tomás**, por sobrenombre **el Gemelo**,
dijo a los demás discípulos:
"Vayamos **también** nosotros, para **morir** con él".

en el capítulo siguiente. Jesús no coloca la enfermedad bajo el sino de la muerte inexorable, sino en el horizonte de la gloria de Dios; mejor, todavía, en el proceso de glorificación del Hijo de Dios.

La gloria de una persona consiste en el reconocimiento público de sus cualidades o acciones benéficas, que la honran y engrandecen ante todos. A Dios todo mundo le debemos gloria, es decir, honra y adoración por sus bondades, porque nos beneficiamos con sus gracias. En correspondencia, lo que más honra a Dios es la vida, porque es la corona de su creación, lo que mejor refiere a él, su bondad más grande, y en lo que Dios

mismo se complace. A su vez, el hombre vive en plenitud sólo mirando a Dios, completa san Ireneo.

En otros lugares del evangelio, Jesús ha hablado de que él no busca su propia gloria, sino que es Dios, su Padre, quien le da la gloria (cf. 8:54). Dios glorifica a quien que le es incondicionalmente fiel, y cumple su voluntad a cabalidad. Esto lo sabemos por el profeta Isaías cuando anunciaba al Siervo del Señor.

La glorificación de Jesús deriva de su entrega sin reservas a cumplir la voluntad de Dios, su Padre. Esa voluntad nace del amor inconmensurable de Dios por el mundo

sumido en tinieblas. El amor de Dios por el mundo no es etéreo o una bella idea, sino que se plasma y se palpa en la decisión de volver a Judea para 'despertar' a Lázaro muerto. El amor de Jesús por sus amigos queda así patentado en la entrega de su propia vida.

El diálogo de Jesús con sus discípulos aclara que él actúa en libertad completa frente al apuro de sus amigos. No es el reloj de la muerte lo que marca su destino, sino él quien marca el tiempo y la oportunidad de su misión y salvación. Lo escuchamos con frecuencia: "dormirse es como morirse". Jesús actúa de día, es decir, con claridad en

Recupera el tono del narrador.
El encuentro con Marta es dialogal
y dale relieve a su confesión de fe. Haz que
la pregunta de Jesús alcance a la asamblea,
como dirigiéndole la misma cuestión.

Cuando llegó Jesús, Lázaro llevaba ya **cuatro** días en el sepulcro.
Betania quedaba **cerca** de Jerusalén,
como a unos **dos** kilómetros y medio,
y **muchos** judíos habían ido a ver a Marta y a María
para **consolarlas** por la muerte de su hermano.
Apenas oyó Marta que Jesús llegaba, **salió** a su encuentro;
pero María **se quedó** en casa.
Le dijo Marta a Jesús:
"**Señor**, si hubieras estado aquí, **no habría muerto** mi hermano.
Pero **aún ahora** estoy segura de que Dios
te concederá cuanto le pidas".

Jesús le dijo: "Tu hermano **resucitará**".
Marta respondió:
"**Ya sé** que resucitará en la resurrección del **último día**".
Jesús le dijo: "**Yo soy** la resurrección y la vida.
El **que cree** en mí, aunque haya muerto, **vivirá**;
y todo aquel que está vivo y **cree en mí**, **no morirá** para siempre.
¿**Crees** tú esto?"
Ella le contestó:
"**Sí, Señor**. Creo **firmemente** que **tú eres** el Mesías,
el Hijo de Dios,
el **que tenía que venir** al mundo".

Después de decir estas palabras,
fue a buscar a su hermana María y le dijo **en voz baja**:
"**Ya vino** el Maestro y **te llama**".
Al oír **esto**, María se levantó **en el acto**
y **salió** hacia donde estaba Jesús,
porque **él** no había llegado aún al pueblo,
sino que estaba en el lugar donde Marta **lo había encontrado**.
Los judíos que estaban con María en la casa, **consolándola**,
viendo que ella se levantaba y salía **de prisa**,
pensaron que iba al sepulcro **para llorar ahí** y la siguieron.

el cumplimiento de su misión, y de este modo aúna el tema de la luz a la simbólica de la glorificación. La gloria de las personas no es algo que se haya de ocultar o disimular, antes al contrario, es algo meridiano, la bondad notoria y pública. Y esto es lo que Jesús quiere infundir en su grupo de seguidores. La alegría que Jesús experimenta por ellos, se debe a que el retardo en acudir al llamado, el tema de ser glorificado y de caminar en la luz, van a quedar en el discípulo entrelazados para generar la fe. De momento, en el horizonte discipular, sólo aparece el destino trágico del Maestro.

El diálogo de Jesús con Marta muestra la profunda fe discipular en la resurrección del último día. Marta es discípula de Jesús, no sólo porque sabe que Jesús pudo haber evitado la muerte de Lázaro, sino porque alimenta una fe profunda e inconmovible en que Dios le concederá a Jesús cuanto le solicite; "incluso ahora", es decir, cuando su hermano sufre la putrefacción. Así de segura es la fe de Marta, pues sabe que Jesús es un hombre de Dios, su profeta y enviado. Ante tamaña confesión, Jesús se descubre como resurrección y vida. Abrazar esta verdad, revela el Maestro, significa la vida para

los muertos y el 'no morir para siempre', a los vivos.

En muchos medios judíos, principalmente fariseos, la fe en la resurrección era consabida, aunque tenía variaciones de un grupo a otro, e incluso al interior del mismo grupo. Dios llamaría a la vida a sus fieles difuntos, para que disfrutaran de su reinado mesiánico y triunfante. El 'morir para siempre' se refiere a la muerte definitiva, sin opción alguna de resurrección, ni de participar en el reinado mesiánico. La fe que Jesús solicita tiene que ver con esto. Y es la que Marta profesa: Jesús es el mesías de Dios,

El encuentro con María repite el de su hermana, pero es más conmovedor y más plástico. Realza esto señalando que María cae a los pies de Jesús. Haz de sus palabras una oración de súplica.

Cuando llegó **María** adonde estaba Jesús, al verlo,
    se echó a sus pies y le dijo:
        "**Señor**, si hubieras estado aquí, **no habría muerto** mi hermano".
Jesús, al verla **llorar** y al ver llorar a los judíos que
        la acompañaban,
    se conmovió hasta lo **más hondo** y preguntó:
        "**¿Dónde** lo han puesto?" Le contestaron:
            "**Ven**, **Señor**, y lo verás".
Jesús **se puso a llorar** y los judíos comentaban:
    "De veras ¡**cuánto** lo amaba!"
Algunos decían:
        "**¿No podía** éste, que **abrió** los ojos al ciego de nacimiento,
        hacer que Lázaro **no muriera**?"

Puedes caracterizar a los judíos con tu voz haciéndola un tanto neutra, como reflejando murmullos o cuchicheos que no alcanzan los oídos de los protagonistas.

Jesús, profundamente conmovido todavía,
    se **detuvo** ante el sepulcro, que era una cueva,
        sellada **con una losa**.
Entonces dijo Jesús: "**Quiten** la losa".
Pero **Marta**, la hermana del que había muerto, **le replicó**:
    "**Señor**, ya huele mal, porque lleva **cuatro días**".
Le dijo Jesús: "¿No te he dicho que **si crees**,
    verás la gloria de Dios?"
Entonces quitaron la piedra.

Jesús confronta la muerte. Dale a las palabras de Jesús un tono de certeza rotunda.

Jesús **levantó** los ojos a lo alto y dijo:
    "**Padre**, te doy gracias porque me **has escuchado**.
Yo **ya sabía** que **tú siempre** me escuchas;
    pero lo he dicho a causa **de esta muchedumbre** que me rodea,
    para **que crean** que tú me has enviado".
Luego **gritó** con voz potente: "¡**Lázaro, sal de ahí**!"
Y **salió** el muerto, atados con vendas las manos y los pies,
    y la cara **envuelta** en un sudario.
Jesús les dijo: "**Desátenlo**, para que **pueda andar**".

En la oración de Jesús eleva un tanto el tono de voz: Jesús quiere ser oído por los presentes, pero sin viciarla de melodrama. Es una oración confiada y serena. La orden de salir debe resonar como tal, es una orden imperiosa.

Es el colofón del relato, como su balance. Hay que darle su valor porque de esto se trata. Termina como indagando entre los presentes su propia reacción a la lectura escuchada. Luego pronuncia la fórmula conclusiva.

Muchos de los judíos que habían ido a casa de Marta y María,
    al ver lo que había hecho Jesús, **creyeron en él**.

Forma breve: Juan 11:3–7, 17, 20–27, 33b–45

capaz de arrancarle a la muerte a sus presas. Pero no en el "aquí y ahora". Por eso, el diálogo con Marta se retoma ante el sepulcro, donde ella parece ofrecer cierta resistencia a la orden de Jesús de abrir el sepulcro. El Mesías le exige 'creer para ver la gloria de Dios'.

Creer en Jesús, resurrección y vida, es la condición para percibir las gracias y bondades de Dios; la mayor de todas, la vida, como ejemplifica san Juan en este relato. Por lo que Jesús declara, cabe entender que la fe consiste en colocarse en sintonía de vida con Dios, o lo que es lo mismo, vivir mirándolo. La fe en Jesús resucitado nos da ojos para percibir a Dios glorificando a su Hijo en toda su obra de redención, y al Hijo rindiendo gloria a Dios en todos los gestos y acciones de su historia. La fe en Cristo nos consigue participar en ese dinamismo de glorificación recíproca entre Padre e Hijo que genera vida. Una fe que no envuelva al creyente en este movimiento de dar y recibir la vida de Dios contemplando a Jesús, no puede garantizar victoria alguna sobre la muerte. De allí que podemos decir que la gloria de Dios es Jesús resucitado. Y él nos participa la gloria y la vida de Dios sólo en la medida en la que nos adherimos a él, haciéndolo vida y resurrección nuestra.

La resurrección de Lázaro no sólo plastifica lo que ocurrirá con Jesús, sino que es una anticipación de lo que Jesús realizará con cada uno de sus amigos, los creyentes. Creer en la vida que Jesús nos ha conseguido, mirarlo, es la fuerza más poderosa para "dar la vida por sus amigos" y para que la fe triunfe sobre la muerte y sus mecanismos. Así es como podemos participar de la gloria de Dios, porque para su gloria hemos sido creados y recreados.

DOMINGO DE RAMOS

EVANGELIO   Marcos 11:1–10

Lectura del santo Evangelio según san Marcos

Cuando Jesús y los suyos iban de camino a **Jerusalén,**
　al llegar a Betfagé y Betania,
　cerca del monte de los Olivos,
　les dijo a dos de sus discípulos:
　"**Vayan** al pueblo que ven allí enfrente;
　al entrar, encontrarán amarrado un burro
　que **nadie** ha montado todavía.
Desátenlo y **tráiganmelo.**
Si **alguien** les pregunta por qué lo hacen, contéstenle:
　'El Señor **lo necesita** y lo devolverá pronto'".

Fueron y encontraron al burro en la calle,
　atado junto a una puerta, y lo desamarraron.
Algunos de los que allí estaban les preguntaron:
　"**¿Por qué** sueltan al burro?"
Ellos les contestaron lo que había dicho Jesús
　y ya **nadie los molestó.**

Llevaron el burro, le echaron encima los mantos
　y Jesús montó en él.
Muchos extendían su manto en el camino,
　y otros lo tapizaban con ramas cortadas en el campo.
Los que iban delante de Jesús y los que lo seguían,
　iban gritando vivas:

La entrada a Jerusalén es tumultuosa. El relato es breve y pintoresco. Cuéntalo con viveza, entusiasmando con los detalles, consigue que la asamblea haga el mismo recorrido.

Aunque las acciones de los discípulos tienen sentido mesiánico, no las narres con gravedad ni parsimonia. Cuéntalas con mucha naturalidad y hasta con cierta ingenuidad.

Es la parte más entusiasta del trayecto. Entusiásmate con la multitud y consigue que la asamblea lo haga también.

EVANGELIO Iniciamos la Semana Mayor, que atesora los misterios más queridos de nuestra fe cristiana y católica. Es semana de la entrada mesiánica y de las entregas "por nosotros"; es semana de abajamiento y de levantamiento; de ruptura y de comunión; de ayunos y de pan, de noche trágica y de mañana gozosa, de duelo y de gloria; es Semana Santa, de muerte y resurrección: es la Semana Mayor.

Este año, la Iglesia nos introduce en la Semana Mayor con una procesión y la lectura del evangelio de san Marcos que nos encamina hacia el misterio pascual de Cristo.

San Marcos nos cuenta la entrada mesiánica de Jesús en Jerusalén, la ciudad de David. Le acompañan su grupo de discípulos y decenas de peregrinos que se enfilan a celebrar la pascua en la capital, en una atmósfera de abierto regocijo, al que Jesús colabora con sus disposiciones.

Llegan por el lado oriental, y trepando desde Jericó, los peregrinos se acercan a Betania y Betfagé, cerca del Monte de los Olivos que queda frente del Monte del templo de Jerusalén. Betania significa "casa de aflicción" (también puede ajustarse a "casa de dátiles" o "casa del pobre"), en tanto que

Betfagé es "casa de higos". Los nombres, en la tradición bíblica, son significantes profundos, y de hecho, el evangelista contará de una higuera como símbolo del templo, y de Betania como el lugar de "preparación para la sepultura". Desde esos caseríos, Jesús recorrerá el último trecho hasta la ciudad, montado en un burrillo 'que nadie ha montado todavía'. La novedad mesiánica habrá de ser total.

Las aclamaciones de las gentes revelan el sentido de la escena: alaban a Dios por la llegada del mesías a la ciudad de David. Sus palabras vienen del Salmo 118, y eran las

"¡Hosannna! ¡Bendito el que viene en nombre del Señor!
¡Bendito el reino que llega, el reino de nuestro padre David!
¡Hosanna en el cielo!"

Lectura alternativa: Juan 12:12–16

I LECTURA   Isaías 50:4–7

Lectura del libro del profeta Isaías

"El Señor me ha dado una **lengua** experta,
para que pueda **confortar** al abatido
con palabras de **aliento**.

Mañana tras mañana, el Señor **despierta** mi oído,
para que **escuche** yo, como discípulo.
El Señor Dios me ha **hecho oír** sus palabras
y yo **no he opuesto resistencia**
ni me he echado **para atrás**.

Ofrecí la espalda a los que me **golpeaban,**
la mejilla a los que me tiraban de la barba.
No aparté mi rostro de los insultos y salivazos.

Pero el Señor me **ayuda,**
por eso **no quedaré** confundido,
por eso **endureció** mi **rostro** como roca
y sé que **no quedaré avergonzado**".

Es una descripción de lo que significa ser profeta y darle voz a la palabra de Dios. Tú haces lo mismo sirviendo a la asamblea. Procura hacer tuyos los rasgos del profeta, como para crecer en la espiritualidad desde estas líneas.

Escuchar la palabra es comprometerse con ella. Haz contacto visual con la asamblea al momento de hablar en primera persona: "yo no…". La fidelidad del profeta es a toda prueba. En el siguiente párrafo evita mirar a la asamblea, lee cautivado por las líneas del texto.

Poco a poco, ve elevando tu rostro del libro hacia la asamblea hasta terminar la lectura mirándola.

---

que se cantaban para dar la bienvenida a los peregrinos que arribaban al templo. 'Hosanna' es una alabanza que suplica a Dios: "¡Salva!". Es súplica y acción de gracias, a la vez. El peregrino que había iniciado la ruta "en el nombre del Señor", estuvo expuesto a zozobras y peligros, agradecía haber llegado sano y salvo, pero solicitaba en el recinto sacro al Dios de los padres "¡Sálvanos!". La salvación se entiende como bienestar, prosperidad y bendición constante. San Marcos registra las aclamaciones litúrgicas fuera del templo, y todavía en camino a la ciudad.

Otro elemento a considerar es el reino que llega, "el reino de nuestro padre David".

Es un trazo muy nacionalista. Sabemos que David representa el prototipo de monarca para Israel. David hizo de Jerusalén su ciudad, pues antes tenía su capital en Hebrón. De modo que la tuvo que conquistar, pues era de los jebuseos que menospreciaban al jefe de las tribus de Israel, y decían que ciegos y cojos bastaban para defender su baluarte inexpugnable. Pero David la conquistó y prohibió a ciegos e inválidos entrar al templo (cf. 2 Sam 5:6–10). Apenas saliendo de Jericó, Marcos contó que Jesús sanó a un ciego que le aclamaba: 'Hijo de David, compadécete de mí', y luego se volvió su discípulo. Quienes acompañan a Jesús son ahora

israelitas, a quienes el Hijo de David les cambia la suerte, y ellos, de su propia experiencia prorrumpen en vivas y se colocan bajo su patrocinio. Los peregrinos invitan a los coros celestes a festejar al Mesías: "¡Hosanna, en las alturas!". La conjunción entre cielo y tierra, se da en Jesús de Nazaret.

Hay, con todo, cierta disonancia. Jesús inició su quehacer de heraldo del reino de Dios que está próximo, y recorrió Galilea anunciándolo con curaciones, milagros y enseñanza que muestran la salvación que Dios ofrece a su pueblo. Ahora, el Hijo de David, Jesús, se aproxima a su ciudad, entre voces que hacen presagiar lo peor para quienes se

Para meditar

SALMO RESPONSORIAL   Salmo 21:8–9, 17–18a, 19–20, 23–24

R. Dios mío, Dios mío, ¿por qué me has abandonado?

Al verme se burlan de mí, / hacen visajes, menean la cabeza: / "Acudió al Señor, que lo ponga a salvo; / que lo libre si tanto lo quiere". R.

Me acorrala una jauría de mastines, / me cerca una banda de malhechores: / me taladran las manos y los pies, / puedo contar mis huesos. R.

Se reparten mi ropa, / echan a suerte mi túnica. / Pero tú, Señor, no te quedes lejos; / fuerza mía, / ven corriendo a ayudarme. R.

Contaré tu fama a mis hermanos, / en medio de la asamblea te alabaré. / Fieles del Señor, alábenlo, / linaje de Jacob, glorifíquenlo, / témanle, linaje de Israel. R.

II LECTURA   Filipenses 2:6–11

Lectura de la carta del apóstol san Pablo a los filipenses

El primer párrafo puede parecer largo. Pronuncia a menor velocidad las líneas de "se anonadó…" hasta donde dice "…siervo".

Cristo, siendo Dios,
no consideró que debía aferrarse
a las prerrogativas de su condición **divina**,
sino que, por el contrario, se anonadó **a sí mismo**,
tomando la condición de **siervo**,
y se hizo semejante a los **hombres**.

Las palabras de la humillación del Cristo hay que marcarlas muy bien.

Así, hecho uno de ellos, se humilló **a sí mismo**
y **por obediencia** aceptó incluso la muerte,
y una **muerte de cruz**.

Este párrafo es triunfante: la exaltación gloriosa del Siervo. Ponle ese sello a la voz y a tu actitud.

Por eso Dios lo exaltó sobre todas las cosas
y le otorgó el nombre que está **sobre todo nombre**,
para que, al nombre **de Jesús**, todos doblen la rodilla
en el cielo, en la tierra y en los abismos,
y todos reconozcan públicamente que **Jesucristo** es el Señor,
para gloria de **Dios Padre**.

han acomodado al régimen romano y animan la esperanza de los desvalidos y ahora reintegrados a la comunidad de salvación.

I LECTURA Cuatro son los cantos del Siervo incluidos en el libro adscrito al profeta Segundo Isaías. Están puestos estos cantos en lugares estratégicos, acomodándose al mensaje central de este profeta, que anuncia que el castigo terminó y que el Señor traerá la liberación, el regreso a la tierra.

Con ese tercer canto del Señor introduce la Iglesia la liturgia de la semana santa. El Siervo es enviado a fortalecer con la palabra a los cansados y agobiados. Es decir, a los desanimados que no creen más en una acción divina. Algunos decían que el Señor no podía salvarlos. Más que siervo, aparece como discípulo. Un discípulo que se formó durante el exilio. Como discípulo, aprendió las tradiciones de Israel, el núcleo de la santa Palabra que se guardaría y se explicaría en el exilio.

En esa situación de aprendizaje, Dios enseñó al discípulo a poder decir una palabra de aliento. Es tan difícil alentar a un desesperado, que era como se encontraba el pueblo en el destierro. Es la labor principal del discípulo. Alentar, animar, devolver la confianza y el entusiasmo. El pueblo de Dios aprende en la escuela de Dios a vivir como hijo de Dios en tierra extranjera. Por otro lado, su historia antigua decía algo parecido: había sido un pueblo encontrado por Dios en tierra extranjera, había sido alimentado, sanado y educado por Dios como la pupila de sus ojos (Dt 32:10).

Como toda enseñanza es dura, ésa lo era de manera especial. Mas este discípulo no se echó para atrás. Pasó por todas las pruebas: desdén, injurias y ofensas. No es fácil creer, cuando todo indica lo contrario. Sin embargo, el discípulo en estas pruebas

El relato es amplio, por eso se recomienda hacerlo con varias voces, sea en forma dialogal o distribuyéndolo en secciones, por ejemplo: Antes de la pascua, los preparativos, cena de pascua, prendimiento, proceso judío, comparecencia ante Pilato, y crucifixión y sepultura.

Estas líneas dan el tono de todo el relato. Dale matiz de secrecía a lo que traman las autoridades.

El foco principal es la mujer. Dale todo el peso a sus acciones, no las pases con rapidez.

Al leer los comentarios, mira a un lado y otro de la asamblea, como si de allá vinieran.

Las palabras de Jesús no deben ser severas, sino serenas y firmes, sin exaltación. Cierra esta sección dejando una sombra por la muerte inminente de Jesús.

Aunque Judas sea el que lo entrega, no hay que demonizarlo. Trata de mantener distancia al hablar de este apóstol.

EVANGELIO   Marcos 14:1—15:47

Pasión de nuestro Señor Jesucristo según san Marcos

Faltaban dos días para **la fiesta de Pascua** y de los panes Ázimos.
Los sumos sacerdotes y los escribas **andaban**
    buscando una manera
    de apresar a Jesús **a traición** y darle muerte, pero decían:
"**No** durante las fiestas, porque el pueblo podría **amotinarse**".

Estando Jesús sentado a la mesa,
    en casa de Simón el leproso, en Betania,
    llegó una mujer con un frasco de perfume **muy caro,**
      de nardo puro;
    quebró el frasco y **derramó** el perfume en la cabeza de Jesús.
Algunos comentaron **indignados:**
    "¿A qué viene este **derroche** de perfume?
Podría haberse vendido por más de trescientos denarios
    para dárselos a **los pobres**".
Y **criticaban** a la mujer; pero Jesús replicó:
    "**Déjenla.** ¿Por qué la molestan?
Lo que ha hecho conmigo **está bien,**
    porque a los pobres los tienen **siempre** con ustedes
    y pueden socorrerlos **cuando quieran;**
    pero **a mí** no me tendrán siempre.
Ella ha hecho lo que podía.
Se **ha adelantado** a embalsamar mi cuerpo para la sepultura.
Yo **les aseguro** que en cualquier parte del mundo
    donde se predique el Evangelio,
    se **recordará** también en su honor lo que ella **ha hecho** conmigo".

Judas Iscariote, uno de los Doce,
    se presentó a los sumos sacerdotes **para entregarles** a Jesús.
Al oírlo, **se alegraron** y le prometieron dinero;
    y él andaba buscando **una buena ocasión** para entregarlo.

---

recibió una confirmación de la validez de su encargo.

El discípulo estaba educado y prueba de ello era que había endurecido su rostro como piedra. El dolor y el fracaso son las tentaciones mayores para que el discípulo abandone su tarea encomendada. Como Jesús y después sus discípulos, es en el sufrimiento, a través de la cruz, por donde vencerán, es decir, por donde recibirán la aprobación definitiva de Dios.

 II LECTURA Tal vez Pablo tomó un himno cristiano y le dio una pequeña retocada. El himno sigue el esquema

humillación/exaltación. Es una obrita poética muy bien lograda.

Pablo escribe con cariño a los discípulos de Filipo, que se habían preocupado de él con cariño, sin exigir nada. Sabe que todavía queda entre ellos la falta de caridad, la falta de tacto y el individualismo. Por esto les recomienda que al tratar a sus prójimos, los consideren superiores a ellos. Y aquí encaja este himno.

El Apóstol trata de crear una nueva mentalidad para estos ciudadanos romanos, provenientes, la mayoría, del oficio militar. En este medio, la grandeza y los honores eran temas obligados de conversación. Quiere

formar un recto pensar, una mentalidad nueva y evangélica que alcance a influir en la ciudad. Para esto el himno del nuevo soberano que llega a la ciudad, le servirá de maravilla.

La primera estrofa (6–8) tiene como tema: el Hijo del hombre no vino a servirse sino a servir (Mc 10:45). No llegó a Filipo el Señor Jesús con la forma de un grande de entonces, a los que se les recibía con arcos, procesiones y cantos. Arribó con los vestidos de un siervo obediente hasta aceptar la muerte. Pablo añadiría: y ésta de cruz. Porque para Pablo aquí está la grandeza y sublimidad

En esta parte de los preparativos, busca acelerar el ritmo del relato, sin descuidar la información cronológica.

Estas tres líneas finales deben recalcar que todo está sucediendo conforme a lo que Jesús tiene previsto. Esta sensación debe quedar en la asamblea.

Debe notarse el paso de los preparativos a la cena. Procura irle dando a este momento calidez, intimidad y reverencia; del anuncio de la traición a los gestos eucarísticos. La asamblea debe percibir que el misterio eucarístico envuelve todo el relato de la pasión.

El **primer día** de la fiesta de los panes Ázimos,
　　cuando se sacrificaba **el cordero pascual,**
　　　le preguntaron a Jesús sus discípulos:
　　　　"**¿Dónde quieres** que vayamos a prepararte la cena de Pascua?"
Él les dijo a dos de ellos:
　　　"Vayan a la ciudad.
Encontrarán a un hombre que lleva un cántaro de agua; **síganlo,**
　　　y díganle al dueño de la casa en donde entre:
　　　'**El Maestro** manda preguntar:
¿**Dónde está** la habitación
　　en que **voy a comer** la Pascua con mis discípulos?'
Él les enseñará una sala en el segundo piso, arreglada con divanes.
Prepárennos allí la cena".
Los discípulos se fueron,
　　llegaron a la ciudad, encontraron lo que Jesús **les había dicho**
　　y prepararon la cena de Pascua.

Al atardecer, llegó Jesús **con los Doce.**
Estando a la mesa, cenando, les dijo:
　　"Yo **les aseguro** que uno de ustedes,
　　uno que está comiendo conmigo, **me va entregar**".
Ellos, **consternados,** empezaron a preguntarle uno tras otro:
　　"**¿Soy yo?**"
Él respondió:
　　"Uno de los Doce,
　　alguien que moja su pan **en el mismo plato** que yo.
El Hijo del hombre va a morir, **como está escrito:**
　　pero, ¡**ay del que va a entregar** al Hijo del hombre!
¡Más le valiera **no haber nacido!**"

Mientras cenaban, Jesús tomó un pan y, **pronunció la bendición,**
　　lo partió y se lo dio a sus discípulos, diciendo:
　　　"Tomen: **esto es mi cuerpo**".
Y tomando en sus manos una copa de vino,
　　pronunció **la acción de gracias,** se la dio,
　　todos bebieron y les dijo:

del Señor: habernos salvado por la cruz. A esa nueva mentalidad es a la que se deben habituar los filipenses y con ellos, todos nosotros los cristianos que estamos por celebrar esa entrada humilde de Jesús en Jerusalén. Emplea el himno una expresión atrevida y profunda: *vaciarse de uno mismo.* Ese dejar todo valor de uno para quedar en nada. Lo que decía el Siervo: "endurecí el rostro como piedra" (Is 50:7).

　　La estrofa final (versos 9–11) habla de la exaltación, de la glorificación del Siervo. Aceptado por todos y reconocido como el que tiene el poder y la majestad. Es el soberano del universo, aceptado por todos.

Dios crea por medio del Señor una nueva ciudadanía, fundada en su gracia y no más en los privilegios.

EVANGELIO El relato del proceso, tortura, ejecución y resurrección del Mesías de Dios, fue probablemente lo primero que tomó forma escrita entre las comunidades cristianas. Y es que en tales acontecimientos, los discípulos de Jesús, de una generación a otra, han encontrado fortaleza y consuelo del Espíritu de Dios para soportar persecuciones y horas oscuras y azarosas.

Con el relato de la pasión culmina el Evangelio según san Marcos, una relación con el drama de las entregas del Mesías de Dios.

El complot. Los líderes religiosos y sus letrados maquinan para quitar a Jesús de en medio, a la mala, pero de manera discreta. Los sumos sacerdotes son gentes de la alta sociedad de la ciudad, de familias nobles y pudientes, que toman parte en la administración del templo y su aparato. Los escribas son expertos en la Ley y en interpretarla, llevan la contabilidad de los negocios, escriben documentos y dan fe notariada de cuanto se requiera. Jesús representa para ellos una amenaza porque en la concurrida

"Ésta es mi sangre, **sangre de la alianza**, que se derrama
    por todos.
Yo **les aseguro** que **no volveré** a beber del fruto de la vid
    hasta el día en que beba **el vino nuevo** en el Reino de Dios".

Después de cantar el himno,
    salieron hacia el monte de los Olivos y Jesús les dijo:
    "**Todos ustedes** se van a escandalizar por mi causa,
    como está escrito:
    Heriré al pastor y se dispersarán las ovejas;
    pero **cuando resucite,** iré por delante de ustedes a Galilea".
Pedro replicó:
    "Aunque todos se escandalicen, **yo no**".
Jesús le contestó:
    "Yo **te aseguro** que hoy, **esta misma noche,**
    antes de que el gallo cante dos veces, **tú me negarás tres**".
Pero él **insistía:**
    "Aunque tenga **que morir** contigo, **no te negaré**".
Y los demás decían **lo mismo.**

Fueron luego a un huerto, llamado **Getsemaní,**
    y Jesús dijo a sus discípulos:
    "**Siéntense aquí** mientras hago oración".
Se llevó a Pedro, a Santiago y a Juan,
    y empezó a sentir **temor y angustia,** y les dijo:
    "Tengo el alma **llena** de una tristeza mortal.
Quédense aquí, **velando**".
Se adelantó un poco,
    se **postró** en tierra y pedía que, si era posible,
    se alejara de él **aquella hora.**
Decía:
    "**Padre,** tú lo puedes todo: **aparta** de mí este cáliz.
Pero que no se haga lo que yo quiero, sino **lo que tú quieres**".

Volvió a donde estaban los discípulos,
    y al encontrarlos **dormidos,** dijo a Pedro:
    "Simón, ¿**estás dormido**? ¿No has podido velar **ni una hora**?

Esta es la transición a Getsemaní. El anuncio del escándalo discipular dilo con voz entristecida. La traición de Pedro y del resto no debe esconderse; si la protesta de Pedro es animosa, las palabras de Jesús deben sonar llenas de certeza.

Procura que tu voz transmita la turbación y angustia profundas de Jesús ante la muerte tormentosa. La asamblea debe percibir lo más vulnerable de Jesús y confesar su humanidad.

Sólo Jesús habla y reprocha a sus seguidores que no puedan vigilar. Remarca la oración de Jesús. Las palabras finales de esta parte deben expresarse con resolución total, como quien se juega la vida en un solo movimiento.

---

explanada del templo de Jerusalén, un día tras otro, ha dejado en evidencia su rapacidad, dolo y corrupción, pues buscan sus mezquinos intereses tan solo y estorban a las gentes que buscan a Dios.

Una mujer vuelta evangelio. Fiel a su costumbre de romper los modos de pensar impuestos por el sistema de pureza religiosa y social, Jesús departe a la mesa de un leproso, Simón, con otras gentes, sus discípulos y una mujer que se ha introducido a la reunión, sin que se sepa cómo. Y aunque la presencia de mujeres en los banquetes era bastante usual, entre los judíos había bastantes reservas, por tratarse de reuniones de varones. Pero los comensales no cuestionan su presencia sino lo que hace. Ella rompe un carísimo frasco de perfume de nardo y lo derrama sobre ¡la cabeza de Jesús! Para la segunda parte del banquete, los comensales podían perfumar su cuerpo, manos, ropas, torso, pies y cabeza, pero no con tal profusión y dispendio. Debió ser un momento embarazoso. Conocemos las reacciones sensatas y hasta de 'interés social' de algunos de los comensales y la de Jesús: lo ha ungido para la vida. Jesús la incorpora al evangelio del Reino, a su propia pascua. En las honras fúnebres, los dolientes colocaban flores aromáticas y especias en las sepulturas para mitigar la pestilente putrefacción, pero el buen olor estaba asociado al paraíso y a la vida con Dios. El nardo es agradable, y con su fragancia, esa generosa mujer anónima llena la sepultura de Jesús. Se ha entregado por completo. Y aún sin saberlo, ella ha sembrado la esperanza de la vida en Jesús, en tanto que uno de los Doce, busca el modo de sacar algún dinero entregando ese Cuerpo a la sepultura.

El día del sacrificio. El día previo a la pascua, y después del sacrificio por todo Israel, los jefes de familia se reunían por grupos en el templo de Jerusalén con su víctima y la sacrificaban. Ese día todos eran

Velen y oren, para que **no caigan** en la tentación.
El espíritu está pronto, pero la carne **es débil**".
De nuevo se retiró y se puso a orar,
   repitiendo **las mismas** palabras.
Volvió y **otra vez** los encontró dormidos,
   porque tenían los ojos **cargados** de sueño;
   por eso no sabían **qué contestarle**.
Él les dijo:
   "Ya pueden dormir y descansar.
¡Basta! Ha llegado **la hora**.
Miren que el Hijo del hombre
   va a ser entregado en manos de los pecadores.
¡Levántense! **¡Vamos**! Ya está cerca el traidor".

Todavía estaba hablando,
   cuando se presentó **Judas**, uno de los Doce,
   y con él, gente con **espadas y palos**,
   enviada por los sacerdotes, los escribas y los ancianos.
El traidor les había dado **una contraseña**, diciéndoles:
   "Al que yo bese, **ése es**.
Deténganlo y llévenlo bien sujeto".
Llegó, se acercó y le dijo:
   "**Maestro**".
Y lo **besó**. Ellos le echaron mano y **lo apresaron**.
Pero uno de los presentes **desenvainó** la espada
   y de un golpe **le cortó** la oreja a un criado del sumo sacerdote.
Jesús tomó la palabra y les dijo:
   "¿Salieron ustedes **a apresarme** con espadas y palos,
   como si se tratara de **un bandido**?
Todos los días he estado entre ustedes,
   enseñando en el templo y **no me han apresado**.
Pero así **tenía que ser** para que se cumplieran las Escrituras".
Todos lo abandonaron y **huyeron**.
Lo iba siguiendo un muchacho,
   envuelto nada más con una sábana,

Aquí comienza una sucesión de hechos violentos. Retrata el tumulto con celeridad, pero sin atropellar las palabras. Se trata de una operación secreta pero decidida.

La intervención de Jesús es firme y cortante, hazla contrastar pronunciando cuidadosamente cada palabra, sobre todo las finales.

sacerdotes, cuenta Josefo. Todo el pan viejo debía ser sacado y destruido, pues sólo se permite comer pan sin levadura durante la primera semana del año. Pero había que alistar también la salsa rojiza, las yerbas amargas, vino, agua, además de los cojines, vajilla y otros enseres.

La última cena. Es la primera comida del año, y cada familia hace fiesta y rememora quién es y cuál es su destino. Durante la cena de esa noche tan especial, se cuentan y actualizan las hazañas del Señor para liberar a sus fieles del yugo de los egipcios y conducirlos a una tierra espaciosa, para

vivir en libertad. Esa liberación los ha transformado en pueblo de Dios, "para alabanza de su gloria", es decir, para vivir conforme a la Ley, en derecho y santidad, delante de todas las naciones. La pascua incorporaba también la espera del Mesías, el nuevo Moisés que implantaría el derecho y la justicia del Reino de Dios en medio de todas las naciones.

La cena de Jesús está marcada por la traición, por unos gestos sobre el pan y una copa, y un juramento de abstinencia. La celebración terminaba con los himnos.

Más que la traición, Jesús señala al traidor cada vez con precisión mayor: "uno de

ustedes", "uno de los Doce", "uno que moja su pan en el mismo plato que yo".

Jesús deja entender que en aquel recinto había más de trece personas. ¿Sólo varones? Muy probablemente no, porque se trata de una comida 'familiar', en la que ningún miembro de la familia debía quedar excluido; es la fiesta de todo el pueblo de Dios. Pero Jesús habló de uno de los Doce. El grupo de los Doce era el círculo simbólico representativo del pueblo escatológico de Dios entre el grupo discipular. La unidad interna de ese grupo simbólico está resquebrajada, por el interés monetario, como antes dijo el propio evangelista. Usualmente

y lo detuvieron; pero él **soltó la sábana,**
huyó y **se les escapó** desnudo.

El párrafo es de transición al proceso judío.

Condujeron a Jesús a casa del sumo sacerdote
y se reunieron **todos** los pontífices, los escribas y los ancianos.
Pedro lo fue siguiendo **de lejos,**
hasta el interior del patio del sumo sacerdote,
y se sentó con los criados, cerca de la lumbre, **para calentarse.**

Los sumos sacerdotes y el sanedrín **en pleno**
buscaban **una acusación** contra Jesús
para condenarlo a muerte y **no la encontraban.**
Pues, aunque muchos presentaban **falsas acusaciones** contra él,
los testimonios **no concordaban.**
Hubo unos que se pusieron de pie y dijeron:
"Nosotros lo hemos oído decir:
'Yo **destruiré** este templo, edificado por hombres,
y **en tres días** construiré otro, no edificado por hombres'".
Pero **ni aun en esto** concordaba su testimonio.
Entonces el sumo sacerdote se puso de pie y le preguntó a Jesús:

Haz sonar al sumo sacerdote con autoridad y hasta con cierta prepotencia. A Jesús con soberanía y dueño de sí. Separa los momentos de la comparecencia.

"¿No tienes **nada que responder** a todas esas acusaciones?"
Pero él no le respondió **nada.**
El sumo sacerdote le **volvió** a preguntar:
"¿**Eres tú** el Mesías, el **Hijo de Dios** bendito?"
Jesús contestó:
"Sí **lo soy.** Y **un día** verán cómo **el Hijo del hombre**
está sentado **a la derecha** del Todopoderoso
y cómo **viene** entre las nubes del cielo".
El sumo sacerdote **se rasgó** las vestiduras exclamando:
"¿Qué falta **hacen ya** más testigos?"
Ustedes **mismos** han oído la blasfemia. ¿**Qué les parece**?"
Y todos lo declararon **reo de muerte.**
Algunos se pusieron a escupirle, y tapándole la cara,

Estas cuatro líneas finales desatan la violencia contra Jesús. Acelera el ritmo, para que se perciba el atropellado insulto.

lo abofeteaban y le decían:
"**Adivina** quién fue",
y los criados **también** le daban de bofetadas.

se comía de un mismo plato, pero en las comidas festivas, el número y la distribución de los comensales obligaba a tener platos comunes. El pan también se podía compartir entre los ocupantes de los triclinios, pero Jesús habla del plato, que contendría quizá alguna de las salsas que acompañaban la dieta pascual.

Lo que hace Jesús con el pan pudo ser inusual, porque lo hace durante la cena. Al comienzo de las comidas, el padre de familia o el jefe de la casa, solía dar gracias a Dios o bendecir el pan, partirlo y repartir un trozo a cada participante. Así se reconocía la bondad de Dios, y la comunión e igualdad de todos.

Si el gesto de Jesús pudo ser algo desacostumbrado, sus breves palabras, inusuales del todo, debieron grabarse en lo más profundo de su memoria.

Al identificar Jesús aquel pan troceado con su cuerpo, solicita que lo tomen. Es un cuerpo rodeado de las personas que ama y de quienes le traicionarán. El cuerpo de Jesús es un cuerpo vendido, traicionado (entregado) y destinado a la sepultura. El cuerpo es su persona entera, no una parte de ella. La partición misma del pan habla de su fragilidad, de su 'incompletez' y de su voluntad: ser recibido por todos.

Lo mismo ocurre con la copa de vino. En la pascua se bebían tres o hasta cuatro copas rituales de vino. La primera podría ser como aperitivo, la copa de bendición; la segunda acompañaba el plato fuerte, un trozo de cordero, pan ázimo y salsas, luego de haber contado la historia del éxodo. Para terminar la ingestión, otra copa de alegría se bebía por el reino de Dios que estaba por venir. En algunos rituales la cuarta copa, la de Elías, se servía con la esperanza de que el profeta apareciera como precursor del Mesías.

Muestra la flaqueza y el pavor de Pedro en el tono de su voz.

Mientras tanto, Pedro estaba abajo, en el patio.
Llegó una criada del sumo sacerdote,
   al ver a Pedro calentándose, lo miró **fijamente** y le dijo:
   "Tú **también** andabas con Jesús Nazareno".
Él **lo negó**, diciendo:
   "Ni sé **ni entiendo** lo que quieres decir".
Salió afuera hacia el zaguán, y **un gallo cantó.**
La criada al verlo, se puso de nuevo a decir a los presentes:
   "Éste es **uno de ellos**".
Pero él **volvió a negar.**
Al poco rato, también los presentes dijeron a Pedro:
   "Claro que eres uno de ellos, pues eres **galileo**".
Pero él se puso a echar **maldiciones** y a jurar:
   "**No conozco** a ese hombre del que hablan".
Enseguida cantó un gallo **por segunda vez.**
Pedro **se acordó** entonces de las palabras que le había dicho Jesús:
   'Antes que el gallo cante **dos veces,**
   tú me habrás negado **tres**', y rompió a **llorar.**

El episodio se clausura con el recuerdo del anuncio hecho por Jesús y con el llanto del traidor. La asamblea debe guardar en la mente que los sucesos se desarrollan conforme a las previsiones de Jesús.

Luego que amaneció,
   se reunieron los sumos sacerdotes con los ancianos,
   los escribas y el sanedrín en pleno, para deliberar.
Ataron a Jesús, se lo llevaron y lo entregaron a Pilato.
Éste le preguntó:
   "¿**Eres tú** el rey de los judíos?"
Él respondió:
   "**Sí lo soy**".
Los sumos sacerdotes lo acusaban **de muchas cosas.**
Pilato le preguntó de nuevo:
   "¿No contestas **nada**? Mira de cuántas cosas te acusan".
Jesús ya no le contestó **nada,**
   de modo que Pilato estaba **muy extrañado.**

La sección de la comparecencia ante Pilato exige más formalidades. Las preguntas y respuestas deben guardar cierta frialdad.

Al formular las preguntas haz contacto visual con la asamblea, para hacerla partícipe de las acusaciones.

Durante la fiesta de Pascua,
   Pilato solía soltarles al preso **que ellos pidieran.**

Una copa de la que todos beben tiene el evidente simbolismo de una unión en algo: comunión. La copa podía representar la suerte y el destino de una persona. Apurar la copa era expresión para indicar que los dolores y angustias pasaran rápidamente. Marcos anota que todos bebieron, y sólo entonces, Jesús identifica lo bebido con su sangre.

Para el hombre de la biblia, la sangre es la sede de la vida y le pertenece sólo a Dios; resulta imbebible por todos los conceptos. Podemos imaginar la reacción de los que bebieron. Jesús especifica que lo

bebido es sangre de alianza y sangre derramada.

La alianza consiste en un acuerdo legal entre dos partes que se benefician y se comprometen a ejecutar sus estipulaciones. La entrega de la vida de Jesús tiene como beneficiarios primarios a sus seguidores. La vida de Jesús es el parámetro de relación con Dios: beberla es asumir el compromiso de re-crear la historia de Jesús en su forma más genuina (desde el corazón). Pero la sangre de Jesús también es un precio. Romper ese sello hace reo de una muerte violenta, como la de Jesús.

El voto que Jesús pronuncia abre un intervalo de abstinencia que empuja el advenimiento del reino de Dios. El vino es sinónimo de alegría, sólo que Jesús pone entre paréntesis regocijarse en tanto que el reino de Dios no se haga realidad total. La comunidad discipular, al hacer la memoria de Jesús, aviva esa tensión por el vino nuevo, la alegría plena.

Un refugio para orar. Al cerrito que mira a Jerusalén y su templo desde el este se le conoce como el Monte de los Olivos; se empina sobre el barranco del Cedrón. Desde allí se domina la ciudad y templo.

Retoma un tono distante, al dar esta información que le da marco al siguiente cuadro.

Estaba entonces en la cárcel un tal **Barrabás**,
con los revoltosos que habían cometido un homicidio
en un motín.
Vino la gente y empezó a pedir el indulto **de costumbre.**
Pilato les dijo:
"¿Quieren que les suelte **al rey de los judíos?**"
Porque **sabía** que los sumos sacerdotes
se lo habían entregado por envidia.
Pero los sumos sacerdotes **incitaron** a la gente
para que pidieran la libertad **de Barrabás.**
Pilato les **volvió** a preguntar:
"¿Y **qué voy a hacer** con el que llaman rey de los judíos?"
Ellos gritaron:
"**¡Crucifícalo!**"
Pilato les dijo:
"Pues ¿**qué mal** ha hecho?"
Ellos gritaron **más fuerte:**
"**¡Crucifícalo!**"
Pilato, queriendo **dar gusto** a la multitud, les soltó a Barrabás;
y a Jesús, después de **mandarlo azotar,**
lo entregó para que lo crucificaran.

Hay que hacer notar en el tono de voz que a las gentes son volubles y caprichosas. La asamblea debe darse cuenta de que te separas de ellas.

Un nuevo cuadro de violencia cruel. No compartas compasión, sino indignación.

Los soldados se lo llevaron al interior del palacio, al pretorio,
y reunieron a **todo** el batallón.
Lo vistieron con un manto de **color púrpura,**
y le pusieron una **corona de espinas** que habían trenzado,
y comenzaron a **burlarse de él**, dirigiéndole este saludo:
"¡Viva **el rey de los judíos!**"
Le **golpeaban** la cabeza con una caña, le escupían y,
doblando las rodillas, **se postraban ante él.**
Terminadas **las burlas**, le quitaron aquel manto de color púrpura,
le pusieron su ropa y lo sacaron **para crucificarlo.**

Adopta el tono usual del narrador bien informado. Pronuncia con toda seguridad cada frase y cada oración. Confíate en la puntuación y matiza las frases que aparecen entre comillas, para que la asamblea pueda notarlas.

Entonces **forzaron** a cargar la cruz
a un individuo que pasaba por ahí de regreso del campo,
Simón de Cirene, padre de Alejandro y de Rufo,

Desde allí Jesús había descubierto a sus discípulos las señales de los tiempos finales y la suerte de Jerusalén. De la sala de la cena se encamina hacia el Olivete, como también le llamaban al cerro. Les va anticipando lo que se avecina: el escándalo y la dispersión. Pedro, consecuente con haber comido el pan partido y bebido de la copa rondada por Jesús, asegura que no se escandalizará. Jesús le anuncia las negaciones. Pedro perjura al precio de su vida que le será fiel a Jesús. Lo mismo hacen los demás. Pero en la hora siguiente, serán incapaces de orar y de velar. Los que luego habrían de ser

"columnas de la iglesia" de Jerusalén sólo pueden dormir y descansar.

La entrega de Judas. El complot de ancianos, sacerdotes y escribas encuentra vía con el beso de uno de los Doce. Una muestra de veneración y cariño convertida en contrabando de sórdida ganancia. Un beso para consumar la entrega. Judas entrega a su maestro con la concisa indicación de que lo sujeten bien. Los enemigos se han movido cobijados con la noche. Jesús defiende su dignidad; habla: no es un bandido. La trampa de los inicuos se cierra como cumplimiento de las Escrituras. Los jerarcas han

atrapado su presa, a escondidas del pueblo; ellos conservan intacto su buen nombre.

Al golpe, los discípulos se han dispersado. También un jovenzuelo anónimo tiene que escapar desnudo. No sabemos quién sería. Quizá el propio Marcos, especulan los estudiosos. Importaba salvar la propia vida.

El proceso judío. La sesión nocturna en la propia casa del sumo sacerdote (Caifás), san Marcos lo presenta como un proceso amañado, pues no busca fundamentar acusación alguna, sino inculpar a Jesús. Jesús es acusado de pretender destruir el templo y levantar uno sin intervención humana

y llevaron a Jesús **al Gólgota** (que quiere decir
"lugar de la Calavera").
Le ofrecieron vino con mirra, pero él **no lo aceptó.**
Lo crucificaron y se repartieron sus ropas,
echando suertes para ver **qué le tocaba a cada uno.**

Era media mañana cuando lo crucificaron.
En el letrero de la acusación **estaba escrito:** "El rey de los judíos".
Crucificaron con él **a dos bandidos,**
uno a su derecha y otro a su izquierda.
Así **se cumplió** la Escritura que dice:
Fue contado entre los malhechores.

Los que pasaban por ahí **lo injuriaban** meneando la cabeza
y **gritándole:**
"¡Anda! Tú, que destruías el templo y lo reconstruías
en tres días,
sálvate **a ti mismo** y baja de la cruz".
Los sumos sacerdotes se **burlaban** también de él y le decían:
"Ha salvado a otros, pero a sí mismo **no se puede salvar.**
Que el Mesías, el rey de Israel,
baje ahora de la cruz, para que lo veamos y creamos".
Hasta los que estaban crucificados con él **también** lo insultaban.

Al llegar el mediodía, **toda** aquella tierra se quedó **en tinieblas**
hasta las tres de la tarde.
Y a las tres, Jesús gritó **con voz potente:**
"Eloí, Eloí, ¿lemá sabactaní?" (que significa: **Dios mío,** Dios
mío, ¿por qué me has **abandonado?**).
Algunos de los presentes, al oírlo, decían:
"Miren, está llamando a Elías".
Uno **corrió** a empapar una esponja en vinagre,
la sujetó a un carrizo y se la acercó **para que bebiera,** diciendo:
"Vamos a ver si viene Elías **a bajarlo".**
Pero Jesús, dando un fuerte grito, **expiró.**

[Todos se arrodillan y guardan silencio por unos instantes.]

Los insultos de los viandantes nos parecen reprobables, pero a las gentes de la época les parecían justificados, porque era código de ética pública, menospreciar públicamente a los criminales.

La vida de Jesús llega a término. Este cuadro hay que contemplarlo reverente y piadosamente, para que los sarcasmos suenen desentonados por completo y contrasten con lo que dice el centurión.

alguna. Lo incriminatorio residiría en la destrucción del santuario. Atentar contra el edificio sacro, a ojos judíos es cargo de blasfemia (cf. Lev 24:16). Poner en entredicho la Casa de Dios en medio de su pueblo elegido, equivale a poner en tela de juicio la validez de todas sus instituciones y el orden sacro establecido. Algo así resulta simplemente inadmisible. Pero si alguien pretende levantar en tres días un templo no edificado por hombres, levanta sospecha sobre su identidad. De allí la pregunta directa del sumo sacerdote, y la identificación de Jesús, aludiendo a la visión del Hijo del Hombre que leemos en el profeta Daniel (ver Dan

7:14–21). Jesús se tiene por el Mesías eterno. La condena de la casta sacerdotal y del sanedrín es unánime. Pero ellos no pueden ejecutar su sentencia, pero sí sobajar al condenado. A partir de ese momento, Jesús va siendo deshumanizado con lujo de violencia. Eso sí, en nombre de Dios.

La alianza renegada. Pedro niega todo vínculo con el Nazareno y sus seguidores. El gallo le regresa la memoria al galileo junto con un torrente de lágrimas. Así cierra esa noche.

Una elección popular. El Consejo de las autoridades judías lo encausa ante la autoridad romana, Poncio Pilato, que estaba en

la ciudad, sin duda, para impartir justicia, pero primeramente para vigilar que nada alterase el orden, era el procurador.

Ante el procurador romano, Jesús admite ser "el rey de los judíos", pero no dirá ni una palabra más. El silencio también es argumento cuando las incriminaciones son tantas, y tan infundadas como artificiales, pero el juzgador que se da cuenta no indaga, ni quiere. Pilato se queda con la autoacusación de Jesús y será consecuente. El derecho más elemental queda relegado, y entrega la razón de la justicia en manos de la popularidad. Esta salida debió parecerle decorosa, y hasta benévola.

Entonces el velo del templo **se rasgó en dos,** de arriba abajo.
El oficial romano que estaba frente a Jesús,
    al ver cómo había expirado, dijo:
    "De veras este hombre **era Hijo de Dios**".

Había también ahí unas mujeres
    que estaban mirando todo **desde lejos;**
    entre ellas, María Magdalena, María,
    (la madre de Santiago el menor y de José) y Salomé,
    que cuando Jesús estaba en Galilea,
    lo seguían **para atenderlo;** y además de ellas,
    otras muchas que habían venido **con él** a Jerusalén.

Al anochecer, como era el día **de la preparación,**
    víspera del sábado, vino José de Arimatea,
    miembro **distinguido** del sanedrín,
    que también **esperaba** el Reino de Dios.
Se presentó **con valor** ante Pilato y **le pidió** el cuerpo de Jesús.
Pilato **se extrañó** de que **ya** hubiera muerto, y llamando al oficial,
    le preguntó si hacía mucho tiempo que **había muerto.**
Informado por el oficial, concedió el cadáver a José.
Este compró una sábana, bajó el cadáver,
    y **lo envolvió** en la sábana
    y lo puso en un sepulcro excavado en una roca
    y tapó con una piedra la entrada del sepulcro.
María Magdalena y María, madre de José,
    se fijaron en dónde lo ponían.

Forma breve: Marcos 15:1–39

Al proclamar este apartado, haz como si las mujeres estuvieran allí, entre la asamblea y sus nombres son conocidos de todos.

La parte de la sepultura es como la procesión de salida del relato. Hay que irla haciendo bajando paulatinamente la intensidad de la voz a partir de la tercera oración.

Sin causa fundada o juzgada, la gente escoge crucificar a Jesús. Pilato, el paladín del orden civil y la legalidad romana en Judea, ni siquiera ha tenido que pensar en la forma de castigar al reo; la gente lo pidió.

Crucifixión. Camino al Gólgota, los verdugos obligan a Simón de Cirene a ayudar con la cruz al Mesías.

San Marcos nada apunta de los sufrimientos del Mesías. Jesús tiene plena conciencia al ser ajusticiado. El reparto de las ropas de la víctima era derecho de los verdugos. Marcos no silencia el motivo de la ejecución: Jesús se tiene por rey de los judíos. La cruz es lo debido. Los bandidos crucificados junto a Jesús, habrían sido sentenciados por cargos parecidos. Todos repudian al Mesías crucificado, lo escarnecen y recuerdan que es reo por ofertar la salvación sin el aparato del templo. Vecina la muerte, Jesús grita su abandono. Pero las burlas no cesan. Al morir Jesús, la cortina del santuario se desgarra irreparablemente: el peor de los presagios. Un verdugo se da cuenta de que Jesús ha muerto como el ungido de Dios.

Los testigos. Encabezado por la Magdalena, la madre de Santiago y de José y la Salomé, un grupo nutrido de discípulas ha visto y oído todo.

José, un sanedrita, se atreve a cumplir un deber sacro de la religión y le da sepultura al Ejecutado. Dos mujeres testifican la sepultura. Ellas anclan todo el itinerario del Mesías: desde Galilea hasta Jerusalén, y del pretorio a la tumba. Cae la noche y ellas se adelantan a la salida del sol para ir en búsqueda de Jesús de Nazaret. Toparán con el milagro.

JUEVES SANTO

I LECTURA   Éxodo 12:1–8, 11–14

Lectura del libro del Éxodo

En **aquellos** días, el Señor les dijo a **Moisés** y a **Aarón**
en tierra de **Egipto**:
"**Este mes** será para ustedes el **primero** de **todos** los meses
y el **principio** del año.
Díganle a **toda** la comunidad de Israel:
'El día **diez** de este mes, tomará cada uno un cordero por
familia, uno por **casa**.
Si la familia es **demasiado pequeña** para comérselo,
que se junte **con los vecinos**
y elija un cordero adecuado **al número** de personas
y a la cantidad que **cada cual** pueda comer.
Será un animal **sin defecto**, macho, de un año, cordero o cabrito.

Lo guardarán hasta el día **catorce** del mes,
cuando **toda la comunidad** de los hijos de Israel
lo inmolará **al atardecer**.
Tomarán la sangre y rociarán **las dos jambas**
y el **dintel de la puerta** de la casa
donde vayan a comer el **cordero**.
Esa noche comerán la **carne, asada** a fuego;
comerán **panes sin levadura** y **hierbas amargas**.
Comerán **así**:
con la **cintura ceñida**, las **sandalias** en los **pies**,
un **bastón** en la **mano** y a **toda prisa**,
porque es la **Pascua**, es decir, el **paso del Señor**.

Es el relato litúrgico de la liberación del pueblo. Las normas son minuciosas y todos deben saber qué hacer a cada momento. Pronuncia las frases como confeccionando ya la fiesta.

Muchos de estos gestos con el cordero se pueden vincular con la pasión de Cristo. Enfatiza lo que sucede con la sangre y la carne de la víctima.

I LECTURA Este relato tiene una historia muy larga, quizá de siglos de composición, que se nota en que se fue actualizando, y para actualizarse se le fueron añadiendo palabras o frases que indican ese camino secular de interpretación. El grupo continuo es el garante de que esta actualización fue legítima. Si las comunidades anteriores no hubieran actualizado el texto, habría perdido significado para ellos y lo habrían dejado en el olvido y quizá ni hubiera llegado hasta nosotros.

En su origen está una fiesta pastoril. Tenía lugar cuando los pastores regresaban de nuevo al desierto, porque ya había algo de pasto. Esto se llama trashumancia. En esta fiesta el pueblo elegido injertó su inicio. Así, cada vez que la celebraba relataba sus orígenes. Como todo relato de orígenes, contiene pocos datos y éstos interpretados. Así pasó con el pueblo de Israel.

Israel se identificó con un origen sombrío: fue esclavo. Pero, claro, aquí hizo empezar su historia de salvación, proclamando su fe en que Dios lo sacó de esa esclavitud, de Egipto. Es muy difícil negar la historicidad de este hecho. Ningún pueblo guarda orígenes negativos, más bien relata sus orígenes brillantes, como es el caso de los imperios que han pasado por la historia mundial.

Para Israel se trata del hecho fundante y decisivo. Su Dios es un Dios que protege y cuida de los débiles. Como originalmente había una fiesta en que se sacrificaba un cordero para ahuyentar a los espíritus maléficos, aquí se habla del cordero que tendrá significado propiciatorio en el culto del templo.

Como decía, en ese relato fundante habrá que distinguir tres tiempos, que la liturgia ha conservado: El tiempo histórico del Éxodo, que guarda pocos datos: un grupo

Yo pasaré esa noche por la tierra de **Egipto**
> y **heriré** a **todos los primogénitos** del país de Egipto,
> desde los hombres **hasta** los ganados.

Castigaré a **todos los dioses** de Egipto, **yo,** el Señor.

La **sangre** les servirá de **señal** en las casas donde **habitan ustedes**.

Cuando yo vea la sangre, **pasaré de largo**
> y **no habrá** entre ustedes **plaga exterminadora**,
> cuando **hiera yo** la tierra de **Egipto**.

Ese día será para ustedes un **memorial**
> y lo celebrarán como **fiesta** en **honor del Señor**.

De generación en generación **celebrarán** esta festividad,
> como **institución perpetua**'".

Este es el momento de la prescripción perpetua. Procura que la comunidad sienta que guarda esa fidelidad a la memoria de la liberación del paso del Señor.

Para meditar

SALMO RESPONSORIAL   Salmo 115:12–13, 15–16, 17–18

R. El cáliz de la bendición es comunión con la sangre de Cristo.

¿Cómo pagaré al Señor / todo el bien que me ha hecho? / Alzaré la copa de la salvación, / invocando su nombre. R.

Mucho le cuesta al Señor / la muerte de sus fieles. / Señor, yo soy tu siervo, siervo tuyo, hijo de tu esclava; / rompiste mis cadenas. R.

Te ofreceré un sacrificio de alabanza, / invocando tu nombre, Señor. / Cumpliré al Señor mis votos, / en presencia de todo el pueblo. R.

II LECTURA   1 Corintios 11:23–26

Lectura de la primera carta del apóstol san Pablo a los corintios

Hermanos:
Yo **recibí** del Señor **lo mismo** que les he **trasmitido**:
> que el **Señor Jesús**, la noche en que iba a ser **entregado**,
> **tomó pan** en sus manos,
> y pronunciando la **acción de gracias**, lo **partió** y **dijo**:

"Esto es mi **cuerpo**, que se entrega por **ustedes**.

Hagan **esto** en **memoria mía**".

Este relato quizá sea el más antiguo que conservamos de la Cena del Señor. Con gran veneración compártelo con la asamblea reunida esta santa noche.

---

pequeño de pastores convertidos en esclavos por un jefe. La salida de esta esclavitud por obra de su Dios, que desde entonces se reconoció como el Dios de este grupo, de los hebreos. El ambiente egipcio del lugar y de los personajes principales. Los transmisores intentaron guardar algo que para ellos era cierto y se quería que así se entendiera.

Segundo, el tiempo litúrgico. Hay una serie de reglas que se deben respetar: el tiempo, tipo de animal, comida consumida conjuntamente, el modo de cocer el cordero.

El tiempo futuro. Hay muchos verbos en futuro, que indican el horizonte en el que

el narrador se pone, Se trata de un memorial: cada vez que una comunidad se reúne (judía o cristiana), se ritualiza el relato y se cumple. Ese tiempo se vuelve tiempo oportuno, que se ofrece la liberación a los que quieren recibirla.

II LECTURA Pablo refiere a la Cena del Señor para argumentar contra el divisionismo padecido en la comunidad de Corinto. No busca prescribir cómo celebrar la Eucaristía. Todos lo saben.

Incluido Pablo, todos han recibido por tradición lo referente a la Cena del Señor. El

modo de hablar nos lleva hacia el año 35, tiempo en el que se habría formado esa venerable tradición.

La fórmula de esta tradición habla de "la noche en que Jesús fue entregado", por lo tanto, del viernes, dado que en el Oriente el día inicia a la tarde, Jesús entregó esa noche, por medio de sus palabras de bendición sobre el pan y el vino, el significado de su inminente muerte. El texto paulino habla de ser entregado. No sólo se refiere este verbo a los autores humanos de esta entrega, sino, sobre todo, a la entrega generosa de parte del Padre. El Padre entregó a su

Palabras y gestos deben ser elocuentes, y hablar por sí solos. No sobreactúes ni recargues tu voz con acentos que quiten la atención imaginaria del pan y de la copa de bendición. Luego levanta los ojos más allá de la asamblea, para pronunciar la frase de la venida futura del Señor.

Lo **mismo** hizo con el cáliz **después** de cenar, diciendo:
"Este **cáliz** es la **nueva alianza** que se sella con mi **sangre**.
Hagan **esto** en **memoria mía** siempre que **beban** de él".

Por eso,
    cada vez que ustedes comen de **este pan** y beben de **este cáliz**,
    proclaman la muerte del Señor, **hasta que vuelva**.

EVANGELIO   Juan 13:1–15

Lectura del santo Evangelio según san Juan

Antes de la fiesta de la **Pascua**,
    sabiendo Jesús que había **llegado** la hora
    de pasar de este mundo al **Padre**
    y habiendo amado a los **suyos**, que estaban en el **mundo**,
    los amó **hasta el extremo**.

Haz que resalte la conciencia amorosa de Jesús, lo que sabe y lo que ama.

En el transcurso de la **cena**,
    cuando ya el **diablo** había puesto en el corazón
      de **Judas Iscariote**, hijo de **Simón**,
    la idea de **entregarlo**,
Jesús, **consciente** de que el Padre había puesto en sus manos
      todas las cosas
    y **sabiendo** que había **salido** de Dios y a Dios **volvía**,
    se levantó de la mesa, **se quitó** el manto
    y tomando una **toalla**, se la **ciñó**;
    luego **echó agua** en una **jofaina**
    y se puso a **lavarles los pies** a los **discípulos**
    y a **secárselos** con la **toalla** que se había **ceñido**.

El lavatorio es un profundo gesto simbólico y sacramental. Encarna tu propio servicio de donación de la vida en las palabras que pronuncias ante la asamblea.

Hijo, para nuestra salvación. Esta entrega que llega hasta nosotros en la fracción del pan y la copa del vino, símbolos de la entrega perfecta de la persona de Jesús.

Pablo critica las divisiones que se dan hasta en la celebración litúrgica. La Cena muestra la unidad de los participantes con el Señor y con la comunidad cristiana. Por lo tanto, lo que algunos corintios hacen es lo contrario de lo que el sacramento significa. Los pobres en la misma reunión eucarística sufren el desprecio de los más ricos. La consecuencia es clara: no se pude participar en la Eucaristía, si no se participa en la vida comunitaria. La comunión con Jesús en el pan y el cáliz de bendición, es la comunión con la comunidad y, al revés, la comunión con la comunidad, permite la comunión con el pan y el vino.

EVANGELIO | San Juan juega con el sentido de la palabra 'pascua' al descifrarla como el paso de Jesús al Padre. La fiesta nacional celebraba el paso del ángel exterminador hiriendo a los primogénitos en las casas egipcias y exentando a los de las casas hebreas; pero en el imaginario popular estaba el paso del mar que permitió salir de la esclavitud y adentrarse en los caminos de la libertad y la dignidad para ser pueblo, pueblo de Dios. Ahora, el paso pascual de Jesús está marcado por el amor extremo a los suyos. Es la transición hacia la gloria del Padre.

Lo que Jesús realiza con los discípulos, Judas incluido, al lavarles los pies, es un acto de poder, como Señor y Maestro. Pero no es el poder entendido como la fuerza que doblega y se impone sobre otro. Jesús es Señor (*kyrios*) porque el Padre 'le ha puesto todas las cosas en sus manos'. De modo que lo que realiza Jesús, lo ejecuta en razón

El diálogo con Pedro refleja la actitud de quien no puede mirar con otros ojos. Haz que el Maestro brille en la explicación que le da al discípulo.

Cuando llegó a **Simón Pedro**, éste le dijo:
"Señor, ¿me vas a lavar tú **a mí** los pies?"
Jesús le replicó:
"Lo que estoy haciendo tú no lo entiendes **ahora,**
   pero lo comprenderás **más tarde".**
Pedro le dijo: "Tú **no** me lavarás los pies **jamás".**
Jesús le contestó: "Si no te lavo, **no tendrás parte** conmigo".
Entonces le dijo Simón Pedro:
"En ese caso, Señor, **no sólo** los pies,
   sino **también** las **manos** y la **cabeza".**
Jesús le dijo:
"El que se ha **bañado** no **necesita** lavarse más que los **pies,**
   porque **todo él** está limpio.
Y **ustedes** están **limpios,** aunque no **todos".**
Como **sabía** quién lo iba a entregar, **por eso** dijo:
'No todos están **limpios'.**

Cuando **acabó** de lavarles los **pies,**
   se puso **otra vez** el manto, **volvió** a la mesa y les **dijo:**
"¿Comprenden lo que acabo de hacer con **ustedes?**
Ustedes me llaman **Maestro** y **Señor,** y dicen bien, porque **lo soy.**
Pues si **yo,** que soy el **Maestro** y el Señor, **les he lavado los pies,**
   también ustedes deben lavarse los pies **los unos a los otros.**
Les he dado **ejemplo,**
   para que lo que yo he hecho **con ustedes,**
   también ustedes lo **hagan".**

La instrucción debe ser reposada y consecuente. Redondea con seguridad el mandato de hacer lo mismo que ha hecho el Señor.

de su soberanía más absoluta, su condición de Hijo. Por esto mismo, el lavatorio de los pies lleva y entrega toda la potencia de la salvación porque revela quién es Jesús, y cómo quiere ser recibido.

Lavar los pies de otro era tarea de esclavos no judíos, de mujeres, o, excepcionalmente, de la esposa a su esposo. Era un gesto exquisito de hospitalidad, cuando se lo dispensaba el anfitrión, por medio de algún esclavo, a sus invitados a banquetear. Jesús lo hace durante la cena, sin intermediario alguno. Lo hace él mismo, y transgrede la normativa social, étnica y de género,

con tal de que su grupo de discípulos entienda que los iguala el servicio que Jesús ha realizado en cada uno de ellos. Ellos son ahora sus huéspedes y sus amigos. La relación con él no ha de ser la de esclavo-señor, sino una de personas purificadas con su Purificador.

Pero el acto de poder de Jesús transforma a los suyos para que "tomen parte con él", es decir, los hace sus amigos. Pero la transformación fundamental, la que funda la relación con el Cristo, es el modo de relación entre los propios beneficiados.

El mandato de lavarse recíprocamente los pies es tan radical como el amor perfecto de Jesús. El Maestro y el Señor, recrea la relación entre los discípulos y siervos como una de servicio mutuo purificatorio, de mutua hospitalidad, y de mutua dependencia entre seguidores de Jesús. Esto es lo que funda la comunidad, la Iglesia.

La limpieza o purificación la realiza exclusivamente Jesús en su paso desde este mundo al Padre. Es un paso exclusivo de Jesús, que ni Pedro ni ninguno de los discípulos puede dar en su lugar. Sólo él es nuestro Maestro y Señor.

VIERNES SANTO

I LECTURA   Isaías 52:13—53:12

Lectura del libro del profeta Isaías

He aquí que mi siervo **prosperará**,
  será **engrandecido** y **exaltado**,
  será puesto en **alto**.
Muchos se horrorizaron al verlo,
  porque estaba **desfigurado** su semblante,
  que no tenía ya aspecto de **hombre**;
  pero **muchos** pueblos se llenaron de **asombro**.
Ante **él** los **reyes** cerrarán la **boca**,
  porque **verán** lo que **nunca** se les había contado
  y **comprenderán** lo que **nunca** se habían imaginado.

¿**Quién** habrá de **creer** lo que hemos anunciado?
¿A **quién** se le revelará el **poder** del Señor?
Creció en su **presencia** como planta **débil**,
  como una **raíz** en el **desierto**.
No tenía **gracia** ni **belleza**.
No vimos en él **ningún** aspecto atrayente;
  despreciado y **rechazado** por los hombres,
  varón de **dolores**, habituado al **sufrimiento**;
  como uno del cual **se aparta** la mirada,
  despreciado y **desestimado**.

Él soportó nuestros **sufrimientos**
  y aguantó nuestros **dolores**;
  nosotros lo tuvimos por **leproso**,
  herido por Dios y **humillado**,

Aquí se describe con asombro y pasmo la desventura inhumana del Siervo de Dios. Adopta esa actitud de quedarte como sin habla ante la descripción.

Las preguntas deben interrogar a los presentes, involucrarlos. Haz esta descripción con cierto dramatismo en la voz.

Aquí asóciate con la asamblea al Siervo; la primera persona de plural tiene que ser enfatizada.

| I LECTURA | En estos versos de Is 52:13-53:12 está el más bello y famoso de los cuatro cantos del Siervo del Señor. La Iglesia lo escoge para dar una interpretación profunda de la muerte del Señor Jesús desde la perspectiva del Antiguo Testamento.

Este canto consta de cuatro partes, correspondiendo la primera y cuarta a la voz divina. En medio se encuentran dos estrofas. En la segunda comenta la comunidad la suerte del Siervo y en la tercera se deja oír la voz del Siervo.

Toda la vida del Siervo, desde su nacimiento hasta su muerte, estuvo impregnada del sufrimiento. Ese sufrimiento fue una consecuencia de su llamada profética. Esta misión ante el pueblo lo llevó al rechazo por parte del pueblo. Más aún, esta repulsa estuvo impregnada de sufrimientos sin fin. No sólo tuvo el Siervo el dolor externo, sino también el interno. Llegó a sentir que su vida era un fracaso, que no había llegado a su objetivo. En momentos tuvo la impresión aún de ser abandonado y rechazado por Dios mismo. Lo llamaron "hombre de dolores".

Este sufrimiento fue querido por Dios, porque tenía una finalidad: "Por su medio triunfará el plan de Dios" (53:10b). Es que "El Señor cargó sobre él todos nuestros crímenes" 53:6b. El sufrimiento pertenece a la misión profética. El Siervo conscientemente se entregó a este sufrimiento. Poco a poco se va a revelar que este sufrimiento puede ser un medio positivo. Entregarse a este sufrimiento va a ser tomado por Jesús. Lo hará al entregarse a la muerte por nosotros: acto supremo de amor.

El sufrimiento por otros tendrá un sentido soteriológico. El Siervo inocente, va a

traspasado por **nuestras** rebeliones,
　　triturado por **nuestros** crímenes.
Él soportó el **castigo** que nos trae la **paz**.
Por sus **llagas** hemos sido **curados**.

Todos andábamos **errantes** como ovejas,
　　cada uno siguiendo su camino,
　　y el **Señor** cargó sobre él **todos** nuestros crímenes.
Cuando lo **maltrataban**, se **humillaba** y **no** abría la **boca**,
　　como un **cordero** llevado a degollar;
　　como **oveja** ante el esquilador,
　　enmudecía y **no** abría la **boca**.

Inicuamente y **contra toda justicia** se lo llevaron.
¿**Quién** se preocupó de su **suerte**?
Lo **arrancaron** de la tierra de los **vivos**,
　　lo hirieron de **muerte** por los **pecados** de mi **pueblo**,
　　le dieron **sepultura** con los **malhechores** a la hora de su **muerte**,
　　aunque **no** había cometido **crímenes**, ni hubo **engaño**
　　　　en su **boca**.

El **Señor** quiso triturarlo con el **sufrimiento**.
Cuando entregue **su vida** como expiación,
　　verá a sus **descendientes**, prolongará sus **años**
　　y por medio de **él** prosperarán los **designios** del Señor.
Por las **fatigas** de su **alma**, verá la **luz** y se **saciará**;
　　con sus **sufrimientos** justificará mi siervo a **muchos**,
　　cargando con los **crímenes** de ellos.

Por eso le daré una parte entre los **grandes**,
　　y con los **fuertes** repartirá **despojos**,
　　ya que **indefenso** se entregó a la **muerte**
　　y fue contado entre los **malhechores**,
　　cuando tomó sobre sí las **culpas de todos**
　　e **intercedió** por los **pecadores**.

Separa este párrafo en dos. Uno marcado por la presencia del nosotros, y la otra con lo que otros lo hacen padecer.

El asesinato injusto del siervo tiene una razón: "los pecados de mi pueblo". Esta frase pronúnciala con sentido de una confesión.

Esta parte es misteriosa y apunta al futuro brillante y glorioso del siervo. Refuerza las líneas de la expiación: los sufrimientos vicarios que consiguen la salvación.

En esta parte hay que elevar la voz hasta el primer punto y aparte. Luego inicia a declinar, pero sin que se apague la intensidad de tu voz.

---

morir por los pecados del pueblo, de los "muchos". Eso será objeto de una revelación, pues se le había tenido por un maldito por Dios.

Para muchos autores este Siervo es una prefiguración de Israel que, exiliado, ha sufrido y comprendido que su sufrimiento, a veces sin tener una clara idea del porqué, fue tomando por la profecía como sufrimiento redentor. Israel sufrirá por muchos. Quedará abierta esta figura profética de un individuo, un profeta, o el pueblo de Israel, para ser llanada perfectamente por Jesús. Los discípulos pensaban que lo de Jesús

había sido un fracaso, pero después de la resurrección, entendieron que este sufrimiento y muerte del Señor, había sido para la salvación de todos.

II LECTURA En esta homilía, pues esto es la llamada Carta a los Hebreos, el autor interpreta por medio de Jesús el Antiguo Testamento. Escoge textos y figuras claves del AT y, por medio de la explicación alegórica, basada en semejanzas, visualiza ya en lo antiguo la figura de Jesús.

La figura que toma el autor en ese texto, es la del sumo sacerdote. El sacerdote tenía en el AT el papel de intermediario, sobre todo en el culto, que era el medio por el cual el israelita se acercaba más a Dios.

La lectura de hoy tiene dos partes: la primera invita a la reflexión. Proclama que en Jesús nosotros tenemos un sumo sacerdote perfecto. Primeramente, entró no sólo en el Santo de los Santos, sino en el mismo cielo. Como mediador, Jesús conoce bien a los hombres, pues participó de nuestra humanidad en todo, menos en el pecado. Por esto conoce nuestras necesidades.

Para meditar

SALMO RESPONSORIAL   Salmo 30:2 y 6, 12–13, 15–16, 17 y 25

R. Padre, a tus manos encomiendo mi espíritu.

A ti, Señor, me acojo: / no quede yo nunca defraudado; / tú que eres justo, ponme a salvo. / En tus manos encomiendo mi espíritu: / tú, el Dios leal, me librarás. R.

Soy la burla de todos mis enemigos, / la irrisión de mis vecinos, / el espanto de mis conocidos; / me ven por la calle y escapan de mí. / Me han olvidado como a un muerto, / me han desechado como a un cacharro inútil. R.

Pero yo confío en ti, / Señor, te digo: "Tú eres mi Dios". / En tu mano están mis azares; / líbrame de los enemigos que me persiguen. R.

Haz brillar tu rostro sobre tu siervo, / sálvame por tu misericordia. / Sean fuertes y valientes de corazón, / los que esperan en el Señor. R.

II LECTURA   Hebreos 4:14–16; 5:7–9

Lectura de la carta a los hebreos

Es una exhortación a la fidelidad y a la firmeza en medio de las dificultades. Ten muy clara tu actitud y tu ánimo, visualizando las dificultades que tienen que enfrentar los miembros de la asamblea.

Hermanos:
Jesús, el **Hijo de Dios**, es nuestro **sumo sacerdote**,
    que ha entrado en el **cielo**.
Mantengamos **firme** la profesión de **nuestra fe**.
En **efecto**,
    no tenemos un **sumo sacerdote**
    que no sea capaz de **compadecerse** de nuestros **sufrimientos**,
    puesto que **él mismo** ha pasado
    por las **mismas pruebas** que nosotros, **excepto el pecado**.
Acerquémonos, por tanto,
    con **plena confianza** al trono de la **gracia**,
    para recibir **misericordia**,
    hallar la **gracia** y obtener **ayuda** en el momento **oportuno**.

La atención se vuelve al Cristo sumo sacerdote celeste. Enfatiza las palabras que hablan de que su perfección nos lo ha convertido en "causa de salvación eterna".

Precisamente por eso, **Cristo**, durante su vida **mortal**,
    ofreció **oraciones** y **súplicas**, con fuertes **voces** y **lágrimas**,
    a **aquel** que podía librarlo de la **muerte**,
      y fue **escuchado** por su **piedad**.

Segundo, está con Dios, pues ya entró, por su resurrección, al lugar donde se encuentra el Padre. Es Jesús el mediador perfecto, con el que podemos contar con toda seguridad.

La segunda parte del texto lleva al drama de la pasión. El sumo sacerdote ha bajado a la miseria humana más baja y desde su angustia real ha gritado, pidiendo ayuda a su Padre. Reflejo de lo de Getsemaní o de la crucifixión. Pero se ha mantenido en una plena confianza a su Padre. Con esto ha mostrado el camino, del que tantas veces habló en su vida terrena. Jesús no sólo es un maestro. Él así se llamó. Pero esto no lo define en su plena identidad.

Pablo acepta que los corintios llamen a Jesús Rey de la gloria, pero añadiéndole crucificado. Así completó el mismo Jesús su identidad cuando Pedro confesó la fe ante él, en Cesarea de Filipo. Añadió entonces Jesús que "el Hijo del Hombre tenía que padecer mucho, ser rechazado por los ancianos, los sumos sacerdotes y los letrados, sufrir la muerte y después de tres días resucitar" (Mc 8:31). Lo mismo dice la lectura de hoy: "aprendió sufriendo lo que es obedecer, y así alcanzó la perfección" vv. 8–9.

Hoy celebramos la muerte del Señor con la cual nos redimió. O, como dice la homilía: "un Sumo sacerdote que penetró en el cielo" (v. 14).

EVANGELIO   El relato de la pasión que nos hace san Juan tiene acentos tan suyos que no pocos lo quieren entender más como "la marcha del rey a su gloria" que como un proceso vergonzoso y deshumanizante. Y esto lo dicen porque en cada momento del proceso, Jesús se conduce con plena soberanía y conciencia; sus enemigos nunca comandan a voluntad,

A pesar de que era el **Hijo**, aprendió a **obedecer** padeciendo,
   y llegado a su **perfección**, se convirtió en la **causa**
      de la **salvación eterna**
   para **todos** los que lo **obedecen**.

EVANGELIO   Juan 18:1—19:42

Pasión de nuestro Señor Jesucristo según san Juan

En **aquel** tiempo,
Jesús fue con sus **discípulos** al otro lado del torrente **Cedrón**,
      donde había un **huerto**,
   y entraron allí **él** y sus **discípulos**.
Judas, el **traidor**, conocía **también** el sitio,
   porque **Jesús** se reunía **a menudo** allí con sus **discípulos**.

Entonces **Judas** tomó un batallón de **soldados**
   y **guardias** de los **sumos sacerdotes** y de los **fariseos**
   y entró en el huerto con **linternas**, **antorchas** y **armas**.

Jesús, sabiendo **todo** lo que iba a suceder, se **adelantó** y les **dijo**:
"¿**A quién** buscan?"
Le contestaron: "A **Jesús, el nazareno**".
Les dijo Jesús: "**Yo soy**".
Estaba **también** con ellos **Judas**, el **traidor**.
Al decirles "**Yo soy**", retrocedieron y **cayeron a tierra**.
Jesús les **volvió** a preguntar: "¿**A quién** buscan?"
Ellos dijeron: "A **Jesús, el nazareno**".
Jesús contestó:
"Les he dicho que **soy yo**.
      Si me buscan **a mí**, dejen que **éstos** se vayan".
Así **se cumplió** lo que Jesús había **dicho**:
   'No he perdido a **ninguno** de los que me diste'.

Hay que distribuir adecuadamente esta la lectura de la pasión, para que la asamblea se disponga a la contemplación del misterio de la salvación. Recuerda que no hay saludo ni signado inicial para esta lectura. Los primeros párrafos dan las coordenadas generales; no lo leas a gran velocidad.

Desde este diálogo debe quedar muy clara la soberanía de Jesús y la condición servil y violenta de los que lo apresan. Acentúa las palabras en negrilla.

pues hay una voluntad que los rebasa, aunque no la pueden comprender. Son las Escrituras, la voluntad del Padre, las que van señalando la ruta del Mesías soberano, incluso en este tránsito tan pesado y humillante que acabará en la cruz. Sin embargo, el creyente sabe que Jesús transita a la gloria de su Padre, no sin antes cumplir a cabalidad el mandato que recibió de él. Esta es la visión que san Juan inculca en sus lectores.

Que los cristianos tuvieran a un Crucificado por Hijo de Dios, era algo aberrante e insostenible, a los ojos de la gente bien, a los sensatos y normales. Y es que la crucifixión era la condena romana que se aplicaba a los criminales más despreciables y repugnantes. Había otras condenas a muerte, terribles también, como la decapitación, o la de ser arrojados a las fieras salvajes en los espectáculos del teatro ante la complacencia de los asistentes, pero ninguna tan cruel ni vergonzante como la crucifixión, pues traía consigo el repudio social general, en un mundo bellamente ordenado por los dioses romanos, aclamados en las liturgias de la religión oficial, encabezada por la diosa Roma y su lugarteniente, el César. El imperio o mando del César era más evidente en el comando de las fieras legiones diseminadas por todo el imperio, incluida Judea que albergaba una guarnición militar en la fortaleza Antonia, ubicada junto al muro sur del templo, para mantener el sometimiento de los judíos. El poder salvador del imperio no requería de mucha argumentación, la gente lo percibía a cada paso de la vida diaria.

Que Jesús se proclamara Rey de los judíos, sin un ejército bajo su comando provocaría las burlas de muchos, y la perplejidad en algunos pocos; sin embargo, sus escasos seguidores, los posteriores grupos de cristianos, se lo tomaban muy en serio.

Pedro interrumpe la secuencia con una acción violenta. La corrección a Pedro debe traslucir cierta impaciencia de Jesús.

Entonces **Simón Pedro**, que llevaba una **espada**,
    la sacó e **hirió** a un **criado** del sumo sacerdote
        y **le cortó la oreja** derecha.
Este criado se llamaba **Malco**.
Dijo **entonces** Jesús a Pedro:
"**Mete** la espada en la **vaina**.
¿No voy a beber el **cáliz** que me ha dado mi **Padre?**"

El **batallón**, su **comandante** y los **criados** de los judíos
    apresaron a Jesús,
    lo **ataron** y lo llevaron **primero** ante **Anás**,
    porque era suegro de **Caifás**, sumo sacerdote **aquel año**.
Caifás era el que había dado a los judíos **este consejo**:
'Conviene que muera **un solo hombre** por el pueblo'.

Simón Pedro y **otro** discípulo **iban siguiendo** a Jesús.
Este discípulo era **conocido** del sumo sacerdote
    y **entró** con Jesús en el **palacio** del sumo sacerdote,
        mientras Pedro **se quedaba fuera**, junto a la puerta.
Salió el otro discípulo, el **conocido** del sumo sacerdote,
    habló con la portera e **hizo entrar** a Pedro.
La portera dijo **entonces** a Pedro:
"¿No eres **tú también** uno de los discípulos de **ese** hombre?"
Él le dijo: "**No lo soy**".
Los **criados** y los **guardias** habían encendido un **brasero**,
    porque hacía **frío**, y se **calentaban**.
También **Pedro** estaba con ellos de pie, **calentándose**.

La respuesta de Pedro debe sonar empapada de miedo.

El **sumo sacerdote** interrogó a **Jesús**
    acerca de sus **discípulos** y de su **doctrina**.
Jesús le contestó:
"Yo he hablado **abiertamente** al mundo
    y he enseñado **continuamente** en la sinagoga y en el templo,
        donde se reúnen **todos** los judíos,
    y no he dicho **nada** a escondidas.
¿**Por qué** me interrogas **a mí**?

Jesús está en control de la situación en todo momento. Haz que sus palabras suenen con dignidad y altura.
Nada de doblegarse o darle la vuelta a la pregunta.

Radicalmente en serio, pues era natural consecuencia aceptar que Dios lo resucitó de entre los muertos. No podía haber mejor prueba del mesianismo de Jesús de Nazaret. Sí, Dios reivindicó a ese Jesús, haciéndolo Señor de vivos y muertos. Lo ha entronizado a su derecha, y es más rey que el propio César. De este convencimiento resulta que la realeza de Jesús, su mesianismo soberano, implica para los creyentes la obediencia sin restricciones a sus mandatos, como el modo único de vivir agradando a Dios, de vivir a plenitud, como Jesús.

Conforme leemos el relato de la pasión, podemos notar cómo van latiendo en él palabras de las Escrituras que van como bordando el desarrollo de todos los eventos, y, de vez en vez, nos dan las claves para detenernos a meditarlos. Así notamos que los que escuchaban estos relatos, nuestros ancestros en la fe, se iban familiarizando con las Escrituras y podían expresar y comprender que lo sucedido en Jesús de Nazaret cobraba sentido sólo conectado con la revelación escrita del Dios que salva a su pueblo. Sin Escrituras no se percibe el poder de Dios obrando en Jesús. Estamos como

dentro de un juego de espejos en el que los eventos acaecidos reciben luz de las Escrituras, y la reflejan porque se expresan con sus palabras, como que la repiten, la condensan y re-transmiten pero con una marca nueva, la que le da el Espíritu de Dios que salva y alienta la vida humana de una generación a otra. Esa palabra remodelada va adquiriendo también su propia forma de las comunidades que la acogen, veneran y comunican con su propia vida, aun cuando esa vida sea humillada, lacerada y cercenada por la maldad incrustada en los sistemas y modos de organización. Así, en el dolor del

Interroga a los que me han **oído**, sobre lo que les he hablado.
Ellos saben lo que he dicho".

Apenas dijo esto, uno de los guardias
     le dio una **bofetada** a Jesús, diciéndole:
"¿**Así** contestas al **sumo sacerdote**?"
Jesús le respondió:
"Si he faltado al hablar, **demuestra** en qué he fallado;
     pero si he hablado como **se debe**, ¿**por qué** me pegas?"
Entonces **Anás** lo envió atado a **Caifás**, el sumo sacerdote.

Simón Pedro estaba de pie, **calentándose**, y le dijeron:
"¿No eres **tú también** uno de sus discípulos?"
Él lo negó diciendo: "**No lo soy**".
Uno de los **criados** del sumo sacerdote,
     pariente de aquel a quien Pedro le había **cortado** la **oreja**, le dijo:
     "¿Qué no te vi yo **con él** en el **huerto**?"
Pedro **volvió a negarlo** y enseguida **cantó un gallo**.

Llevaron a Jesús de casa de Caifás **al pretorio**.
Era **muy de mañana** y ellos **no entraron** en el palacio
     para no incurrir en **impureza**
     y poder así **comer** la cena de Pascua.

Salió entonces **Pilato** a donde estaban ellos y les dijo:
"¿**De qué** acusan a ese hombre?"
Le contestaron: "Si **éste** no fuera un **malhechor**,
     no te lo hubiéramos **traído**".
Pilato les dijo: " Pues **llévenselo** y júzguenlo **según su ley**".
Los **judíos** le respondieron:
"No estamos **autorizados** para dar muerte a **nadie**".
Así **se cumplió** lo que había dicho **Jesús**,
     indicando **de qué muerte** iba a morir.

Entró **otra vez** Pilato en el pretorio, **llamó** a Jesús y le **dijo**:
"¿Eres **tú** el **rey de los judíos**?"
Jesús le contestó: "¿Eso lo preguntas **por tu cuenta**
     o te lo han dicho **otros**?"

Jesús reacciona enérgicamente ante el abusivo guardia. El tono debe ser tajante, no de falsa humildad ni blandengue.

Las palabras de Pedro deben llevar la carga de la impaciencia por salir del paso; rápidas e inseguras.

Pilato se comporta con cierta indiferencia y desprecio hacia los judíos acusadores.

El interrogatorio es privado. Jesús se comporta con gallardía y autonomía, como si no estuviera preso.

Cristo se pegan los sufrimientos de los creyentes. Por eso, las Escrituras se vuelven Palabra de Dios cuando alientan la vida, dan esperanza, recrean y modelan un mundo nuevo. Esto pasa al escuchar y compartir la historia de Jesús, el Rey de los judíos, el Mesías crucificado. Fue en este proceso de vitalidad como los discípulos fueron abatiendo el absurdo de la muerte del Mesías de Dios, hasta transformarlo en un evento de gloria y esperanza.

La secuencia de los eventos en san Juan es casi la consabida: aprehensión del Mesías, comparecencia ante Anás (exclusiva de Juan) y negaciones de Pedro, comparecencia pública ante Pilato y consecuente condena a muerte, ejecución en cruz y sepultura. Pero en cada episodio, el evangelista entrega su propio modo de percibir los eventos, al hilarlos en el horizonte majestuoso de la gloria que el Padre confiere a su Ungido.

En el episodio de la aprehensión salta a los ojos el contraste entre la luz y las tinieblas. Los enemigos de Jesús, numerosos, armados y sumidos en la ignorancia de los esbirros, contrastan con la palabra lúcida, poderosa y soberana del Mesías.

Dos de los discípulos de su grupo se mueven entre la luz y las tinieblas: Judas y Pedro. Jesús reprueba la violencia de la espada del segundo y las buenas maneras del que les descubrió a los enemigos el lugar de la reunión discipular. Jesús, se defiende siempre, sin perder pizca de su soberanía. El triple 'Yo soy' del texto, deja ver quién goza de la protección divina. El Nazoreo les abre la puerta a las ovejas de su redil para que salven la vida; él mismo se entrega, pues el cáliz entregado por el Padre le compete sólo a Jesús beberlo. Y en cuanto el Nazoreo lo permite, lo apresan.

Pilato le respondió: "¿**Acaso** soy yo judío?
Tu **pueblo** y los **sumos sacerdotes** te han entregado **a mí**.
¿**Qué** es lo que has hecho?"
Jesús le contestó:
"Mi Reino **no es** de este mundo.
Si mi Reino **fuera** de este mundo,
    mis **servidores** habrían **luchado**
        para que **no cayera** yo en manos de los **judíos**.
    Pero mi Reino **no es** de aquí".
Pilato le dijo: "¿Conque **tú eres rey**?"
Jesús le contestó:
"**Tú** lo has dicho. **Soy rey**.
Yo nací y **vine al mundo** para ser **testigo** de la **verdad**.
Todo el que es de la verdad, **escucha** mi voz".
Pilato le dijo: "¿Y **qué es** la verdad?"

Dicho **esto**, salió **otra vez** a donde estaban los **judíos** y les dijo:
"No encuentro en él **ninguna culpa**.
Entre ustedes es **costumbre** que por Pascua
    ponga en **libertad** a un **preso**.
¿Quieren que les **suelte** al **rey** de los **judíos**?"
Pero todos ellos gritaron: "¡**No, a ése no**! ¡A **Barrabás**!"
(El tal **Barrabás** era un **bandido**.)

Entonces Pilato **tomó** a Jesús y **lo mandó azotar**.
Los **soldados** trenzaron una **corona de espinas**,
    se la pusieron en la **cabeza**,
    le echaron encima un **manto** color **púrpura**,
    y **acercándose** a él, le decían: "¡**Viva** el **rey** de los **judíos**!",
        y le daban **bofetadas**.

Pilato salió **otra vez** afuera y les dijo:
"**Aquí** lo traigo para que sepan que **no encuentro** en él
        ninguna culpa".
Salió, pues, Jesús llevando la **corona de espinas**
        y el **manto** color **púrpura**.

Aunque Pilato declara la inocencia, no muestra interés por la justicia sino por complacer al populacho.

Las burlas son infames, ofensivas. Hay que dejar que la indignación crezca entre la asamblea.

Atado, conducen a Jesús ante Anás, quien sin tener ninguna función administrativa, era el poder detrás de Caifás, sumo sacerdote y presidente del sanedrín entonces. En un doble escenario simultáneo, san Juan destaca la integridad pública y soberana del Maestro Jesús ante Anás, y, como a contraluz, afuera, la vergonzosa figura de Pedro negando ser discípulo del acusado.

Adentro, Jesús niega la información requerida por el pontífice recurriendo a la publicidad y desenmascarando al verdadero autor del complot en su contra. Anás, sin ninguna función administrativa, golpea al

amparo de la oscuridad y ha maquinado la muerte de Jesús. Jesús, al contrario, no tiene nada que ocultar, ha enseñado en lugares públicos y sus enseñanzas son conocidas de todo el mundo. Todos los judíos han escuchado sus palabras. Esta entereza y audacia en la respuesta no es la que se esperaría de un criminal o alguien que se sabe sorprendido en alguna falta. La dignidad de Jesús está intacta y no se pliegan ante quien hace de su autoridad (sagrada) la razón para agredir y abusar de quien tiene claro su mensaje profético. Un guardia toma la respuesta de Jesús por insolencia y abofetea a

Jesús, defendiendo el honor del pontífice. Es cobardía golpear un indefenso. Alinearse con los poderosos es lo que hacen los siervos. La vocación a la libertad y a la verdad le quedan lejos, todavía. Pero Jesús no tolera la irracional humillación que pretenden infligirle en nombre de la autoridad sacra.

Atado, Jesús es conducido a la mano que mueve los hilos, Anás, otro sumo sacerdote del sistema de salvación que tienen en el templo y sus ritos su cúspide.

Sabemos de la habilidad de san Juan para evocar y aludir. La atadura de Jesús recuerda la de Isaac, y la de todas las víctimas

Por primera vez suenan las palabras de la crucifixión. Dales el sentido terrorífico que tienen.

Pilato les dijo: **"Aquí está el hombre"**.
Cuando lo vieron los **sumos sacerdotes**
      y sus servidores, **gritaron:**
"¡Crucifícalo, crucifícalo!"
Pilato les dijo: **"Llévenselo** ustedes y **crucifíquenlo,**
      porque **yo no encuentro** culpa en él".
Los **judíos** le contestaron: "Nosotros tenemos **una ley**
      y según esa ley **tiene que morir,**
      porque se ha declarado **Hijo de Dios"**.

Como si Pilato entrara en shock, enseña cierta angustia mal disimulada en sus palabras, que se va haciendo impaciencia. Jesús no pierde su ecuanimidad.

Cuando Pilato oyó **estas palabras**, se asustó **aún más**,
      y entrando **otra vez** en el **pretorio**, dijo a Jesús:
"¿De dónde eres tú?"
Pero Jesús no le respondió.
Pilato le dijo entonces: **"¿A mí** no me hablas?
¿No sabes que tengo **autoridad** para **soltarte**
      y **autoridad** para **crucificarte?"**
Jesús le contestó: "No tendrías **ninguna autoridad** sobre mí,
      si no te la hubieran dado **de lo alto**.
Por eso, el que me ha **entregado** a ti tiene un **pecado mayor"**.

En este párrafo, las notas de tiempo y lugar son significativos para lo que está sucediendo. Concédeles la relevancia que tienen.

Desde **ese** momento, Pilato **trataba** de soltarlo,
      pero los judíos **gritaban:**
"¡Si sueltas a ése, no eres **amigo** del **César!;**
      porque **todo** el que **pretende** ser **rey**, es **enemigo** del **César"**.
Al oír **estas palabras**, Pilato **sacó** a Jesús y lo **sentó** en el **tribunal,**
      en el sitio que llaman **"el Enlosado"** (en hebreo **Gábbata**).
Era el día de la **preparación** de la Pascua, hacia el **mediodía**.
Y dijo Pilato a los judíos: **"Aquí** tienen a su **rey"**.
Ellos gritaron: **"¡Fuera, fuera! ¡Crucifícalo!"**
Pilato les dijo: **"¿A su rey** voy a **crucificar?"**
Contestaron los **sumos sacerdotes:**
"No tenemos más **rey** que el **César"**.
Entonces se lo **entregó** para que lo **crucificaran**.

del altar, especialmente el cordero. También sabemos que el sacerdote tenía por función principal la del sacrificio y expiar el pecado de Israel.

    Pedro es osado, pero... Amparado en la oscuridad o cobijado por las sombras de la noche, parece dispuesto a jugarse la vida defendiendo a Jesús, pero no cuando su rostro puede ser reconocido a la luz de alguna antorcha o brasero. Al abrirle el paso el discípulo conocido del sumo sacerdote al palacio donde interrogan a Jesús, Pedro niega cualquier ligamen con el Preso, ante la muchachilla que le abre la puerta. Pedro niega

lo evidente, esconde su identidad, pues sabe que ser discípulo de Jesús trae consecuencias desastrosas (cf. 9:22). Hará lo mismo cuando esté en el patio, calentándose con los guardias y criados del sumo sacerdote. El lector sabe bien lo complicado que se ha vuelto la vida a los que confiesen seguir a Jesús; el acoso y la expulsión de la comunidad no todos pueden soportarlos. En este momento Pedro entiende que su seguridad está en riesto y niega ser discípulo de Jesús, cuando adentro, su Maestro solicita que interroguen a quienes lo han oído. La triple negación de Pedro contrasta con los

'yo soy' de Jesús; la víctima sólo puede ser él, nadie más. Es Jesús el que redime a los judíos, el Pastor que da la vida para tomarla de nuevo.

    La comparecencia ante el procurador romano, Poncio Pilato, va delineando con mayor claridad el trasfondo trascendente del quehacer de Jesús, y de los grupos cristianos, cuando a la ideología imperial romana, las palabras de Jesús contraponen la realidad del reino de Dios.

    La comparecencia se desenvuelve en dos escenarios, debido a que los judíos no

Arranca el camino a la cruz. El letrero de la cruz debes leerlo con cierta contundencia. Otro tanto con las palabras de las Escrituras que se van a suceder a partir de aquí.

Tomaron a **Jesús** y él, **cargando** la cruz,
   se dirigió hacia el sitio llamado **"la Calavera"**
      (que en **hebreo** se dice **Gólgota**), donde lo **crucificaron**,
   y con él a **otros dos**, uno de cada lado, y en **medio** a **Jesús**.
Pilato **mandó escribir** un letrero y ponerlo **encima** de la cruz;
   en él estaba escrito: '**Jesús** el **nazareno**, el **rey** de los **judíos**'.
Leyeron el letrero **muchos** judíos
   porque estaba **cerca** el lugar donde crucificaron a **Jesús**
   y estaba escrito en **hebreo, latín y griego**.
Entonces los **sumos sacerdotes** de los judíos le dijeron a **Pilato**:
"**No** escribas: 'El **rey** de los **judíos**', sino: '**Éste** ha dicho: Soy **rey**
      de los **judíos**'".
Pilato les contestó: "Lo escrito, **escrito está**".

Cuando crucificaron a Jesús, los soldados **cogieron** su **ropa**
      e hicieron **cuatro partes**,
   una para **cada** soldado, y **apartaron** la **túnica**.
Era una túnica **sin costura**,
      tejida toda de una **sola** pieza de arriba a abajo.
Por eso se dijeron:
"No la **rasguemos**, sino **echemos suerte** para ver a **quién** le toca".
Así **se cumplió** lo que dice la **Escritura**:
*Se **repartieron** mi **ropa** y **echaron** a **suerte** mi **túnica**.*
Y **eso** hicieron los **soldados**.

Este cuadro está lleno de compasión y ternura. Acércalo a la asamblea con toda piedad.

Junto a la cruz de Jesús estaba su **madre**,
   la **hermana** de su **madre**, **María** la de Cleofás,
      y **María Magdalena**.
Al ver a su **madre** y junto a ella al discípulo que **tanto quería**,
   Jesús dijo a su **madre**:
"**Mujer**, ahí está tu **hijo**".
Luego dijo al **discípulo**: "Ahí está tu **madre**".
Y **desde entonces** el discípulo se la llevó a vivir **con él**.

Relata la muerte de Jesús con suavidad y dulzura que contrasten con la entereza de Jesús en cruz.

Después de esto, **sabiendo** Jesús que **todo** había llegado
      a su **término**,
   para que **se cumpliera** la Escritura, dijo: "**Tengo sed**".

pueden entrar al palacio donde Pilato despacha, porque aquéllos no arriesgan su pureza ritual, requerida para celebrar la pascua. La ironía juánica es punzante: ¡mantienen la pureza ejecutando al inocente! Ellos no pueden ejecutar al Acusado porque los romanos se reservaron el derecho a juzgar asuntos de pena capital. Pilato sale y entra. Oye a unos y a otro. Las acusaciones judías son tan genéricas como injustificadas. Pilato parece no saber cómo conducirse, aunque sabemos, por otras fuentes, que era experto impartiendo justicia y de mano dura con sus gobernados. Él transforma la acusación

judía en una incriminación que el imperio castiga con la cruz. Jesús, sin embargo, adentro, revela y mantiene su realeza.

Jesús admite ser rey, y no tener siervos. Su reinado no es de este mundo, es decir, que no tiene su origen en este mundo, porque nace de arriba, pues es reino de Dios. Dios es el origen del reinado mesiánico y de su Mesías, y tiene por norma la verdad, es decir, la fidelidad de Dios a su pueblo. Los siervos pertenecen a los reinos deshumanizantes que tienen sus raíces en este mundo y que no escuchan la voz del Mesías de Dios.

Los líderes judíos empujan hasta conseguir que 'el malhechor' sea condenado a la cruz; pero lo consiguen a un alto precio: su lealtad al Dios de la alianza. Los rabinos enseñaban que la alianza se había pactado al mediodía, a plena luz. Esa es también la convicción de las Escrituras, que el Dios de Israel no es un dios oscuro, del misterio lejano, al que hay que adivinarle su voluntad, o que mantenga en vilo a sus fieles. No. Dios se ha revelado con toda claridad. Volvamos. Decíamos que san Juan hace renegar a los judíos no sólo del Mesías de Dios, sino de lo que los hace ser pueblo de Dios: "No tenemos

Había allí un **jarro** lleno de **vinagre**.
Los **soldados** sujetaron una **esponja** empapada en **vinagre**
    a una **caña** de **hisopo**
    y se la **acercaron** a la **boca**.
Jesús **probó** el vinagre y dijo: "**Todo está cumplido**",
    e, inclinando la cabeza, **entregó el espíritu**.

[Aquí se arrodillan todos y se hace una breve pausa.]

Entonces, los **judíos**,
    como era el día de **preparación** de la **Pascua**,
    para que los **cuerpos** de los **ajusticiados**
    no se quedaran en la cruz el **sábado**,
    era un día **muy solemne**,
    pidieron a Pilato que les **quebraran** las piernas
      y los **quitaran** de la cruz.
Fueron los soldados, le **quebraron** las piernas a **uno** y luego al **otro**
    de los que habían sido **crucificados con él**.
Pero al llegar a **Jesús**, viendo que **ya había muerto**,
    no le quebraron las piernas,
    sino que uno de los soldados le **traspasó el costado**
      con una **lanza**
    e **inmediatamente** salió **sangre** y **agua**.

El que vio da **testimonio** de esto y su testimonio es **verdadero**
    y él sabe que dice la **verdad**, para que también ustedes **crean**.
Esto sucedió para que **se cumpliera** lo que dice la **Escritura**:
No le quebrarán **ningún** hueso;
    y en **otro lugar** la Escritura dice: **Mirarán** al que **traspasaron**.

Después de esto, **José de Arimatea**, que era **discípulo** de Jesús,
    pero **oculto** por miedo a los judíos,
    pidió a Pilato que lo dejara **llevarse** el cuerpo de Jesús.
Y Pilato lo **autorizó**.
Él fue entonces y **se llevó** el cuerpo.

La lanzada es muy importante en esta lectura; línea tras línea desgránala, no te precipites. Haz una pausa tras la cita bíblica para que la asamblea contemple la visión del traspasado.

Las honras fúnebres corresponden a un rey. Hay que darles esa solemne gravedad que acompaña a todos los ritos.

más rey que el César". Optan por la servidumbre del imperio. Ellos desechan al mesías enviado por Dios. Las declaraciones de Pilato anunciando la inocencia de Jesús no tienen ninguna repercusión, y Jesús acaba siendo entregado una vez más, para ser crucificado.

Ya en el monte de la Calavera, la crucifixión vuelve a dejar patente la realeza de Jesús, proclamada ahora en lenguas entendidas a lo largo y ancho del mundo conocido; ni siquiera la obstinada resistencia judía al Mesías de Dios, impide esta proclamación universal.

Los vestidos de las personas indican su dignidad social. Un crucificado no debe tenerla, por eso lo despojan de todo. No requiere más vestidos, y su desnudez, además de la vergüenza pública, anticipa su muerte irremediable. Una persona desnuda no tiene cabida en la sociedad. Al valor de la túnica, de una sola pieza, se añade que estaba tejida "desde arriba hasta abajo". Es una alusión al origen de la vida del Mesías: de Dios. Un creyente sabe que la túnica del hijo de José, le fue dada por su Padre. Una nueva le guarda su Padre.

A su madre, en cambio, Jesús la entrega al discípulo amado, y a éste a su madre. Este cuadro guarda alguna relación con lo acontecido en Caná de Galilea (Jn 2:1–12). Es la hora de la manifestación mesiánica, y es este discípulo quien habrá de 'reproducir' y prolongar las señales del Mesías.

La muerte de Jesús, lejos de crear ausencia o vacío, es de plenitud total. Las últimas palabras de Jesús resumen todo su itinerario profético de "llevar a término la obra de su Padre" (4:34): la entrega del Espíritu. Gracias a esta donación mesiánica, el grupo de discípulos y discípulas podrá

Ve bajando el ritmo de la lectura conforme se va entrando al sepulcro a depositar el cuerpo de Jesús.

Llegó también **Nicodemo**, el que había ido a verlo **de noche**,
    y trajo unas **cien libras** de una mezcla de **mirra** y **áloe**.

Tomaron el cuerpo de Jesús
    y lo **envolvieron** en lienzos con esos aromas,
    según **se acostumbra enterrar** entre los judíos.
Había un **huerto** en el sitio donde lo **crucificaron**,
    y en el huerto, un **sepulcro nuevo**,
    donde **nadie** había sido enterrado **todavía**.
Y como para los **judíos** era el día de la **preparación** de la **Pascua**
    y el sepulcro estaba **cerca**, allí pusieron a **Jesús**.

comenzar a entender lo que hizo Jesús y el sentido de sus palabras. El Espíritu aportará la comprensión cabal del Mesías e irá adentrando al grupo en la plenitud de la verdad. Así lo entendió la comunidad cristiana.

San Juan enriquece la entronización del Rey de los judíos con la imaginería de los ritos del cordero pascual. La preservación de la integridad de los huesos del cordero estaba estipulada en el ritual de la pascua.

La muerte de Jesús está configurada con el sacrificio y preparación ritual del cordero pascual. Pero además, la integridad de

los huesos era una garantía para participar en la resurrección de los muertos.

Concluye el relato de la crucifixión, con el cuadro de la lanzada, y llevando a la contemplación del Traspasado, a creer en él. Esta escena es un eco de lo que anuncia Zacarías, donde los habitantes de Jerusalén alcanzarán el perdón de sus pecados doliéndose por la muerte de su rey, atravesado por las lanzas enemigas. Aquí san Juan abre la fuente de la purificación para todos los que aceptan su testimonio y la contemplan en el horizonte de las revelaciones del Dios que nos redime.

La sepultura la lleva a cabo José de Arimatea, un oculto seguidor de Jesús, con uno de los miembros del consejo sanedrita, Nicodemo. El primero corre los trámites para el cuerpo, y el otro aporta aromas en cantidad para honrar dignamente al Rey de los judíos. Colocan el cadáver en una tumba nueva, situada en un jardín próximo al Gólgota. El grano de trigo ha caído en tierra, para que el Dios de la vida haga germinar el misterio de la pascua.

VIGILIA PASCUAL

El momento es solemne y es todo un reto darle vivacidad, pero el ritmo y la repetición te van a ayudar a darle intensidad y fuerza.

Dale a cada una de las diez palabras de Dios su peso y espacio propios. Allí arranca todo. Dios es como un rey cuyos decretos se cumplen cabalmente.

I LECTURA   Génesis 1:1—2:2

Lectura del libro de Génesis

En el principio **creó** Dios el **cielo** y la **tierra**.
La tierra era **soledad** y **caos**;
 y las tinieblas **cubrían** la faz del abismo.
El espíritu de Dios **se movía** sobre la superficie de las **aguas**.

Dijo Dios: "Que **exista** la luz", y la luz **existió**.
Vio Dios que la luz **era buena**, y **separó** la luz de las **tinieblas**.
Llamó a la luz **"día"** y a las tinieblas, **"noche"**.
Fue la tarde y la mañana del **primer día**.

Dijo Dios: "Que haya una **bóveda** entre las **aguas**,
 que **separe** unas aguas de **otras**".
E hizo Dios una **bóveda**
 y **separó** con ella las aguas de **arriba**, de las aguas de **abajo**.
Y **así** fue.
Llamó Dios a la bóveda **"cielo"**.
Fue la tarde y la mañana del **segundo día**.

Dijo Dios:
 "Que **se junten** las aguas de **debajo** del cielo en un **solo** lugar
 y que aparezca el **suelo seco**". Y **así** fue.
Llamó Dios "tierra" al suelo seco y "mar" a la masa de las aguas.
Y vio Dios que era **bueno**.

I LECTURA La Vigilia pascual nos deleita con una selección de lecturas bíblicas que nos retratan, en un verdadero resumen, la historia de la salvación.

Empieza con el inicio de la Biblia. Para entrar a una casa, se entra por la puerta. De aquí que la puerta sea cuidada con esmero por sus dueños, sean pobres o ricos. Nadie entra por el corral, ni se preocupa por tenerlo muy hermoso y adornado.

En esta solemne entrada a la Biblia, los editores finales escogieron un bello himno. Un himno letánico. Hay que leerlo, mejor, pronunciarlo como himno: pausadamente y con diversas entonaciones de voz. Hay cinco fórmulas que se repiten cadenciosamente, dando la sonoridad y solemnidad: 1) Dijo Dios; 2) Mandato: Que exista…; 3) Resultado: Y la luz existió…; 4) Aprobación divina; 5) Designación; 6) Ordenación temporal.

Todo el himno va como un río a la mar. Ésta es el descanso del Señor: el sábado. El fin de Dios al crear al mundo, mejor, el universo, fue su gloria. Mediatamente fue el hombre, dado que es su imagen. La finalidad próxima de la creación, es el hombre, creado al final de las 10 obras. El hombre es la imagen y semejanza de Dios. Por mucho tiempo se manejó entre los judíos y cristianos la concepción que la imagen y semejanza del hombre con Dios, consistía en que el hombre era un ser racional o que tenía una alma inmortal. Pero esto no corresponde a lo que pensaban los que escribieron esta parte del Génesis. Más bien hay que ir a su medio oriental para entender lo que ellos significaban con las sustantivas "imagen y semejanza". Con "imagen" ellos querían significar una representación, un retrato de Dios simplemente. Con la otra expresión "semejanza", indicaban la cercanía y lejanía de Dios. Se afirma la coincidencia entre Dios

El esplendor del sol y la luna reflejan la gloria de Dios, dale brillo también a tus palabras.

Dijo Dios: "**Verdee** la tierra con plantas que den semilla
   y **árboles** que den fruto y semilla,
   según su **especie**, sobre la tierra". Y **así** fue.
Brotó de la tierra **hierba verde**, que producía **semilla**,
      según su **especie**,
   y árboles que daban **fruto** y llevaban **semilla**, según su especie.
Y vio Dios que era **bueno**. Fue la tarde y la mañana del **tercer día**.

Dijo Dios: "Que haya **lumbreras** en la bóveda del cielo,
   que separen el **día** de la **noche**,
   señalen las **estaciones**, los **días** y los **años**,
   y **luzcan** en la bóveda del cielo para **iluminar** la tierra".
Y **así** fue.
Hizo Dios las **dos grandes** lumbreras:
   la lumbrera **mayor** para regir el **día**
   y la **menor**, para regir la **noche**;
   y **también** hizo las **estrellas**.
Dios puso las **lumbreras** en la bóveda del cielo
      para **iluminar** la tierra,
   para **regir** el día y la noche, y **separar** la luz de las tinieblas.
Y vio Dios que era **bueno**.
Fue la tarde y la mañana del **cuarto día**.

Dijo Dios: "**Agítense** las aguas con un **hervidero** de
      seres vivientes
   y **revoloteen** sobre la tierra las **aves**, bajo la bóveda del cielo".
Creó Dios los **grandes animales marinos**
   y los **vivientes** que en el agua se **deslizan** y la **pueblan**,
      según su **especie**.
Creó **también** el mundo de las **aves**, según sus **especies**.
Vio Dios que era **bueno** y los **bendijo**, diciendo:
"Sean **fecundos** y **multiplíquense**; llenen las **aguas** del mar;
   que las aves **se multipliquen** en la tierra".
Fue la tarde y la mañana del **quinto día**.

y el hombre, y que, por otro lado, hay una gran cercanía con Dios.

La nada no existe. El autor se la imagina como un caos. De ese caos primordial, Dios crea el mundo. La creación es un dar orden a ese caos. De aquí que lo que más se busque en la Biblia sea guardar este orden, este Shalom, esa integridad. El pecado será producir el desorden y el perdón consistirá en volver a ordenar.

El universo creado por Dios no es divino. Es una creatura, un objeto fabricado por Dios. No es la realidad suprema que mande nuestra vida. La tendencia de darle trascendencia a ciertos elementos de la creación, siempre ha sido una tentación para el hombre. Hoy en día continúa, sólo han cambiado los aspectos bajo los cuales se divinizan partes de nuestro mundo.

Varias veces el narrador se detiene para decir que Dios vio que lo que acababa de crear era bueno. Dios no creó el mal. Éste viene de dentro del hombre, como dirá Jesús. Toda la creación es buena. Las realidades terrestres y naturales son creaturas como el hombre y tienen derecho a que se les respete, de acuerdo a su naturaleza.

Al crear Dios por la palabra, quiere decir que Dios es un ser fundamentalmente comunicativo. Que así como le responden las cosas existiendo, así el hombre le responderá con su palabra. Con él podrá entablar una conversación que se va a prolongar por toda la vida de la humanidad.

Por otro lado, no son nuestras cualidades, deseos o decisiones o las fuerzas impersonales de las organizaciones mundiales las que van a dirigir o cambiar sustancialmente al mundo. La palabra de Dios es la que da y lleva a la felicidad. No estamos abandonados a las fantasías o a nuestros

Dijo Dios: "**Produzca** la tierra vivientes, según sus **especies**:
   animales **domésticos, reptiles** y **fieras**, según sus **especies**".
Y **así** fue.
Hizo Dios las **fieras**, los animales **domésticos** y los **reptiles**,
   cada uno según su especie.
Y vio Dios que era **bueno**.

Dijo Dios: "Hagamos al **hombre** a **nuestra imagen** y **semejanza**;
   que domine a los **peces** del mar, a las **aves** del cielo,
   a los **animales domésticos**
   y a **todo animal** que se arrastra sobre la tierra".

Y creó Dios al **hombre** a su **imagen**;
   a imagen **suya** lo creó;
   hombre y **mujer** los **creó**.

Y los **bendijo** Dios y les **dijo**:
"Sean **fecundos** y **multiplíquense**, llenen la tierra y sométanla;
   dominen a los **peces** del mar, a las **aves** del cielo
   y a **todo ser viviente** que se mueve sobre la tierra".

Y **dijo** Dios:
"**He aquí** que les entrego **todas** las plantas de semilla
   que hay sobre la **faz** de la **tierra**,
   y **todos** los árboles que producen **fruto** y **semilla**,
   para que les sirvan de **alimento**.
Y a **todas** las fieras de la tierra, a **todas** las aves del cielo,
   a **todos** los reptiles de la tierra, a **todos** los seres que respiran,
   también les doy por alimento las **verdes plantas**". Y **así** fue.
Vio Dios **todo** lo que había hecho y lo encontró **muy bueno**.
Fue la tarde y la mañana del sexto día.

Así quedaron concluidos el cielo y la tierra con todos sus
   ornamentos, y terminada su obra, descansó Dios
   el séptimo día de todo cuanto había hecho.

Forma breve: Génesis 1:1, 26–31a

La humanidad es un portento de belleza y complemento. Dale un timbre gozoso a tu voz.

Las frases conclusivas deben redondear todo el quehacer de Dios. Dale énfasis a los vocablos de totalidad y acabamiento.

caprichos. Nos enfrentamos a un mundo, reflejo de un logos, de una palabra inteligente, que nos lo hace comprensible hasta cierto punto y también nos interpela, nos lanza responsabilidades. La palabra de Dios permea toda nuestra vida.

El hombre es temporal. Dios creó el tiempo. Hay una afirmación fundamental: el hombre es temporal porque fue creado en un tiempo en que "hubo tarde y hubo mañana". La eternidad no le pertenece, sino como un sueño. Es un sueño dorado que nunca llegará a realizarse por más que aumente la investigación sobre la extensión de la vida. El hombre es de tierra, de algo destructible que, sobre todo, no produce la vida.

El mundo no es divino. El hombre ha tenido siempre la tentación de absolutizar lo creado o identificarlo con Dios. El mundo es una creatura. Lo creado al tener principio y, por lo tanto, origen, camino sin interrupción a un final. Nada de lo creado puede ser objeto de adoración. No hay obra creada que tenga la capacidad de apagar el deseo humano de completez. Todo lo creado causa enfado y, al final, aburre.

La creación es buena. Ya Jesús dirá que el mal no está en las cosas, que proviene del interior del hombre. El relato genesíaco repite al terminar cada obra, la fórmula de aprobación: "Y vio Dios que era bueno". No solo bueno, sino bello. Ha habido la tentación de despreciar lo mundano en aras de una supuesta espiritualidad. El relato de la creación rechaza ese tipo de espiritualidad artificial. No obstante el mal que se entreteje en nuestro mundo, la bondad lo supera y vence y otorga el suficiente entusiasmo para gozar de esta maravilla que nos entregó Dios con la creación.

Para meditar

SALMO RESPONSORIAL   Salmo 103:1–2a, 5–6, 10, y 12, 13–14, 24, y 35c

R. Envía tu Espíritu, Señor, y repuebla la faz de la tierra.

Bendice, alma mía, al Señor, / ¡Dios mío, qué grande eres! / Te vistes de belleza y majestad, / la luz te envuelve como un manto. R.

Asentaste la tierra sobre sus cimientos, / y no vacilará jamás; / la cubriste con el manto del océano, / y las aguas se posaron sobre las montañas. R.

De los manantiales sacas los ríos / para que fluyan entre los montes, / junto a ellos habitan las aves del cielo, / y entre las frondas se oye su canto. R.

Desde tu morada riegas los montes, / y la tierra se sacia de tu acción fecunda; / haces brotar hierba para los ganados / y forraje para los que sirven al hombre. R.

Cuántas son tus obras, Señor, / y todas las hiciste con sabiduría, / la tierra está llena de tus criaturas. / ¡Bendice, alma mía, al Señor! R.

Alternativo: Salmo 32:4–5, 6–7, 12–13, 20, y 22

II LECTURA   Génesis 22:1–18

Lectura del libro del Génesis

En **aquel** tiempo, Dios le puso una **prueba** a Abraham y le dijo: "**¡Abraham, Abraham!**"
Él respondió: "**Aquí estoy**".
Y **Dios** le dijo:
"**Toma** a tu hijo único, **Isaac**, a quien **tanto** amas;
   vete a la región de **Moria**
   y ofrécemelo **en sacrificio**, en el monte que **yo te indicaré**".

Abraham **madrugó, aparejó** su burro,
   tomó **consigo** a dos de sus criados y a **su hijo Isaac**;
   cortó leña para el sacrificio
   y **se encaminó** al lugar que Dios le había **indicado.**
Al **tercer día** divisó a lo lejos el lugar.

La atadura de Isaac es un relato lleno de tensión dramática. No banalices el desarrollo porque conoces el desenlace. Hay que vibrar con el corazón de Abraham que está siendo puesto a prueba.

Comunica con tu actitud y tono de voz la pesadez de toda esta secuencia de acciones.

II LECTURA Este difícil texto fue mal interpretado, pues representar a un Dios que le dice a un padre que mate a su hijo, es algo que en ninguna religión se puede aceptar, ni siquiera representar.

Ahora la nueva exégesis muestra que este texto se debe entender de una forma diferente. No está detrás de este texto ningún hecho histórico. En el fondo está un relato compuesto para fundamentar la existencia de un lugar de culto, donde se prohibían los sacrificios humanos. El autor o los autores del libro del Génesis tomaron este relato y lo adaptaron a su objetivo, que era presentar un ciclo de la vida de Abraham.

Este relato sirvió para colocar el clímax de la fe de Abraham.

El motivo etiológico que se encuentra en los versos 13 y siguientes, no es más el motivo dominante. En su forma actual, el relato perdió su objetivo primero, el de servir como justificación de un lugar de culto, y adoptó el de ser un relato de una tentación al patriarca Abraham. Se objetivo ahora consiste en afirmar la obediencia de fe de Abraham y su temor de Dios. Todo se subordina a esta finalidad: mostrar la obediencia absoluta a la palabra de Dios, por absurda que parezca.

Como se decía, es un texto problemático, pero es importante en la evolución de la fe de Israel. Se habla de una de las fiestas importantes del pueblo elegido: la *Akedah*, la ligación. Es decir, el hecho de que Isaac fue atado o amarrado. No se le dio ninguna posibilidad de reaccionar o defenderse, por lo cual para el judaísmo rabínico es una fiesta donde la voluntad de Dios coloca a su fiel ante la exigencia más difícil, prácticamente inhumana.

Con este relato el personaje Abraham prácticamente desaparece, pues lo que queda para más adelante es sólo la mención de su muerte. El relato empieza de forma

Les dijo entonces a sus **criados**:
"**Quédense** aquí con el burro;
    yo iré con el muchacho **hasta allá**,
    para **adorar** a Dios y **después** regresaremos".

Abraham **tomó** la leña para el **sacrificio**,
    se la **cargó** a su hijo **Isaac**
    y **tomó** en su mano el **fuego** y el **cuchillo**.
Los dos caminaban **juntos**.
Isaac dijo a su padre Abraham: "**¡Padre!**"
Él respondió: "**¿Qué quieres, hijo?**"
El muchacho contestó:
"Ya tenemos **fuego** y **leña**, pero,
    ¿dónde está el **cordero** para el **sacrificio?**"
Abraham le contestó:
"**Dios** nos dará el cordero para el sacrificio, **hijo mío**".
Y **siguieron** caminando **juntos**.

Cuando **llegaron** al sitio que Dios le había **señalado**,
    Abraham levantó un **altar** y acomodó la **leña**.
Luego **ató** a su hijo Isaac, **lo puso sobre el altar**, encima de la leña,
    y **tomó** el cuchillo para **degollarlo**.

Pero el **ángel** del Señor lo **llamó** desde el cielo y le **dijo**:
"**¡Abraham, Abraham!**" Él contestó: "**Aquí estoy**".
El ángel le dijo: "**No** descargues la mano contra tu **hijo**,
    ni le hagas **daño**.
Ya veo que temes a Dios, porque no le has **negado** a tu hijo **único**".

Abraham **levantó** los ojos y **vio** un **carnero**,
    enredado por los **cuernos** en la **maleza**.
Atrapó el carnero y **lo ofreció** en sacrificio, en **lugar** de su **hijo**.

Es un diálogo que destroza el corazón de cualquier padre o madre de familia. No le restes afecto a las palabras de Abraham.

Las palabras del ángel deben sonar un poco más alto que el tono normal del narrador.

parecida a como había empezado el ciclo de Abraham en el capítulo 12 del Génesis: "Ve...". Un mandato a dejar el pasado y aquí, en el cap. 12, una orden a dejar el futuro. El tiempo es uno de los mejores dones con que cuenta el hombre. Aquí, Dios mismo le quita el tiempo a Abraham. Con esto ya el texto está insinuando lo que va a ser el centro de la narración: la ofrenda de su hijo. Y añade la calificación, que Dios da, al pedirle a Abraham a su hijo: "al que más quieres".

La razón de vida para Abraham, desde el momento en que abandonó Harán, fue un hijo, que alegraría y le daría, sobre todo, la seguridad en su ancianidad. Al engendrar el hijo de la promesa, de una forma inusual, milagrosa, Abraham con el tiempo podía pensar que Isaac era su hijo natural y poco a poco olvidar el origen de su vida. Lo admirable, con el tiempo pierde su brillo y pasa a convertirse a los ojos en algo natural. Así, en la normalidad del fluir de la vida, resulta que Dios le pide a su hijo, es decir, su esperanza.

No es el dolor natural de perder y, aquí, de matar a su propio hijo, lo que está en el fondo del relato, sino la esperanza. Nadie puede vivir sin esperanza. Aunque sea pequeña y negativa, la esperanza empuja al ser humano a vivir. Aquí Dios le pide lo más profundo de su corazón a Abraham: su esperanza y dentro de ésta, su confianza o fe en el Dios familiar. Abraham le obedece a Dios, le da su esperanza y así adquiere el venir a ser el padre de la fe.

Este resulta un punto importante en la historia de la salvación, porque viena ser figura, por otro lado, de ese Getsemaní, que todo cristiano, que cree profundamente en Dios, deberá probar.

III LECTURA Los orígenes son misteriosos como la vida. Por ser misteriosos, son oscuros. Cada semilla contiene ya lo que va a ser, árbol o planta, pero

Abraham puso por **nombre** a aquel sitio **"el Señor provee"**,
    por lo que **aun el día de hoy** se dice:
    "el **monte** donde el **Señor provee"**.

El ángel del Señor **volvió** a llamar a Abraham
    desde el cielo y **le dijo**:
"Juro **por mí mismo,** dice el Señor,
    que por haber hecho **esto**
    y no haberme negado a **tu hijo único,**
    yo te **bendeciré**
    y **multiplicaré** tu descendencia como las **estrellas** del cielo
    y las **arenas** del mar.
Tus descendientes **conquistarán** las ciudades enemigas.
En tu **descendencia** serán **bendecidos**
    todos los pueblos de la tierra,
    porque **obedeciste** a mis **palabras"**.

Forma breve: Génesis 22:1–2, 9a–13, 15–18

Impregna tu voz del triunfo de la obediencia del Patriarca y de la fidelidad reiterada de Dios.

Para meditar

SALMO RESPONSORIAL   Salmo 15:5 y 8, 9–10, 11

R. Protégeme, Dios mío, que me refugio en ti.

El Señor es el lote de mi heredad y mi copa, / mi suerte está en tu mano. / Tengo siempre presente al Señor, / con él a mi derecha no vacilaré. R.

Por eso se me alegra el corazón, / se gozan mis entrañas, / y mi carne descansa serena; / Porque no me entregarás a la muerte / ni dejarás a tu fiel conocer la corrupción. R.

Me enseñarás el sendero de la vida, / me saciarás de gozo en tu presencia, / de alegría perpetua a tu derecha. R.

---

no lo manifiesta. Por otro lado, todo ser humano o pueblo tiene que tener un origen. Israel tuvo su inicio, aunque no sepamos a ciencia cierta cómo haya sido.

La lectura que escuchamos pertenece a los relatos de fundación. Israel se convirtió de un grupo nómada o seminómada en uno con asiento hasta reconocerse como pueblo. Sus recuerdos más antiguos dicen que esto sucedió en Egipto. Un recuerdo que, a diferencia de los recuerdos de los demás pueblos, que hablan siempre de orígenes gloriosos, mantiene unos datos humildes y vergonzosos: eran esclavos del faraón. La

voluntad del esclavo es la de su amo, y el fruto de su sudor beneficia a su patrón. Esa era la situación de los hebreos en la Tierra del Nilo. Allí, comenzó el movimiento de la salida de la esclavitud del faraón, por gracia de un Dios, que después vendrían a adoptar por Dios propio.

Israel empezó como un grupo de esclavos y este temor a ser esclavizados los acompañó durante toda su existencia. Pero, lo más importante es que de esta esclavitud, un Dios, que dijo ser "el Dios de sus padres", los liberó. Se hace la memoria y se despierta un sueño: recuperar la vida en

libertad. En adelante, ellos van a reconocer a ese Dios como a su Dios y lo van a llamar "el Dios que nos sacó de Egipto, de la casa de esclavitud".

El autor final del libro del Éxodo colocó, antes de la salida de Egipto, descripciones sobre la esclavitud y después comentó esa salida con un himno muy solemne.

La armada egipcia era la más poderosa del mundo de entonces. Los hebreos estaban desarmados, impotentes y sometidos. Los egipcios obraron mal, su poder estaba fundado en la injusticia, en la opresión y en el abuso que acaba con la vida humana, que

III LECTURA   Éxodo 14:15—15:1

Lectura del libro del Éxodo

La hazaña de Dios es también la victoria de su pueblo. Esta lectura hazla con un vigoroso entusiasmo.

En **aquellos** días, dijo el Señor a **Moisés**:
"¿Por qué **sigues** clamando **a mí**?
Diles a los **israelitas** que se pongan **en marcha**.
Y tú, **alza** tu bastón, **extiende** tu mano sobre el mar y **divídelo**,
    para que los israelitas **entren** en el mar **sin mojarse**.
Yo voy a **endurecer** el corazón de los egipcios
        para que los **persigan**,
    y **me cubriré** de gloria
    a **expensas** del faraón y de **todo** su ejército,
        de sus **carros** y **jinetes**.
Cuando me haya **cubierto de gloria**
    a **expensas** del faraón, de sus **carros** y **jinetes**,
    los egipcios sabrán que **yo soy el Señor**".

Este párrafo atribuye a la obra de Dios la perdición de los egipcios y la salvación de los israelitas.

El **ángel** del Señor, que iba **al frente** de las huestes de **Israel**,
    se colocó tras ellas.
Y la **columna de nubes** que iba **adelante**,
    también se desplazó y se puso a sus **espaldas**,
    entre el campamento de los **israelitas**
    y el campamento de los **egipcios**.
La nube era **tinieblas para unos** y **claridad para otros**,
    y **así** los ejércitos **no** trabaron contacto durante **toda** la noche.

Es el momento dramático culminante. Denota la admiración con tu tono de voz y tu postura. Deja que la asamblea se asombre con esta descripción.

Moisés **extendió** la mano sobre el **mar**,
    y el Señor **hizo soplar** durante **toda** la noche
        un **fuerte viento** del este,
    que **secó** el mar, y **dividió** las aguas.

---

no la deja respirar. Y entonces Dios le dio confianza y fuerza a los esclavos para que salieran. Todo parecía ir bien, hasta que el faraón que se había doblegado, vencido por el poder de Dios, se arrepiente y arremete contra los que huyen hacia el oriente, en busca de luz y de libertad, pero había que cruzar el mar. El poder del faraón se endureció hasta comportarse tercamente. Llegó a apretar tánto a esos esclavos, que éstos se vieron en una encrucijada donde no había salida humana posible: por un lado estaba el mar; por el otro, la armada. En medio aparecieron las nubes. En esto apun-

taba ya la manera como Dios iba a salvar a esos esclavos.

La tradición más antigua acentúa las causas naturales: el fuerte viento del este, que hizo que las aguas se recorrieran hacia el occidente y, en ese vacío de agua, los hebreos pudieron pasar. Al regresar las aguas, cuando el viento del este terminó su faena, entonces los egipcios fueron tomados y ahogados. Dios obró con causas del todo naturales, pero sólo Dios puede tomar como sus instrumentos estas causas. En esto está la intervención en favor de los hebreos. Ellos reconocieron en esto la mano del

Señor. Otro autor, más tardío, añadió elementos que describen como muy espectacular y milagrosa esta salida. Lo hizo para hacer más explícito el significado religioso de la acción. Pero esto ya estaba insinuado en la tradición más antigua. Ocurrió un mero embellecimiento religioso.

La intervención de Dios por Israel no es una venganza contra el opresor. Se trata de liberar al oprimido para que tuviera los mismos derechos de libertad y de vida que tenía el opresor.

La liturgia de Pascua, por medio del bautismo, nos introduce en las aguas de la

Los israelitas **entraron** en el mar y **no se mojaban**,
  mientras las aguas formaban una **muralla**
    a su **derecha** y a su **izquierda**.
Los egipcios **se lanzaron** en su persecución
  y **toda** la caballería del faraón, sus **carros** y **jinetes**,
    entraron **tras ellos** en el mar.

Hacia el **amanecer**,
  el **Señor** miró desde la columna de **fuego** y **humo**
    al ejército de los **egipcios**
  y sembró entre ellos el **pánico**.
Trabó las **ruedas** de sus **carros**,
  de suerte que no avanzaban **sino pesadamente**.
Dijeron **entonces** los egipcios:
"**Huyamos** de Israel, porque el Señor **lucha**
  en su favor **contra** Egipto".

Entonces el Señor le dijo a **Moisés**:
"**Extiende** tu mano sobre el **mar**,
  para que vuelvan las aguas **sobre los egipcios**,
    sus **carros** y sus **jinetes**".
Y **extendió** Moisés su mano **sobre el mar**,
  y **al amanecer**, las aguas **volvieron** a su sitio,
    de suerte que **al huir**, los egipcios se **encontraron** con ellas,
  y el Señor **los derribó** en medio del mar.
Volvieron las aguas y **cubrieron** los carros,
  a los **jinetes** y a **todo el ejército** del faraón,
    que se había **metido** en el mar para **perseguir** a Israel.
Ni uno solo se salvó.

Pero los **hijos de Israel** caminaban **por lo seco** en medio del mar.
Las aguas les hacían **muralla** a **derecha** e **izquierda**.
Aquel día salvó el Señor a Israel de las **manos** de **Egipto**.
Israel vio a los egipcios, **muertos en la orilla** del mar.
Israel vio la **mano fuerte del Señor** sobre los egipcios,
  y el pueblo **temió** al Señor y **creyó** en el **Señor** y en **Moisés**,
    su **siervo**.

La catástrofe de los enemigos del pueblo de Dios también forma parte de la libración. La tragedia también debe quedar en la memoria de la asamblea.

Este párrafo resume lo acontecido. Proclámalo con entusiasmo creciente, para que el final de la lectura dé paso al canto de alabanza con naturalidad.

muerte para darnos una salida a la vida por la resurrección de Jesús.

IV LECTURA El final del exilio babilónico y el regreso posible y real a la tierra de los ancestros, fue algo maravilloso. Con qué gusto el Salmo 126 saluda este acontecimiento: "Nos parecía estar soñando; entonces nuestra boca se llenaba de risas, nuestros labios de canciones" Sal 126:1–2.

El profeta del exilio emplea palabras, giros, expresiones y elementos hímnicos que ya eran empleados por los profetas y aparecen abundantemente en los salmos.

Estamos ante un profeta poeta que conoce, digamos, la literatura de su medio y que sabe emplearla. Con elementos ajenos construye un himno muy significativo. Imprime su dinámica de creyente y así aglutina el himno. Anuncia la buena noticia del perdón divino. Jerusalén es comparada a una mujer y como esposa del Señor es llamada de nuevo a su antiguo amor. Al ser dejada, el sufrimiento del pueblo fue durísimo. No experimentó la pena terrible de ver que su nación, su pueblo, se desmoronó. De Judá, en concreto, no habían quedado sino ruinas.

El día de hoy los arqueólogos han constatado que la gran ciudad estuvo reducida a un puñado de casas que albergaban a lo sumo a unos 1500 habitantes. De ciudad populosa se convirtió en rancho. Algo muy doloroso para el pueblo elegido, fue que la ciudad valía ante sus ojos por la presencia divina, y ésa, ahora, se había esfumado al ser destruido el templo.

A los que quedaron en la tierra no les quedó sino el recuerdo de lo que fue su patria. A los que se fueron, este recuerdo se hizo más doloroso, al considerar la riqueza y esplendor de Babilonia y sus grandes ciudades, que se alimentaban de los sudores de los pueblos vasallos.

Entonces **Moisés** y los hijos de Israel
  cantaron este cántico **al Señor**:

*[El lector no dice "Palabra de Dios" y el salmista de inmediato
canta el salmo responsorial.]*

Para meditar

SALMO RESPONSORIAL   Éx 15:1-2, 3-4, 5-6, 17-18

R. Cantaré al Señor, sublime es su victoria.

Cantaré al Señor, sublime es su victoria:
/ caballos y jinetes arrojó en el mar. / Mi
fortaleza y mi canto es el Señor,/ Él es mi
salvación;/ él es mi Dios, y yo lo alabaré,/
es el Dios de mis padres, y yo lo ensalzaré. R.

El Señor es un guerrero, su nombre es el
Señor. / Los carros del faraón los lanzó al
mar / y a sus guerreros; / ahogó en el mar
Rojo a sus / mejores capitanes. R.

Las olas los cubrieron, / bajaron hasta
el fondo como piedras. / Tu diestra, Señor,
es fuerte y terrible,/ tu diestra, Señor, tritura
el enemigo. R.

Los introduces y los plantas en el monte
de tu heredad, / lugar del que hiciste
tu trono, Señor; / santuario, Señor, que
fundaron tus manos. / El Señor reina por
siempre jamás. R.

IV LECTURA   Isaías 54:5–14

Lectura del libro del profeta Isaías

"El que **te creó**, te tomará **por esposa**;
  su nombre es '**Señor de los ejércitos**'.
Tu **redentor** es el **Santo** de Israel;
  será llamado '**Dios** de **toda** la tierra'.
Como a una **mujer abandonada** y **abatida**
  te **vuelve** a llamar el **Señor**.
¿**Acaso** repudia uno a la esposa de la **juventud?**,
  dice tu Dios.

Este es un bello texto poético que muestra
el amor apasionado y compasivo de Dios
por su esposa, el pueblo restablecido. Este
párrafo presenta a los esposos. Señala bien
las cualidades de uno y de otro.

Entonces se oye el grito consolador:
Dios, que castigó, ahora perdona. No les
deja abandonados. Les devolverá su amor,
su protección de antaño. Esto indicaba no
sólo el regreso y recuperación de la ciudad,
sino el futuro de la convivencia del pueblo
con su Dios.

La continuidad entre Sión/Judá, antes
y después de la conquista del reino del sur,
se debe a la continuidad del amor de Dios.
Todo es obra de Dios. El pueblo no tuvo ninguna influencia. Por lo mismo, la salvación
no está condicionada al esfuerzo o a cualquier factor humano. Dios, dice el profeta,

ama a Israel libremente. Habla el profeta de
lo que viene. Lo pasado no le interesa, su
palabra está fija en el futuro. Dios va a hacer
un gran cambio.

La misericordia, el amor de Dios, no pueden fallar. Las palabras con las que expresa
Dios su fidelidad son muy llamativas: "Con
amor eterno te he compadecido". El amor no
mide, no pesa. Se da y este don es la gratuidad con que se distingue el Dios de Israel.

Como todo enamorado, Dios habla a su
pueblo con el futuro. Un pasado, el del perdón otorgado a Noé, se convertía en para-
digma para lo que Dios hará con el pueblo:
nunca abandonará a su pueblo.

V LECTURA La liturgia escogió este
texto del Segundo Isaías
para anunciar el significado del bautismo. El
texto empleado formaba parte del final de
la colección de ese profeta del exilio. Fue
cuidado este final, dejando oír en él los temas
más queridos y empleados por el profeta.

El centro se encuentra en la invitación:
"Vengan a mí, escúchenme y vivirán". Los
hombres a los que se dirige la invitación
deben tener vida y ésta en abundancia. Esta
vida que abarca un conjunto de bienes salvíficos, es ofrecida gratuitamente por Dios.

Por un instante te abandoné,
    pero con inmensa misericordia te volveré a tomar.
En un arrebato de ira
    te oculté un instante mi rostro,
    pero con amor eterno me he apiadado de ti,
    dice el Señor, tu redentor.

Me pasa ahora como en los días de Noé:
    entonces juré que las aguas del diluvio
    no volverían a cubrir la tierra;
    ahora juro no enojarme ya contra ti
    ni volver a amenazarte.
Podrán desaparecer los montes
    y hundirse las colinas,
    pero mi amor por ti no desaparecerá
    y mi alianza de paz quedará firme para siempre.
Lo dice el Señor, el que se apiada de ti.

Tú, la afligida, la zarandeada por la tempestad,
    la no consolada:
He aquí que yo mismo coloco tus piedras sobre piedras finas,
    tus cimientos sobre zafiros;
    te pondré almenas de rubí
    y puertas de esmeralda
    y murallas de piedras preciosas.

Todos tus hijos serán discípulos del Señor,
    y será grande su prosperidad.
Serás consolidada en la justicia.
Destierra la angustia,
    pues ya nada tienes que temer;
    olvida tu miedo,
    porque ya no se acercará a ti".

Es una declaración de amor celoso. Imprímele cierto arrebato a tu voz.

La confesión prosigue todavía. Dios se compromete con un juramento amoroso unilateral; es el punto central de esta secuencia, y hay que resaltarlo, sobre todo hacia el final de estas líneas.

Dios mismo embellece a su pueblo y lo edifica con justicia. Estas prometedoras palabras llénalas de entusiasmo y de esperanza, mirando más allá del horizonte de la asamblea.

El texto alude claramente al bautismo con la invitación: "¡Atención sedientos!, ¡vengan por agua! En el mismo sentido va la alusión a la leche. Sigue el pan y el vino. Es decir, se colocan símbolos alimenticios que significan la fuerza que Dios ofrece a los desterrados y desanimados. La palabra de Dios lo anunció y se llevará a cabo.

El hombre recibe estos dones como dones, es decir, sin esfuerzo de su parte. Estos dones salvíficos de Dios no son objeto de compra. Son regalos que Dios ofrece en abundancia y del hombre sólo se requiere su disposición a recibirlos.

La invitación a la salvación está puesta como una exigencia, en forma imperativa. Dios no invita al hombre por no dejar, sino que más bien se trata de algo obligado. Es la única posibilidad para cualquiera que en realidad quiera vivir. Sólo los bienes ofrecidos por Dios pueden saciar la existencia del hombre. El profeta se da cuenta de esta situación urgente y por esto emplea una forma que, en el lenguaje ordinario, sonaría a una llamada urgente, drástica ante una catástrofe. No deja mucho a la reflexión.

El profeta explica este don como una alianza eterna, no referida a la del Sinaí, que tenía exigencias de parte del pueblo. No, esta alianza es gratuita como la ofrecida a David (2 Sam 7). Esta línea conduce a Jesús, hijo de David, por lo mismo, su heredero. También son invitados los pueblos. Éstos tendrán participación en los bienes ofrecidos al pueblo elegido.

Al final el texto habla de la fuerza de la palabra de Dios. La palabra divina tiene fuerza decisiva para destruir y para construir. Aquí, desde luego, se habla de esa fuerza que conforma al mundo de acuerdo a lo pronunciado por Dios. La palabra divina no sólo trajo a la existencia al mundo y a la

Para meditar

SALMO RESPONSORIAL   Salmo 29:2, y 4, 5–6, 11, y 12a, y 13b

R. Te ensalzaré, Señor, porque me has librado.

Te ensalzaré, Señor, porque me has librado / y no has dejado que mis enemigos se rían de mí. / Señor, sacaste mi vida del abismo, / me hiciste revivir cuando bajaba a la fosa. R.

Tañan para el Señor, fieles suyos, / den gracias a su nombre santo; / su cólera dura un instante, / su bondad de por vida; / al atardecer nos visita el llanto; / por la mañana, el júbilo. R.

Escucha, Señor, y ten piedad de mí, / Señor, socórreme. Cambiaste mi luto en danzas / Señor, Dios mío, te daré gracias por siempre. R.

V LECTURA   Isaías 55:1–11

Lectura del libro del profeta Isaías

Esto dice el Señor:
"**Todos ustedes**, los que tienen **sed**, vengan por **agua**;
    y los que **no** tienen dinero,
    vengan, tomen **trigo y coman**;
    tomen **vino y leche** sin pagar.
¿**Por qué** gastar el dinero en lo que **no es pan**
    y el **salario**, en lo que no **alimenta**?

Escúchenme atentos y **comerán** bien,
    saborearán platillos **sustanciosos**.
Préstenme atención, **vengan** a mí,
    escúchenme y **vivirán**.

Sellaré con ustedes una **alianza perpetua**,
    cumpliré las promesas que hice a **David**.
Como a **él** lo puse por **testigo** ante los **pueblos**,
    como **príncipe** y **soberano** de las naciones,
    así tú reunirás a un pueblo **desconocido**,
    y las naciones que **no te conocían acudirán** a ti,

Como un vendedor en la plaza del pueblo grita su mercancía, tú también llénate del entusiasmo por la palabra de Dios, eres su profeta y anuncia de modo que todos sientan la necesidad de acudir a ella.

humanidad, sino que les dio una finalidad a la que éstos han de tender y llegar. En medio está la libertad. La imagen de la lluvia que regresa con fruto, es una imagen plástica y significativa. Es una imagen cotidiana pero que tiene la reflexión sabia del campesino que sabe que sin lluvia no hay alimento. La lluvia empapa la tierra, y así la palabra de Dios. El hombre puede responder con un no o sí, pero esta respuesta está determinada también por la palabra divina. No confundamos la palabra divina con nuestras palabras que hoy en día se han devaluado muchísimo. Se han ahuecado las palabras humanas,

porque el hombre se va quedando vacío, sin recibir palabra, y sin su palabra.

Al digitalizarse la palabra, se convirtió en imagen sin referencia. Es número antes que signo. Hablar es ruido, no armonía. Confrontamos el peligro de que la palabra humana no dice, menos comunica o acerca a los humanos. Enfrente tenemos el peligro de entender la palabra de Dios a la manera humana. Y debe ser al revés. Así el bautismo por medio de la palabra divina da al bautizado un camino, una finalidad donde, en el fondo, está el don de Dios, la gracia de la filiación.

VI LECTURA Este libro pertenece a una serie de escritos, llamados Deuterocanónicos. Son libros que se confeccionaron en la época helenista y se difundieron en el ambiente judío influenciado por el pensamiento griego. Este librito se le ha adjudicado al secretario y escribano del profeta Jeremías, a Baruc. Ese Baruc tuvo mucha importancia en el tardo Judaísmo, pues dos libros apócrifos se le atribuyen también.

Examinando más de cerca este librito de Baruc, se da uno cuenta de que está articulado en tres partes. Se abre con un prólogo (1:1–14), que contiene una liturgia

por **amor** del **Señor**, tu **Dios**,
por el **Santo de Israel**, que te ha **honrado**.

Busquen al Señor mientras lo pueden **encontrar**,
invóquenlo mientras está **cerca**;
que el **malvado** abandone su **camino**,
y el **criminal**, sus **planes**;
que **regrese** al Señor, y **él tendrá piedad**;
a **nuestro** Dios, que es **rico** en **perdón**.

Mis pensamientos no son los pensamientos **de ustedes**,
sus caminos no son **mis caminos**.
Porque **así** como aventajan los **cielos** a la **tierra**,
así aventajan **mis caminos** a los de **ustedes**
y **mis pensamientos** a **sus pensamientos**.

Como bajan del cielo la **lluvia** y la **nieve**
y no vuelven **allá**, sino **después** de empapar la tierra,
de **fecundarla** y hacerla **germinar**,
a fin de que dé **semilla** para **sembrar** y **pan** para **comer**,
así será la **palabra** que sale de **mi boca**:
　　no volverá a mí **sin resultado**,
sino que **hará mi voluntad**
y **cumplirá su misión**".

Esta invitación a buscar al Señor hazla con cierta vehemencia, y comunica el buen sabor que te ha dejado el perdón y el andar con él.

Muestra la disparidad entre el proceder divino y el humano con tu tono de voz, pero también subraya la parte donde confluyen: la palabra que sale de su boca nos trae los pensamientos de Dios. Transmite esa convicción.

Para meditar

SALMO RESPONSORIAL Isaías 12:2–3, 4bcd, 5–6

R. Ustedes sacarán agua con alegría de las vertientes de la salvación.

¡Vean cómo es Él, el Dios que me salva, / me siento seguro y no tengo más miedo, / pues el Señor es mi fuerza y mi canción, / Él es mi salvación! / Y ustedes sacarán agua con alegría de los manantiales de la salvación. R.

¡Denle las gracias al Señor; vitoreen su nombre! / Publiquen entre los pueblos sus hazañas. / Repitan que su nombre es sublime. R.

¡Canten al Señor porque ha hecho maravillas / que toda la tierra debe conocer! / ¡Griten de contento y de alegría, habitantes de Sión, / porque grande se ha portado contigo / el Santo de Israel! R.

---

penitencial, que se pinta como llevada a cabo en el exilio babilónico, pero que en realidad proviene del post-exilio. Después de la primera parte (1:15–3:8), viene una oración penitencial colectiva (3:9–4:4) y, finalmente, la tercera (4:5–5:9), un poema de alabanza, donde la Ley es identificada con la Sabiduría.

El texto que propone la liturgia para esta noche de pascua, pertenece a la mitad del librito y tiene la forma de un poema sapiencial donde se pone la Ley, el Pentateuco, como la expresión mejor lograda de la sabiduría. La Ley, compendio de la sabiduría bíblica, se ofrece a todos los pueblos como una contribución de Israel al mundo, para que se viva bien y felizmente. Porque a final de cuentas en eso consiste la sabiduría, en vivir bien, razonablemente, en armonía cabal.

El autor ofrece la Ley como fuente de vida. No sólo la sabiduría va destinada a la inteligencia, o los tesoros del saber humano, sino a todos los aspectos del hombre. Se trae esto a colación en la liturgia pascual de esta noche, porque ésta proyecta, a la luz de la pascua, una luz especial, una luz de novedad pascual pero sobre todo de plenitud. La vida y todos sus componentes prometidos en la exhortación, en Jesús llegan a ser realidad y plenitud.

La vida siempre ha interesado a todas las culturas y a cualquier ser humano. La vida es, como dice un salmo, *mi único bien*. La fuente de la vida es Dios; por lo mismo, aquí, en Dios, podemos ver lo que es la vida y cómo se conserva, renueva y plenifica esta vida. Todo porque, como lo experimenta la historia de Israel, a la que alude el texto, los espejismos y engaños son muchos.

Como siempre hoy se ofrecen reglas y maneras de vivir para vivir bien. Este vivir bien es una manera de entender lo que es el hombre y no corresponde a sus aspiraciones y finalidades más profundas. Se ofrece larga vida (nunca eterna) y una vida donde

VI LECTURA   Baruc 3:9–15, 32—4:4

Lectura del libro del profeta Baruc

Escucha, Israel, los mandatos de **vida**,
   presta oído para que adquieras **prudencia**.
¿A qué se debe, Israel, que estés **aún** en **país enemigo**,
   que **envejezcas** en tierra **extranjera**,
   que te hayas **contaminado** por el **trato con los muertos**,
   que te veas **contado** entre los que **descienden** al **abismo**?

Es que **abandonaste** la **fuente** de la **sabiduría**.
Si hubieras **seguido** los **senderos** de **Dios**,
   habitarías en paz **eternamente**.

Aprende **dónde** están la **prudencia**,
   la **inteligencia** y la **energía**,
   así aprenderás **dónde** se encuentra el **secreto** de vivir **larga vida**,
   y **dónde** la **luz** de los ojos y la **paz**.
¿Quién es el que halló el lugar de la **sabiduría**
   y tuvo acceso a sus **tesoros**?
El que todo lo **sabe**, la **conoce**;
   con su **inteligencia** la ha **escudriñado**.
El que **cimentó** la tierra para **todos** los tiempos,
   y la pobló de **animales cuadrúpedos**;
   el que envía la **luz**, y ella **va**,
   la **llama**, y **temblorosa** le **obedece**;
   llama a los **astros**, que brillan **jubilosos**
     en sus **puestos de guardia**,
   y ellos le **responden**: "Aquí estamos",
   y refulgen **gozosos** para **aquel** que los hizo.
Él es **nuestro Dios**
   y no hay **otro** como él;
   él ha **escudriñado** los caminos de la **sabiduría**
   y se la dio a su hijo **Jacob**,
   a **Israel**, su **predilecto**.

La invitación a regresar al venero de la sabiduría es tan actual que debe despertar las ganas de buscar a Dios. Préstale tu voz a Baruc, para dirigirte a esta asamblea.

Expresa estos anhelos profundos del hombre como tuyos también. Dale viveza a la pregunta que se formula.

Esta descripción de la sabiduría de Dios hazla con serenidad y convicción.

---

el sufrimiento estaría alelado. Lo anterior es del todo falso. Nadie puede ni debe evitar toda clase de sufrimientos. Éstos son parte esencial del desarrollo vital. El llanto del recién nacido y el último quejido del moribundo nos dicen que el sufrimiento lo llevamos cosido a la carne y al alma. El sufrimiento tiene un componente que empuja a la madurez, a adquirir el verdadero calibre de la persona humana. Sin sufrimiento, la persona humana está como incompleta. Esto no significa que el sufrimiento sea un fin en sí mismo. De ninguna manera. Más bien, el sufrimiento es como un ingrediente que nos obliga a percibir en una dimensión más ancha y más profunda la vida personal y la de quienes nos rodean. Nos vuelve más humildes y más solidarios. Más sabios, dirían los hombres de la biblia.

La sabiduría de Israel, la Ley, te pone delante caminos concretos que te llevarán a una vida plena, donde el sufrimiento estará presente y ordenado. Como promete el Señor: "Así prolongarás tu vida en la tierra" (Ex 20:12a). Jesús trae a plenitud este sentido de la vida, producto de seguir sus indicaciones, pues enseña que "las palabras que les he dicho son espíritu y vida" (Jn 6:63).

Este vida plena la ofrece el Señor resucitado quien, a través de su camino: su servicio a la humanidad, alcanzó "un nombre sobre todo nombre" (Flp 2:9).

VII LECTURA   Al hablar del cambio, del arribo de una nueva época, el profeta Ezequiel no olvida la actitud pecadora anterior de Israel. El Señor había destruido el reino de Judá y había desterrado a muchos de sus habitantes entre las naciones vecinas. El pueblo elegido debería haber sido el centro del mundo, a donde las demás naciones mirarían para imitarlo. Pero

Invita con vehemencia en tu voz
a la congregación, para que busque
y viva la sabiduría que brota de los
mandamientos de Dios.

Después de esto, **ella apareció** en el **mundo**
y **convivió** con los **hombres**.

La **sabiduría** es el libro de los **mandatos de Dios**,
la ley de **validez eterna**;
los que la **guardan, vivirán**,
los que la **abandonan, morirán**.

Vuélvete a ella, **Jacob**, y **abrázala**;
camina hacia la **claridad** de su **luz**;
no entregues a otros tu **gloria**,
ni tu dignidad a un pueblo **extranjero**.
Bienaventurados **nosotros**, Israel,
porque lo que **agrada** al **Señor**
nos ha sido **revelado**.

Para meditar

SALMO RESPONSORIAL   Salmo 18:8, 9, 10, 11

R. Señor, tú tienes palabras de vida eterna.

La ley del Señor es perfecta / es descanso del alma; / el precepto del Señor es fiel / e instruye al ignorante. R.

Los mandatos del Señor son rectos / y alegran el corazón; / la norma del Señor es límpida / y da luz a los ojos. R.

La voluntad del Señor es pura / y eternamente estable; / los mandamientos del Señor son verdaderos / y enteramente justos. R.

Más preciosos que el oro, / más que el oro fino; / más dulces que la miel / de un panal que destila. R.

VII LECTURA   Ezequiel 36:16–28

Lectura del libro del profeta Ezequiel

El anuncio profético es exaltante
y enjundioso. Comienza dando razón
del estado actual del pueblo debido
a sus pecados. Esta parte debe ser
dura y distanciada. Es un trozo purgativo,
puede decirse.

En **aquel** tiempo,
me fue dirigida la **palabra del Señor** en **estos términos**:
"**Hijo de hombre**, cuando los de la casa de **Israel**
habitaban en su tierra,
la **mancharon** con su **conducta** y con sus **obras**;
como **inmundicia** fue su **proceder** ante mis ojos.

Israel se puso a imitar a los demás pueblos, rompiendo la justicia "Cuando la casa de Israel habitaba en su tierra, la contaminó la tierra con su conducta y con sus malas obras" (v. 17).

Israel tuvo la culpa del castigo. Se dio a adorar a dioses extranjeros y a la manera de vivir pagana, donde la injusticia estaba al precio del mejor marchante. Esto equivalía a haber deshonrado el nombre del Señor.

Ahora va el Señor a anunciar la nueva salvación, la resurrección del muerto Israel a una nueva vida, pero no deja de lado la antigua historia de pecado. Por eso se le recuerda al pueblo esta historia de pecado. De haber sido un pueblo rebelde. Como Moisés, antes de la entrada a la tierra prometida, narra toda la historia de pecado de Israel desde Egipto, y exhorta a Israel: "Recuerda y no olvides que provocaste al Señor, tu Dios, en el desierto; desde el día que saliste de Egipto hasta el día que llegaron a este lugar han sido rebeldes al Señor" (Dt 9:7). Así el profeta recuerda a Israel su historia fallida en la tierra santa, antes de darles el mensaje del nuevo inicio que tendrá Dios con ellos.

Pero el castigo no es la última palabra del Señor. Abrirá un nuevo camino con Israel. Va a obrar el Señor como había obrado antes, al sacar a los hebreos de Egipto. Obrará de manera análoga, pero ahora aportará algo nuevo: cambiará el corazón, es decir, la mentalidad, lo que guía las decisiones del hombre. La mentalidad antigua estaba esclerotizada, inmóvil, no dejaba que el corazón se moviera y, por lo tanto, que vivificara. Este nuevo corazón aprenderá a andar por un "nuevo camino". Vendrá una conducta nueva porque el interior, de donde provienen las decisiones, será cambiado.

Entonces **descargué** mi **furor** contra ellos,
por la **sangre** que habían **derramado** en el **país**
y por haberlo **profanado** con sus **idolatrías**.
Los **dispersé** entre las **naciones**
y anduvieron **errantes** por **todas** las tierras.
Los **juzgué** según su **conducta**, según sus **acciones** los **sentencié**.
Y en las **naciones** a las que **se fueron**,
desacreditaron mi **santo nombre**,
haciendo que de ellos **se dijera**:
'**Éste** es el pueblo del Señor, y ha **tenido que salir** de su **tierra**'.

Pero, **por mi santo nombre**,
que la casa de Israel **profanó** entre las **naciones** a donde **llegó**,
me he **compadecido**.
Por eso, dile a la casa de **Israel**:
'**Esto** dice el Señor: no lo hago **por ustedes**, casa de Israel.
Yo mismo mostraré la santidad de mi nombre **excelso**,
que ustedes **profanaron** entre las naciones.
Entonces ellas **reconocerán** que **yo soy el Señor**,
cuando, **por medio de ustedes** les haga ver mi **santidad**.

Los **sacaré** a ustedes de entre las **naciones**,
los **reuniré** de **todos** los países y los **llevaré** a su **tierra**.
Los **rociaré** con **agua pura** y quedarán **purificados**;
los **purificaré** de **todas** sus **inmundicias** e **idolatrías**.

Les **daré** un **corazón nuevo** y les **infundiré** un **espíritu nuevo**;
arrancaré de ustedes el **corazón de piedra**
y les **daré** un **corazón de carne**.
Les **infundiré** mi **espíritu**
y los **haré vivir** según mis **preceptos**
y **guardar** y **cumplir** mis **mandamientos**.
Habitarán en la tierra que di a **sus padres**;
ustedes serán mi **pueblo** y **yo** seré su **Dios**'".

Dios empuja la restauración por su propio honor y santidad. Tu voz debe sonar decidida, sin pizca de duda.

Hay que pronunciar todas y cada una de las acciones de Dios distintamente, porque es todo un proceso de apropiación que va de la dispersión hasta la fórmula de conclusión de la alianza. Es un proceso gradual que sube en intensidad, y esto debes denotarlo en la voz.

El Señor hará que esta nueva mentalidad obre de acuerdo con las ordenanzas e indicaciones divinas. Así el fiel hebreo no fallará y no hará que se maldiga y se deshonre el nombre del Señor entre los gentiles.

Lo anterior se llevará a cabo en el recién bautizado. El antiguo hombre será sepultado con Cristo para que resucite a "la nueva vida, en Cristo" (Rom 8:3–11). Por Cristo el bautizado se convierte en una "nueva creación".

Al leer esta página del profeta Ezequiel, esta noche de pascua en la que la comunidad cristiana renueva sus promesas bautismales, cobra nueva conciencia de haber recibido este nuevo corazón de carne, esta mentalidad renovada en la que debe afianzarse y permanecer y dar testimonio ante el mundo. Como dice el Señor "Así luzca su luz delante de los hombres para que ellos vean sus buenas obras y glorifiquen a su Padre que está en los cielos", (Mt 5:16).

EPÍSTOLA El capítulo seis de la carta a los Romanos nos aparece como el esquema de una homilía bautismal, en la que Pablo invita a los cristianos a considerarlas consecuencias del bautismo.

Encontramos muchas fórmulas que nos hacen pensar que estamos ante el estilo de un orador que se esfuerza por todos los medios en convencernos.

Tanto algunos judeo-cristianos como otros pagano-cristianos habían interpretado mal la doctrina paulina de la justificación por la fe. A la situación antigua de pecado, Cristo ha sustituido el régimen religioso de la gracia. Los cristianos por el bautismo se han unido a Jesús, el Mesías.

El bautismo es como un sepultarse con Cristo. Al entrar en el agua y sumergirse en ella, simbólicamente se muere con el Mesías,

Para meditar

SALMO RESPONSORIAL   Salmo 41:3, 5def; Salmo 42: 3, 4

R. Como busca la cierva corrientes de agua, así mi alma te busca a ti, Dios mío.

Mi alma tiene sed de Dios, del Dios vivo: / ¿cuándo entraré a ver el rostro de Dios? R.

Cómo marchaba a la cabeza del grupo, / hacia la casa de Dios, / entre cantos de júbilo y alabanza, / en el bullicio de la fiesta. R.

Envía tu luz y tu verdad; / que ellas me guíen / y me conduzcan hasta tu monte santo, / hasta tu morada. R.

Que yo me acerque al altar de Dios, / al Dios de mi alegría; / que te dé gracias al son de la cítara, / Dios, Dios mío. R.

¡Canten al Señor porque ha hecho maravillas que toda la tierra debe conocer! ¡Griten de contento y de alegría, habitantes de Sión, porque grande se ha portado contigo el Santo de Israel! R.

O bien, cuando no hay bautismos

Para meditar

SALMO RESPONSORIAL   Salmo 50:12–13, 14–15, 18–19

R. Oh Dios, crea en mí un corazón puro.

Oh Dios, crea en mí un corazón puro, / renuévame por dentro con espíritu firme; / no me arrojes lejos de tu rostro, / no me quites tu santo espíritu. R.

Devuélveme la alegría de tu salvación, / afiánzame con espíritu generoso. / Enseñaré a los malvados tus caminos, / los pecadores volverán a ti. R.

Los sacrificios no te satisfacen, / si te ofreciera un holocausto, no lo querrías. / Mi sacrificio es un espíritu quebrantado, / un corazón quebrantado y humillado tú no lo desprecias. R.

EPÍSTOLA   Romanos 6:3–11

Lectura de la carta del apóstol san Pablo a los romanos

Hermanos:
Todos los que hemos sido **incorporados** a Cristo **Jesús**
    por medio del **bautismo,**
    hemos sido **incorporados** a él en su **muerte.**

Pablo nos lleva a considerar la fuente de nuestra identidad cristiana. Subraya las frases bautismales mirando a la asamblea cuando las pronuncies.

para salir resucitado por los méritos de éste. Muerte y resurrección son las dos realidades del suceso salvífico central. La vida del cristiano es una comunión con los sufrimientos y la muerte de Cristo, a lo que sigue la gloria de la resurrección.

Antes el viejo hombre estaba sujeto al dominio del pecado y de la muerte y este dominio que debía ser aniquilado explica que "nuestra vieja condición humana haya sido crucificada con Él" (Rom 6:6a). Esta situación obliga al cristiano a renunciar totalmente al pecado. San Pablo añade una razón que parece de orden jurídico: "Porque

el que ha muerto ya no es deudor del pecado" (v. 7). Un adagio rabínico dice que la Ley no tiene más poder sobre un muerto. Pero el dicho paulino va más allá. Dice que el bautizado ha muerto con Cristo, no pertenece más al régimen de pecado. Ya su vida está unida con el Mesías.

La resurrección de Cristo nos hace participar de la vida nueva. En esta parte de la carta, los verbos que describen nuestra muerte al pecado, están en pasado. Lo que indica que para el cristiano, la situación de pecado pertenece totalmente al pasado. En cambio, los verbos que se refieren a la unión

con Cristo, están en futuro: tienen un sentido escatológico. Pero la unión con Cristo ya es una realidad actual, aunque será perfecta y plena después de la muerte.

Un efecto del bautismo es la libertad dada por el Señor (Rom 8). Los cristianos no han sido introducidos en la casa del Padre como esclavos. Son, por lo mismo, tratados por el Padre como hijos que son invitados a vivir esta vida divina, que se resume para ellos en la caridad fraterna.

Los versos 12–14 admiten en la práctica que los cristianos viven todavía en la debilidad de la carne y que pueden caer, si no

El raciocinio debe quedar claro. Repasa bien el argumento para que el fraseo sea el adecuado.

En efecto, por el **bautismo** fuimos **sepultados** con él en su **muerte**,
　　para que, así como Cristo **resucitó** de entre los **muertos**
　　por la **gloria** del **Padre**,
　　así también nosotros llevemos una **vida nueva**.

Porque, si hemos estado **íntimamente** unidos a **él**
　　por una **muerte semejante** a la **suya**,
　　también lo estaremos en su **resurrección**.
Sabemos que nuestro viejo fue **crucificado con Cristo**,
　　para que el **cuerpo del pecado** quedara **destruido**,
　　a fin de que **ya no sirvamos** al pecado,
　　pues el que ha **muerto** queda **libre** del **pecado**.

Aquí llega la conclusión. Las frases finales deben quedar bien claritas a la asamblea: "Lo mismo ustedes…".

Por lo tanto, si hemos **muerto con Cristo**,
　　estamos **seguros** de que **también viviremos** con él;
　　pues **sabemos** que Cristo,
　　una vez **resucitado** de entre los muertos, **ya no morirá nunca**.
La muerte **ya no tiene dominio** sobre él,
　　porque al morir, **murió al pecado** de una vez **para siempre**;
　　y al resucitar, **vive ahora** para **Dios**.
Lo mismo **ustedes**, considérense **muertos al pecado**
　　y **vivos para Dios** en Cristo Jesús, **Señor nuestro**.

Para meditar

SALMO RESPONSORIAL   Salmo 117:1–2, 16–17, 22–23

R. Aleluya, aleluya, aleluya.

Den gracias al Señor porque es bueno, / porque es eterna su misericordia. / Diga la casa de Israel: / eterna es su misericordia. R.

La diestra del Señor es poderosa, / la diestra del Señor es excelsa. / No he de morir, viviré / para contar las hazañas del Señor. R.

La piedra que desecharon los arquitectos, / es ahora la piedra angular. / Es el Señor quien lo ha hecho, / es un milagro patente. R.

se cuidan, en el poder del pecado. Deben ejercitar su libertad en vistas de su vida nueva. Deben controlar su conducta. Les ayudarán sus pastores y los preceptos, pero sin imponerse como capataces. No hay más que un Señor, Jesucristo, que nos ha librado y nos ha convertido en servidores de Dios.

EVANGELIO El caudal de lecturas bíblicas se ha venido haciendo más y más rico, llenándonos de la fe de una generación y de otra; confianza grande en el poder de Dios que crea, libera y nos muestra una vez y otra que quiere vivir con

nosotros, su pueblo. Y para estar con nosotros, Dios ha resucitado de entre los muertos a Jesús de Nazaret. Este es el gozo más grande de nuestra fe y de nuestra vida entera. Y eso es lo que escuchan aquellas mujeres adentro del sepulcro.

El anuncio de la resurrección se produce en el seno de la tierra, en un mundo que no pertenece ya a los hombres, pero tampoco a los ángeles; es la morada de los muertos.

Los sepulcros eran la entrada a una especie de submundo, al que nadie quiere entrar, y del que nadie puede volver. Por algunas tradiciones de la época, aprende-

mos que existía la creencia de que los muertos vegetaban en ese submundo gris e incoloro, sin la luz del sol, sin comer ni beber, sin alegría alguna, hasta que llegara el Mesías y rescatara a los justos y piadosos; los malvados serían destinados a una muerte definitiva, aniquilados. Pero todos los fieles sabían que el Dios de Israel tenía en su mano la llave del reino de los muertos. Eso es lo que anticipa la gran piedra removida de la boca de la sepultura.

Dios ha irrumpido en el mundo de los muertos para rescatar a Jesús, su Hijo. El joven sentado en el interior del sepulcro, es

EVANGELIO   Marcos 16:1–7

Lectura del santo Evangelio según san Marcos

Transcurrido **el sábado,**
María Magdalena, María (la madre de Santiago) y Salomé,
compraron perfumes para ir **a embalsamar** a Jesús.
Muy de madrugada, el **primer** día de la semana,
a la salida del sol, se dirigieron al sepulcro.
Por el camino se decían unas a otras:
"¿**Quién** nos quitará la piedra de la entrada del sepulcro?"
Al llegar, vieron que la piedra **ya estaba** quitada,
a pesar de ser **muy grande.**

Entraron en el sepulcro y vieron a un **joven,**
vestido con una túnica blanca, **sentado** en el lado derecho,
y se **llenaron** de miedo.
Pero él les dijo: "No se **espanten.**
Buscan a Jesús de Nazaret, el que fue crucificado.
No está aquí; **ha resucitado.**
Miren el sitio donde lo habían puesto.
Ahora **vayan** a decirles a sus discípulos y a Pedro:
'Él irá delante de ustedes **a Galilea.**
Allá lo verán, como él les dijo'".

Este breve relato no describe la resurrección; la anuncia. El mensaje viene del cielo, alcanza a las mujeres y llega a los discípulos de Jesús. Ahora tú y la asamblea forman parte de esa cadena de testigos del Evangelio. Llénate de entusiasmo para hacer esta lectura.

Muestra cierta sorpresa a las palabras del mensajero: "... no está aquí, ha resucitado".

Ponle certeza a la promesa de que en Galilea "lo verán"; todo ha sucedido conforme lo ha anunciado el Señor.

un mensajero celeste, como lo demuestran sus palabras. "No tengan miedo" es el saludo que, en la biblia, los mensajeros angélicos dirigen a los humanos. Y es que el humano no puede sino temer ante lo sobrenatural, lo que lo sobrepasa. La muerte —y la vida— no es algo que esté a disposición de cada quien; es más bien algo que se les impone a todos los humanos. Llega sola, nadie, en sus cabales, la solicita. Alguien de fuera ha removido esa piedra. Alguien capaz de penetrar en el reino de los muertos y volver victorioso con su Trofeo. Es Dios quien rescata y resucita al Crucificado. Esa es la noticia que rompe la normalidad de las cosas: el Evangelio del Señor Jesús.

Aquellas mujeres escuchan el mensaje celestial, miran el lugar vacío, y quedan convertidas en mensajeras pascuales. Los primeros evangelizados: Pedro y los discípulos. Pedro recibe un nuevo llamado al discipulado por boca de las mujeres. El Resucitado va delante del grupo, no hay que tener miedo, sólo que ahora la dirección es Galilea, la tierra donde inició el camino del Evangelio del reino de Dios, el de las buenas noticias para las personas enfermas, decaídas, endemoniadas, relegadas y marginadas. Allí el discípulo podrá ver al Señor, como dijo.

DOMINGO DE PASCUA

I LECTURA   Hechos 10:34a, 37–43

Lectura del libro de los Hechos de los Apóstoles

El tono del discurso de Pedro es de corroboración: todo ha sucedido conforme al designio divino. El retrato de Jesús tiene rasgos que hay que resaltar ante la asamblea.

En **aquellos** días, **Pedro** tomó la palabra y **dijo:**
"**Ya saben** ustedes lo sucedido en **toda Judea,**
   que tuvo principio en **Galilea,**
   después del **bautismo** predicado por **Juan:**
   cómo Dios **ungió** con el **poder** del **Espíritu Santo**
      a **Jesús de Nazaret**
   y cómo **éste** pasó haciendo el **bien,**
   sanando a **todos** los **oprimidos** por el diablo,
   porque Dios **estaba con él.**

La presentación de los testigos. El 'nosotros' debe incluirte junto con toda la asamblea.

Nosotros somos **testigos** de cuanto él hizo en **Judea**
      y en **Jerusalén.**
Lo **mataron** colgándolo de la **cruz,**
   pero Dios **lo resucitó al tercer día** y concedió verlo,
   no a **todo** el pueblo,
   sino **únicamente** a los **testigos** que él,
   de **antemano,** había **escogido:**
   a **nosotros,** que hemos **comido** y **bebido** con él
   después de que **resucitó** de entre los **muertos.**

Este punto da razón de la misión de los cristianos; estamos cumpliendo el mandato de Cristo. Esta conciencia nos tiene que quedar muy clara.

Él **nos mandó predicar** al pueblo
   y **dar testimonio** de que Dios lo ha **constituido**
   juez de **vivos** y **muertos.**
El **testimonio** de los **profetas** es **unánime:**
   que cuantos **creen** en él
   reciben, por su medio, el **perdón de los pecados".**

I LECTURA La primera lectura está bajo el tema del testimonio. El texto nos introduce en lo vivo del anuncio pascual. Igual que Cornelio y los de su casa lo escucharon por boca de Pedro, hoy nosotros lo oímos de la Iglesia.

San Pedro da un pequeño resumen de la vida de Jesús comenzando con un "ustedes saben"; efectivamente, Lucas se está dirigiendo a los lectores, por lo mismo, a ti y a mí. Ya sabemos lo de Jesús, y Pedro se reduce a un recuento fundamental. No describe el bautismo de Jesús, sino que da sólo su significado: su acción mesiánica. Alude a

la homilía pronunciada por Jesús en la sinagoga de Nazaret (Lc 4:16–38). El Espíritu ya estaba desde el inicio, según Lucas (Lc 1:35).

En el segundo periodo, habla de que Jesús pasó: "Él ha pasado…" Jesús es el peregrino que pasa por este mundo, visita a los hombres de parte de Dios para traerles su salvación, después se dirige a Jerusalén donde recibe su exaltación suprema.

De todo esto los apóstoles son testigos y su testimonio liga la predicación de Pedro con el misterio de Jesús. Habla Lucas al cristiano de la muerte y resurrección de Jesús, de acuerdo a la confesión de fe. Lucas insiste

en que los apóstoles son testigos del misterio de Jesús. Dios los escogió para que fueran testigos de la vida del Maestro en sentido completo. Le gusta a Lucas expresar esto con la frase "los que han comido y bebido con Jesús".

Desde sus inicios la comunidad cristiana encuentra en la Escritura luz para aclarar el misterio de Cristo. Pedro se contenta con una alusión general: todos los profetas dan testimonio de Cristo. Esta es la novedad de la que van a dar testimonio los cristianos: Jesús trajo la salvación, ofreciendo el perdón de los pecados a todos.

SALMO RESPONSORIAL   Salmo 117:1–2, 16–17, 22–23

R. Éste es el día en que actuó el Señor: sea nuestra alegría y nuestro gozo.
O bien: **Aleluya.**

Den gracias al Señor porque es bueno, /
porque es eterna su misericordia. / Diga la
casa de Israel: / eterna es su misericordia. R.

La diestra del Señor es poderosa, / la diestra
del Señor es excelsa. / No he de morir, viviré /
para contar las hazañas del Señor. R.

La piedra que desecharon los arquitectos, /
es ahora la piedra angular. / Es el Señor
quien lo ha hecho, / ha sido un milagro
patente. R.

II LECTURA   Colosenses 3:1–4

Lectura de la carta del apóstol san Pablo a los colosenses

Hermanos:
Puesto que **ustedes** han **resucitado** con **Cristo**,
    busquen los bienes de arriba,
        donde está **Cristo**, sentado a la **derecha** de **Dios**.
Pongan **todo** el corazón en los **bienes** del cielo,
        no en los de la **tierra**,
    porque han **muerto** y su **vida** está **escondida**
        con **Cristo** en **Dios**.
Cuando se manifieste **Cristo**, **vida** de **ustedes**,
    entonces **también ustedes** se manifestarán **gloriosos**,
    juntamente con él.

O bien:

El apóstol coloca ante los ojos el ideal cristiano de vida: Hay que transmitir ese entusiasmo de poner los ojos y el corazón en los bienes eternos.

La vida cristiana apunta a manifestar la gloria de Cristo.

De alguna manera la interpretación de los textos de ese día se aglutinan en el tema del testimonio. Los discípulos son testigos (10:39). Ellos distinguieron al Espíritu de Dios que animaba a Jesús y lo hacía presente cada vez que vencía la enfermedad y las carencias de la gente.

Habiendo sido testigos los discípulos de su muerte que sucedió ante sus ojos, fueron escogidos de una manera especial para participar en esa experiencia sobrehumana de la resurrección. Ellos podrán en adelante ser testigos de que el que fue crucificado, ahora está vivo y se sienta con ellos a la mesa.

Sobre todo, son testigos de algo que no se ve y siente. Les fue comunicado que debían ser testigos de que Jesús vive (v. 42), y es juez de vivos y muertos, capaz de perdonar los pecados del hombre.

II LECTURA Pablo quiere apartar a los colosenses de la seducción de doctrinas judaizantes. Parece que algunos falsos doctores enseñaban a estos cristianos que había que practicar la Ley de Moisés; insistían en las prohibiciones alimenticias y añadían elementos de los cultos helenistas. Enseñaban que había potencias

intermedias entre Dios y el hombre, a las que había que darles culto.

Las ideas del Apóstol han progresado en las cartas de la cautividad: el cristiano no solo ha resucitado con Cristo, sino que ya está sentado con él en los cielos. Habla de una realidad adquirida, no por adquirir.

La nueva vida trasmitida por Cristo resucitado, no es una simple prolongación de la vida anterior, como en el caso de Lázaro y la hija de Jairo, que fueron más bien reanimaciones. Pablo habla de una nueva vida, animada por otro principio vital. Esta vida nueva, dada por Cristo, permanece escondida

II LECTURA   1 Corintios 5:6b–8

Lectura de la primera carta del apóstol san Pablo a los corintios

La exhortación debe hacerse con convicción. La vida nueva no tolera vicios viejos.

Hermanos:
¿No saben ustedes
    que un **poco** de levadura hace fermentar **toda** la masa?
Tiren la antigua levadura,
    para que sean **ustedes** una **masa nueva**,
    ya que son **pan sin levadura**,
    pues **Cristo**, nuestro **cordero pascual**, ha sido **inmolado**.

La invitación a celebrar es actual. Hay que sentirla y hacer vibrar a los oyentes.

Celebremos, pues, la **fiesta de la Pascua**,
    no con la **antigua levadura**, que es de **vicio** y **maldad**,
    sino con el **pan sin levadura**, que es de **sinceridad** y **verdad**.

EVANGELIO   Juan 20:1–9

Lectura del santo Evangelio según san Juan

Este relato tiene el sello de lo inesperado. Inícialo con voz neutral y con el ritmo usual o normal, y luego acelera con los acontecimientos que se narran.

El **primer día** después del **sábado**, estando todavía **oscuro**,
    fue **María Magdalena** al sepulcro
    y vio **removida** la piedra que lo cerraba.
Echó a **correr**,
    llegó a la casa donde estaban **Simón Pedro** y el **otro discípulo**,
    a quien Jesús **amaba**, y les dijo:
"Se han **llevado** del sepulcro al **Señor**
    y **no sabemos** dónde lo habrán puesto".

Salieron Pedro y el otro discípulo camino del **sepulcro**.
Los dos iban **corriendo juntos**,
    pero el otro discípulo corrió **más aprisa** que Pedro
    y llegó **primero** al sepulcro,
    e **inclinándose**, miró los **lienzos** puestos en el **suelo**,
    pero **no entró**.

A la inclinación, haz una pausa. Crea el suspenso para la visión que viene.

a los ojos del mundo y aún a los ojos del mismo hombre que la posee.

Esta vida es vivida por nosotros en la fe y no en la visión. La felicidad, que nos prepara el Padre, no puede ser gustada ahora, hay que esperarla. Ya la poseemos como arras y nadie nos la podrá arrancar. Sin embargo, la podemos perder por nuestra infidelidad. Por esto, con confianza y cierto temor o precaución, debemos andar en el mundo. El creyente debe desarrollar la vida que recibió en el bautismo, traduciéndola en hechos, viviendo en conformidad con lo que el cristiano es, perteneciente a la

familia de Dios. Así podrá el cristiano llegar a la patria verdadera.

Por estar en espera, el cristiano vive en una continua paradoja: ya pertenece a Dios, pero vive bajo la ley de la muerte. Estando en el mundo, no pertenece al mundo; es un exiliado, cuya patria está en el cielo, donde Cristo reina. Por lo tanto, el cristiano está muerto a las cosas de ese mundo. Está tentado de seguir a la carne, de volver a las prácticas de la Ley, como les dicen a los colosenses los doctores judíos. Su vista debe estar fija en las cosas de lo alto, en Cristo, que está sentado en los cielos.

Este estado paradójico, donde el cristiano está atraído por dos partes, se acabará. El tiempo está fijado, aunque no lo conozcamos. Por esto debemos estar preparados. El Hijo se fue a donde está el Padre, pero volverá para hacernos participar de su gloria. Cuando Cristo vuelva, rodeado de los ángeles, nos uniremos a él en este cortejo que va hacia el Padre.

La vida gloriosa de Cristo no será sino la extensión de la vida de Cristo comunicada en el bautismo, alimentada por la Eucaristía, así como por la fe y el amor. La gloria de Cristo será reflejada en nosotros, llamados

La contemplación hazla también con el matiz de tu voz; detenidamente, dale profundidad y matiza tu voz.

El auditorio debe sentirse confirmado en su certeza de fe, a diferencia de los discípulos en el relato.

En eso llegó también **Simón Pedro**, que lo venía **siguiendo**,
    y **entró** en el sepulcro.
Contempló los lienzos puestos en el suelo
    y el **sudario**, que había estado sobre la **cabeza** de Jesús,
    puesto no con los **lienzos** en el **suelo**,
    sino **doblado** en sitio aparte.
Entonces entró **también** el otro discípulo,
    el que había llegado **primero** al sepulcro,
    y **vio y creyó**, porque hasta entonces
    no habían entendido las Escrituras,
    según las cuales **Jesús debía resucitar** de entre los muertos.

Lecturas alternativas: Marcos 16:1–7 y Lucas 24:13–35
(para las misas vespertinas del domingo)

EVANGELIO A san Juan le gustan los diálogos y las exposiciones amplias, pero en el relato de hoy, apenas si alguien habla. Las pocas palabras son de una mujer, María Magdalena; son de desconocimiento, de búsqueda insatisfecha y de desconcierto. Y por esa ruta de incertidumbre, ella, Simón Pedro y el Discípulo amado andarán hasta la resurrección de Jesús.

a reproducir su imagen. Esta manifestación de la gloria en nosotros, será proporcional a los sufrimientos y acciones buenas que hayamos llevado a cabo en unión con él.

La zozobra de María nace de ver la piedra removida de la boca del sepulcro. Ese era el sitio seguro para el cuerpo del Mesías, pero resulta que ha sido colocado en un lugar desconocido. No tiene respuestas a sus preguntas y solicita ayuda; pero ni Simón ni el Discípulo amado las tienen. Corren, entran al sepulcro y encuentran los lienzos colocados en el suelo, y doblado aparte el sudario. Es todo. Los lienzos, sábanas que envolvieron el cuerpo, y el sudario que cubría la cabeza del Crucificado quedan convertidos en señal. ¿De qué? De que los poderosos lazos de la muerte no retienen más al Crucificado. Señales simples y pobres, para buscar el sentido de lo acontecido. Eso que llamamos fe y que van a fraguar poco a poco, en el silencio de la propia casa. Pero no es camino de argumentos certeros, sino de tentaleos y contemplación, que hila la coherencia hasta tejer la trenza de la convicción. Aprender a ver las señales de la vida en el reino de la muerte es coherente con el Dios de la vida que sacó de entre los muertos a su Mesías.

II DOMINGO DE PASCUA (DE LA DIVINA MISERICORDIA)

I LECTURA   Hechos 4:32–35

Lectura del libro de los Hechos de los Apóstoles

La **multitud** de los que habían creído tenía un **solo** corazón
   y una **sola** alma; todo lo poseían **en común**
   y **nadie** consideraba suyo nada de lo que tenía.

Con **grandes** muestras de poder,
   los apóstoles daban **testimonio** de la resurrección
      del Señor Jesús
   y **todos** gozaban de **gran** estimación entre el pueblo.
Ninguno pasaba necesidad,
   pues los que **poseían** terrenos o casas, los vendían,
   llevaban el dinero y lo ponían **a disposición** de los apóstoles,
   y luego se **distribuía** según lo que necesitaba **cada uno.**

Para meditar

Lo extraordinario se vuelve común y corriente en este resumen de san Lucas. Alimentemos ese sentido de que nuestra fe es extraordinaria. Acentúa las frases que hablan de unidad y de comunidad.

La fe es remedio a las necesidades de la gente. Este compromiso hay que hacerlo sin aspavientos porque es nuestro deber de cristianos.

No hay distingos en la curación: todos la alcanzan. Dale tono rotundo a esta verdad.

SALMO RESPONSORIAL   Salmo 117:2–4, 16–18, 22–24

R. Den gracias al Señor porque es bueno, porque es eterna su misericordia.
O bien: **Aleluya.**

Diga la casa de Israel: / eterna es su misericordia. / Diga la casa de Aarón: Eterna es su misericordia. Digan los fieles del Señor: / eterna es su misericordia. R.

La diestra del Señor es poderosa, / la diestra del Señor es excelsa. / No he de morir, viviré / para contar las hazañas del Señor. / Me castigó, me castigó el Señor, / pero no me entregó a la muerte. R.

La piedra que desecharon los arquitectos / es ahora la piedra angular. / Es el Señor quien lo ha hecho, / ha sido un milagro patente. / Éste es el día en que actuó el Señor: / sea nuestra alegría y nuestro gozo. R.

I LECTURA   Este sumario es una apreciación del autor que ofrece sucintamente, en pinceladas, cómo era la comunidad cristiana, con una finalidad claramente futura o ejemplar.

La primera nota es la concordia de todos los cristianos, es decir, la unidad de intención y acción. No se trata de una simple amistad, sino de un efecto de la fe en Jesucristo. La participación de los bienes, más que una descripción de esta situación, es una alusión a la voluntad de Dios, expresada en Dt 15:4: "Entre ustedes no debe haber ningún pobre, porque el Señor les bendecirá". Un objetivo que seguirá acuciando tanto a las comunidades judías, como a las cristianas. Esta descripción es una consecuencia del programa de comunidad del que habló Jesús a Pilato.

Lo anterior es producto de la resurrección. Evidentemente que es una acción de bautizados que han creído que es real el construir un tipo de sociedad, donde se busque cierta igualdad, no la ganancia.

Con la existencia de una sociedad igualitaria, más participativa, se hace realidad lo que se espera de una época mesiánica. Por esto se entiende el proyecto cristiano, que no piensa en construir aquí en la tierra una sociedad perfecta. Todavía habrá sombras. Pero el ejemplo de los primeros cristianos ha sido un aguijón para muchos cristianos, que han intentado en su época reconstruir esa comunidad querida por Jesús, con la fuerza que Él ha enviado, al entregarnos al Espíritu Santo. La perfección no estará aquí, sino en la otra vida. Todo esto nos trae realismo y ánimo.

II LECTURA   Esta lectura, como la de Hechos, también expresa cuáles son las consecuencias de la pascua

La primera persona es la de Juan, vidente y profeta del Evangelio. Asume su voz con todo tu espíritu. Conecta con él.

II LECTURA   1 Juan 5:1–6

Lectura de la primera carta del apóstol san Juan

Queridos hijos:
Todo el que **cree** que Jesús es el Mesías, **ha nacido** de Dios.
Todo el que **ama** a un padre, ama también a **los hijos** de éste.
Conocemos que amamos a los hijos de Dios,
    en que **amamos** a Dios y **cumplimos** sus mandamientos,
    pues el amor de Dios consiste en que **cumplamos**
        sus preceptos.
Y sus mandamientos **no son** pesados,
    porque **todo** el que ha nacido de Dios **vence** al mundo.
Y nuestra fe es la que nos **ha dado** la victoria sobre el mundo.
Porque, ¿**quién es** el que vence al mundo?
Sólo el **que cree** que Jesús es el **Hijo** de Dios.

Jesucristo es el que se **manifestó**
    por medio del **agua** y de **la sangre**;
    él vino, **no sólo** con agua, sino con agua y con sangre.
Y el Espíritu es el que **da testimonio,**
    porque el Espíritu es **la verdad.**

Describe esta visión con majestuosidad. Detente en cada uno de los elementos, para que la asamblea los distinga.

El discurso de Cristo exaltado es para la asamblea litúrgica, reunida en su nombre. Pronuncia estas palabras con plena seguridad y certidumbre.

EVANGELIO   Juan 20:19–31

Lectura del santo Evangelio según san Juan

Al **anochecer** del día de la resurrección,
    estando **cerradas** las puertas de la casa
    donde se hallaban los discípulos, por **miedo** a los judíos,
    se presentó Jesús **en medio** de ellos y les dijo:
    "**La paz** esté con ustedes".
Dicho esto, les **mostró** las manos y el costado.
Cuando los discípulos **vieron** al Señor, se **llenaron** de alegría.

Es un relato de reencuentro, lleno de novedad y alegría. No permitas que la rutina o la familiaridad con estos cuadros empañen la atmósfera pascual. Renuévate los ojos, la voz y tu presencia delante de la asamblea.

en la vida del cristiano. El hilo conductor de esa carta es evidentemente el amor a los hermanos. Amor que proviene de la fe y en esto se distingue de la mera filantropía.

El fundamento del amor cristiano y, por lo tanto, de la *koinonia*, es la fe. El que tiene la fe no puede menos que sentirse hijo de Dios y amar a los otros hijos de Dios, que son sus hermanos. Por esto el Apóstol pasa fácilmente del amor de Dios al amor de los hijos de Dios.

Para san Juan la palabra 'mundo' tiene connotación ética, moral. Representa aquello que sirve de punto de atracción al obrar humano.

Por dos veces en estos pocos versículos se alude a la presencia del agua y de la sangre, que es una referencia clara a la muerte de Jesús en la crucifixión (Jn 19:34). Este texto de la crucifixión de Juan ha tenido siempre en la iglesia resonancias profundas. Se puede afirmar que la sangre y el agua que brotaron del costado de Jesús, se refieren a su vida ofrecida voluntariamente (sangre) y al don del Espíritu (el agua, tema bautismal), que se trasmiten en la muerte de Jesús. A este sentido cristológico, los santos Padres añadirán un sentido eclesiológico, viendo en estos dos signos los

sacramentos que engendran a la Iglesia: la Eucaristía y el Bautismo.

EVANGELIO San Juan nos regala en dos cuadros complementarios la experiencia que los discípulos tuvieron de Jesús resucitado. Primero, Jesús se les aparece y comparte con ellos las evidencias de su crucifixión y los habilita como sus enviados, el mismo día de la resurrección. En la segunda aparición, a los ocho días, Tomás, ausente en el primer cuadro, se vuelve como representante de todos los que no han visto al Señor, y piden señales. Esta es

La asamblea debe sentir la recepción del Espíritu de Cristo mismo. Tus palabras prolongan las del Cristo resucitado que se dirige a los suyos, reunidos delante de ti.

De **nuevo** les dijo Jesús: "La paz **esté** con ustedes.
Como el Padre me ha **enviado**, así **también** los envío yo".
Después de decir esto, **sopló** sobre ellos y les dijo:
    "**Reciban** al Espíritu Santo.
A los que les **perdonen** los pecados, les quedarán **perdonados;**
    y a los que **no** se los perdonen, les quedarán **sin** perdonar".

Tomás, uno de los Doce, a quien llamaban **el Gemelo,**
    no estaba con ellos cuando vino Jesús,
    y los otros discípulos le decían: "Hemos **visto** al Señor".
Pero él les contestó:
    "Si **no veo** en sus manos la **señal** de los clavos
    y si no meto mi dedo en los agujeros de los clavos
    y no meto mi mano en su costado, **no creeré**".

Plantea las condiciones de Tomás con toda persuasión. No son caprichos infantiles sino condiciones de la razón que solicita pruebas a las palabras.

Ocho días después,
    estaban reunidos los discípulos **a puerta cerrada**
    y Tomás estaba **con ellos.**
Jesús se presentó de nuevo en medio de ellos y les dijo:
    "La paz esté **con ustedes**".
Luego le dijo **a Tomás:** "**Aquí** están mis manos;
    acerca tu dedo. Trae **acá** tu mano, **métela** en mi costado
    y no **sigas** dudando, sino **cree**".
Tomás le respondió: "¡Señor mío y **Dios mío**!"
Jesús añadió: "Tú crees porque me **has visto;**
    dichosos los que creen **sin haber** visto".

Cristo se dirige a Tomás con firmeza pero sin menospreciar sus condiciones. Hazle espacio a la respuesta de Tomás en medio del relato. Hazle una pausa antes y otra después.

Otras **muchas** señales milagrosas hizo Jesús
    en presencia de sus discípulos,
    pero **no están** escritas en este libro.
Se escribieron **éstas** para que ustedes **crean**
        que Jesús es el Mesías,
    el **Hijo de Dios,** y para que, creyendo,
    tengan vida en su nombre.

Este párrafo es como un corolario narrativo pero va dirigido a los lectores del evangelio. Dale un impulso vigoroso a estas líneas.

la manera como san Juan nos dice que los cristianos de todas las generaciones, basan su experiencia de fe en el mismo Crucificado, resucitado por Dios y con autoridad para perdonar los pecados.

Jesús resucitado rompe el encierro del grupo de discípulos con el saludo que siembra la vida nueva: "la paz esté con ustedes".

Con el saludo, Jesús les muestra las señales de la crucifixión, señales de victoria sobre la violencia mortal. El Resucitado no viene con aire de venganza contra las autoridades judías que atemorizan al grupo de discípulos. La presencia de Jesús le da certeza

al grupo de lo que ya escuchó de labios de María Magdalena: que ha visto al Señor y hablado con él (Jn 20:18). Esta certeza despierta la alegría en los discípulos, que parece ser la condición primera para hacerlos sus enviados. Los discípulos y discípulas de Jesús comparten ahora en la alegría del Enviado, porque él los convierte en discípulos enviados, con el mismo carácter que él recibió de su Padre: enviado para la reconciliación.

Jesús sopla sobre ellos, como Dios había insuflado para darle vida a Adán, haciéndolo a "su imagen y semejanza". Ahora, el Espíritu del Resucitado es lo que cualifica

a los discípulos como enviados de reconciliación y de perdón. Esto es lo más característico del grupo cristiano: dispensan el perdón, porque las heridas mortales de la violencia, han sido curadas por el Espíritu de Dios. "Ver al Señor" condensa la experiencia pascual de cada discípulo y significa vivir alegres para ser ministros de la paz de Cristo y sanar las heridas de la violencia mortal.

III DOMINGO
DE PASCUA

I LECTURA   Hechos 3:13–15, 17–19

Lectura del libro de los Hechos de los Apóstoles

En aquellos días, **Pedro** tomó la palabra y dijo:
    "El Dios de Abraham, de Isaac y de Jacob,
    el Dios **de nuestros padres,**
    ha **glorificado** a su siervo Jesús,
    a quien ustedes **entregaron** a Pilato,
    y a quien **rechazaron** en su presencia,
    cuando él ya había decidido ponerlo **en libertad.**
Rechazaron al santo, al justo, y pidieron el indulto **de un asesino;**
    han dado muerte al autor **de la vida,**
    pero Dios lo **resucitó** de entre los muertos
    y de ello nosotros somos **testigos.**

Ahora bien, **hermanos,**
    yo sé que ustedes han obrado por **ignorancia,**
    de la **misma** manera que sus jefes;
    pero Dios **cumplió** así lo que había predicho por **boca**
        de los profetas:
    que su Mesías **tenía** que padecer.
Por lo tanto, **arrepiéntanse** y conviértanse
    para que se les **perdonen** sus pecados".

Esta lectura valida el testimonio fiel de los apóstoles ante la represión al Evangelio de Jesucristo. La voz del sumo sacerdote debe ser reprensiva y con dejo de autoritarismo.

Dos momentos pueden distinguirse en las palabras de Pedro. El principio que él argumenta es inobjetable y debes pronunciarlo con toda certidumbre.

El colofón del relato indica la situación de la comunidad cristiana. La felicidad por el nombre del Señor también debe ser transparente en tu postura corporal.

I LECTURA El discurso de Pedro tuvo lugar en el atrio del templo. El discurso da razón del hecho en su sentido profundo. No es una predicación o una exhortación moralista. El hecho se pone a la luz de la palabra de Dios y de la resurrección de Jesús, y se sacan las consecuencias que la gente es invitada a seguir.

La palabra de Pedro está impregnada de alusiones bíblicas. En esto intenta el apóstol colocarse en un terreno familiar a todos. Era la manera como Jesús hablaba, era su método. No acusa Pedro a sus oyentes de nada, sino que busca que reflexionen sobre el sentido de la curación y a que lleguen a un cambio, para obtener el perdón completo de los pecados.

La atención de Pedro está fija en la Escritura: lo de Jesús es visto como obra del "Dios de Abraham, de Isaac y Jacob, el Dios de nuestros padres" (Ex 3:6, 15) y es un cumplimiento de las palabras de los profetas (v. 18).

La liturgia quiere poner en primer plano el pecado del pueblo. ¿Qué hacer? Lo hicieron por ignorancia, como lo decía Jesús: "Sé que ustedes han obrado por ignorancia, como sus jefes" (Lc 23:34), pero ahora está ante ellos la posibilidad del perdón divino, es decir, estar de la parte de Jesús, escoger la vida, la que llega llena de la fuerza del Resucitado.

II LECTURA Esta lectura continúa con el tema del perdón de los pecados, como efecto de la muerte y resurrección de Cristo. Son pocos los versículos, pero los tres temas tratados son muy importantes: Jesús, intercesor ante el Padre, es víctima de expiación para los pecados del mundo; conexión entre conocimiento de Jesús y observancia de los mandamientos.

Para meditar

SALMO RESPONSORIAL Salmo 4:2, 7, 9

R. Haz brillar sobre nosotros el resplandor de tu rostro, Señor.
O bien: **Aleluya.**

Escúchame cuando te invoco, Dios defensor mío; / tú que en el aprieto me diste anchura, / ten piedad de mí y escucha mi oración. R.

Hay muchos que dicen: "¿Quién nos hará ver la dicha? si la luz de tu rostro ha huido de nostros." R.

En paz me acuesto y en seguida me duermo, / porque tú solo, Señor, me haces vivir tranquilo. R.

Dirígete con afecto fraternal a la asamblea. Infunde convicción y confianza a las enseñanzas de san Juan.

II LECTURA   1 Juan 2:1–5

Lectura de la primera carta del apóstol san Juan

Hijitos míos:
Les escribo esto para que **no** pequen.
Pero, si alguien **peca**,
    tenemos como **intercesor** ante el Padre, a Jesucristo, **el justo.**
Porque él se **ofreció** como víctima
    de expiación por **nuestros** pecados,
    y **no sólo** por los nuestros, sino por los del mundo **entero.**

En esto tenemos una prueba de que **conocemos** a Dios:
    en que **cumplimos** sus mandamientos.
El que dice: "**Yo** lo conozco", pero **no cumple** sus mandamientos,
    es un **mentiroso** y la verdad no está **en él.**
Pero en aquel que **cumple** su palabra,
    el amor de Dios ha llegado a **su plenitud,**
    y precisamente **en esto** conocemos que estamos unidos **a él.**

El párrafo es amplio y exige darle el ritmo adecuado para que no se oiga cortado. Páusate conforme a la punctuación, más en la parte final, a la salida de la lectura.

EVANGELIO   Lucas 24:35–48

Lectura del santo Evangelio según san Lucas

Cuando los dos discípulos **regresaron** de Emaús
    y llegaron al sitio donde estaban **reunidos** los apóstoles,

Los relatos de apariciones pascuales guardan un aire sobrenatural que no hay que perder.

Jesús es un abogado. Esta palabra que pasó también al español como Paráclito, se encuentra en los escritos joaneos con relación al Espíritu Santo y en este único caso, referida a Cristo. Jesús es un abogado defensor ante el tribunal de Dios. Ante Dios está el mismo Jesús defendiendo al hombre. Estos intercesores ya eran nombrados en el AT: ciertos patriarcas y profetas.

¿Por qué Jesús es un intercesor? Por ser "víctima de expiación" por los pecados del mundo. El término de expiación es muy empleado en el AT. El hombre siempre está necesitado de una purificación por sus pecados (Sal 130:4). El hombre se pregunta cómo obtener una purificación, sintiéndose a menudo, sucio, manchado, culpable ante Dios. El pueblo de Dios empleó un medio, la víctima de un animal que, de alguna manera, se ponía en substitución del hombre. Pero siempre quedaba esta víctima como algo externo al hombre.

La carta nos recuerda que el perdón de los pecados sucede en la misma persona de Jesús, descrito aquí con categorías sacerdotales. Este perdón por medio de Jesús, es uno de los signos más grandes del amor de Dios por los hombres. Es universal este perdón, abarca a todos los hombres.

En los versos finales de esta segunda lectura, se pone lo que constituye el pecado más grande: la mentira. Mentira no del punto de vista moral, de aquél que dice mentiras, sino en clave teológica, del que afirma 'conocer' a Cristo, pero no observa sus mandamientos. Nuestro mundo está caracterizado por la mentira: pretendemos una religiosidad sin alma, sin fondo. Pensarse cercano a Dios, sin un comportamiento que sea la consecuencia de la fe que se dice poseer.

les contaron lo que les había pasado por el **camino**
y cómo habían **reconocido** a Jesús al **partir** el pan.

Mientras hablaban de esas cosas,
se **presentó** Jesús en medio de ellos y les dijo:
"**La paz** esté con ustedes".
Ellos, **desconcertados** y llenos de temor, creían ver **un fantasma**.
Pero él les dijo: "**No teman**; soy **yo.**
¿**Por qué** se espantan? ¿Por qué surgen dudas en su **interior**?
Miren mis manos y mis pies. Soy yo **en persona.**
Tóquenme y convénzanse:
un fantasma **no tiene** ni carne ni huesos,
como ven que **tengo** yo".
Y les **mostró** las manos y los pies.
Pero como ellos no acababan de creer de **pura** alegría
y seguían **atónitos**, les dijo: "¿Tienen aquí algo **de comer?**"
Le ofrecieron un trozo de pescado asado;
él **lo tomó** y se puso a comer **delante** de ellos.

Después les dijo:
"Lo que **ha sucedido**
es **aquello** de que les hablaba yo,
cuando **aún** estaba con ustedes:
que **tenía** que cumplirse **todo** lo que estaba escrito **de mí**
en la ley de Moisés, en los profetas y en los salmos".

Entonces **les abrió** el entendimiento
para que **comprendieran** las Escrituras y les dijo:
"Está **escrito** que el Mesías **tenía** que padecer
y había de **resucitar** de entre los muertos al **tercer** día,
y que **en su nombre** se había de predicar a **todas** las naciones,
comenzando por Jerusalén,
la necesidad de **volverse** a Dios y el **perdón** de los pecados.
Ustedes son **testigos** de esto".

Pronuncia con mucha entereza el saludo pascual. Haz una pausa breve antes de relatar la reacción discipular. Dale pausa y ritmo a los gestos que el texto va marcando.

El párrafo final es clave para entender la historia de Jesús y el futuro de los discípulos. La última frase de Jesús resucitado debe resonar en los oídos de toda la asamblea.

EVANGELIO　San Lucas quiere despejar la idea que rondaba entre los creyentes de la segunda y tercera generaciones, de que las visiones de Jesús resucitado eran como las apariciones de un fantasma que atraviesa paredes, sin estar sujeto ni a tiempo ni a espacio alguno, y que desaparece repentinamente. Para contrarrestar esas especulaciones, el evangelista subraya la dimensión material del cuerpo resucitado de Jesús delante de sus discípulos: parte el pan, los discípulos pueden palpar sus manos y sus pies, y hasta come pescado asado delante de ellos. Todo esto para convencerlos de la realidad del poder de Dios manifiesto en la carne resucitada de Jesús.

Pero esa fuerza de la vida de Dios no sólo ha quedado manifiesta al círculo de discípulos primeros, sino que está al alcance de cada generación de cristianos, porque pueden 'rememorar' la revelación de Jesús acorde con las Escrituras inspiradas y autorizadas de Israel. Las Escrituras dan testimonio de la fuerza de Dios que opera la salvación de los suyos. En este caso, de Jesús de Nazaret, el profeta poderoso en obras y palabras. Él ha cumplido las expectativas anunciadas pero, incluso hojeando a Moisés, los Profetas y los Salmos, es necesario que la inteligencia sea abierta para generar la fe.

Comprender las Escrituras no resulta de conocerlas al dedillo y hasta recitarlas. La inteligencia de las Escrituras proviene de una experiencia con Jesús, de recibir de él el pan partido con sus manos, pero también, de palpar su humanidad, de darle de comer y de dejar que la alegría nos inunde, y su voz arda en nuestro corazón.

IV DOMINGO DE PASCUA

I LECTURA   Hechos 4:8–12

Lectura del libro de los Hechos de los Apóstoles

El evangelio se va expandiendo entre la gente de buena voluntad, no sin causar divisiones. Pablo y Bernabé son predicadores, y a ellos hay que sumarse. Tu ministerio de lector o proclamador es también un servicio al Evangelio para que alcance a todos.

En aquellos días, Pedro, **lleno** del Espíritu Santo, dijo:
    "Jefes del pueblo y ancianos:
Puesto que **hoy** se nos interroga
    acerca del beneficio hecho a un hombre **enfermo,**
    para saber **cómo** fue curado,
    sépanlo ustedes y sépalo **todo** el pueblo de Israel:
    este hombre ha quedado **sano** en **el nombre** de Jesús de
        Nazaret,
    a quien ustedes **crucificaron**
    y a quien Dios **resucitó** de entre los muertos.
Este **mismo** Jesús
    es la **piedra** que ustedes, los constructores, **han desechado**
    y que **ahora** es la piedra angular.
Ningún otro puede **salvarnos,**
    porque no hay bajo el cielo otro nombre dado a los hombres
        por el que nosotros debamos salvarnos".

Este párrafo pronúncialo con júbilo.

[I LECTURA] El discurso de Pedro va dirigido a "los jefes del pueblo y ancianos", como respuesta a la pregunta que les hicieron. Sabían los jefes que el milagro había sido hecho en nombre del Señor Jesús, pero querían obligar a los apóstoles a pronunciar este nombre, para convencerlos de que habían hecho uno de los prodigios que prohíbe Dt 13:2–6, obrar en nombre de otro nombre fuera del Señor Dios.

Aquí, Pedro se atreve a defender la verdad, como hizo Jesús ante sus acusadores, pero con osadía y denuncias directas que terminan invitando a los jefes a buscar la salvación en Jesús. Ellos se podían hacer muchas preguntas: ¿Cómo puede un muerto salvar a alguien? ¿Cómo se puede ser curado por las heridas de un crucificado? La palabra de Pedro lo explica en base al Salmo 118. En el punto de la muerte interviene Dios con su iniciativa: resucitar de los muertos al siervo fiel y, más aún, darle un nombre "que está sobre todo nombre" (Filp 2:9). Es decir, en la muerte por nosotros adquiere el Señor la fuerza vital, la capacidad de presencia absoluta y superior a cualquier criatura. Esa curación es una señal de esa curación radical o salvación definitiva que ofrece el Señor por medio de su resurrección, que está condensada en su nombre. El Señor, que está detrás del nombre, es capaz de quitar toda clase de males, el mayor de todos, la muerte eterna.

[II LECTURA] El núcleo de esta breve lectura está en el verbo 'conocer'. Un conocer que tiene un significado muy amplio, que se salta el conocimiento mental, para insistir en lo que es abarcar a toda la persona, en comulgar con todos los aspectos del ser humano.

Para meditar

SALMO RESPONSORIAL   Salmo 117:1, 8–9, 21–23, 26, 28–29

R. La piedra que desecharon los arquitectos, es ahora la piedra angular.
O bien: **Aleluya.**

Den gracias al Señor porque es bueno, /
porque es eterna su misericordia. / Mejor
es refugiarse en el Señor / que fiarse de los
hombres, / mejor es refugiarse en el Señor, /
que fiarse de los jefes. R.

Te doy gracias, porque me escuchaste /
y fuiste mi salvación. / La piedra que
desecharon los arquitectos, / es ahora la
piedra angular. / Es el Señor quien lo ha
hecho, / ha sido un milagro patente. R.

Bendito el que viene en nombre del Señor, /
los bendecimos desde la casa del Señor. /
Tú eres mi Dios, te doy gracias. / Dios
mío, yo te ensalzo. / Den gracias al Señor
porque es bueno, / porque es eterna su
misericordia. R.

II LECTURA   1 Juan 3:1–2

Lectura de la primera carta del apóstol san Juan

Queridos hijos:
Miren **cuánto amor** nos ha tenido el Padre,
   pues **no sólo** nos llamamos **hijos** de Dios, sino que **lo somos.**
Si el mundo no **nos reconoce,**
   es porque **tampoco** lo ha reconocido **a él.**

Hermanos míos, **ahora** somos hijos de Dios,
   pero **aún** no se ha manifestado cómo seremos **al fin.**
Y ya sabemos que, cuando él **se manifieste,**
   vamos a ser **semejantes** a él,
   porque lo veremos **tal cual es.**

Siéntete y haz sentir a todos y a cada uno
de los miembros de la asamblea como hijos
amadísimos de Dios. Crea esa atmósfera de
intimidad y sosiego que da el amor.

Este párrafo levanta los ojos al futuro cierto.
Comparte esta esperanza con todos.

Encontramos también una alusión clara a la oración de Jesús en el evangelio de Juan (Jn 17). El contexto es el mismo que en la carta: desconocimiento o conocimiento del Padre (Jn 17:23). Se mira al futuro. La gloria ya dada a los cristianos, apela a otra. Todo está centrado sobre la gloria, ahora escondida, pero que se revelará en el futuro. Por lo mismo, ninguna ansiedad, la gloria llegará a su tiempo, el tiempo decidido por el Padre.

El autor apela a la tradición recibida en su comunidad. La vocación cristiana tiene como centro un colocarse ante Dios cara a cara. Los judíos pretendían que esto era propio y exclusivo del Mesías. El cuarto evangelio es fiel a esta tradición: la verdadera gloria es la que el Hijo ha recibido de su Padre. Esta gloria la recibe el discípulo al reconocerla en los signos de Jesús, antes de entrar en esa lucidez impensable ofrecida por Jesús (Jn 17:10, 22, 24). Para el discípulo coinciden el hecho de ser semejantes al Hijo y el hecho de verlo.

En todo esto, se trata de ver. Al final del camino veremos a Dios tal cual es, veremos "qué gran amor el Padre nos ha dado". Para Juan no se trata de esperar un mundo mejor, con relación al cual la comunidad aguarda algunos signos precursores. La comunidad juánica vive ya viendo el amor en el corazón del Padre que ha dado a su Hijo.

| EVANGELIO | En el evangelio de san Juan, la confrontación de Jesús con las autoridades religiosas judías, fariseos y sumos sacerdotes, crea un ambiente de alta tensión, desde el que surge el discurso del Buen Pastor, cuya segunda parte escuchamos hoy.

EVANGELIO   Juan 10:11–18

Lectura del santo Evangelio según san Juan

En aquel tiempo, Jesús dijo **a los fariseos:**
    "Yo **soy** el buen pastor.
El buen pastor **da la vida** por sus ovejas.
En cambio, el asalariado,
    el que **no es** el pastor **ni el dueño** de las ovejas,
    cuando ve venir al lobo, **abandona** las ovejas y **huye;**
    el lobo se **arroja** sobre ellas y las **dispersa,**
    porque a un asalariado no le importan las ovejas.

Yo soy el buen pastor, porque conozco a mis ovejas
    y ellas me conocen a mí,
    así como el Padre me conoce a mí y yo conozco al Padre.
Yo doy la vida por mis ovejas.
Tengo además **otras** ovejas que **no son** de este redil
    y es necesario que las traiga **también** a ellas;
    escucharán mi voz y habrá **un solo** rebaño y **un solo** pastor.

El Padre me ama porque **doy mi vida** para volverla a tomar.
Nadie me la quita; yo la doy porque **quiero.**
Tengo **poder** para darla
    y lo tengo también para **volverla** a tomar.
Éste es el mandato que **he recibido** de mi Padre".

Separa cuidadosamente la línea introductoria de la primera línea del discurso de Jesús. La comparación entre el Buen pastor y los líderes asalariados está dependiendo del primer 'Yo soy'. Pronúncialo sin ínfulas de grandeza, sino con la humildad de quien ha dado la vida.

La relación entre pastor y ovejas es tan íntima y cálida como fuerte y segura. Dale esos acentos a tu proclamación.

La comparación alcanza otro nivel, cuando habla del amor entre Padre e Hijo donde la entrega de la vida incluye a las ovejas. Esa certeza hay que comunicarla como una convicción de fe.

Jesús se legitima con la entrega de su vida en favor de sus ovejas. ¿Hay un modo mejor de legitimarse?

El pastor es una figura que reúne y congrega a las ovejas, porque le importan. Su interés nace de conocerlas una por una. De establecer una relación personalizada como la del Hijo con el Padre. Esta afirmación es inaudita y sorprende. El Padre conoce al Hijo desde siempre, pero sobre todo comparten el vínculo de la vida eterna. Los une un conocimiento vital. Que hace al Padre ser tal y al Hijo lo constituye en relación con él. No pueden intercambiar el modo de su relación, porque es su relación, justamente lo que los distingue y les da la identidad.

En el segmento final, el Pastor refrenda su soberanía sobre la vida y la muerte. Algo que le compete a Dios, y a nadie más. Pero Jesús no usurpa esa autoridad o poder, porque es un mandamiento que ha recibido del Padre. El mandamiento no es una carga pesada, como a nuestra mentalidad occidental y ansiosa de sacudirse cualquier yugo, pudiera parecer. El mandamiento son obras buenas que hay que hacer, en la mentalidad bíblica. Los mandamientos de Dios no son pesados sino ligeros, porque agradan a Dios y agradan a los hombres. Son oportunidades de hacer el bien. Y esto es lo que Jesús señala: su entrega de la vida le garantiza el amor del Padre y el cumplimiento de su mandato. El Buen Pastor es fiel al Padre al participar a sus ovejas de su vida y de su revelación o conocimiento. Es una revelación que da vida y congrega al rebaño, el pueblo de Dios. Lo contrario sucede con el asalariado.

V DOMINGO
DE PASCUA

I LECTURA   Hechos 9:26–31

Lectura del libro de los Hechos de los Apóstoles

Cuando Pablo **regresó** a Jerusalén,
    trató de unirse a los discípulos,
    pero todos le tenían **miedo,**
    porque **no creían** que se hubiera convertido **en discípulo.**

Entonces, **Bernabé** lo presentó a **los apóstoles**
    y les refirió cómo Saulo **había visto** al Señor en el camino,
    cómo el Señor le había **hablado**
    y cómo él había **predicado,** en Damasco,
    con valentía, en el **nombre** de Jesús.
Desde entonces, vivió **con ellos** en Jerusalén,
    iba y venía, predicando **abiertamente** en el nombre del Señor,
    hablaba y **discutía** con los judíos de habla griega
    y éstos intentaban **matarlo.**
Al **enterarse** de esto, los hermanos condujeron a Pablo a Cesarea
    y lo despacharon **a Tarso.**

En aquellos días,
    las comunidades cristianas gozaban **de paz**
    en toda Judea, Galilea y Samaria,
    con lo cual se iban **consolidando,**
    progresaban en **la fidelidad** a Dios y se multiplicaban,
    animadas por el Espíritu Santo.

Este relato introduce a Pablo en el círculo de testigos en Jerusalén. Procura darle ritmo e intensidad para que la asamblea note que no fue nada fácil acreditar a un nuevo testigo del Señor Jesús.

Los nombres de los lugares muestran la palabra de Dios es migrante. Al leerlos, refiérelos como si fueran lugares que todos conocen por haber pasado por ellos.

I LECTURA   Pablo fue escogido por el Señor para difundir su nombre "entre paganos, reyes e israelitas" (Hch 9:15). Los cristianos, sin embargo, temían a Pablo, porque no sabían de su experiencia de fe. Los criterios humanos no siempre comprenden las intenciones divinas. Pablo era un "vaso de elección".

Es cierto que los planes de Dios son incomprensibles al hombre, pero Dios sabe elegir a personas que ya de alguna forma tienen ciertas capacidades, que aunque la persona no las conozca, existen. Pablo era un hombre sincero, duro, tenaz y eficaz.

Todo eso va a ser utilizado para extender la Buena Noticia.

Pablo fue elegido y enviado. Ahora le toca a él la misión y dar testimonio. Por la carta a los Gálatas sabemos cuál fue el objetivo de su visita a Jerusalén: encontrarse con las columnas de la iglesia para cotejar su evangelio. No para recibirlo, sino para confirmar que lo recibido por él era igual al mismo evangelio, recibido por los apóstoles.

Con esta visita empezará la misión de Pablo. El encuentro de la comunidad con el discípulo Pablo ha cambiado nuestra historia, porque en aquel momento la iglesia ha sido capaz de salir de la desconfianza y del miedo. Pablo representa al cristiano que vive de la luz de la resurrección y que está tendido hacia los demás.

Ahora Lucas da una pincelada de lo que es y debe ser una comunidad cristiana (v. 31). Esta comunidad está en paz, crece, es decir, está construida, no es una aglomeración de personas, sino una construcción armónica; camina en el temor de Dios y está confortada por el Espíritu Santo.

Para meditar

SALMO RESPONSORIAL   Salmo 21:26b–27, 28, y 30, 31–32

R. El Señor es mi alabanza en la gran asamblea.
O bien: **Aleluya.**

Cumpliré mis votos delante de sus fieles. /
Los desvalidos comerán hasta saciarse, /
alabarán al Señor los que lo buscan: / viva su
corazón por siempre. R.

Lo recordarán y volverán al Señor / hasta de
los confines del orbe; / en su presencia se
postrarán las familias de los pueblos. / Ante
él se postrarán las cenizas de la tumba, ante
él se inclinarán los que bajan al polvo. R.

Me hará vivir para él, mi descendencia le
servirá; / hablarán del Señor a la generación
futura, / contarán su justicia al pueblo que
ha de nacer: / todo lo que hizo el Señor. R.

II LECTURA   1 Juan 3:18–24

Lectura de la primera carta del apóstol san Juan

Hijos **míos:**
No amemos solamente **de palabra;**
    amemos **de verdad** y con las obras.
En esto **conoceremos** que somos **de la verdad**
    y delante de Dios **tranquilizaremos** nuestra conciencia
    de cualquier cosa que ella nos **reprochare,**
    porque Dios es **más grande** que nuestra conciencia
    y **todo** lo conoce. Si nuestra conciencia no nos **remuerde,**
    entonces, hermanos míos, nuestra confianza en Dios **es total.**

Puesto que **cumplimos** los mandamientos de Dios
    y **hacemos** lo que le agrada,
    ciertamente obtendremos de él **todo** lo que le pidamos.
Ahora bien, **éste es** su mandamiento:
    que creamos en la persona de Jesucristo, **su Hijo,**
    y nos **amemos** los unos a los otros,
    conforme al precepto que nos dio.

En esta exhortación inclúyete decididamente. El testimonio del Anciano es de primera mano. El ritmo debe ser pausado y amable.

Al hablar de los mandamientos no lo hagas como si fueran un fardo pesado, sino como oportunidades de agradar a Dios. Pon acentos en esto de agradar a Dios.

II LECTURA Las primeras palabras de la lectura se parecen a las que Jesús decía, tan sólo que el Maestro lo decía más simple y claro. La frase quiere decir que no afirmemos nuestro amor con palabras, sino con obras. Obras son amores y no buenas razones, decimos. El amor sólo se sustenta en los hechos. Los hechos le dan consistencia a la palabra. Si la palabra no corresponde a lo significado, entonces aparece la mentira, la no verdad.

Para Juan, la verdad, la fe, es Jesús y también es el amor.

En los versos previos se encuentra uno de los más grandes misterios del amor divino: su perdón incondicional. "Dios es más grande que nuestro corazón y lo sabe todo". Así lo pensó Pedro cuando Jesús le requirió su amor total. Pedro, temeroso, se acogió a este amor de Jesús incondicional y no se confió en su arrepentimiento tras haberlo negado: "Tú sabes todo, tu sabes que te amo".

Hay una conjunción entre el amar a Dios, guardar los mandamientos y el don del Espíritu. "Permanecer en Dios" es algo muy de Juan. Como dirá el evangelio de hoy: "permanezcan en mí y yo en ustedes".

EVANGELIO Uno de los pasos mejor recordados de las despedidas de Jesús es el de hoy: la indisoluble unión entre Jesús, la vid, y sus discípulos, los sarmientos, una vez que haya partido. Jesús se asimila a una planta, la vid, que nutre y mantiene unidas las guías, las ramas, para que puedan producir fruto. La ausencia de Jesús, no representa su alejamiento de su grupo de discípulos, sino un modo diferente de relación o de vinculación.

Cuando Jesús pronuncia palabras tan solemnes como los "Yo soy...", dice algo de sí mismo, se da a conocer, se revela,

La permanencia en el amor de Dios es una convicción profunda de nuestra vida cristiana. Mírate convencido y convincente al momento de ir haciendo estas líneas ante la congregación.

Quien cumple sus mandamientos
   permanece en Dios y Dios **en él.**
En **esto** conocemos,
   por el Espíritu que él **nos ha dado,**
   que él **permanece** en nosotros.

EVANGELIO   Juan 15:1–8

Lectura del santo Evangelio según san Juan

Los 'Yo soy' de Jesús indican también las dos partes de este evangelio. Márcalos bien. Pero el foco primario de esta enseñanza son los creyentes, que deben mantenerse unidos a Jesús. Llena estas palabras de confianza y gozo.

En aquel tiempo, Jesús dijo a sus discípulos:
   "Yo soy la **verdadera** vid y mi Padre es el **viñador.**
Al sarmiento que **no da fruto** en mí, él lo **arranca,**
   y al que da fruto lo **poda** para que **dé** más fruto.

Frasea con cuidado estas líneas, aunque el auditorio las conoce al dedillo. La advertencia de una purga no significa una amenaza, pero sí una advertencia; di con cierta pena o tristeza la suerte del que no da fruto.

Ustedes ya están **purificados** por las palabras que les **he dicho.**
Permanezcan **en mí** y yo en ustedes.
Como el sarmiento no puede dar fruto por **sí mismo,**
   si no permanece **en la vid,**
      así **tampoco** ustedes, si no permanecen **en mí.**
Yo soy la vid, ustedes los **sarmientos;**
   el que permanece **en mí** y yo **en él,** ése da fruto **abundante,**
      porque sin mí **nada** pueden hacer.
Al que **no** permanece en mí se le echa **fuera,**
   como al sarmiento, y **se seca;**
      luego lo recogen, lo **arrojan** al fuego y arde.

Esta parte llénala de efusividad y gusto, como cuando contemplas a tu hijo disfrutando el juguete que le has obsequiado. Así, Dios se goza en vernos unidos a Jesús. Haz que brille la gloria del Padre.

Si permanecen **en mí** y mis palabras permanecen **en ustedes,**
   pidan lo que quieran y se les **concederá.**
La **gloria** de mi Padre consiste en que den **mucho** fruto
   y se manifiesten **así** como discípulos **míos".**

---

pero siempre en relación a sus escuchas y discípulos.

A Dios y a su Enviado, Jesucristo, lo conocemos por lo que hace en favor nuestro: su salvación. Y esta salvación tiene, en las palabras de Jesús, también un carácter purgativo, de purificación. Poco hablamos de la palabra de Dios como purga.

En un primer momento, las palabras de Jesús miran hacia afuera. Se adivina en ellas que la comunidad o grupo cristiano ha pasado por una situación difícil, en la que algunos de sus miembros han sido separados o aislados. Quizá es gente autosuficiente que piensa no requerir de la comunidad para establecer una relación con Jesús resucitado. A los ojos de algunos, esto puede ser una pérdida, pero el autor lo considera una poda llevada a cabo por el Viñador. Un discípulo sin frutos, vale más que sea separado.

En el segundo momento, la mirada se vuelve al propio grupo. Ante el temor de sufrir una separación, Jesús asegura a los presentes que la palabra recibida ya les ha purificado. Cabe pensar que quienes escuchan pueden lamentarse no haber estado en la última cena con Jesús para ser purificados por él. Pero más que el agua, ha sido la palabra de Jesús la que consigue ese efecto. Este es el cimiento primero de la comunidad; de hecho, ha sido esta experiencia de ser purificado la que los ha reunido en torno a Jesús, y la que les mantiene unidos a él. La palabra revelada es el criterio y medida de la comunidad. Es como un espejo que interpela al discípulo, sin engaño; pero es una palabra recibida y comunicada en la comunidad.

VI DOMINGO DE PASCUA

I LECTURA   Hechos 10:25–26, 34–35, 44–48

Lectura del libro de los Hechos de los Apóstoles

En aquel tiempo,
  entró **Pedro** en la casa del oficial **Cornelio,**
  y éste le salió al **encuentro**
  y se **postró** ante él en señal de adoración.
Pedro lo **levantó** y le dijo:
  "Ponte **de pie,** pues soy un hombre **como tú".**
Luego **añadió:** "Ahora caigo en la cuenta
  de que Dios **no hace** distinción de personas,
  sino que **acepta** al que lo teme y practica la justicia,
  sea de la nación que fuere".

Todavía estaba hablando Pedro, cuando el Espíritu Santo
  descendió sobre todos los que estaban escuchando el mensaje.
Al oírlos hablar en lenguas **desconocidas**
  y **proclamar** la grandeza de Dios,
  los creyentes judíos que habían venido con Pedro,
  se **sorprendieron** de que el don del Espíritu Santo
  se hubiera **derramado** también sobre **los paganos.**

Entonces Pedro sacó esta **conclusión:**
  "¿Quién puede **negar** el agua del bautismo
  a los que han **recibido** el Espíritu Santo
    lo mismo que nosotros?"
Y los mandó **bautizar** en el nombre de Jesucristo.
Luego le **rogaron** que se quedara con ellos algunos días.

Transmite el sentido de extrañeza que Pedro debió sentir al entrar en casa de un pagano. Luego cambiará su actitud, conforme va hablando. Las últimas palabras de su discurso son muy importantes. No las digas con precipitación.

Denota sorpresa con tu tono de voz ante la llegada súbita del Espíritu Santo.

Dirige la pregunta de Pedro a la asamblea entera. Es una pregunta retórica, es decir que no espera respuesta, porque todos consienten en lo que se propone.

I LECTURA El tema del amor está en el centro de este domingo. El amor es un fruto de la resurrección. La primera lectura nos habla del encuentro de Pedro con un pagano, donde se enfatiza la resurrección y el fruto de ésta: el acceso de los paganos a participar de la elección de Israel. De parte de Dios no hay límite para la salvación. Los límites son puestos por el hombre. Pedro y sus colegas se oponen. El Espíritu tendrá que intervenir para que se abra este camino a los paganos.

Mientras estaba hablando Pedro, cuando citaba el testimonio de los profetas, vino la efusión del Espíritu sobre los temerosos de Dios. El Espíritu no llegó por medio del bautismo, sino por la palabra de Dios. Se tuvo la purificación de los paganos sin la mediación de la circuncisión. Dios mismo intervino para hacer comprender a la comunidad primitiva la universalidad del Evangelio.

Aprendemos que el Espíritu viene también sobre esos paganos, haciendo ver a la Iglesia que no debe discriminar ni preferir a nadie. La Iglesia necesita abrirse a todos. Cuando se restringe a grupos, a asociaciones o a los escogidos, a los espirituales o "comprometidos", como se llaman hoy, la Iglesia se convierte en una ONG (Organización No Gubernamental), como decía el papa Francisco.

Tanto Pedro como sus acompañantes aceptaron esta intervención, para ellos rara y desacostumbrada del Espíritu y se pusieron en consonancia. Ayudarían a bautizar a Pedro y, como una muestra de que consideraban a los recién bautizados puros, aceptaron su hospitalidad.

Todo es fruto del amor de Dios. Ese amor precede nuestros pasos.

Para meditar

SALMO RESPONSORIAL   Salmo 97:1, 2–3ab, 3cd–4

R. El Señor revela a las naciones su salvación.
O bien: **Aleluya.**

Canten al Señor un cántico nuevo, / porque
ha hecho maravillas, / su diestra le ha dado
la victoria, / su santo brazo. R.

El Señor da a conocer su victoria, / revela
a las naciones su justicia; / se acordó de su
misericordia y su fidelidad / en favor de la
casa de Israel. R.

Los confines de la tierra han contemplado /
la victoria de nuestro Dios. / Aclama al
Señor, tierra entera; / griten, vitoreen,
toquen. R.

II LECTURA   1 Juan 4:7–10

Lectura de la primera carta del apóstol san Juan

Queridos hijos:
Amémonos los unos a los otros,
   porque el amor **viene** de Dios,
   y **todo** el que ama **ha nacido** de Dios y **conoce** a Dios.
El que no ama, **no conoce** a Dios, porque Dios **es amor.**
El amor que Dios nos tiene
   se **ha manifestado** en que envió al mundo a su Hijo **unigénito,**
   para que **vivamos** por él.

El amor consiste **en esto:**
   no en que nosotros **hayamos** amado a Dios,
   sino en que él nos amó **primero**
   y nos **envió** a su Hijo,
   como **víctima** de expiación por **nuestros** pecados.

El lenguaje del amor exige autenticidad
y convicción. Quizá el mejor modo de
preparar esta lectura sea haciendo un
repaso de los modos concretos de amor al
prójimo que has experimentado y practicado.
Luego deja que fluyan tus palabras ante
la asamblea.

Sólo sentimos la redención de Dios
si sentimos su amor. Pausa esta parte
y recalca la última línea que a todos
nos identifica.

| II LECTURA | En el centro de esa segunda lectura está la afirmación: "Dios es amor". Con este sustantivo. 'amor', se expresa más una calificación de tipo adjetival: Dios se ha manifestado siempre en actos bondadosos con los hombres. Es lo que sobresale en su comportamiento y es lo que han experimentado los miembros del pueblo de Dios. De aquí la formula expresada para ellos.

El mandato de amar al prójimo, exigido por Juan, es puesto en relación con su fuente, con Dios. El hombre es incapaz de amar al otro hombre, motivado por su humanidad; si lo hace, es porque el amor le viene de Dios. El que ama revela su ser, "generado por Dios" y motivado por él.

El amor tiene su origen sólo en Dios; el hombre, al ser capaz de recibir este amor, demuestra ser hijo de Dios y llega a conocer precisamente a Dios a través del amor. Por lo mismo, el que no ama, "no ha conocido a Dios, porque Dios es amor". Así entendemos a San Agustín, comentando estas páginas: "Ama y haz lo que quieras".

Afirmar que Dios es amor se basa en la encarnación. Este abajamiento del Hijo, este venir a buscar al hombre en su misma criaturalidad, es una prueba de lo que significa amar. Amar no es recibir, sino dar, que va a ser lo distintivo en la vida y en las palabras de Jesús. Por esto se admira san Juan y pone esto, el hacerse débil, humano, como razón profunda del amor de Dios.

De lo anterior se exige, que el hombre se muestre con acciones concretas, en ese servir al otro. No es cuestión de méritos. Nadie merece el amor de Dios. Si lo tenemos, es por bondad de él, gratis, para que lo demostremos amando.

EVANGELIO   Juan 15:9–17

Lectura del santo Evangelio según san Juan

En aquel tiempo, Jesús dijo a sus discípulos:
    "Como el Padre me ama, **así** los amo yo.
Permanezcan en mi amor.
Si **cumplen** mis mandamientos, permanecen en mi amor;
    lo mismo que **yo** cumplo los mandamientos de mi Padre
    y **permanezco** en su amor.
Les he dicho esto para que mi alegría esté **en ustedes**
    y su alegría sea **plena**.

Éste es mi mandamiento:
    que se amen los **unos a los otros** como yo los he amado.
Nadie tiene amor más grande a sus amigos
    que el que **da la vida** por ellos.
Ustedes son mis amigos, si hacen **lo que yo** les mando.
Ya no los llamo **siervos**,
    porque el siervo **no sabe** lo que hace su amo;
    a ustedes los llamo **amigos**,
    porque les he dado **a conocer**
    todo lo que le he oído a mi Padre.

No son ustedes los que me han **elegido**,
    soy yo quien los ha **elegido**
    y los ha **destinado** para que vayan y **den fruto**
    y su fruto **permanezca**,
    de modo que el Padre les conceda cuanto le pidan
        en mi nombre.
Esto es lo que les mando: que se amen los unos **a los otros**".

Jesús crea la comunión en el amor de su Padre. Dale calidez y fuerza a estas frases para que se note el gozo que produce vivir el amor. El amor de Dios se tiene que notar.

Fíjate en las frases que hablan de la nueva condición de los seguidores de Jesús. Pronúncialas buscando la mirada de la asamblea.

La última frase es categórica. El mandato del amor no deja rendijas a la indiferencia. Proclámalo respaldado por la autenticidad de tu propia vocación al amor.

EVANGELIO El evangelio sigue desarrollando la unidad entre Jesús y los suyos. Si antes Jesús encareció a los suyos a permanecer en su palabra, ahora les recomienda que se afiancen en su amor.

Jesús ama a los suyos con el mismo principio o por la misma razón que el Padre lo ama a él. Jesús reproduce el amor de su Padre en sus discípulos. Entendamos esto.

Jesús nos revela que es amado de su Padre porque "da la vida por los suyos", porque lleva a cabalidad el mandamiento de "dar y de retomar la vida" por los que creen en él, y porque, consecuentemente, el Padre le ha puesto todo en su mano. El amor del Padre al Hijo es un amor que funda y produce la fidelidad de Jesús. No es amor unilateral, sino recíproco. La fidelidad de Jesús, su entrega de la vida para favorecer a los suyos, es su respuesta al Padre. Y este principio amoroso es el que está operando en la relación de Jesús a los suyos.

El criterio del amor es la fidelidad, pero una fidelidad que produce alegría expansiva, alegría que se comunica. A nuestra mentalidad occidental y post moderna, la fidelidad es entendida como una especie de atadura y hasta de esclavitud porque impide hacer la propia voluntad a placer. Sin embargo, ser fiel es procurar alegría a la persona amada. El amor de Dios nos alegra, porque nos recrea, nos da seguridad de hijos. Y ese amor es el que nos da la libertad para aunar nuestra voluntad y nuestra libertad a la de Dios. Y esto es lo que tenemos de manera ejemplar en Jesús de Nazaret. Por eso entendemos su alegría que, al introducirnos en la relación amorosa con Dios Padre, se reproduce en sus discípulos y alcanza plenitud.

ASCENSIÓN DEL SEÑOR

Lucas muestra que la fe cristiana está arraigada en acontecimientos reales y no en fábulas o fantasías como muchas religiones de la época. El primer párrafo debe crear la sensación de seriedad y economía de un testimonio verídico. Sin poses artificiales ni entonación afectada, habla con naturalidad y total respeto al auditorio.

Las palabras del Resucitado son puntuales y precisas. Dale más tiempo a la promesa del Espíritu Santo en tu recitación.

Muestra cierta ansiedad en las preguntas de los discípulos. Acompaña la respuesta de Jesús con mucha decisión sobre todo, a la hora de hablar del Espíritu.

I LECTURA   Hechos 1:1–11

Lectura del libro de los Hechos de los Apóstoles

En mi **primer** libro, querido Teófilo,
  escribí acerca **de todo** lo que Jesús hizo y **enseñó,**
  hasta el día en que **ascendió** al cielo,
  después de dar sus **instrucciones,** por medio del Espíritu Santo,
  a los apóstoles que había **elegido.**
A ellos se les **apareció** después de la pasión,
  les dio **numerosas** pruebas de que estaba **vivo**
  y durante **cuarenta** días se dejó ver **por ellos**
  y les habló del **Reino** de Dios.

Un día, estando con ellos a la mesa, les **mandó:**
  "No se alejen de Jerusalén.
Aguarden **aquí** a que se **cumpla** la promesa de mi Padre,
  de la que ya les he **hablado:**
  Juan bautizó **con agua;**
  dentro de pocos días ustedes serán bautizados
  con el **Espíritu Santo".**

Los ahí reunidos le preguntaban:
  "Señor, ¿**ahora** sí vas a restablecer la **soberanía** de Israel?"
Jesús les contestó:
  "A ustedes no les toca **conocer** el tiempo y la hora
  que el Padre ha **determinado** con su autoridad;
  pero cuando el Espíritu Santo **descienda** sobre ustedes,
  los **llenará** de fortaleza y serán mis **testigos** en Jerusalén,

---

I LECTURA El autor empieza subrayando las prerrogativas del colegio apostólico como depositario auténtico de la promesa y de la misión del resucitado. No hay abismo ni barranca entre el Jesús antes de su muerte y el resucitado; hay continuidad, dentro de una justa diferenciación. Es muy importante esto, pues todos los desarrollos posteriores de la Iglesia se justificarán por la autoridad de este grupo privilegiado.

Entre la persona de Jesús y el grupo apostólico se insinúa un tercer personaje: el Espíritu Santo (vv. 2, 4–5, 8). El Espíritu Santo

une al Señor, en el momento de dejar a los suyos, con la Iglesia que espera la fuerza del Espíritu para poder ser testigo de Cristo hasta las extremidades de la tierra. El don del Espíritu no significa una restauración del reino escatológico, sino una operación de testimonio que el Espíritu les comunicará. Este testimonio será, ante todo, sobre la resurrección de Jesús, que deberán anunciar a todos y en todas partes.

La ascensión de Jesús es descrita como una bendición hierática, que suscita la adoración, alegría y alabanza de Dios en el templo. Aquí es presentada la ascensión

eclesialmente, como el paso del tiempo de Jesús al tiempo del testimonio.

En adelante se puede unir uno a Cristo por el testimonio de los Apóstoles que pasa de generación en generación.

San Agustín termina su reflexión sobre este paso: "He aquí dónde quedo yo que subo; yo subo porque soy la cabeza. Mi cuerpo queda todavía sobre la tierra. ¿Dónde está? Sobre toda la tierra. Ten cuidado de no golpearlo, de no violentarlo, de no pisarlo con los pies. Esas son las últimas palabras de Cristo que sube al cielo" (PL 35, col. 2060–61).

en toda Judea, en Samaria
y hasta los **últimos** rincones de la tierra".

Dicho esto, se fue **elevando** a la vista de ellos,
hasta que una nube lo **ocultó** a sus ojos.
Mientras miraban **fijamente** al cielo, viéndolo **alejarse,**
se les presentaron **dos hombres** vestidos de blanco,
que les dijeron:
"**Galileos,** ¿qué hacen allí **parados,** mirando al cielo?
Ese **mismo** Jesús que los ha dejado para **subir** al cielo,
volverá como lo han visto alejarse".

Esta visión es muy plástica, y la gente la puede reproducir sin mucho esfuerzo. Tu empeño debes ponerlo en que las palabras de los mensajeros celestes despierten la vigilia por el regreso de Jesús.

Para meditar

SALMO RESPONSORIAL   Salmo 46:2–3, 6–7, 8–9

R. Dios asciende entre aclamaciones, el Señor, al son de trompetas.
O bien: **Aleluya.**

Pueblos todos, batan palmas, / aclamen a Dios con gritos de júbilo; / porque el Señor es sublime y terrible, / emperador de toda la tierra. R.

Dios asciende entre aclamaciones, / el Señor, al son de trompetas: / toquen para Dios, toquen; / toquen para nuestro Rey, toquen. R.

Porque Dios es el rey del mundo; / toquen con maestría. Dios reina sobre las naciones, / Dios se sienta en su trono sagrado. R.

II LECTURA   Efesios 4:1–13

Lectura de la carta del apóstol san Pablo a los efesios

Hermanos:
Yo, Pablo, **prisionero** por la causa del Señor,
los **exhorto** a que lleven una vida digna
del **llamamiento** que han recibido.
Sean siempre **humildes** y amables;
sean **comprensivos** y **sopórtense** mutuamente con amor;
esfuércense en mantenerse **unidos** en el espíritu
con el **vínculo** de la paz.

Dale vida y voz a la figura de Pablo ante la asamblea. No te coloques mentalmente por encima de ella, sino a su servicio. Haz este exhorto con afecto y compromiso.

II LECTURA La lectura es una invitación a vivir el misterio de Dios que se ha mostrado concretamente en Cristo, de lo cual había tratado Pablo en los capítulos anteriores.

Ahora, Pablo pone los fundamentos de la unidad en la Iglesia; pasa enseguida a concluir que la diversidad existente en la comunidad de Éfeso, no constituye un impedimento para la unidad, sino que es precisamente el presupuesto en el que se funda esta unidad. En esta parte el argumento de Pablo se funda en la Ascensión del Señor.

La comunidad de Éfeso tiene por tarea construir el cuerpo de Cristo por medio del regalo del Espíritu. El lazo de unión de la Iglesia con el Señor está forjado por el bautismo y la respuesta del fiel bautizado. No es una unidad de sentimientos o de ideas. De este fundamento de la unidad, pasa el Apóstol al tema de la Ascensión del Señor.

La insistencia de Pablo en el aspecto del don, del regalo, es importante para entender el sentido de la diversidad en función de la unidad. Hoy para la fiesta se deben recalcar los versículos 8–10, que citan el Salmo 67:18, donde se funda la diversidad en la misión de Cristo.

Con su encarnación (descenso) y glorificación (resurrección y ascensión al cielo) ha anulado Cristo la distancia infinita que había entre Dios y el hombre. Por eso la diversidad de dones está en favor de la unidad interna de la Iglesia.

La Ascensión del Señor trae consecuencias importantes para la vida de la Iglesia. Su Ascensión no es lejanía del hombre. Ha subido el Señor al cielo para "llenar todas las cosas", para hacerse presente no sólo en la Iglesia, sino en todo el mundo. En segundo

El énfasis en la unidad debe notarse al pronunciar las palabras que la presentan. Pronuncia las expresiones en un solo golpe.

Esta explicación tiene su alcance en la línea final; dale a ésta su amplitud.

Identifica todas las expresiones relativas al Cristo total, y dales intensidad también con la mirada.

Porque no hay más que **un solo** cuerpo y un solo **Espíritu**,
como es también sólo una la **esperanza**
del **llamamiento** que ustedes han **recibido**.
Un solo Señor, una sola fe, un solo **bautismo**,
un **solo Dios** y **Padre** de todos, que **reina** sobre todos,
actúa a través de **todos** y vive en todos.

Cada uno de **nosotros** ha **recibido** la gracia
en la medida en que **Cristo** se la ha **dado**.
Por eso dice la **Escritura**:
Subiendo a las alturas, **llevó** consigo a los **cautivos**
y dio **dones** a los **hombres**.

¿Y qué **quiere** decir "subió"?
Que primero bajó a lo **profundo** de la tierra.
Y el que **bajó** es el mismo que **subió** a lo más alto
de los cielos, para **llenarlo** todo.

El fue quien **concedió** a unos ser **apóstoles**;
a otros, ser **profetas**; a otros, ser **evangelizadores**;
a otros, ser **pastores** y **maestros**.
Y esto para **capacitar** a los fieles, a fin de que,
desempeñando **debidamente** su tarea,
construyan el cuerpo de Cristo,
hasta que todos lleguemos a estar **unidos** en la **fe**
y el **conocimiento** del Hijo de Dios,
y **lleguemos a ser** hombres perfectos,
que **alcancemos** en todas sus dimensiones
la **plenitud** de Cristo.

Forma breve: Efesios 4:1–7, 11–13

Alternativa: Efesios 1:17–23

lugar, la Ascensión trae como resultado fundar la unidad necesaria de una Iglesia con la diversidad de las manifestaciones del Espíritu, que son dones del Señor.

Celebrar la Ascensión del Señor es poner en conjunto las propias diversidades, los diferentes dones, para construir al "hombre perfecto", que no es cada cristiano, sino todo el cuerpo de Cristo, es decir, la Iglesia, la comunidad de los hijos de Dios.

EVANGELIO Escuchamos una especie de resumen de apariciones que nos son familiares por otros evangelios.

Los relatos de apariciones de Jesús tienen una razón de ser: prolongar la misma tarea iniciada en Galilea por Jesús. Los discípulos van a re-generar lo que Jesús hacía y decía. El mismo Resucitado los capacita, dejándose ver, para que se conviertan en heraldos del reino de Dios y en ejecutores de señales que avalen sus enseñanzas.

Ser heraldo del reino exige no sólo una disposición de servicio a Dios y sus causas, sino conocer en carne propia el Evangelio de Jesús de Nazaret, su vida, muerte y resurrección, para no distorsionarlo. Los proclamadores del reino no son repetidores

mecánicos de una serie de doctrinas necesarias para relacionarse con Dios y alcanzar su salvación. No. Ellos han andado con el Galileo, lo conocen a profundidad; son sus discípulos. Son, primero que todo, testigos privilegiados de la historia de Jesús para hacerla relevante para todo el que la escucha; y le dan color, calor y sabor a la historia de Jesús. Ese es su privilegio y no otro. Pero ese privilegio está al alcance de todo bautizado.

El heraldo del reino no es un turista religioso ni un vocinglero devocional, sino nuncio de Buenas Nuevas. A veces se nos

EVANGELIO   Marcos 16:15–20

Lectura del santo Evangelio según san Marcos

En aquel tiempo, se **apareció** Jesús a los Once y les dijo:
  "**Vayan** por todo el mundo
  y **prediquen** el Evangelio a **toda** creatura.
El que **crea** y se bautice, se **salvará;**
  el que se **resista** a creer, será **condenado.**
Éstos son los milagros que **acompañarán** a los que hayan creído:
  arrojarán demonios **en mi nombre,**
  hablarán lenguas nuevas,
  cogerán serpientes **en sus manos,**
  y si beben un veneno mortal, **no** les hará daño;
  impondrán las manos a los enfermos
  y éstos quedarán **sanos".**

El Señor Jesús, después de hablarles,
  subió al cielo y está sentado a **la derecha** de Dios.
Ellos fueron y proclamaron el Evangelio por **todas partes,**
  y el Señor **actuaba** con ellos
  y **confirmaba** su predicación con los milagros que hacían.

Distingue las partes de este envío. Las palabras de Cristo deben tener autoridad, pero también confianza. Cambia el tono a la hora de hablar de los milagros, porque no involucran sólo a los Once, sino a todos los que crean en Jesús. Dale esa apertura a tu lectura levantando la mirada del evangeliario.

Retoma el tono natural o medio del narrador. Prepara la salida bajando la voz paulatinamente.

---

olvida esto. Anunciar el Evangelio de Jesucristo no consiste en proclamarlo como airear sucesos en un noticiario. La Buena Noticia exige re-generar la historia de Jesús, de Galilea a Jerusalén y de Jerusalén a Galilea, de modo que transforme la vida del testigo, primero, y luego, la de quienes viven a su alrededor.

El proclamador del reino es alguien que ejecuta señales, igual que Jesús. Los signos mencionados por Marcos son espectaculares; pero sólo el primero y el último (exorcismos y curaciones) corresponden a lo que Jesús realizaba, los otros (glosolalia, atrapar serpientes, inmunidad al veneno) son novedades. Y es que esos signos nuevos tienen la función de acreditar y salvaguardar a los heraldos del reino en países extraños, fuera de Palestina. Jesús resucitado les confiere los instrumentos necesarios para llevar la Buena Noticia a toda la humanidad.

En la parte final, el evangelio nos revela la entronización del Señor Jesús a la derecha de Dios. Es la consecuencia de lo que llamamos ascensión o subida a los cielos. Este misterio, último en el itinerario del Redentor, expresa la autoridad absoluta que detenta el Resucitado, así como su privilegiado lugar, ser lugarteniente de Dios, el Mesías. La Ascensión del Señor a los cielos, tiene como base la confesión de la divinidad de Jesús, el Hijo de Dios. De modo que Jesús vuelve al sitio que le compete por naturaleza, pero que, como enseñarán los escritos del Nuevo Testamento, se ha ganado por su pasión, muerte y resurrección. Nadie más puede pretender esa posición. Esa es la causa por la que sus enviados, todos cuantos proclaman el reino, realizan señales avalando el evangelio del reino.

VII DOMINGO DE PASCUA

I LECTURA   Hechos 1:15–17, 20a, 20c–26

Lectura del libro de los Hechos de los Apóstoles

Este pasaje de los Hechos muestra la coherencia de lo sucedido con las Escrituras. Dale a lo que Pedro pronuncia un aire de familiaridad. Como que lo que dice es bien sabido por todos.

En aquellos días,
    Pedro se puso de pie **en medio** de los hermanos,
      que eran unos ciento veinte, y dijo:
    "Hermanos, **tenía** que cumplirse
    aquel pasaje de la Escritura en que el **Espíritu Santo**,
    por boca de David, hizo una **predicción** tocante a Judas,
    quien fue el que **guió** a los que apresaron a Jesús.
Él **era** de nuestro grupo
    y había sido llamado a desempeñar con nosotros
      este **ministerio.**
Ahora bien, en el libro de los Salmos **está escrito:**
    Que su morada quede **desierta**
    y que no haya quien habite **en ella**;
    que su cargo lo ocupe **otro.**
Hace falta, por tanto,
    que uno se asocie a nosotros
    como **testigo** de la resurrección de Jesús,
    uno que sea de los que **nos acompañaron**
    mientras **convivió** con nosotros el Señor Jesús,
    desde que Juan bautizaba hasta el día de **la ascensión**".

Dirígete al auditorio como buscando quién ocupe un lugar en el círculo de testigos.

Propusieron entonces **a dos:**
    a José Barsabá, por sobrenombre **"el Justo"**,
    y a Matías, y se pusieron a **orar** de este modo:

Pronuncia muy bien los nombres y características de los candidatos. La asamblea debe identificarlos sin problema alguno.

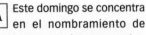

I LECTURA Este domingo se concentra en el nombramiento de Matías para completar el número que simboliza al pueblo de las doce tribus. Viene el primer discurso de Hechos, que proporciona una interpretación de lo acaecido a Judas.

    La comunidad, constituida por 120, es la que presenta al candidato. Este debe poseer algunas cualidades, la fundamental, haber sido testigo de la vida de Jesús. Aquí se nos indica cuál era el periplo que la comunidad primitiva adscribía a la vida de Jesús: Del bautismo de Juan hasta la Ascensión del Señor.

    La resurrección es el centro alrededor del cual debe girar toda nuestra vida de Iglesia y de individuos. No es la muerte, no es el pasado lo definitivo y esperado, sino la resurrección del viviente, que nos está esperando y nos hace tender hacia él todos nuestros esfuerzos, sabiendo que ya en parte la poseemos.

    La oración ambienta todo el episodio presentado hoy. En este ambiente es donde oiremos a Dios con más precisión y, aunque parezca absurdo, en la oración es donde podremos también oír mejor a nuestros hermanos.

II LECTURA Esta parte de la carta supone la existencia, dentro de la comunidad, de cristianos que ponían su objetivo en "ver a Dios" o buscaban la experiencia de Dios, ya fuera por técnicas filosóficas o ascéticas. Se puede pensar en corrientes pre-gnósticas que estaban de moda.

    Llegar a la plenitud, es algo muy propio de los escritos de Juan. Esto le da a la vida un impulso de ir hacia adelante. Se parte de que hay también conciencia de estar ya participando de un don escatológico. El amor al prójimo confirma la recepción del Espíritu

La oración de Pedro es pública, pero dale confianza e intimidad.

"Tú, **Señor,** que conoces los corazones de todos,
   muestra a cuál de estos dos
   has elegido para desempeñar este ministerio y apostolado,
   del que Judas **desertó** para irse a su propio lugar".

Esta parte guarda la sorpresa de lo inesperado.

Echaron suertes y le tocó **a Matías**
   y lo asociaron a los **once** apóstoles.

Para meditar

SALMO RESPONSORIAL   Salmo 102:1–2, 11–12, 19–20ab

R. El Señor puso en el cielo su trono.
O bien: Aleluya.

Bendice, alma mía, al Señor, / y todo mi ser a su santo nombre. / Bendice, alma mía, al Señor, / y no olvides sus beneficios. R.

Como se levanta el cielo sobre la tierra, / se levanta su bondad sobre sus fieles; /como dista el oriente del ocaso, / así aleja de nosotros nuestros delitos. R.

El Señor puso en el cielo su trono, / su soberanía gobierna el universo. / Bendigan al Señor, ángeles suyos, / poderosos ejecutores de sus órdenes. R.

II LECTURA   1 Juan 4:11–16

Lectura de la primera carta del apóstol san Juan

Este párrafo subraya la visibilidad de Dios en el amor. Convéncete de esto y comunica a la asamblea esta verdad. Tu tono debe ser el de alguien que habla desde la experiencia o el testimonio de mirar a Dios.

Queridos **hijos:**
Si Dios nos ha amado **tanto,**
   también **nosotros** debemos amarnos los unos **a los otros.**
A Dios nadie lo ha visto **nunca;**
   pero si nos amamos los unos a los otros,
   Dios **permanece** en nosotros
   y su amor en nosotros **es perfecto.**

Todas las formas del 'nosotros' son inclusivas. Mira a la comunidad con confianza y siéntete parte de ella. La carta habla de ti y de mí, de ellos, de todos los que creemos en Cristo.

En esto **conocemos** que permanecemos en él, y él en nosotros:
   en que nos **ha dado** su Espíritu.
Nosotros **hemos visto,** y de ello damos **testimonio,**
   que el Padre **envió** a su Hijo como **salvador** del mundo.
Quien **confiesa** que Jesús es Hijo de Dios,
   permanece en Dios y Dios **en él.**

en nosotros y de su fuerza. Sin esto, el cristianismo se convertiría en una asociación filantrópica que intenta, pero que no llega a la realidad.

Ver y testimoniar, funda la fe de la comunidad, cuya respuesta es creer y reconocer. Así se vuelve uno fiel. El objetivo de esa fe es "Jesús, Hijo de Dios". A esto está exigido el que dice estar en comunión con Dios.

Para Juan ese amor está íntimamente fundado en la fe, que consiste en aferrarse a una persona y verse en esa persona, en Jesús. Esto es lo que significa amar. A base de haber oído muchas veces esta definición

de Dios, hemos vulgarizado la frase y sentido que es cuestión de palabras. Que en la realidad, esto no existe. Muchos ven la maldad humana y la adjudican a un no Dios o a un Dios que no se preocupa por el hombre.

Volteemos la vista para ver este amor de Dios y enfoquémosla en Jesús. Él ha amado y nos ha amado. Su vida, su cruz muestra prácticamente por donde va el amor fundado en la fe. Es realismo. Jesús se puso en el puesto de la víctima y desde lo más bajo nos llamó a seguirlo, para entender lo que es amar a una persona. En todo esto es muy útil seguir el consejo del salmista, que nos

invita a "probar qué bueno es el Señor". Si no pruebas en tu vida lo que es el amor, no entenderás que el Padre haya enviado a su Hijo al mundo a salvarnos. Una salvación que llegó por el anonadamiento (Flp 2).

EVANGELIO Este es el último domingo de pascua, y la Iglesia entera medita sobre la oración que cierra los discursos de despedida.

Al orar, Jesús ora por sí mismo, por los suyos y por todos los creyentes. Es una oración completa. Lo que proclamamos este día es la parte segunda. Jesús ora por su

Nosotros hemos conocido el amor que Dios **nos tiene**
y hemos **creído** en ese amor.
Dios **es amor**, y quien **permanece** en el amor
permanece en Dios y **Dios en él**.

EVANGELIO   Juan 17:11b–19

Lectura del santo Evangelio según san Juan

En aquel tiempo, Jesús **levantó** los ojos al cielo y dijo:
"Padre santo, cuida **en tu nombre** a los que me **has dado**,
para que **sean uno**, como nosotros.
Cuando **estaba** con ellos,
yo **cuidaba** en tu nombre a los que me diste;
yo **velaba** por ellos y **ninguno** de ellos se perdió,
excepto el que **tenía** que perderse,
para que se **cumpliera** la Escritura.

Pero **ahora** voy a ti, y mientras estoy **aún** en el mundo,
digo estas cosas para que mi gozo llegue a su plenitud **en ellos.**
Yo les he entregado **tu palabra** y el mundo los odia,
porque **no son** del mundo, como yo **tampoco** soy del mundo.
No te pido que los **saques** del mundo, sino que los **libres** del mal.
Ellos **no son** del mundo, como **tampoco** yo soy del mundo.

Santifícalos en la verdad. Tu palabra **es la verdad.**
Así como tú me enviaste **al mundo,**
así los envío yo también al mundo.
Yo me santifico **a mí mismo** por ellos,
para que **también** ellos sean santificados **en la verdad**".

La oración de Cristo por la unidad es una urgencia para la Iglesia entera, también a nivel parroquial. Esta oración hay que pronunciarla con ese apremio.

Hay que sembrar cierto sentido de incomodidad que nace de la conciencia de ser discípulos de Cristo, no seguidores del mundo. Recalca esta polaridad incompatible, para que la asamblea vaya adoptando posición.

El amor a la santidad y a la verdad es uno solo. Imprime a tu voz esa coherencia que llamamos santidad. Nada de afectaciones, sino de sincera entrega a santificarse. El cristiano es otro Cristo.

---

grupo de discípulos. Sus ojos están clavados en el cielo, como cuando imploró para resucitar a Lázaro.

Con la primera intercesión, la unidad de los suyos, se enmarca toda la oración. Ni duda cabe que la comunidad de cristianos experimenta fisuras que desbaratan el mandamiento de amor mutuo, el de entregar la vida. Por eso requiere recuperar conciencia de su objetivo en el mundo. La unidad que Jesús solicita al Padre es profunda y transformante; de la misma cualidad que la que mantiene con su Padre. Se trata de una unidad de propósito en todo lo que Jesús hace

y dice, en cumplimiento del mandamiento recibido. La fidelidad de Jesús al llevar a cabo la obra del Padre es lo que le vale la certeza de que el Padre lo escucha siempre. No es, entonces una unidad física, como de mantenerse en el mismo sitio (algunos así entienden la comunión), sino de propósito, de misión.

En el siguiente movimiento, Jesús declara haber separado a sus discípulos del mundo, con la entrega de su palabra. En las páginas del evangelio, no hay un momento puntual o algún gesto simbólico al que Jesús esté refiriendo. Estas palabras, quizá haya

que vincularlas con la entrega continua y constante que Jesús ha estado haciendo a los suyos, y que alcanza su cenit en el lavatorio de los pies; la palabra entregada es todo lo que él ha dicho y hecho, porque les descubre su identidad profunda de enviado del Padre, su revelador, y al hacerlo los ha purificado, separándolos del mundo. De manera similar, los discípulos quedan convertidos en reveladores de Jesús y de su vínculo con el Padre, y también extraños al mundo. Por eso el discípulo entra en tensión con el mundo, pero no hay que atemorizarse porque Jesús ya ha vencido al mundo.

VIGILIA DE PENTECOSTÉS

I LECTURA   Génesis 11:1–9

Lectura del libro del Génesis

En **aquel** tiempo, **toda** la tierra tenía **una sola lengua**
   y unas **mismas** palabras.
Al **emigrar** los hombres desde el **oriente**,
   encontraron una **llanura** en la región de **Sinaar**
   y **ahí** se **establecieron**.

Entonces se dijeron **unos a otros**:
"**Vamos** a fabricar **ladrillos** y a **cocerlos**".
Utilizaron, pues, **ladrillos** en vez de **piedra**,
   y **asfalto** en vez de **mezcla**.
Luego dijeron:
"**Construyamos** una **ciudad**
   y una **torre** que llegue **hasta el cielo** para hacernos **famosos**,
   antes de **dispersarnos** por la **tierra**".

El Señor **bajó** a ver la **ciudad**
   y la **torre** que los **hombres** estaban **construyendo** y **se dijo**:
"Son **un solo pueblo** y hablan **una sola lengua**.
Si ya empezaron **esta obra**,
   en adelante **ningún** proyecto les parecerá **imposible**.
Vayamos, pues, y **confundamos** su lengua,
   para que **no se entiendan** unos con otros".

Identifica tu tono de narrador, a mediana velocidad y sin matices lee este párrafo.

Haz que se note la voz de la resolución. Las frases van entrecomilladas. Haz pausas antes de ellas para que se alarguen. En la misma categoría van las palabras del Señor en el párrafo siguiente.

La decisión del Señor debe tener tono sentencioso; dale gravedad con tu lenguaje facial.

I LECTURA Uno de los significados de Pentecostés ha sido la restauración de la unidad perdida en Babel: hombres venidos de todas partes, entienden en su lengua materna la Buena Nueva. Esto es obra del Espíritu Santo. La lectura de hoy se refiere al relato de la torre de Babel.

Un relato sumerio, muy anterior al relato bíblico, narraba que la humanidad al principio, en una especie de edad de oro, hablaba una sola lengua y por causas distintas explicadas en sus mitos, había llegado a la diferenciación de las lenguas. El relato bíblico de alguna manera se inspira en esos relatos sumerios, pero tiene también una dependencia de la ruina de Babilonia.

Es decir, el relato bíblico toma de una etiología de la ruina de Babilonia y de su torre escalonada, el Ziggurat. Este relato babilónico parece que influyó más en el autor bíblico. El elemento saliente del relato, es la idea de dispersión. La ciudad de Babilonia puede también aludir a significar la paja que el viento dispersa a través de la tierra. Hay una acusación velada a este imperio caldeo, causa de la dispersión de tantos pueblos de su suelo de origen. Además, el texto supone que Babilonia está en desgracia. Fue invadida y finalmente desapareció de la historia, quedando solo las ruinas hasta hoy en día.

Nuestro autor se inspiró en ambas narraciones y compuso un relato excelente, dando razón de la diferenciación de las lenguas, aludiendo artificialmente al verbo hebreo 'Balal' que significa confundir, trastornar. Hay, pues, para el autor bíblico una corrupción y desintegración del género humano. Lo cual fue el motivo por el cual Dios escogió a Abraham, haciéndolo padre del pueblo elegido. El autor le dio al relato una dimensión nueva.

Retoma el tono del narrador y ve bajando la velocidad para preparar la salida.

Entonces el **Señor** los **dispersó** por **toda** la tierra
　　y dejaron de **construir** su **ciudad**;
　　por eso, la ciudad se llamó **Babel**,
　　porque ahí **confundió** el **Señor** la lengua de **todos** los **hombres**
　　y desde ahí los **dispersó** por la **superficie** de la **tierra**.

O bien:

I LECTURA   Éxodo 19:3–8a, 16–20b

Lectura del libro del Éxodo

Los primeros dos párrafos en realidad deberían ser uno solo; el discurso de Dios es uno solo. En esa locución del Señor, se apela al testimonio de los israelitas para que se apeguen a los mandamientos de Dios. Matiza bien entre la memoria, el presente y el futuro.

En **aquellos** días, **Moisés** subió al monte **Sinaí**
　　para **hablar** con **Dios**. El **Señor** lo **llamó**
　　desde el **monte** y le **dijo**:
"**Esto** dirás a la casa de Jacob, **esto** anunciarás
　　a los **hijos de Israel**:

'**Ustedes** han visto cómo **castigué** a los **egipcios**
　　y **de qué manera** los he **levantado** a **ustedes** sobre
　　　　alas de **águila**
　　y los he **traído** a mí.
Ahora bien, si **escuchan** mi **voz** y **guardan** mi **alianza**,
　　serán mi **especial tesoro** entre **todos** los pueblos,
　　aunque **toda** la tierra es **mía**.
Ustedes serán para mí un **reino de sacerdotes**
　　y una **nación consagrada**'.
Éstas son las **palabras** que has de decir a los **hijos de Israel**".

Moisés convocó **entonces** a los **ancianos** del pueblo
　　y les expuso **todo** lo que el **Señor** le había **mandado**.
Todo el pueblo, a una, **respondió**:
"**Haremos** cuanto ha dicho el **Señor**".

Dale realce a la respuesta del pueblo en asamblea. Es un compromiso de alianza.

Un paso posterior dará el autor de los Hechos, para quien el episodio de la Torre de Babel había sido el origen de la división de los hombres entre sí. La venida del Espíritu los llevará a la unidad original. Esa venida del Espíritu representa el alba de una nueva edad de oro.

I LECTURA Hay una relación estrecha de esta lectura con la celebración de hoy. En tiempo de Jesús Pentecostés era considerado como la fiesta del don de la Ley, recibida en el Sinaí. El día de hoy todos los judíos, para festejar

Pentecostés, proclaman Ex 19. Del punto de vista cristiano, la unión de la fiesta con la Ley sirve para entender el don del Espíritu Santo a la Iglesia naciente.

En el Sinaí, Dios se revela a su pueblo. Lo hace por mediación de Moisés. En los versículos 3–8 el Señor Dios afirma su voluntad de hacer una alianza con Israel. Esta alianza es un regalo de Dios y, de parte, del pueblo exige sólo compromiso. En Pentecostés Dios desciende en medio de su pueblo, haciendo presente en todo hombre el don del Espíritu. En el Sinaí el pueblo debía estar alejado del monte, debía esperar que

Moisés descendiera, trayendo la palabra de Dios. En el cenáculo, donde están los discípulos del Señor, esa distancia queda anulada: el don del Espíritu da la capacidad a cada hombre de acceder libremente a Dios.

El hombre podrá acercarse en la tierra prometida a Dios, por medio de la purificación y de la mediación sacerdotal. Ahora, con la venida del Espíritu, en medio de las señales parecidas a la revelación divina en el Sinaí, el hombre tendrá acceso directo a Dios con la confianza de ser hijo del Padre y hermano de Jesús. El miedo desaparecerá para dar entrada a la paz.

Debes matizar este párrafo final con tonos dramáticos, cambios de velocidad y ciertas pausas. Identifica las frases que piden ser dichas a mayor velocidad, para crear la sensación de avalancha.

Al rayar el **alba** del **tercer día**, hubo **truenos** y **relámpagos**;
   una **densa** nube **cubrió** el **monte**
   y se **escuchó** un **fragoroso** resonar de **trompetas**.
Esto hizo **temblar** al pueblo, que estaba en el **campamento**.
Moisés hizo **salir** al **pueblo** para ir al **encuentro** de **Dios**;
   pero la gente **se detuvo** al pie del **monte**.
Todo el monte Sinaí **humeaba**,
   porque el **Señor** había **descendido** sobre él en medio del **fuego**.
Salía **humo** como de un **horno**
   y **todo** el monte **retemblaba** con **violencia**.
El **sonido** de las **trompetas** se hacía **cada vez más fuerte**.
Moisés hablaba y **Dios** le respondía con **truenos**.
El Señor **bajó** a la **cumbre** del **monte**
   y le dijo a **Moisés** que **subiera**.

O bien:

I LECTURA   Ezequiel 37:1–14

Lectura del libro del profeta Ezequiel

El relato es en primera persona; dale profundidad y sentido testimonial.

En **aquellos** días, la mano del **Señor** se posó **sobre mí**,
   y su **espíritu** me **trasladó**
   y me **colocó** en medio de un campo **lleno de huesos**.
Me hizo **dar vuelta** en torno a **ellos**.
Había una **cantidad innumerable** de **huesos**
    sobre la **superficie** del **campo**
   y estaban **completamente secos**.

Entonces el **Señor** me **preguntó**:
"**Hijo de hombre**, ¿**podrán** acaso **revivir estos huesos**?"
Yo respondí: "Señor, **tú** lo sabes".
Él me dijo: "**Habla** en mi nombre a **estos huesos** y **diles**:
'Huesos secos, escuchen la **palabra del Señor**.

El diálogo no es entre iguales, pero no afectes la lectura dándole un tono o impostación diferente a cada interlocutor.

I LECTURA Esta escena es de las más espectaculares, creo yo, de todo el AT. El autor tiene la suficiente fuerza literaria para trasladar al lector a ese valle, donde esos huesos van poco a poco adquiriendo fuerza y vida.

    El profeta se encuentra en Babilonia entre los exiliados, después de la gran deportación de los años 587–586 a.C., en una época de confusión y desesperación. Ante la destrucción del estado de Judá, no se sabe ni qué iba a suceder ni cuáles eran los planes de Dios. Después de la destrucción de Jerusalén, del templo y del estado de

Judá como estado, los exiliados habían perdido toda esperanza. "Nuestros huesos están secos, nuestra esperanza se ha desvanecido; estamos perdidos" (Ez 37:11). Eso es más peligroso que la presunción. Por esto, el Señor manda a un profeta a renovar la esperanza.

    El profeta es colocado en un valle, cuya localización no se indica. Viene la pregunta central: "¿Podrán revivir estos huesos?" La pregunta no dice: ¿Viven? Es claro que están muertos. Pero Dios puede traerlos de nuevo a la vida. Por esto el profeta alude a la fe. Dios le dice lo que debe decir a los huesos

para que recobren la vida. Esto significa aquí profetizar. El milagro se cumple: los huesos se unen, los nervios, la carne, la piel aparecen; los huesos retoman la figura humana. Falta algo importante: "No había espíritu en ellos" (v. 8). Este espíritu es el que da la vida y viene sólo de Dios. Al mandato de Dios, enviando el espíritu, recobran esos huesos o esos cuerpos, vida.

    La explicación dada por Dios indica a qué se referiría la visión: es la resurrección de Israel. Ahora emplea la imagen de los sepulcros. Israel está en cautividad. El espíritu ahora los liberará y los llevará a Palestina. Al representar ante ellos la próxima resurrección

La ejecución de la orden léela como testigo o ejecutor obediente. Pero acelera al momento que comienzan a tomar acción las palabras. Haz pausas y alarga las frases, pero sin tonos afectados ni melodramas, por más que se trata de acciones dramáticas. Recuerda que proclamar la palabra no es un ejercicio de teatro.

Esto dice el **Señor Dios** a **estos huesos:**
He aquí que yo les **infundiré** el **espíritu** y **revivirán.**
Les **pondré** nervios, **haré** que les **brote carne,**
    la **cubriré** de piel, les **infundiré** el **espíritu** y **revivirán.**
Entonces reconocerán **ustedes** que **yo soy** el Señor'".

Yo **pronuncié** en nombre del Señor las **palabras**
    que **él** me había **ordenado,**
    y mientras hablaba, se oyó un **gran estrépito,**
    se produjo un **terremoto** y los **huesos** se **juntaron** unos con
        otros.
Y vi cómo les iban saliendo **nervios** y **carne**
    y cómo se **cubrían** de **piel**; pero **no** tenían **espíritu.**
Entonces me dijo el **Señor:**
"**Hijo de hombre**, habla en mi **nombre** al **espíritu** y **dile:**
'**Esto** dice el Señor: **Ven**, espíritu, desde los **cuatro vientos**
    y **sopla** sobre **estos muertos**, para que **vuelvan** a la **vida**'".

Yo **hablé** en nombre del Señor, como **él** me había **ordenado.**
Vino sobre ellos el espíritu, **revivieron** y **se pusieron de pie.**
Era una **multitud innumerable.**
El Señor me dijo: "**Hijo de hombre:**
Estos huesos son **toda** la casa de **Israel**, que ha **dicho:**
'**Nuestros huesos** están **secos**; pereció **nuestra esperanza**
    y estamos **destrozados'.**
Por eso, habla en **mi nombre** y **diles:**
'**Esto** dice el **Señor:** Pueblo mío, **yo mismo** abriré sus **sepulcros,**
    los **haré salir** de ellos
    y los **conduciré** de nuevo a la tierra de **Israel.**
Cuando **abra** sus sepulcros y los **saque** de ellos, **pueblo mío,**
    ustedes dirán que **yo soy** el Señor.
Entonces les **infundiré** mi **espíritu,**
    los **estableceré** en su **tierra**
    y **sabrán** que **yo**, el **Señor**, lo **dije** y lo **cumplí**'".

O bien:

Es el discurso final, pero la lectura no debe terminar como si todo estuviera concluido, sino con el tono dominante del futuro, de algo inacabado que el Señor está por ejecutar.

---

del pueblo, su liberación de la cautividad, Dios daba a los israelitas la confianza en su destino y en su palabra.

 I LECTURA En su discurso para aclarar la venida del Espíritu Santo, Pedro recurre a Joel 3. Para los judíos de su tiempo, esto era claro. En los dos capítulos anteriores Joel habla de una catástrofe, que llama a la penitencia. Con el capítulo 3 aparecen perspectivas más largas, se habla del día del Señor. Esta expresión indica una intervención extraordinaria de Dios en la historia. Entre el pueblo de Dios se pensaba en una intervención de Dios en favor de

ellos y en contra de sus enemigos. Sobre todo, el día del Señor sería cuando acabaría Dios completamente con sus enemigos que, se entendía, serían los enemigos del pueblo de Dios. Pero, para muchos profetas, este día sería el del castigo para el Israel infiel. Estas dos concepciones aparecen en el texto de Joel.

Joel, como los otros profetas, habla de la venida del Señor y del Espíritu, que hará capaz a un individuo de llevar a cabo una misión encomendada. Si hablan del pueblo, piensan en un tiempo futuro en el que Dios los salvará y les dará la posibilidad de cumplir la alianza.

El elemento más llamativo de la profecía de Joel, es el anuncio del fin de la historia, la llegada de los últimos tiempos. Para Joel, la efusión del Espíritu de Dios precede y, de lejos, los signos antecesores del Día del Señor. Pero a pesar de la tardanza, para Lucas, lo sucedido en Pentecostés pertenece a la era del juicio final. Ya se ha dado la vía a este proceso final. Así, la predicación apostólica inicia los tiempos finales porque con ella se hace a la humanidad la última oferta de salvación.

La Iglesia tendrá necesidad de recordar continuamente el Día del Señor, hacia el cual está tendida toda su vida: repetirse que

I LECTURA   Joel 3:1–5

Lectura del libro del profeta Joel

Esto dice el **Señor Dios**:
"**Derramaré** mi espíritu sobre **todos**;
   profetizarán sus **hijos** y sus **hijas**,
   sus **ancianos** soñarán **sueños**
   y sus **jóvenes** verán **visiones**.
También sobre mis **siervos** y mis **siervas**
   derramaré mi **espíritu** en aquellos días.

Haré prodigios en el **cielo** y en la **tierra**:
   sangre, **fuego**, columnas de **humo**.
El **sol** se **oscurecerá**,
   la **luna** se pondrá **color** de **sangre**,
   antes de que **llegue** el **día grande** y **terrible** del Señor.

Cuando **invoquen** el nombre del Señor **se salvarán**,
   porque **en el monte Sión** y en Jerusalén **quedará un grupo**,
   como lo ha **prometido** el **Señor**
   a los **sobrevivientes** que ha **elegido**".

SALMO RESPONSORIAL   Salmo 103:1–2a, 24, 35c, 27–28, 29bc–30

R. Envía tu Espíritu, Señor, y repuebla la faz de la tierra.
***O bien:* Aleluya.**

Bendice, alma mía, al Señor: / ¡Dios mío, qué grande eres! / Te vistes de belleza y majestad, / la luz te envuelve como un manto. R.

Cuántas son tus obras, Señor, / y todas las hiciste con sabiduría; / la tierra está llena de tus criaturas. / ¡Bendice, alma mía, al Señor! R.

Todas ellas aguardan / a que les eches comida a su tiempo: / se la echas, y la atrapan; / abres tus manos, y se sacian de bienes. R.

Les retiras el aliento, y expiran / y vuelven a ser polvo; / envías tu aliento, y los creas, / y renuevas la faz de la tierra. R.

Para meditar

La promesa de Dios debe sonar convincente y segura. La asamblea debe notar que el Espíritu será derramado sobre todos los miembros del pueblo, sin excepción. Van por pares, no los separes.

Estos fenómenos son aparatosos, pero no les des un toque siniestro alargando las frases. Más bien acelera un poco en ellas.

Este párrafo anuncia el modo de la salvación ante la catástrofe. Identifica el sentido y dale a cada frase su tono correspondiente. La primera es la fundamental.

---

el Espíritu la anima, no debe llevarla a un disfrute pasivo y egoísta, sino que la tiene que animar para preparar al mundo entero al encuentro con el Juez divino. La venida del Espíritu Santo ha sido para eso.

II LECTURA En esta parte de la carta a los Romanos, el capítulo 8, Pablo habla más largamente sobre el papel del Espíritu Santo en la vida del cristiano. No en balde la liturgia de hoy toma algunos versos de la parte final: vv. 22–27.

Hay dos temas, el de la creación que gime y la intercesión. La creación gime.

Sufre no como un hombre que muere, sino como una mujer que da a luz. No es un sufrimiento de agonía, sino de parto. La promesa de la alegría triunfante por dar un hijo, por parir (Jn 16:21). Esto es de lo más hermoso de la unión del hombre con la creación.

La creación es personificada como un organismo viviente. Espera en el sufrimiento su completa salvación. El hombre, inserto en la creación, participa del mismo dolor, aun habiendo recibido ya el Espíritu. El creyente que ya posee *las primicias del Espíritu* no está exento del sufrimiento y de la espera. El don del Espíritu es como una anticipación

de la salvación definitiva que el mundo espera. Ya es una realidad actual la adopción filial, pero debe llevarse a cumplimiento en el futuro. La efusión del Espíritu sobre el hombre tiene una referencia también a toda la creación, que también, como el hombre, llegará a la libertad total.

El segundo tema es la intercesión del Espíritu que ayuda a la debilidad del hombre. El Espíritu, al entrar en el hombre, lo capacita para orar, para dirigirse a Dios como Padre. El Espíritu es visto como un intercesor. La oración es la expresión de la esperanza del hombre que espera con perseverancia su redención definitiva.

El anhelo de la redención debe estar muy vivo en ti y en la asamblea. Es un anhelo del cosmos y hay que sintonizar con él. Consigue que esta palabra pase por tu corazón.

En este párrafo la pregunta que se plantea Pablo es clave. Sin embargo, por ser una pregunta retórica, no te detengas en ella; su función es ayudar a estructurar el pensamiento expresado en la línea final.

Este párrafo sobre el Espíritu que auxilia en la esperanza de la salvación, tiene una profundidad muy grande y está lleno de luz. Su protagonista es el Espíritu. Con mucho gozo y profundo respeto hay que avanzar por estas líneas.

II LECTURA   Romanos 8:22–27

Lectura de la carta del apóstol san Pablo a los romanos

Hermanos:
Sabemos que la **creación entera** gime hasta el **presente**
    y **sufre dolores** de parto;
    y **no sólo** ella, sino **también nosotros**,
    los que poseemos las **primicias del Espíritu**,
    gemimos **interiormente**,
    anhelando que se realice **plenamente**
        nuestra condición de **hijos de Dios**,
    la **redención** de **nuestro cuerpo**.

Porque **ya** es **nuestra** la **salvación**,
    pero su **plenitud** es **todavía** objeto de **esperanza**.
Esperar lo que **ya** se posee **no** es tener **esperanza**,
    porque, ¿**cómo** se puede **esperar** lo que ya se **posee**?
En cambio, si **esperamos** algo que **todavía** no poseemos,
    tenemos que **esperarlo** con **paciencia**.

El **Espíritu** nos ayuda en **nuestra debilidad**,
    porque **nosotros** no sabemos **pedir** lo que nos **conviene**;
    pero el **Espíritu mismo** intercede por **nosotros**
    con **gemidos** que no pueden **expresarse** con **palabras**.
Y **Dios**, que conoce **profundamente** los **corazones**,
    sabe lo que el Espíritu **quiere decir**,
    porque el **Espíritu** ruega **conforme** a la voluntad de **Dios**,
    por los que le **pertenecen**.

El Espíritu Santo, recibido por el hombre, no garantiza a éste la salvación. Es más bien el que guía al cristiano hacia el encuentro definitivo con Dios.

EVANGELIO La fiesta de los Tabernáculos era la más concurridas de todas las fiestas de peregrinación del templo de Jerusalén. En sus orígenes fue una fiesta agrícola: la cosecha. Pero la fiesta quizá nació cuando los aparceros se iban a pasar la noche a sus campos, para cuidar que los ladrones no cosecharan antes que sus dueños, como todavía ocurre, por desgracia, en muchos lugares. Las cosechas

causan profunda alegría en los campesinos y labriegos, al ver sus trabajos compensados y el pan de la familia y la semilla de la siembra asegurados para la siguiente temporada. Y en medio de esto, alegrar el corazón delante de Dios, por la bendición.

En el templo de Jerusalén, la fiesta tenía la liturgia más solemne y vistosa de todas. Durante siete días, los sacerdotes bajaban a la piscina de Siloé a sacar agua con un cántaro de oro que llevaban en procesión jubilosa al templo. La gente acompañaba con limones y ramas de palmeras, como símbolo de fertilidad y de alegría, pues las batían en el atrio de Israel al son de cánticos

y alabanzas a Dios. El sacerdote rodeaba el altar y derramaba el agua sobre el lado correspondiente a las libaciones con agua, que saltaba por uno de los cuernos del altar para ir a descargar al Cedrón. El oficiante elevaba las manos implorando la lluvia oportuna para que las cosechas fueran abundantes. Por las noches, los hombres piadosos bailaban en el atrio del templo a la luz de los inmensos candeleros que alumbraban todas las casas de Jerusalén. Fiesta del agua y de la luz.

Durante la Fiesta de las Tiendas, la gente construía con palos y ramas, una especie de techumbre donde vivían durante

Este evangelio es breve y poderoso, como un grito. Separa las dos oraciones principales que forman el discurso de Jesús. Pronúncialas elevando la voz, y a un ritmo ligeramente más rápido que el del narrador.

Adopta el tono del narrador. Haz contacto visual con la asamblea para que se sienta partícipe del mismo conocimiento.

EVANGELIO   Juan 7:37–39

Lectura del santo Evangelio según san Juan

El **último** día de la **fiesta**, que era el **más solemne**,
    exclamó Jesús en **voz alta**:
"El que tenga **sed**, que **venga a mí**; y **beba**, aquel que **cree en mí**.
Como dice la **Escritura**:
*Del **corazón** del que **cree** en mí **brotarán** ríos de **agua viva**".*

Al decir **esto**, se refería al **Espíritu Santo**
    que habían de **recibir** los que **creyeran** en él,
    pues **aún** no había **venido** el **Espíritu**,
    porque **Jesús** no había sido **glorificado**.

---

esos días, no en sus casas. El sentido religioso ligó las enramadas a la caminata del desierto, cuando Israel, a la salida de Egipto habitaba en tiendas, y pactó alianza con su Dios. Dios lo acompañaba como nube protectora del sol durante el día, y como columna de luz durante las noches. De modo que esta fiesta era también la fiesta de la alianza de Dios con su pueblo. Ése es el marco solemne de la poderosa proclamación de Jesús, en el último día, el más solemne de todos.

El de Jesús es un grito jubiloso, festivo. Jesús está de pie. Y aunque tiene que ver con la solemnidad de la ocasión, la postura tiene más que ver con Moisés golpeando la piedra para que brotara el agua y saciara la sed del pueblo que comenzaba a desconfiar de Dios y de su enviado.

El agua que Jesús asegura, sin embargo, es una que, bebida, se convierte en un río vital, en el vientre del creyente. Esta asociación del agua y el espíritu se remonta ya al primer relato de la creación, cuando un espíritu agitaba la superficie de las aguas primordiales. La misma asociación ocurrirá en los anuncios del profeta Joel que hemos escuchado, en el bautismo de Jesús y en el diálogo con la Samaritana, por citar algunos pasos tan solo. Esta vinculación se debe sin duda a la fuerza incontenible que el Espíritu de Dios desata en quienes lo reciben. Serán capaces de vivificar todo, de purificar toda inmundicia y de abrir los veneros insospechados de las Escrituras que iluminan los trabajos y el caminar de todos los hombres. Es la fiesta del Espíritu de Dios, de la alianza nueva de Dios con los hombres.

PENTECOSTÉS, MISA DEL DÍA

I LECTURA   Hechos 2:1–11

Lectura del libro de los Hechos de los Apóstoles

El día de Pentecostés, **todos** los discípulos
 estaban **reunidos** en un **mismo** lugar.
De repente se oyó un **gran ruido** que venía del **cielo**,
 como cuando sopla un **viento fuerte**,
 que **resonó** por **toda** la casa donde **se encontraban**.
Entonces aparecieron **lenguas de fuego**,
 que se distribuyeron y se posaron **sobre ellos**;
 se llenaron **todos** del **Espíritu Santo**
 y **empezaron** a hablar en **otros idiomas**,
 según el **Espíritu** los inducía a **expresarse**.

En **esos** días había en **Jerusalén** judíos **devotos**,
 venidos de **todas** partes del mundo.
Al oír el **ruido**, acudieron **en masa** y quedaron **desconcertados**,
 porque **cada uno** los oía **hablar** en su **propio idioma**.

Atónitos y llenos de admiración, preguntaban:
"¿No son galileos **todos estos** que están **hablando**?
¿**Cómo**, pues, los oímos hablar en **nuestra lengua nativa**?
Entre nosotros hay **medos, partos** y **elamitas**;
 otros vivimos en **Mesopotamia, Judea, Capadocia**,
 en el **Ponto** y en **Asia**, en **Frigia** y en **Panfilia**,
 en **Egipto** o en la zona de **Libia** que limita con **Cirene**.
Algunos somos visitantes, venidos de **Roma**, judíos y prosélitos;
 también hay **cretenses** y **árabes**.

La voz del narrador domina los dos primeros párrafos, pero hay que cambiar ritmos. Nota, por ejemplo, dónde están los puntos, y cómo seccionan el párrafo. También fíjate en las acentuaciones que ciertas frases adverbiales pueden introducir, como 'de repente', 'Entonces', 'En esos días…'.

Memoriza la última línea para que la puedas recitar haciendo contacto visual con la asamblea.

Este párrafo representa un reto para muchos lectores. Ensaya los patronímicos y no te comas letras. Un buen ejercicio será buscar en un mapa de la época dónde quedaban esos lugares, para familiarizarse con ellos. Refuerza la frase final.

I LECTURA En tiempos de Jesús, Pentecostés había tomado otro cariz: recordaba la revelación sinaítica (Ex 19). De aquí la coincidencia para Lucas entre descenso del Espíritu y el Pentecostés de Israel. Este descenso del Espíritu, descrito en términos teofánicos en Ex 19, hace del cenáculo el nuevo Sinaí y de la comunidad de discípulos, el nuevo Israel. A la Ley externa se añade el don interior de la Ley interna, la del Espíritu.

Los fenómenos descritos en Hechos aluden a lo acaecido en el Sinaí cuando Moisés recibe la Ley.

En contraposición a la dispersión de la Torre de Babel, por la incomprensión de las lenguas, el Espíritu Santo reconstruye la unidad. Cada quien entiende en la propia lengua lo hablado en lenguas extrañas, la *glosolalia*. Esta comprensión se capta como testimonio. El Espíritu Santo, dado en el bautismo a todo cristiano, es el constructor de la común unidad. Aquí está el pueblo, el resto, que podrá cumplir la Ley externa haciéndola interna.

Con la venida del Espíritu nace la Iglesia. La dignidad del hombre no se mide por el puesto que ha adquirido en la escala social, sino por el servicio que hace en favor de los demás. La Iglesia se debe preguntar continuamente sobre si está abatiendo el miedo, si emplea sus dones en beneficio de los demás. Se debe convertir en una comunidad abierta al mundo, no encerrada en sus problemas internos.

II LECTURA Una carta difícil para Pablo. Estaba en juego lo fundamental del evangelio y, por lo mismo, Pablo andaba por el camino estrecho entre el reproche y la alabanza. Lo leído de la carta a los Gálatas en ese domingo, representa

Y **sin embargo**,
  cada quien los oye hablar de las **maravillas** de **Dios**
  en su **propia lengua**".

Para meditar

SALMO RESPONSORIAL   Salmo 103:1ab y 24ac, 29bc–30, 31, y 34

R. Envía tu Espíritu, Señor, y renueva la faz de la tierra.
O bien: **Aleluya.**

Bendice, alma mía, al Señor: / ¡Dios mío, qué grande eres! / Cuántas son tus obras, Señor; / la tierra está llena de tus criaturas. R.

Les retiras el aliento, y expiran / y vuelven a ser polvo; / envías tu aliento, y los creas, / y repueblas la faz de la tierra. R.

Gloria a Dios para siempre, / goce el Señor con sus obras. / Que le sea agradable mi poema y yo me alegraré con el Señor. R.

II LECTURA   1 Corintios 12:3b–7, 12–13

Lectura de la primera carta del apóstol san Pablo a los corintios

Hermanos:
Nadie puede llamar a Jesús **"Señor"**,
  si no es **bajo** la **acción** del **Espíritu Santo**.

Hay diferentes **dones**, pero el **Espíritu** es el **mismo**.
Hay diferentes **servicios**, pero el **Señor** es el **mismo**.
Hay diferentes **actividades**, pero **Dios**,
  que hace **todo en todos**, es el **mismo**.
En **cada uno** se manifiesta el **Espíritu** para el **bien común**.

Porque **así** como el **cuerpo** es **uno** y tiene **muchos miembros**
  y **todos** ellos, a pesar de ser **muchos**, forman **un solo cuerpo**,
  así **también** es **Cristo**.
Porque **todos nosotros**, seamos **judíos** o **no judíos**,
  esclavos o **libres**, hemos sido **bautizados** en un **mismo** Espíritu
  para formar **un solo cuerpo**,
  y a **todos** se nos ha dado a **beber** del **mismo Espíritu**.

Lectura alternativa: Gálatas 5:16–25.

El primer párrafo hay que separarlo un tanto del resto. Haz una pausa ligeramente mayor que la del punto y aparte (cuatro en lugar de tres).

La fraseología es repetitiva. No la destruyas. La repetición tiene su propio efecto.

Sube el tono de voz para darle intensidad conforme se acerca el final de la lectura que subraya la unidad de la comunidad cristiana.

---

las exhortaciones finales de ésta, con un llamamiento fundamental a la libertad.

La libertad cristiana es amenazada por los vicios. Pone enseguida el apóstol un elenco de las "obras de la carne". La carne es entendida por Pablo como el egoísmo que domina al hombre, esclavo del pecado. Con exactitud define los pecados que causan la división en la comunidad: fornicación, indecencia, libertinaje, idolatría, superstición, enemistades, peleas, ambición, celos borracheras… (vv. 20–21). En cambio, los frutos del Espíritu son "amor, alegría, paz, paciencia, amabilidad, bondad, fidelidad, modestia, dominio propio" (vv. 22–23).

El cambio, el Espíritu conduce por el camino marcado por Jesús: crucificar uno su egoísmo. Sólo de esa manera no caeremos en la soledad y en el aislamiento, sino cooperaremos a edificar la comunidad en la paz y el amor. De esta forma seremos testigos del Señor.

EVANGELIO La solemnidad de este día ameritaba reunir las palabras de Jesús sobre el Espíritu Santo, aunque en su evangelio, san Juan las tenga entretejidas con otras palabras que les van descubriendo a los discípulos su profunda identidad en un mundo hostil que los acosa,

persigue y mata. En esas circunstancias tan apremiantes, el Paráclito es la garantía de que no están huérfanos y abandonados a su suerte, sino bien equipados para llevar a término el quehacer encargado por Jesús.

Paráclito es una palabra que significa abogado, es decir, uno al que se recurre en circunstancias difíciles para que apoye, consuele y dé certeza para salir de una situación de apremio y apuro.

El Paráclito es un don de los últimos tiempos, pertenece al tiempo pascual, porque es Don del Resucitado a los suyos. Pero para ser recibido, se precisa que Jesús se vaya. De otro modo, el discípulo nunca

La promesa de Jesús debe resonar convincente y alentadora. La asamblea ya debe haber experimentado la presencia del Paráclito, de modo que la sintonía es total.

Fíjate en los efectos del Espíritu y dales énfasis. Haz memoria de cómo ha trabajado en tu ministerio; identifica con el corazón lo que ha hecho el Espíritu para que tu voz se acople a la proclamación y tenga poder transformante.

EVANGELIO   Juan 20:19–23

Lectura del santo Evangelio según san Juan

Al **anochecer** del día de la **resurrección**,
   estando **cerradas** las puertas de la **casa**
   donde se hallaban los **discípulos**,
   por **miedo** a los judíos,
   se presentó **Jesús** en **medio** de ellos y les **dijo:**
"La **paz** esté con **ustedes**".
Dicho esto, les mostró las **manos** y el **costado**.

Cuando los **discípulos** vieron al **Señor**, se llenaron de **alegría**.
De nuevo les dijo **Jesús:**
"La **paz** esté con **ustedes**.
Como el **Padre** me ha enviado, **así también** los envío **yo**".

Después de decir esto, **sopló** sobre ellos y les **dijo:**
"**Reciban** al Espíritu Santo.
A los que les **perdonen** los **pecados**, les **quedarán perdonados**;
   y a los que **no se los perdonen**, les **quedarán sin perdonar**".

Lectura alternativa: Juan 15:26–27; 16:12–15.

penetrará a fondo en la experiencia transformante del Mesías.

El Espíritu no es independiente; es un enviado. Pero posee una cualidad diferente porque es enviado por el Padre e Hijo. Esto lo distingue del Hijo, pues nunca escuchamos que el Espíritu hubiera enviado al Hijo. Esa condición nos ayuda a entender su dependencia de Jesús muerto y resucitado, es decir, del misterio pascual. Podemos entender que lo propio del Espíritu será referir al misterio pascual del Cristo.

Entre sus funciones encontramos la del testimonio, pero también la de anunciar las cosas que están por venir. Es su quehacer profético.

El Espíritu será portavoz gozoso de Jesús y las difíciles cosas que se avecinan al grupo. Ese anunciar no consiste tan sólo en decir o pronunciar ideas o acontecimientos 'objetivamente', sino en hablar juiciosa y jubilosamente, participar la alegría propia a los demás, contagiarlos con el Evangelio, es decir, con el misterio de la muerte y resurrección de Jesús. No hay alegría mayor ni más benéfica que ésa. Por esto entendemos que el trabajo del Espíritu vaya aparejado al

de los discípulos; al quehacer del grupo y al de cada uno.

Es el Paráclito el evangelizador primero y principal. Es el Arquitecto del mundo nuevo, el que Dios ha diseñado en Cristo, resucitándolo. Todos los creyentes son sus colaboradores y su obra, a la vez. Este es el tiempo del Espíritu.

SANTÍSIMA TRINIDAD

I LECTURA   Deuteronomio 4:32–34, 39–40

Lectura del libro del Deuteronomio

En **aquellos** días, habló **Moisés** al pueblo y le dijo:
   "**Pregunta** a los tiempos pasados,
 investiga desde el día en que Dios **creó** al hombre
      sobre la **tierra**.
¿Hubo **jamás**, desde un extremo al otro del cielo,
   una cosa tan grande **como ésta**?
¿Se oyó algo **semejante**?
¿Qué pueblo ha oído, **sin perecer**,
   que Dios le hable **desde el fuego**,
   como **tú** lo has oído?
¿**Hubo** algún dios que haya ido a buscarse **un pueblo**
   en medio de otro pueblo,
   a fuerza de pruebas, **de milagros** y de guerras,
   con mano **fuerte** y brazo **poderoso**?
¿Hubo **acaso** hechos tan grandes como los que,
   ante sus **propios ojos**,
   hizo por ustedes en Egipto el Señor su Dios?

Reconoce, pues, **y graba hoy** en tu corazón
   que el **Señor** es el Dios del cielo y de la tierra
      y que **no hay otro**.
Cumple sus leyes y mandamientos, que **yo** te prescribo hoy,
   para que **seas feliz** tú y tu descendencia,
   y para que vivas **muchos años** en la tierra
   que el Señor, tu Dios, te da **para siempre**".

El diálogo entre Moisés y el pueblo avanza a base de preguntas. El tono es sapiencial y las preguntas retóricas, porque todo mundo conoce las respuestas que no se esperan. Sin embargo, un breve silencio entre ellas puede renovar la atención del auditorio.

Es la conclusión de los argumentos; pronúnciala con firmeza y serenidad. No como quien regaña a quien no ha sabido las respuestas. Sé buen pedagogo con esta palabra.

I LECTURA   Israel tiene delante una nueva oferta de Dios: desde la elección de los Patriarcas y de la salida de Egipto, Israel es el pueblo propio del Señor (v. 20), para lo cual es esencial una ligazón exclusiva del pueblo con el Señor. Israel está en el trance de entrar a la tierra prometida. El futuro prometido ofrece la posibilidad de cumplir con la voluntad de Dios y, con esto, determinar la historia venidera (v. 40). Hay el peligro de que Israel se desligue de este compromiso y de que esa unión con el Señor se desvíe por la idolatría. Por esto se pone ante la comunidad reunida, la hilera clásica de los hechos salvíficos de Dios en

el "hoy" litúrgico. Desde luego, la liturgia escogió este texto por encontrar aquí una afirmación del monoteísmo. Aunque en profundidad, habrá que decir que se trata de una afirmación de la revelación de Dios al hombre o a un grupo. El Trascendente se acerca al hombre y se hace ver, oír, comprender como algo existente, que tiene que ver con él y con su vida. En ese sentido, se podrá decir que la forma politeísta o monoteísta es secundaria.

En la acción salvífica gratuita del Señor a Israel, en su revelación de la "unicidad" de Dios, que se dio a conocer en estos sucesos,

se funda la Ley, las promesas. Los mandatos y preceptos se fundan en esta revelación. Son su consecuencia. Quieren ser entendidos por esta acción gratuita de Dios, por su amor incondicional a los Patriarcas y por su libre elección a Israel como su propio pueblo, por su intervención en la salida de Egipto y por su incomparable e inmediato encuentro con su pueblo en el Horeb. De esta prehistoria se puede hacer derivar su pretensión de obediencia de su pueblo, al mandato principal de su unión exclusiva con él. Sin embargo, se muestra ya en la función de la Ley la benevolencia de Dios: Israel permanecerá en la comunidad de vida con su

185

Para meditar

SALMO RESPONSORIAL   Salmo 32:4–5, 6 y 9, 18–19, 20 y 22

R. Dichoso el pueblo que el Señor se escogió como heredad.

La palabra del Señor es sincera, / y todas sus acciones son leales; / él ama la justicia y el derecho, / y su misericordia llena la tierra. R.

La palabra del Señor hizo el cielo, / el aliento de su boca, sus ejércitos, / porque él lo dijo y existió; / él lo mandó, y surgió. R.

Los ojos del Señor están puestos en sus fieles, / en los que esperan en su misericordia, / para librar sus vidas de la muerte / y reanimarlos en tiempo de hambre. R.

Nosotros aguardamos al Señor: / él es nuestro auxilio y escudo; / que tu misericordia, Señor, venga sobre nosotros, / como lo esperamos de ti. R.

II LECTURA   Romanos 8:14–17

Lectura de la carta del apóstol san Pablo a los romanos

Pablo es como un hermano mayor que guía e instruye a los demás. Dale profundidad a las palabras que hablan de la filiación divina que todos tenemos.

Hermanos:
Los que se **dejan guiar** por el Espíritu de Dios,
    ésos son **hijos de Dios.**
No han recibido ustedes un espíritu **de esclavos,**
    que los haga **temer** de nuevo, sino un espíritu **de hijos,**
    en virtud del cual podemos llamar **Padre** a Dios.

Envuélvete en la primera persona de plural. No te sientas aparte al servir esta palabra. Tú formas parte de la familia de Dios. Con ese sentido de fraternidad proclama ante la asamblea. La frase final es triunfal.

El **mismo** Espíritu Santo, a una con nuestro **propio** espíritu,
    da testimonio de que somos **hijos** de Dios.
Y si somos hijos, somos también **herederos** de Dios
    y coherederos **con Cristo,**
    puesto que sufrimos **con él**
    para ser **glorificados** junto con él.

Dios y, además, vivirá en esa tierra de la promesa una vida feliz. Así la Ley se funda no sólo en los hechos gratuitos de Dios, sino es también el medio para futuras manifestaciones gratuitas de Dios. Este anuncio de Moisés (estando detrás de él el Señor), se presenta en el "hoy" cultual del pueblo de Dios renovado, antes de la decisión de entrar en este terreno de la gracia, cuyo símbolo es la entrada y la estancia en la tierra prometida.

| II LECTURA | La sección central de la Carta a los Romanos (5:1–11:36) tiene un ápice temático en el capítulo

8, dedicado a describir cómo debe ser la vida guiada por el Espíritu.

El que pertenece a Jesús, el Mesías, se caracteriza por una vida determinada por el Espíritu de Dios. La carne determina la autonomía del hombre sin el Mesías (8:5–6); el Espíritu, al contrario, constituye la heteronomía del cristiano. El Espíritu es la fuerza que penetra en el hombre y le capacita para vencer esa debilidad innata del ser humano.

El Espíritu diviniza al hombre. Se habla del Espíritu de Dios, enviado por el Mesías. Vivir de acuerdo al Espíritu, no es llevar una existencia angélica, sino dejarse determinar por el hecho Mesías; dejarse conducir y llevar

a la práctica lo mandado por Jesús, convirtiéndose así en el hombre espiritual.

Con lo anterior el hombre toma una nueva dirección. La filiación divina, se puede mirar bajo tres aspectos.

Ser hijo de Dios es abandonar el miedo. Se trata de la angustia existencial. El hombre se siente amenazado, desvinculado y percibe que el medio ambiente lo daña. Sobre todo, tiene miedo a la muerte. El cristiano ha vencido al miedo, porque está unido al que ha vencido a ésta. El Espíritu revitaliza la esperanza del hombre.

EVANGELIO   Mateo 28:16–20

Lectura del santo Evangelio según san Mateo

En aquel tiempo,
    los **once** discípulos se fueron a Galilea
    y **subieron** al monte en el que Jesús los **había citado.**
Al ver a Jesús, **se postraron,** aunque algunos **titubeaban.**

Entonces, Jesús **se acercó** a ellos y les dijo:
    "Me ha sido dado **todo** poder en el cielo y en la tierra.
Vayan, pues, y **enseñen** a todas las naciones,
    bautizándolas en el nombre del Padre
    y del Hijo y del Espíritu Santo,
    y **enseñándolas** a cumplir **todo** cuanto yo les he mandado;
    y **sepan** que yo estaré con ustedes **todos** los días,
    hasta el **fin** del mundo".

Adopta la presencia de alguno de los discípulos y aprópiate de sus dudas.

La voz de Cristo debe resonar didáctica y poderosa. La encomienda es más como la de un padre a punto de irse de viaje que la de un general llamando a la batalla.

Ser hijo de Dios se expresa en el grito: "Abba" (*papá*). Jesús empleaba esta palabra, sobre todo, en su oración. Expresa la cercanía de Dios, que el Señor comunicó a sus discípulos. De aquí pasó a la liturgia cristiana y aquí se quedó, cambiando este nombre cercano y familiar de papá, en Padre.

Por ser hijos de Dios, tenemos derecho a la herencia que se identifica con el reino de Dios, proclamado por Jesús. Esa filiación orienta al hombre hacia el futuro, cuando tendremos la participación con el cuerpo glorioso del Mesías. Si somos coherederos del Mesías, entonces el camino que debemos seguir, es el mismo del Señor Jesús.

EVANGELIO El Dios único que confesamos los cristianos, es comunión de tres personas. La gran comisión que Jesús da a sus discípulos debemos mirarla desde esa comunión, pues consiste en invitar a la humanidad a vivir con el Padre, el Hijo y el Espíritu Santo.

La comunión con el Dios trino comienza al reconocer el señorío de Jesús, Mesías resucitado. Pero este obsequio de fe que hace el hombre, se expresa como aprendizaje del evangelio y en la guarda de todos los preceptos del Señor Jesús, que es lo propio del bautizado. Así es como a comunión con Dios se realiza. No es algo que con las aguas bautismales quede completado. Apenas allí puede iniciar. La comunión con Dios, que es el objetivo de la misión cristiana, se cristaliza en cada paso del bautizado, conforme cumple las enseñanzas de Jesús, y se hace su discípulo. De allí que toda la vida sólo sea genuinamente cristiana si está orientada por la comunión con el Dios uno y trino.

SANTÍSIMOS CUERPO Y SANGRE DE CRISTO

Esta parte resume los mandamientos de la alianza y la respuesta del pueblo. Pronuncia esas dos líneas haciendo contacto visual con la asamblea.

Esta parte del rito de alianza va a tono con la fiesta que hoy celebramos. Amplía esas frases para que todos visualicen la descripción.

I LECTURA   Éxodo 24:3–8

Lectura del libro del Éxodo

En aquellos días,
    Moisés **bajó** del monte Sinaí
    y refirió al pueblo **todo** lo que el Señor le **había dicho**
    y los **mandamientos** que le había dado.
Y el pueblo contestó **a una voz:**
    "Haremos **todo** lo que dice el Señor".

Moisés puso por escrito **todas** las palabras del Señor.
Se levantó **temprano,**
    construyó un altar al pie del monte
    y puso al lado del altar **doce** piedras conmemorativas,
    en **representación** de las doce tribus de Israel.

Después mandó a algunos jóvenes israelitas
    a ofrecer **holocaustos** e **inmolar** novillos,
    como sacrificios pacíficos **en honor** del Señor.
Tomó la mitad de la sangre, la puso en vasijas
    y **derramó** sobre el altar la otra mitad.

Entonces tomó el libro **de la alianza**
    y lo **leyó** al pueblo, y el pueblo respondió:
    "**Obedeceremos.** Haremos **todo** lo que manda el Señor".

I LECTURA El pensamiento y vida de Israel están fuertemente anclados en la "Alianza". Ya Dios concluye con Abraham una alianza (Gn 15), en la que está como centro el compromiso de Dios de bendecir y de llevar a cabo la promesa de la tierra. El Deuteronomio ha desarrollado una gran teología de la alianza, partiendo de la elección de los patriarcas, y sobre Israel como su pueblo santo. Los profetas comparan a la alianza con la comunidad entre el hombre y la mujer en el matrimonio. Un grave pecado es la rotura de esa alianza matrimonial. Por su falta el pueblo rompió la alianza sinaítica, y esperaba para el futuro una nueva acción salvífica de Dios, que nombrará "Nueva alianza". Jeremías es muy claro el respecto (Jer 31:31s.). Esta esperanza va a animar al pueblo dentro de todas las tragedias que tendrá en la tierra prometida.

Los ritos de alianza eran las conclusiones de compromisos, ya fuera de un pueblo con otro, o de un hombre con otro. Así pasaba en Israel. Aquí se compromete Israel formalmente con Dios. No basta la palabra, hay que confirmarla con un rito. Las palabras divinas no son sólo pronunciadas, sino también escritas (el libro del pacto). El primer paso es escribir lo que se quiere, aquí la factura de un documento, el cual testimoniará a las generaciones futuras los compromisos que se han tomado con relación a Dios. Después Moisés erigió un altar, símbolo de la presencia divina, y doce estelas, símbolos del pueblo entero.

El rito inicia con algunos sacrificios ofrecidos por algunos jóvenes. Estos sacrificios están en función de proveer de sangre, que servirá después para ejecutar el pacto. La aspersión sella esta unión y, lo central, la lectura del libro del pacto y el correspondiente compromiso del pueblo. Así, este rito será evocado y actualizado, llevado

La solemne conclusión dila alzando la voz, y creando cierta expectación por la respuesta de la asamblea.

Luego Moisés **roció** al pueblo con la sangre, diciendo:
  "Ésta es la sangre de **la alianza**
    que el Señor ha hecho **con ustedes,**
    conforme a las palabras que **han oído".**

Para meditar

SALMO RESPONSORIAL   Salmo 115:12–13, y 15, 16bc, 17–18

R. Alzaré la copa de la salvación, invocando tu nombre.
O bien: **Aleluya.**

¿Cómo pagaré al Señor / todo el bien que me ha hecho? / Alzaré la copa de la salvación, / invocando su nombre. R.

Mucho le cuesta al Señor / la muerte de sus fieles. / Señor, yo soy tu siervo: siervo tuyo, hijo de tu esclava, / rompiste mis cadenas. R.

Te ofreceré un sacrificio de alabanza, / invocando tu nombre, Señor. / Cumpliré al Señor mis votos, / en presencia de todo el pueblo. R.

II LECTURA   Hebreos 9:11–15

Lectura de la carta a los hebreos

Hermanos:
Cuando **Cristo** se presentó
    como **sumo** sacerdote que nos obtiene los bienes **definitivos,**
    penetró una **sola** vez y **para siempre** en el "lugar santísimo",
    a través de una tienda,
    que no estaba hecha por **mano de hombres,**
    ni **pertenecía** a esta creación.
No llevó **consigo** sangre de animales, sino su **propia** sangre,
    con la cual nos obtuvo una redención **eterna.**

Porque si la **sangre** de los machos cabríos
    y de los becerros y las cenizas de una ternera,
    cuando se **esparcían** sobre los impuros,
    eran **capaces** de conferir a los israelitas una pureza **legal,**
    meramente **exterior,**
    ¡**cuánto más** la sangre de Cristo

Se trata de una exposición sacerdotal, y a la gente le interesan las descripciones del mundo celeste. Es una oración muy larga, por lo que debes poner cuidado que la asamblea pueda identificar sin dificultad, de quién estás hablando.

La parte culminante es la oración que va entre los signos de admiración. Es larga, pero enfatiza las frases que marcan la purificación.

a cumplimiento por el Señor Jesús en la fracción del pan, en la Eucaristía.

II LECTURA Esta lectura presenta a Cristo como mediador de una alianza mejor y, al mismo tiempo, como víctima del holocausto agradable a Dios. En tal mediación coincide la ofrenda con el oferente. Es un culto nuevo, más auténtico y espiritual.

Hablar del culto nuevo, era hablar de la cercanía o aparición de la época mesiánica. El culto llevado a cabo por Cristo es distinto del representado por el templo y se integra

en el tema de la alianza, sea como disposición que establecía el culto antiguo o como fundación de una nueva disposición que supera a éste (9:15–23).

Jesús, como el sumo sacerdote hebreo, ha pasado a través de una tienda que no es el templo terrenal, sino el cielo mismo, donde se tiene el sacrificio único e irrepetible. Jesús ofrece su propia sangre, no la de animales. La prefiguración se hizo realidad. No necesita purificarse y purificar cada año por medio de sangre de animales. Por una sola vez, ofreciéndose, nos liberó de los pecados. La sangre de Cristo no es un precio

pagado para la liberación de la humanidad, sino un medio por el cual realizó una purificación mucho más profunda, la de "nuestra conciencia" (v. 14). La aspersión de la sangre en el AT procuraba una purificación ritual, el sacrificio de Cristo extiende la purificación a la conciencia contaminada y la libra de las obras muertas.

La insistencia del autor de esta carta, es acerca de los ritos de tal acción sacrificial de Cristo: el pecado ha sido vencido una vez por siempre. Con su ingreso al santuario del cielo nos ha abierto el acceso a una herencia, que es una participación a la suerte gloriosa del Señor.

purificará nuestra conciencia de **todo pecado,**
a fin de que **demos culto** al Dios vivo,
ya que a impulsos del **Espíritu Santo,**
se **ofreció** a sí mismo como sacrificio **inmaculado** a Dios,
y así podrá **purificar** nuestra conciencia
de las obras que conducen **a la muerte,**
para **servir** al Dios vivo!

Por eso, Cristo es el **mediador** de una alianza nueva.
Con su muerte
hizo que fueran **perdonados** los delitos
cometidos durante la **antigua** alianza,
para que los **llamados** por Dios
pudieran recibir la herencia **eterna**
que él les había **prometido.**

EVANGELIO   Marcos 14:12–16, 22–26

Lectura del santo Evangelio según san Marcos

El **primer** día de la fiesta de los panes **Ázimos,**
cuando se sacrificaba el cordero **pascual,**
le preguntaron a Jesús sus discípulos:
"**¿Dónde** quieres que vayamos a prepararte la cena **de
Pascua**?"
Él les dijo a dos de ellos:
"**Vayan** a la ciudad.
Encontrarán a un hombre que lleva un cántaro de agua;
síganlo y díganle al dueño de la casa en donde entre:
'El Maestro manda preguntar:
¿**Dónde está** la habitación en que voy **a comer** la Pascua
con mis discípulos?'

La frase inicial en este párrafo da la pauta para el resto del párrafo. Puedes hacer esta salida 'en descenso', es decir, bajando el ritmo a la lectura.

Este texto atesora el nacimiento del misterio eucarístico. Los preparativos son importantes, y transcurren conforme a lo que Jesús ha previsto. Dispón también a la asamblea a contemplar el pan y la copa de salvación. Tú eres testigo de la tradición.

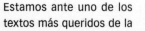 Estamos ante uno de los textos más queridos de la tradición de la Iglesia: la institución de la Eucaristía. La liturgia ha seleccionado estos versos para que mejor sobresalgan las palabras que escuchamos en cada Eucaristía, y que son la médula de la fiesta de este día. Los pensamientos que aquí escribo hay que completarlos con lo anotado el Domingo de Ramos. Baste anotar que la pascua era la fiesta nacional de independencia, de haber sido liberados del yugo egipcio, de la casa de servidumbre, para encaminarse a la tierra de la libertad y del servicio a Dios, como apunta el libro del Éxodo (cap. 12). La fiesta, sin embargo, está preñada de esperanza por la liberación definitiva que Dios ha de operar en favor de su pueblo. Las liturgias tienen fuertes resabios de esto, y lo mismo sucede con la Eucaristía.

Jesús cena con su grupo de discípulos, y en ese grupo está uno que lo ha traicionado ya y que sólo aguarda el momento propicio para ejecutar el golpe. También está allí uno que renegará de pertenecer a su grupo. Jesús lo sabe todo. También que todos huirán, dejándolo solo. Pero no desiste de la cena, ni traslada "la institución de la Eucaristía" para después de su muerte. No. Porque la Cena del Señor, la última, es consecuente con su caminar por Galilea, con su comer con publicanos y pecadores, con perdonar sin llevar la cuenta ni hacer números, con hacer patente la misericordia del reino de Dios sin acepción de personas. Es una cena que el Mesías de Dios ofrece a los suyos; él es la garantía de la fidelidad de Dios, no la de Judas, ni la de Pedro, ni de ninguno de los discípulos. La Eucaristía es eso: banquete del Mesías fiel con los suyos, la Iglesia.

Él les enseñará una sala en el **segundo** piso,
    arreglada con divanes.
Prepárennos **allí** la cena".
Los discípulos se fueron, llegaron a la ciudad,
    encontraron lo que Jesús **les había dicho**
    y prepararon la cena de Pascua.

Palabras y gestos son elocuentes. Asúmelos
con toda reverencia.
La asamblea debe percibir el cariño
y el profundo afecto de toda tu persona por
la Eucaristía.

Mientras cenaban, Jesús **tomó** un pan,
    pronunció la bendición,
    lo partió y se lo dio a sus discípulos, diciendo:
    "**Tomen:** esto es **mi cuerpo**".
Y tomando en sus manos **una copa** de vino,
    pronunció la **acción de gracias,** se la dio,
    todos bebieron y les dijo:
    "Ésta es mi sangre, sangre de la alianza,
    que se derrama **por todos.**
Yo les **aseguro** que no volveré **a beber**
    del fruto de la vid hasta el día
    en que beba el vino nuevo en **el Reino de Dios**".

Estas líneas sepáralas del cuerpo del relato y
pronúncialas como su salida.

Después de **cantar** el himno,
    salieron hacia el **monte** de los Olivos.

La Cena del Mesías es una fiesta que siembra la esperanza del reino. Se dice que es una comida preñada de reino. Ese reino que tiene plenitud en el futuro, pero que Jesús ha venido sembrando con todo su quehacer de Heraldo del reino entre los más desfavorecidos y excluidos. Es una fiesta que está sin culminar aún. Ahora, él impulsa, con su muerte violenta y su voto de abstención del vino, la manifestación de ese reino. La sangre era la sede de la vida, y era propiedad exclusiva de Dios. Jesús ofrece una copa cargándola con un sentido inesperado para los discípulos, pero añade que nada festejará sino con el vino nuevo del reino. La novedad será escatológica, es decir, el vino nuevo equivale a una nueva creación, a una fiesta nueva, a la regeneración que Dios llevará a cabo y que llamamos resurrección, la fiesta del Mesías.

El cuerpo y la sangre de Cristo entregados o donados por el Mesías, y la recepción y consumición del grupo de discípulos sellan el pacto nuevo, el compromiso por el reino de Dios que llega para alegría de todos los fieles perdonados. En él participamos todos, "cada vez que comemos y bebemos, hasta que él vuelva". Jesús nos gana participar en esa alianza de perdón, con su sangre derramada y con su cuerpo entregado por cada hombre que alimenta sin cesar la esperanza del reino de Dios. Este es el modo de constituirnos Iglesia, comunidad del reino.

XI DOMINGO ORDINARIO

Esta parábola es de apertura y de hospitalidad abierta. Dale a tu espíritu esa disposición. El narrador es la voz del Señor mismo. No la banalices, pero ten cuidado de no leer afectadamente.

Las frases de esta parte son lapidarias y hay que hacerlas así. Debe sobresalir la primera persona del Señor.

I LECTURA Ezequiel 17:22–24

Lectura del libro del profeta Ezequiel

Esto dice el Señor **Dios**:
"Yo tomaré un **renuevo** de la copa de un **gran cedro**,
    de su **más alta rama** cortaré un **retoño**.
Lo **plantaré** en la cima de un **monte excelso** y sublime.
Lo **plantaré** en la **montaña más alta** de Israel.
Echará **ramas**, dará **fruto**
    y se convertirá en un **cedro magnífico**.
En él anidarán **toda** clase de pájaros
    y **descansarán** al abrigo de sus **ramas**.

Así, **todos** los árboles del campo sabrán que yo, el **Señor**,
    humillo los árboles **altos**
    y **elevo** los árboles **pequeños**;
    que **seco** los árboles **lozanos**
    y **hago florecer** los árboles **secos**.
Yo, el **Señor**, lo he dicho y lo **haré**".

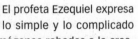 El profeta Ezequiel expresa lo simple y lo complicado por medio de imágenes robadas a la creación y actividad humana.

La imagen principal de la parábola de hoy, es el cedro. Éste representa al rey, sea el faraón o el rey de Asiria. Sus reinos son comparados al cedro que alberga en sus ramas a todos los animales (Ez 31:3–12).

La parábola anuncia que el Señor va a traer a la tierra de Israel a un descendiente de David: "Tomaré la copa de un cedro, del cedro alto, cortaré un brote… Lo plantaré en el monte encumbrado de Israel" (vv. 22,

23a). Ese brote (Is 11:1) se convertirá en un rey poderoso, cuya protección buscarán muchos pueblos (v. 23).

Como en otros lados, se trata del regreso y asentamiento de los exiliados que volverán a la tierra de Israel. Se reconstruirá el pueblo de Israel y a su cabeza estará un descendiente de David. No se trata, con todo, de la dinastía. Se refiere a una persona, sin duda, pero esto no excluye alusiones y reminiscencias colectivas, dado que el rey era la personificación de la nación. El rey anunciado por Ezequiel representa al pueblo de Dios.

Para el profeta, Israel, como pueblo, ha muerto y ha sido enterrado (Ez 37:12). Es un esqueleto seco. Si ahora anuncia un porvenir glorioso, es porque piensa en una especie de resurrección de este pueblo (Ez 37:2–24). La restauración vendrá de una nueva alianza en la que intervendrá el Señor, como lo dice el v. 24. El profeta deja abierto el futuro completamente. El Señor va abriendo el surco de la historia y va dando resultados donde parecía que no iba a habar cosecha.

Para meditar

SALMO RESPONSORIAL   Salmo 91:2–3, 13–14, 15–16

R. Es bueno dar gracias al Señor.

Es bueno dar gracias al Señor / y tañer para tu nombre, oh Altísimo, / proclamar por la mañana tu misericordia / y por la noche tu fidelidad. R.

El justo crecerá como la palmera, / se alzará como cedro del Líbano: / plantado en la casa del Señor, / crecerá en los atrios de nuestro Dios. R.

En la vejez seguirá dando fruto / y estará lozano y frondoso, / para proclamar que el Señor es justo, / que en mi Roca no existe la maldad. R.

II LECTURA   2 Corintios 5:6–10

Lectura de la segunda carta del apóstol san Pablo a los corintios

Hermanos:
Siempre tenemos **confianza**, aunque **sabemos** que,
      mientras vivimos en el **cuerpo**,
    estamos **desterrados**, **lejos** del Señor.
Caminamos guiados por la **fe**, sin ver **todavía**.
Estamos, pues, **llenos** de confianza y **preferimos** salir
    de **este cuerpo**
      para vivir con el **Señor**.

Por eso procuramos agradarle, en el **destierro** o en la **patria**.
Porque **todos** tendremos que comparecer ante el tribunal
      de **Cristo**,
    para recibir el **premio** o el **castigo** por lo que hayamos hecho
      en **esta vida**.

Pablo comparte sus pensamientos con todos los bautizados. Dale ese tono de intimidad a lo que expone. No te sientas lejos ni de Pablo ni de la comunidad.

Las frases tienen su propia gravedad y peso. No hay que aligerarlas, pero tampoco hacerlas severas en el tono.

II LECTURA El texto de 2 Cor 5:6–10 ha sido muy debatido en la exégesis. Unos piensan que Pablo hablaría de la parusía y no de la muerte individual. Pablo habla de su esperanza, que lo acompaña en su situación y que no lo abandona dentro de sus actividades. Habla de su esperanza personal. Desde su decisivo encuentro con el Señor en Damasco, ha latido siempre en su mente el deseo de estar ya con el Señor. Su existencia la considera como andar en una tierra extraña, lejos del Señor (Flp 3:20). Está seguro de alcanzar su objetivo y esta seguridad se la

da la posesión del Espíritu (2 Cor 5:5), que le garantiza la presencia del Señor.

Pablo piensa en su muerte como una continuación de su estar con el Señor. No hay un abismo entre la vida de aquí y la que vendrá. Para él, el Señor no abandonará a los suyos en la muerte. Como dice a los romanos: "En la vida y en la muerte somos del Señor" (Rom 14:8). Pablo habla de la redención de todo el cuerpo, no sólo del alma, como lo hacían los gnósticos.

Pablo no huye ante el presente. Para él, lo principal es hacer la voluntad de Dios, agradarle tanto en esta vida como en la otra.

Aunque está seguro de llegar a donde está el Señor, sin embargo, como todos, tendrá que pasar por el juicio. En el NT Cristo será el juez. Este dar cuentas, es serio y justo.

La esperanza cristiana no significa despreciar o desvalorizar la presente existencia en el mundo, como hacían los gnósticos. A Pablo, caminar hacia el futuro le da ánimo y claridad para vivir esta vida y vivirla con fruto.

Vivir con esperanza es algo humano y es lo que jala al ser humano a progresar y vivir feliz. Pero esta humana esperanza no alcanza, la mayoría de las veces y no da firmeza. A algunos les basta la esperanza humana en

Cobra conciencia de que con tu proclamación estás sembrando la semilla del reino. Pon todo tu empeño en identificar las frases claves y darles el tono del sentido intentado. En este relato las expresiones de tiempo son las que llevan el peso del relato.

Ahora subraya las expresiones de contraste. Lo pequeño empequeñécelo con tu tono de voz. Y luego hazlo crecer.

Este es como un colofón a las parábolas. Los de fuera no asisten a la reunión, pero la asamblea debe sentirse como los discípulos. Te corresponde alentar ese sentimiento.

EVANGELIO   Marcos 4:26–34

Lectura del santo Evangelio según san Marcos

En aquel tiempo, **Jesús** dijo a la **multitud**:
   "El **Reino de Dios** se parece a lo que sucede
      cuando un hombre siembra la **semilla** en la **tierra**:
      que pasan las **noches** y los **días**,
      y sin que él sepa **cómo**, la semilla **germina y crece**;
      y la **tierra**, por sí sola, va produciendo el **fruto**:
      primero los **tallos**, luego las **espigas** y después los **granos**
         en las **espigas**.
   Y cuando ya están **maduros** los granos, el hombre **echa mano**
         de la **hoz**,
      pues ha llegado el **tiempo** de la **cosecha**".

Les dijo **también**: "¿Con qué **comparemos** el Reino de Dios?
   ¿Con qué **parábola** lo podremos representar?
   Es como una **semilla de mostaza** que, cuando se siembra,
         es la **más pequeña**;
      pero una vez **sembrada**, **crece** y se **convierte** en el **mayor**
         de los **arbustos**
      y echa ramas **tan grandes**, que los **pájaros** pueden anidar
         a su **sombra**".

Y con **otras muchas parábolas** semejantes les estuvo exponiendo
      su **mensaje**,
   de acuerdo con lo que ellos podían **entender**.
   Y no les hablaba **sino en parábolas**;
      pero a sus **discípulos** les **explicaba todo** en **privado**.

este mundo. Al cristiano se le ofrece saltar de ese mundo y colocar su esperanza en alguien que lo está esperando y le da fuerza para sobrellevar y vencer todas las dificultades del caminar humano. Esta esperanza es más fuere que la muerte y la traspasa.

EVANGELIO Retomamos el evangelio de san Marcos, con dos parábolas del reino de Dios; la de la semilla que crece por sí sola y la de la semilla de mostaza. Atendemos sólo a la primera.

La parábola ilustra la relación entre predicar la palabra y la manifestación del reino. La parábola subraya lo que el sembrador ignora: qué sucede desde el día de la siembra hasta el de la siega.

El tiempo está marcado como un proceso indeterminado de noches y días, en el que lo importante es el desarrollo de aquella semilla. Tiene un tiempo, pero no se lo marca nadie, sino la tierra. El sembrador no es determinante; es la tierra sola la que avanza ese proceso de maduración.

La palabra sembrada tiene poder en sí misma; su fuerza le viene de la tierra, es decir, de algo que el sembrador no controla. La comparación no habla de lluvias oportunas o de bendiciones protectoras contra las plagas. Nada de eso. El reino de Dios tiene su propio proceso, y, en él, tampoco importa su contabilidad; ésa que nos da tanta certeza para ver si esto de sembrar la palabra es redituable y sostenible. El evangelio de hoy nos recuerda que Dios lleva su proyecto a buen término; ni angustias del sembrador ni perezas. Y es que, a veces, el reino lo hacemos parecer más como proyecto nuestro que de Dios.

XII DOMINGO ORDINARIO

Este texto es muy poético y muestra la inmensa superioridad de Dios. Declámalo con naturalidad y asombro en tu voz; nada de artificios. Es la revelación de quién es Dios.

I LECTURA Job 38:1, 8–11

Lectura del libro de Job

El **Señor** habló a **Job** desde la **tormenta** y le **dijo**:
"Yo le puse **límites** al **mar**,
cuando salía **impetuoso** del seno **materno**;
yo hice de la **niebla** sus **mantillas**
y de las **nubes** sus **pañales**;
yo le impuse **límites** con **puertas** y **cerrojos** y le **dije**:
'Hasta **aquí** llegarás, no más allá.
Aquí se **romperá** la **arrogancia** de tus **olas**' ".

Para meditar

SALMO RESPONSORIAL Salmo 106:23–24, 25–26, 28–29, 30–31

R. Den gracias al Señor porque es bueno, porque es eterna su misericordia.
O bien: Aleluya.

Los que entraron en naves por el mar, / comerciando por las aguas inmensas. / Contemplaron las obras de Dios, / sus maravillas en el océano. R.

Él habló y levantó un viento tormentoso, / que alzaba las olas a lo alto: / subían al cielo, bajaban al abismo, / el estómago revuelto por el mareo. R.

Pero gritaron al Señor en su angustia, / y los arrancó de la tribulación. / Apaciguó la tormenta en suave brisa, / y enmudecieron las olas del mar. R.

Se alegraron de aquella bonanza, / y él los condujo al ansiado puerto. / Den gracias al Señor por su misericordia, / por las maravillas que hace con los hombres. R.

I LECTURA Job se sitúa ante Dios y siente que sólo en el Creador puede responder a sus problemas. El problema de fondo no es la adquisición o pérdida de sus bienes materiales. Su dolor y, por lo mismo, su pregunta, es sobre el sentido de la vida delante de Dios.

Sus amigos le dan respuestas aprendidas de memoria. No tocan el problema de fondo. Job retó a Dios a que respondiera y éste le va a responder de una forma que tampoco Job esperaba. Primero, Job debe entender que así como no puede él abarcar el sentido de toda la creación —¿Cuál hombre lo podrá abarcar?— menos podrá comprender a Dios en todo.

Dios le dice que en todo hay un orden y un sentido. Dos son las intervenciones de Dios (38:2—40:2; 40:7—41:26). En el texto presentado hoy por la liturgia (38:1, 8–11) se abren las preguntas de Dios a Job, que de alguna manea son respuestas. La creación entera está llena de armonía y Job no puede comprender su amplitud y profundidad.

Dios puede todo y tiene en sus manos a toda la creación. Por lo mismo, lo que le pasa a Job, no está fuera del influjo amoroso de Dios. Para acusar a Dios de algo, tendrá que poseer todo este poder y sabiduría, tendrá que ser como Dios.

No le queda más a Job, el hombre, que reconocer a Dios que domina su obra, la creación y que todo está ordenado en bien del hombre.

El mar que para los orientales era misterioso y lo consideraban como la sede de monstruos malignos, contrarios a Dios, es una creatura de Dios que está bajo su obediencia y mandato.

Al ir el hombre conociendo y domesticando la creación, así sea el mar, está acercándose a un conocimiento mejor de Dios

Es un texto de renovación, de la dinámica muerte-vida, ínsita a toda vida auténticamente cristiana. De las afirmaciones generales, haz que se sienta el cambio a las que incluyen a los oyentes al hablar del 'nosotros'.

II LECTURA   2 Corintios 5:14–17

Lectura de la segunda carta del apóstol san Pablo a los corintios

Hermanos:
El **amor** de **Cristo** nos **apremia**,
    al **pensar** que si **uno** murió por **todos**,
    todos murieron.
Cristo murió por **todos**
    para que los que viven **ya no** vivan para **sí mismos**,
    sino para **aquél** que **murió** y **resucitó** por **ellos**.

Por eso **nosotros** ya no **juzgamos** a **nadie** con criterios **humanos**.
Si alguna vez hemos juzgado a **Cristo** con tales **criterios**,
    ahora ya no lo **hacemos**.
El que vive **según** Cristo es una criatura **nueva**;
    para él **todo lo viejo** ha **pasado**.
Ya **todo** es **nuevo**.

El relato es dramático, cuando una simple travesía se complica. Detecta el momento preciso y ensaya un cambio de ritmo en la proclamación.

EVANGELIO   Marcos 4:35–41

Lectura del santo Evangelio según san Marcos

Un día, al atardecer, **Jesús** dijo a sus **discípulos**:
    "**Vamos** a la otra **orilla** del lago".
Entonces los **discípulos despidieron** a la **gente**
    y condujeron a **Jesús** en la misma **barca** en que **estaba**.
Iban además **otras** barcas.

De **pronto** se desató un **fuerte** viento
    y las olas se estrellaban **contra** la barca y la iban **llenando**
        de **agua**.

y puede ir descubriendo dentro de ese orden, un sentido que, en lugar de alejarlo de Dios, el creador, lo acerca.

La experiencia de Job se acerca a la de los discípulos en la barca, como nos dice hoy el evangelio. Pensaban que no le importaba a Jesús su peligro, pero en ese momento obtuvieron una comprensión mayor de Jesús, de que los cuidaba y estaba a favor de ellos.

II LECTURA En esta segunda carta a los corintios, Pablo vuelve muchas veces a defender su oficio apostólico.

Sus enemigos le niegan esta condición. Por eso Pablo defiende su misión con todas sus fuerzas. No anda el Apóstol tras el poder, como lo acusan, sino que está al servicio de Jesucristo, quien ha muerto por todos (v. 14), por eso su vida está bajo la nueva ley fundamental: para Dios-para ustedes (v. 13). Lo que vale para Pablo vale para todos: debemos estar en favor de los demás, igual que Cristo.

Pasa a hablarles de no enorgullecerse de sus cualidades retóricas o de la *glosolaia*, que estaba muy extendida en esta ciudad. El cristiano debe juzgar de acuerdo al

modelo de Jesús, no de acuerdo a sus modelos, que están llenos de egoísmo. Deben ponerse al servicio de los demás.

La segunda frase del versículo 16 es difícil. Si consideramos, si juzgamos a Jesús de acuerdo a nuestros criterios, que son mundanos, llenos de egoísmo, entonces lo valoraríamos muy mal. Pero ahora, como creyentes en la resurrección, nuestro criterio ha cambiado sustancialmente. Lo antiguo, que estaba dominado por el pecado y, por lo mismo, por la muerte, ha pasado. Jesús con su muerte y resurrección ha dado una vuelta completa a la vida. No es un iluso,

Jesús **dormía** en la popa, **reclinado** sobre un cojín.
Lo **despertaron** y le **dijeron**:
"**Maestro**, ¿no te **importa** que nos **hundamos**?"
Él se **despertó**, **reprendió** al viento y **dijo** al mar:
"**¡Cállate, enmudece!**"
Entonces el viento **cesó** y sobrevino una **gran** calma.
Jesús les **dijo**:
"¿Por qué tenían **tanto** miedo? ¿Aun no tienen **fe**?"
Todos se quedaron **espantados** y se decían **unos a otros**:
"¿Quién es **éste**, a quien **hasta** el viento y el mar **obedecen**?"

Las palabras de Jesús al mar son imperiosas. No así las dirigidas a los discípulos. Tu tono debe ser de fraternal confianza, más que de represión.

Pablo sabe que todavía estamos bajo la amenaza del pecado y de la muerte, pero, desde la resurrección de Cristo, Dios ha introducido en este mundo, lleno de pecado, una nueva creación. Ya existe y está como arras, en el que ha aceptado a Cristo.

En esa comunidad tan difícil y briosa como la corintia, Pablo les hace ver que ya hay algo nuevo en ellos. Les ha traído el convencimiento de que nuestra vida tiene un futuro. Esta esperanza los empuja a vivir de acuerdo a esta nueva vida espiritual. La confianza de que Dios los ama y de que está en favor de ellos, esperándolos.

EVANGELIO En la barca que sirvió de cátedra para la enseñanza de Jesús, el grupo de discípulos se dispone a cruzar a la otra orilla del lago, por indicación del propio Maestro.

En la mentalidad popular de aquella época, el mundo pagano está poblado también de espíritus y demonios que manejan y ejercen su influencia sobre las gentes y sobre el mar impidiendo o propiciando algunos propósitos. Para la mentalidad judía, los demonios se oponen a Dios y son señores absolutos del territorio gentil. Por eso Jesús repite en el mar el exorcismo que había ejecutado con el endemoniado en la sinagoga.

En el momento de apuro mayor, los discípulos flaquean y Jesús les reprocha su cobardía y desconfianza. Ante una realidad que avasalla y apabulla, la fe es el remedio. Los discípulos deben sentirse seguros, no inútiles, pues tienen consigo a Jesús. La semilla sembrada no ha germinado todavía. Luego de que Jesús somete al mar, un gran temor se apodera de ellos; es algo distinto al miedo a perecer. Ellos han contemplado que Jesús es más poderoso que el mar. ¿Quién será éste? Esa pregunta todo discípulo de Jesús la tiene que responder continuamente para poder vencer las adversidades y obstáculos de la vida: Jesús es el Señor.

XIII DOMINGO ORDINARIO

I LECTURA   Sabiduría 1:13–15; 2:23–24

El texto es denso. Procura hacer las pausas y los acentos con toda propiedad.

Lectura del libro de la Sabiduría

Dios no hizo la **muerte**,
  ni se recrea en la **destrucción** de los **vivientes**.
Todo lo creó para que **subsistiera**.
Las **criaturas** del mundo son **saludables**;
  no hay en ellas veneno **mortal**.

Es una confesión bíblica del propio ser humano y su destino. El tono es de instrucción o de doctrina, pero no hay que afectarlo.

Dios creó al hombre para que **nunca** muriera,
  porque lo hizo a **imagen** y **semejanza** de **sí mismo**;
mas por **envidia** del diablo
entró la **muerte** en el **mundo**
y la **experimentan** quienes le **pertenecen**.

Para meditar

SALMO RESPONSORIAL   Salmo 29:2, 4, 5–6, 11, 12a, 13b

R. Te ensalzaré, Señor, porque me has librado.

Te ensalzaré, Señor, porque me has librado /
y no has dejado que mis enemigos se rían de
mí. / Señor, sacaste mi vida del abismo, / me
hiciste revivir cuando bajaba a la fosa. R.

Tañan para el Señor, fieles suyos, / den
gracias a su nombre santo; / su cólera dura
un instante, / su bondad, de por vida; /
al atardecer nos visita el llanto, / por la
mañana, el júbilo. R.

Escucha, Señor, y ten piedad de mí; /
Señor, socórreme. / Cambiaste mi luto en
danzas. / Señor, Dios mío, te daré gracias
por siempre. R.

I LECTURA Esta parte del texto de la Sabiduría pertenece a los inicios del libro que constan de tres secciones: una introducción (1:13–15), un discurso de los ateos (1:16—2:20) y un final (2:23–24).

Los miembros del pueblo elegido se encontraron con la cultura griega, en Alejandría, que tenía una manera de pensar y obrar totalmente contraria a la Palabra santa. Para los paganos su principio era "comamos y bebamos que mañana moriremos". Es decir, todo se reduce a los estrechos límites de esta vida y después no hay nada. Contra la anterior mentalidad se alza

la creencia judía en la inmortalidad, en la resurrección final.

El autor intenta una relectura de Génesis 3, para tratar de los problemas antropológicos del destino del hombre. Siendo el Creador bueno y omnipotente, su creación es buena y, por lo mismo, no puede contener dentro de ella semillas de muerte absoluta. Si existen, serán debidas al pecado, a la caída del hombre, a una herida de su libertad. Pero Dios está sobre el pecado del hombre y, como puede perdonar, puede también dar la inmortalidad.

Dios ha creado al hombre para la inmortalidad. La sabiduría afirma que la inmortalidad del hombre, no obstante el pecado y la muerte, es una realidad. Los justos no son hijos del pecado, sino son hijos de Dios. Por esto la muerte no puede tener con ellos ningún poder. La muerte tiene un sentido más profundo, no es sólo aniquilación del cuerpo, sino separación de Dios. La vida significa, en cambio, unión con Dios.

En la mayor parte de los libros del AT, la muerte era el último fin de la vida. Ahora, en esta corriente sapiencial, acercándose a una antropología griega, se afirmaba la

II LECTURA   2 Corintios 8:7, 9, 13–15

Lectura de la segunda carta del apóstol san Pablo a los corintios

Recuerda hacer contacto visual tras el saludo de fraternidad.

Hermanos:
Ya que ustedes se **distinguen** en **todo**:
    en **fe**, en **palabra**, en **sabiduría**, en **diligencia** para todo
      y en **amor** hacia **nosotros**,
    distínganse **también** ahora por su **generosidad**.

Bien saben lo generoso que ha sido nuestro Señor **Jesucristo**,
    que siendo **rico**, se hizo **pobre** por **ustedes**,
    para que **ustedes** se hicieran **ricos** con su **pobreza**.

Esto es consensuado. Pablo exhorta a vivir mesurada, razonablemente. Dale ese sentido a la lectura matizando principalmente la parte final.

No se trata de que los demás vivan **tranquilos**,
    mientras ustedes están **sufriendo**.
Se trata, **más bien**, de aplicar durante nuestra vida
    una medida **justa**;
    porque entonces la **abundancia** de ustedes remediará
      las **carencias** de **ellos**,
    y ellos, por su parte, los **socorrerán** a **ustedes**
      en sus necesidades.
En esa forma habrá un **justo** medio, como dice la **Escritura**:
    *Al que recogía **mucho**, nada le **sobraba**;*
    *al que recogía **poco**, nada le **faltaba**.*

---

inmortalidad de toda la persona, alma y cuerpo. No sólo el alma, como pensaban la mayoría de los griegos.

El libro de la Sabiduría habla de la vida eterna, no en el sentido de una resurrección, sino en la continuidad de la vida. No dice el cómo. No toma del todo la antropología griega. Ella quiere hablar de una vida en camino con Dios. Le interesa decir que en la otra vida el hombre estará con Dios. Si en esta vida está Dios con los justos, estará después con éstos de una manera más plena. No se preocupa por ahora, de si va a ser con el cuerpo o sin él.

II LECTURA En el llamado primer concilio de Jerusalén se decidieron asuntos fundamentales, mejor, el asunto fundamental de que la salvación viene por la fe en el Señor Jesús. De aquí saldría una serie de desarrollos del cristianismo primitivo. Pablo entendió y luchó por esta clarificación. Los apóstoles recomendaron que las otras comunidades tuvieran en cuenta a los pobres de Jerusalén.

Pablo, fiel a lo acordado y a la situación realmente deplorable de la comunidad jerosolimitana, emprendió una colecta entre sus comunidades, que en su mayoría constaban de fieles venidos del paganismo. Para abordar este delicado asunto de la colecta, Pablo toma todas sus precauciones.

Las relaciones del apóstol con la comunidad de Corinto acababan de atravesar por una crisis extremadamente grave. Tito había arreglado la tirantez que había entre la comunidad y el apóstol. Pablo les escribe para decirles su alegría por esta situación final y les anuncia lo de la colecta. Esta colecta, aparte de solucionar las dificultades graves de los pobres de Jerusalén, muestra el afecto y la unidad de las iglesias salidas de la gentilidad con la iglesia madre. Este don y

EVANGELIO　Marcos 5:21-43

Lectura del santo Evangelio según san Marcos

En aquel tiempo, cuando **Jesús** regresó en la barca al **otro** lado
　　del **lago**,
　se quedó en la orilla y ahí se le reunió **mucha** gente.
Entonces se acercó uno de los **jefes** de la sinagoga, llamado **Jairo**.
Al ver a **Jesús**, se echó a sus pies y le suplicaba con **insistencia**:
　"Mi hija está **agonizando**. Ven a imponerle las manos para que
　　se **cure** y **viva**".
Jesús se fue con él y **mucha** gente lo **seguía** y lo **apretujaba**.

Entre la gente había una **mujer** que padecía flujo de **sangre**
　　desde hacía doce años.
Había sufrido **mucho** a manos de los **médicos**
　y había **gastado** en eso toda su **fortuna**,
　pero en vez de **mejorar**, había **empeorado**.
Oyó hablar de Jesús, vino y se le **acercó** por detrás entre la gente
　y le tocó el manto, **pensando** que, con sólo tocarle el vestido,
　　se **curaría**.
Inmediatamente se le secó la fuente de su **hemorragia**
　y sintió en su cuerpo que estaba **curada**.

Jesús notó al **instante** que una **fuerza curativa** había salido de él,
　se volvió hacia la gente y les **preguntó**:
　"¿**Quién** ha tocado mi manto?"
Sus discípulos le **contestaron**:
　"Estás viendo cómo te **empuja** la gente y **todavía** preguntas:
　'¿**Quién** me ha tocado?'"
Pero él **seguía** mirando alrededor,
　para descubrir **quién** había sido.
Entonces se acercó la mujer, **asustada** y **temblorosa**,
　al **comprender** lo que había pasado;
　se postró a sus **pies** y le **confesó** la verdad.

Conviene observar los cambios de ritmo que ajusten al desarrollo de las acciones, porque al ser una lectura muy larga, puede el auditorio perder la concentración.

Dale tono de confianza a los pensamientos de la mujer hemorroísa.

Hazte eco de lo sorpresivo de este cuadro disruptivo. Las palabras de Jesús no deben sonar como las de alguien gruñón o molesto, sino llenas de confianza y familiaridad.

---

su aceptación por parte de la comunidad de Jerusalén, serían una señal de la unidad de toda la iglesia.

Empieza hablándoles de las grandes riquezas espirituales que posee la comunidad de Corinto. Merecen felicitaciones por su caridad. De aquí pasa a extender esta caridad a la generosidad para la colecta. Esta generosidad van los corintios a ponerla en favor de los pobres. Esta liberalidad en los bienes deben mostrarla, siguiendo el ejemplo de la liberalidad de nuestro Señor Jesucristo. De rico se hizo pobre para enriquecernos por su pobreza. Es claro que esa

riqueza no se entiende materialmente. La riqueza que nos aportó Jesús es del orden divino, se trata de bienes salvíficos. Pone el ejemplo de los filipenses que, pobres como son, han hecho un esfuerzo enorme para hacer esta colecta.

Pablo añade que no se trata de que ellos se queden pobres, sino que den de lo que les puede sobrar. No les pone aquí un ideal de pobreza evangélica. El ideal que les propone, es el de la igualdad. Les cita el ejemplo de la recolección del maná: "A quien recogía mucho no le sobrara, a quien recogía poco no le faltaba" (v. 15).

Pablo no piensa en una igualdad absoluta, en sentido democrático griego. La igualdad de la que habla, debe resultar de un intercambio por el cual todos tengan lo necesario: les pide lo superfluo para los que tienen necesidad. Estos santos les ayudarán en sentido espiritual. Pablo abre así un intercambio entre todos los miembros del cuerpo de Cristo, donde cada uno ayuda al otro y es ayudado también por el otro: solidaridad e interdependencia es lo que caracteriza la comunión de los santos.

La respuesta de Jesús debe guardar la confianza en la vida.

Jesús la tranquilizó, **diciendo**:
"Hija, tu fe te ha **curado**. Vete en **paz** y queda **sana**
de tu **enfermedad**".

Todavía estaba hablando **Jesús**, cuando unos **criados** llegaron
de casa del jefe de la sinagoga para decirle a **éste**:
"Ya se **murió** tu hija. ¿**Para qué** sigues molestando
al **Maestro**?"
Jesús alcanzó a oír lo que **hablaban** y le dijo al **jefe**
de la sinagoga:
"**No temas**, basta que tengas **fe**".
No permitió que lo **acompañaran** más que **Pedro**, **Santiago**
y **Juan**, el hermano de Santiago.

Marcada la pausa con el párrafo previo, estas acciones de Jesús deben crear un ambiente de reservada intimidad.

Al llegar a la **casa** del **jefe** de la sinagoga, vio Jesús el **alboroto**
de la gente
y oyó los **llantos** y los **alaridos** que daban.
Entró y les dijo:
"¿Qué significa **tanto** llanto y alboroto? La niña no está
muerta, está **dormida**".
Y se **reían** de él.

Al asombro del texto, acompáñalo con el asombro de tu voz. Es importante recuperar el sentido de lo maravilloso, para que el Dios de la vida se nos haga presente.

Entonces Jesús **echó** fuera a la gente,
y con los **padres** de la **niña** y sus **acompañantes**,
entró a donde estaba la **niña**.
La tomó de la **mano** y le dijo: "¡**Talitá, kum!**",
que significa: "¡**Óyeme**, niña, **levántate**!"
La **niña**, que tenía doce años, se levantó **inmediatamente**
y se puso a **caminar**.
Todos se quedaron **asombrados**.
Jesús les ordenó **severamente** que no lo dijeran a **nadie**
y les **mandó** que le dieran de comer a la **niña**.

Forma breve: Marcos 5:21–24, 35b–43

EVANGELIO En el evangelio de hoy está en juego la vida de dos mujeres: una con doce años padeciendo flujo sanguíneo vaginal (menorrea), y otra de 12 años, moribunda.

La hemorroísa sana ocultamente. Ella no se atuvo a lo consabido. Su deseo de salud la llevó a donde 'no debía'. Violó las normas de pureza, con tal de sacudirse un sufrimiento tan callado como penoso.

Pero Jesús la obliga a publicar su secreto. Ella teme, tiembla, cae de rodillas (como antes Jairo), y confiesa la verdad que la ha salvado. El proceso de vergüenza, Jesús lo transforma en uno de liberación y salvación pública. La fe ha transformado a esta mujer. La ha vuelto atrevida. Ella ha puesto su esperanza de salud en tocar a Jesús. Justo lo que no debía es lo que hace, y esto —porque se trata de Jesús— se le revierte en salvación. Ahora es modelo para todo creyente.

La otra mujer es pura pasividad. La hija de Jairo está en edad casadera, doce años, y está 'bien protegida' socialmente, por su padre y su madre, y una red popular que les respalda (mensajeros y plañideras). "Toda una vida por delante", diría la gente. Pero la muerte ya la tiene tomada, hasta que Jesús la levanta de la mano.

En estos dos relatos de salvación femenina, la salud se comunica por contacto físico de Jesús (ver 5:22, 33). Es importante valorar la salud que Dios nos da también por medio del contacto físico y sensible. Así funcionan los sacramentos, pero pensemos en nuestros padres, hermanos y hermanas, y en nuestros hijos e hijas. La calidez y el tacto son camino para la fe y la salvación.

XIV DOMINGO
ORDINARIO

El llamado profético está dirigido a todos los bautizados. Importa tener conciencia de esto y abrazarla con humildad. No significa que quien proclama la palabra es su dueño; apropiársela tiene que ver con el comprometerse con ella.

I LECTURA   Ezequiel 2:2–5

Lectura del libro del profeta Ezequiel

En aquellos días,
   el espíritu entró en mí,
   hizo que me pusiera **en pie** y oí una voz que me decía:

   "**Hijo de hombre**, yo te **envío** a los israelitas,
   a un pueblo **rebelde**, que se ha sublevado **contra mí.**
Ellos y sus padres me han traicionado **hasta el día de hoy.**
También sus hijos son **testarudos** y obstinados.
A ellos te envío para que les comuniques **mis palabras.**
Y ellos, **te escuchen o no,**
   porque son una raza **rebelde,**
   sabrán que **hay un profeta** en medio de ellos".

Para meditar

SALMO RESPONSORIAL   Salmo 122:1–2a, 2bcd, 3–4

R. Nuestros ojos están en el Señor Dios nuestro, esperando su misericordia.

A ti levanto mis ojos, a / ti que habitas en el cielo. / Como están los ojos de los esclavos / fijos en las manos de sus señores. R.

Como están los ojos de la esclava / fijos en las manos de su señora, / así están nuestros ojos / en el Señor Dios nuestro, / esperando su misericordia. R.

Misericordia, Señor, misericordia, / que estamos saciados de desprecios; / nuestra alma está saciada / del sarcasmo de los satisfechos, / del desprecio de los orgullosos. R.

I LECTURA   La vocación de Ezequiel abarca tres capítulos. La liturgia escogió para este día la parte que corresponde a la no recepción del mensaje del profeta (Ez 2:2–5). Al poner el relato de vocación al principio, los editores han querido recalcar que todo lo que sigue es la palabra encomendada por Dios al profeta. Es una legitimación teológica.

El Espíritu alza al profeta, poniéndolo de pie. El Soberano divino le entrega a Ezequiel el plano. El profeta recibe una fuerza que le capacitará para enfrentar su misión, no obstante su debilidad radical, manifestada en el título que le da Dios: "hijo del hombre". No es más que un ser humano, por lo mismo creado de tierra.

La palabra de Dios encomienda al profeta una misión durísima: denunciar públicamente las rebeliones del pueblo y, después, ayudarlo a que vuelva a su Dios. El profeta hace suya la palabra divina y se identifica con su destino. La encomienda es riesgosa y decisiva, porque pone en peligro la misma vida del profeta. Es una misión de vida o muerte ante destinatarios tan testarudos y apegados a su pecado (v.3). Es un pueblo que quiere seguridades humanas en lugar de la palabra de Dios; ahora se siente protegido por su potencia miliar, por su amistad con Egipto y también por el culto y por su templo. Precisamente esta adhesión formalista a la ley de Dios será la causa principal de su desgracia y de la catástrofe que se abatirá sobre Jerusalén en el año 587.

Siempre hay la posibilidad de concebir nuestra relación con Dios en términos superficiales y cómodos. El profeta hará entender al pueblo que esta es una forma de hacer del Dios vivo un ídolo. Éste no es el Dios de Israel. Pero más allá de la justicia en

Pablo abre su corazón a los corintios. La respuesta del Señor debe quedarse fija en el corazón de toda la asamblea. Dale su propio espacio.

II LECTURA   2 Corintios 12:7–10

Lectura de la segunda carta del apóstol san Pablo a los corintios

Hermanos:
Para que yo **no me llene** de soberbia
   por la sublimidad de las revelaciones **que he tenido,**
   llevo una espina **clavada** en mi carne,
   un enviado de **Satanás,**
   que me **abofetea** para humillarme.
Tres veces le he pedido al Señor que me **libre** de esto,
   pero él me ha respondido:
   "**Te basta** mi gracia,
   porque mi poder se manifiesta **en la debilidad**".

Así pues, de **buena gana**
   prefiero gloriarme **de mis debilidades,**
   para que se manifieste en mí **el poder** de Cristo.
Por eso **me alegro** de las debilidades,
   los insultos, las necesidades, las persecuciones
   y las dificultades **que sufro por Cristo,**
   porque cuando soy más débil, **soy más fuerte.**

Aquí también hay un 'crecimiento' en el pensamiento paulino. Hay que llevar al clímax su debilidad, para que la gracia sea más evidente.

EVANGELIO   Marcos 6:1–6

Lectura del santo Evangelio según san Marcos

En aquel tiempo,
   Jesús fue **a su tierra** en compañía de sus discípulos.
Cuando llegó el sábado, se puso a **enseñar** en la sinagoga,
   y la multitud que lo escuchaba
   se preguntaba **con asombro:**
   "¿**Dónde** aprendió este hombre tantas cosas?

Más que pensar en las resistencias que hemos enfrentado, nos ayuda pensar en las veces que hemos hecho oídos sordos a la palabra. Con cierta pena y remordimiento en la voz, contemos lo sucedido en Nazaret.

---

sentido nuestro, está la misericordia ofrecida por Dios.

II LECTURA Los capítulos 11 y 12 de la segunda carta a los Corintios ofrecen una apología del apóstol Pablo. No es una alabanza personal, pues sería vanagloria, algo muy lejano del apóstol. La razón de esta apología estriba en el ataque recibido por sus enemigos que querían minimizar la base del apostolado de Pablo, acusándolo de ser un impostor, no un apóstol. Por lo mismo no es raro que entre los hechos de su vida estén precisamente

las persecuciones. Justamente la autenticidad de su ministerio está siendo probada por el sufrimiento que le causa predicar el evangelio. En el trozo de hoy (2 Cor 12:7–10) se pone énfasis en un tipo especial de sufrimiento ("la espina en la carne"). Los exégetas han discutido largo y tendido sobre lo que Pablo intentaba decir con esta expresión. Lo cierto es que era algo que de una manera especial le dolía y atormentaba. Esa enfermedad era interpretada en su entorno religioso como proveniente de Satanás.

En Pablo existía un dolor muy fuerte, que provenía de que su pueblo, Israel, había

rechazado el evangelio del Señor Jesús (Rom 9:1s). Esto trajo la posibilidad de que inmediatamente se dirigiera la predicación del Evangelio a los paganos.

Pablo experimenta en la debilidad, el socorro de Dios. La respuesta a la triple petición de Pablo de ser liberado de ese tormento, asegura que le basta su gracia, puesto que en la debilidad es donde se manifiesta la fuerza divina. El sufrimiento apostólico consiente a Pablo participar en la debilidad de la Palabra hecha carne. De esta manera es también una participación de la fuerza de la resurrección del Señor.

¿**De dónde le viene** esa sabiduría
y **ese poder** para hacer milagros?
¿Qué no es éste **el carpintero,**
el **hijo** de María, **el hermano** de Santiago, José, Judas y Simón?
¿No viven **aquí,** entre nosotros, sus hermanas?"
Y estaban **desconcertados.**

Pero Jesús les dijo:
"**Todos** honran a un profeta,
menos **los de su tierra,** sus parientes y los de su casa".
Y no pudo hacer allí **ningún milagro,**
sólo curó a **algunos enfermos** imponiéndoles las manos.
Y estaba extrañado de **la incredulidad** de aquella gente.
Luego se fue a **enseñar** en los pueblos vecinos.

Las palabras de Jesús son un refrán.
La asamblea debe saber del riesgo que corre
de no abrazar la palabra.

Pablo vive en su persona esta unión paradójica de experiencia de la gracia y del sufrimiento que se convierte en un regalo. Como les había enseñado a los corintios, él participa de la gloria en el dolor.

EVANGELIO En toda esta parte del evangelio se va distinguiendo entre los que pertenecen al 'círculo de Jesús' y los que están 'afuera'. Se nota que no toda la gente que sigue a Jesús está adentro. Los que tienen fe en él son pocos. Y el grupo de discípulos está aprendiendo lo que significa seguir a Jesús e involucrarse con el proyecto del reino.

El episodio de la sinagoga tiene dos caras; la reacción de la gente, es una: "Y se escandalizaban por su causa"; la otra es la de Jesús: "Y se admiraba de la incredulidad de ellos".

El escándalo de los paisanos de Jesús surge porque lo conocen bien. Él es un *tekton*, alguien que trabaja con las manos la madera, la piedra, techos, bardas, lo que sea. Pero que esas manos rudas operen prodigios... Saben que no visitó ningún centro académico, pero explica las Escrituras de manera tan clara que... ¡Es mejor rechazarlo! Como si sólo los privilegiados, los escogidos, tuvieran acceso al reino. Ese modo de pensar es lo que impide percibir la sabiduría y el poder de Dios operando en el día a día cotidiano y ordinario de cada paisano.

Jesús, se pasma de su incredulidad... y es que todos los asistentes son gente piadosa y de buena voluntad. La fe, la adhesión profunda al Mesías de Dios, no la mera asistencia al culto, es la que marca la diferencia en introducirnos a vivir en el misterio de salvación o en permanecer extraños al mismo.

XV DOMINGO ORDINARIO

I LECTURA   Amós 7:12–15

Lectura del libro del profeta Amós

Emplea el tono natural del narrador. Trae al oído de la asamblea el rechazo del profeta con cierto tono imperativo en la voz del sacerdote de Betel.

En aquel tiempo,
   Amasías, sacerdote de Betel, le dijo al profeta Amós:
   "**Vete de aquí,** visionario, y **huye** al país de Judá;
   gánate allá el pan, profetizando;
   pero no vuelvas **a profetizar** en Betel,
   porque es **santuario** del rey y **templo** del reino".

La respuesta de Amós es simple y auténtica. Profetiza por servir al Señor, no al rey. Así la palabra que proclamas.

Respondió Amós:
   "Yo **no soy** profeta ni hijo de profeta,
   sino **pastor** y cultivador de higos.
   El Señor **me sacó** de junto al rebaño y me dijo:
   'Ve y **profetiza** a mi pueblo, Israel'".

Para meditar

SALMO RESPONSORIAL   Salmo 84:9ab–10, 11–12, 13–14

R. Muéstranos, Señor, tu misericordia y danos tu salvación.

Voy a escuchar lo que dice el Señor: / "Dios anuncia la paz / a su pueblo y a sus amigos". / La salvación está ya cerca de sus fieles / y la gloria habitará en nuestra tierra. R.

La misericordia y la fidelidad se encuentran, / la justicia y la paz se besan; / la fidelidad brota de la tierra / y la justicia mira desde el cielo. R.

El Señor nos dará la lluvia, / y nuestra tierra dará su fruto. / La justicia marchará ante él, / la salvación seguirá sus pasos. R.

I LECTURA   Esta lectura presenta la libertad del profeta y su dependencia total de la misión encomendada. La misión le trae problemas y peligros a Amós, como se muestra en la advertencia que le hace el gran sacerdote de Betel. El profeta había sido llamado por Dios en su trabajo. Era del sur y poseía una tierra, lo que le valía una posición económica de cierta comodidad. Poseer tierra y animales era de gente rica. Pero Dios, mejor, su encomienda, era más importante y para eso debía dejar su trabajo.

La libertad del profeta es muy importante, ya que sólo así podrá dedicarse completamente al servicio de la Palabra, que le llega en momentos no previstos, y que no se acomoda a sus deseos. Además, el profeta sabe que la entrega de la palabra divina provoca crisis en los destinatarios. Pone un dilema: aceptarla o rechazarla.

Hay un encuentro entre el profeta y el sacerdote. Es decir, se enfrentan dos instituciones. El sacerdote tiene ya un camino claro y seguro. El profeta está libre de toda estructura y busca obedecer sólo a la palabra de Dios. Se encuentran en el templo

importantísimo de Betel, un santuario nacional de Israel. Debe su santidad al sueño del patriarca Jacob aquí, en Betel, la puerta del cielo. Betel es un santuario real donde se proclama el doble 'dogma' de la elección de la dinastía por parte de Dios y de la elección del pueblo. El sacerdocio es garante de estas tradiciones. Pero Amós en nombre de Dios anuncia el rechazo de este doble dogma: el rey morirá a espada e Israel abandonará la tierra.

Amasías, el sacerdote real, desconoce que aparte del profeta real, que se doblega al capricho del rey, existe el profeta que

II LECTURA   Efesios 1:3–14

Lectura de la carta del apóstol san Pablo a los efesios

Bendito sea Dios, **Padre** de nuestro Señor Jesucristo,
    que nos **ha bendecido** en él
    con **toda clase** de bienes espirituales y **celestiales.**
Él **nos eligió** en Cristo, **antes** de crear el mundo,
    para que fuéramos santos
    e **irreprochables** a sus ojos, por el amor,
    y **determinó,** porque **así** lo quiso,
    que, por medio de **Jesucristo,** fuéramos **sus hijos,**
    para que alabemos **y glorifiquemos** la gracia
    con que nos **ha favorecido** por medio de su **Hijo** amado.

Pues **por Cristo,** por su sangre,
    hemos recibido la redención,
    el **perdón** de los pecados.
Él ha prodigado sobre nosotros **el tesoro** de su gracia,
    con **toda** sabiduría e inteligencia,
    dándonos a conocer **el misterio** de su voluntad.
Éste es **el plan** que había proyectado realizar **por Cristo,**
    cuando llegara **la plenitud** de los tiempos:
    hacer que **todas** las cosas, las del cielo y **las de la tierra,**
    tuvieran a Cristo por cabeza.

Con Cristo somos **herederos** también nosotros.
Para esto estábamos destinados,
    por **decisión** del que lo hace todo según **su voluntad:**
    para que fuéramos **una alabanza continua** de su gloria,
    nosotros, los que ya antes **esperábamos** en Cristo.

Este es un himno de alabanza gozosa. Imprime ese sello en tus frases. Date cuenta de cómo está organizado este canto, y dirige al Padre esta alabanza.

La obra del Hijo es manifiesta. La aclamación es menos eufórica, pero más pródiga en gracias de salvación.

II.4. Ahora el conjunto de creyentes queda incluido en la alabanza. Siéntete partícipe de los bienes derramados por Dios.

---

sólo es profeta porque fue enviado a una misión especial. No se mantiene de eso, por esto recalca Amós su profesión, de donde come. Esta clase de profetas no tienen otro objetivo que ser fieles mensajeros de lo que Dios dice. Lo que entregan, tampoco es su toma de conciencia o madurez religiosa.

El distintivo del verdadero profeta es la incorruptibilidad y no ser complaciente con los poderes fácticos o, a veces, con los deseos personales del profeta. Lo único que guía al auténtico profeta es esa simple palabra divina que trae la fuerza de Dios.

II LECTURA Esta lectura vien del inicio de la Carta a los Efesios. Es una bendición con tres partes temporales. La doxología empieza con una fórmula (v. 3) en la que Dios es el objeto de la bendición del apóstol y de los creyentes, porque es el que obra la salvación en la comunidad cristiana. Los términos recuerdan motivos muy queridos tanto por el Judaísmo, como por el Cristianismo primitivo. Cristo es el instrumento, el mediador de esa bendición, puesto que el cristiano se incorpora a él y en él recibe toda bendición celestial.

En la primera parte de la doxología (vv. 4–10), aparecen los tres momentos de la bendición divina. Los cristianos fueron predestinados, antes de la creación, para ser hijos adoptivos de Dios (vv. 4–6a), para concretarse en la redención otorgada por pura gracia en la sangre de Cristo (vv. 6b–7). Todo se dirige al final, que es la recapitulación de todos en Cristo (vv. 8–10).

Al plan corresponde la realización (vv. 11–14). Primero, se habla de los que "ya antes habían esperado en Cristo", es decir, la iglesia de la circuncisión. Luego vienen asociados los paganos bautizados

Ahora el conjunto de creyentes queda incluido en la alabanza. Siéntete partícipe de los bienes derramados por Dios.

En él, también ustedes,
  después de **escuchar** la palabra de la verdad,
  el **Evangelio** de su salvación, y después **de creer,**
  han sido **marcados** con el Espíritu Santo prometido.
Este Espíritu es **la garantía** de nuestra herencia,
  mientras llega **la liberación** del pueblo adquirido por Dios,
  para **alabanza** de su gloria.

Forma breve: Efesios 1:3–10

EVANGELIO   Marcos 6:7–13

Lectura del santo Evangelio según san Marcos

En aquel tiempo,
  llamó Jesús **a los Doce,**
  los **envió** de dos en dos
  y les **dio poder** sobre los espíritus inmundos.
Les mandó que no llevaran **nada** para el camino:
  ni pan, ni mochila, **ni dinero en el cinto,**
  sino **únicamente** un bastón, sandalias y **una sola** túnica.

Y les dijo: "Cuando entren en una casa,
  quédense en ella hasta que se vayan de ese lugar.
Si en alguna parte no los reciben **ni los escuchan,**
  al abandonar ese lugar, **sacúdanse** el polvo de los pies,
  como una **advertencia** para ellos".

Los discípulos se fueron a predicar el **arrepentimiento.**
Expulsaban **a los demonios,**
  ungían con aceite a los enfermos y **los curaban.**

Predicar el evangelio requiere de confianza en la Providencia y la generosidad de los escuchas. Marca bien las instrucciones negativas, lo que no hay que llevar para hacer creíble la Buena Nueva.

Los consejos a los predicadores son precisos. Dilos con voz pausada y confiada.

El resultado está a la vista. Estas líneas corroboran la fidelidad de los enviados.

en el Espíritu. El misterio divino revelado tiene como contenido la comunión entre judíos y paganos, quitando toda separación (v. 13). El último verso se dirige a la comunidad escatológica, que ya posee las arras del Espíritu.

La bendición deja ver el término de gloria. Ésta se muestra en la creación y en la historia. La historia es el lugar privilegiado de la presencia de Dios. No en lo sagrado, en el rito o lo taumatúrgico, sino en lo ordinario de la vida es donde se ve la acción de Dios. En la opacidad de la historia se va diseñando y reconociendo su presencia. Aquí se manifiesta el acto redentor de Cristo, a lo

que el cristiano responde con la alabanza. Hace presente a Cristo en su vida concreta. La vida de uno está llamada a trasparentar a Cristo.

EVANGELIO   Este envío ya estaba anunciado desde cuando Jesús configuró al grupo que debía estar con él y expulsar demonios. Estos tres elementos del discipulado son complementarios.

Los enviados de Jesús deben ir por pares, no sólo para brindarse compañía y apoyo, sino para respaldar lo que dicen. Ellos deberán llegar a las casas, confiar en las gentes que encontrarán. Jesús los pone

en condición mendicante. Esta es la garantía de su autenticidad y su fidelidad. Su pobreza es extrema; los apóstoles del reino deben ser testigos elocuentes de la providencia de Dios. Quienes reciben el evangelio les proveerán pan y alojamiento.

Con este envío, Jesús busca reintegrar el tejido social de las casas mediante una vuelta a los valores consagrados por la ley: fe absoluta y radical en el Dios de la alianza, en la hospitalidad y en la solidaridad familiar. Cierto, a sus enviados les advierte que no todo será éxito.

XVI DOMINGO ORDINARIO

I LECTURA   Jeremías 23:1–6

Lectura del libro del profeta Jeremías

"**¡Ay** de los pastores que **dispersan**
   y **dejan perecer** a las ovejas de mi rebaño!", dice el Señor.

Por eso **habló así** el Señor, Dios de Israel,
   contra los pastores que apacientan **a mi pueblo:**
   "Ustedes han rechazado **y dispersado** a mis ovejas
      y **no** las han cuidado.
Yo me encargaré de **castigar** la maldad de las acciones de ustedes.
Yo mismo reuniré al resto de mis ovejas,
   de **todos** los países a donde las había expulsado
   y las **volveré a traer** a sus pastos,
   para que ahí **crezcan** y se multipliquen.
Les pondré pastores que las apacienten.
Ya **no temerán** ni se espantarán y **ninguna** se perderá.

Miren: Viene un tiempo, dice el Señor,
   en que **haré surgir** un renuevo en el tronco de David:
   será un rey **justo y prudente**
   y hará que en la tierra **se observen** la ley y la justicia.
En sus días será **puesto a salvo** Judá,
Israel habitará **confiadamente**
   y a él lo llamarán con este nombre:
   'El Señor es **nuestra** justicia'".

Deja que esa frase primera resuene en el templo.

Dale peso a la intervención personal del Señor en favor del rebaño. Hay severidad en el tono.

El horizonte se amplía con la promesa. Tu corazón debe sentirse confortado también por esto.

I LECTURA Esta lectura está tomada de una serie de oráculos contra los reyes y profetas (Jer 21–23). El profeta echa la culpa del exilio a los dirigentes de la comunidad. El oráculo está compuesto de dos partes: una requisitoria contra los pastores de Israel (23:1–2) y el anuncio de la intervención de Dios, con la promesa de que un retoño gobernará con justicia y derecho (23:3–6).

El texto juega con la palabra hebrea que significa "visitar". Los pastores no han visitado (no se han preocupado de) la grey, por lo cual Dios visitará (se preocupará de) a los pastores que han traicionado su oficio. Se trata de comparaciones tomadas de la vida pastoril y que son muy comunes en el oriente antiguo. Los profetas hablan muy a menudo de los reyes como pastores. La autoridad se ha servido de su oficio, en lugar de ejercer su oficio preocupándose de sus gobernados. Basta recordar las palabras de Ezequiel (37:2s.) o de la advertencia de Samuel ante el arribo del reinado (1 Sam 8:11s). Los reyes de Israel y de Judá, es decir, las autoridades, no han servido y, por no cumplir con su objetivo, serán reemplazadas.

Para solucionar el problema entre gobernar y gobernados no basta remplazar por remplazar, se necesita algo más: Constituirá nuevos pastores, se entiende, con un espíritu de servicio que se manifestará en la procuración del derecho y la justicia. No indica que el Señor vendrá y se pondrá en lugar de las autoridades, sino que hará que gente de la misma raza humana tome otra actitud. Que los dirigentes sean servidores del pueblo que gobiernan. Esto sólo lo podrá hacer el Espíritu, enviado por el Señor.

Para meditar

SALMO RESPONSORIAL   Salmo 22:1–3a, 3b–4, 5, 6

R. El Señor es mi pastor, nada me falta.

El Señor es mi pastor, nada me falta: / en verdes praderas me hace recostar; / me conduce hacia fuentes tranquilas / y repara mis fuerzas. R.

Me guía por sendero justo, / por el honor de su nombre. / Aunque camine por cañadas oscuras, / nada temo, porque tú vas conmigo: / tu vara y tu cayado me sosiegan. R.

Preparas una mesa ante mí, / enfrente de mis enemigos; / me unges la cabeza con perfume, / y mi copa rebosa. R.

Tu bondad y tu misericordia me acompañan / todos los días de mi vida, / y habitaré en la casa del Señor / por años sin término. R.

II LECTURA   Efesios 2:13–18

Lectura de la carta del apóstol san Pablo a los efesios

Hermanos:
Ahora, unidos a Cristo Jesús,
    ustedes, que antes estaban **lejos,** están cerca,
    en virtud de **la sangre** de Cristo.

Porque **él** es nuestra paz;
    él hizo de los judíos y de los no judíos **un solo pueblo;**
    él **destruyó,** en su propio cuerpo,
    la barrera que los separaba: el odio;
    él **abolió** la ley, que consistía en mandatos y **reglamentos,**
    para crear en **sí mismo,**
    de los dos pueblos, **un solo hombre nuevo,**
    estableciendo **la paz,**
    y para reconciliar **a ambos,** hechos **un solo** cuerpo,
    con Dios, por medio de la cruz,
    dando muerte **en sí mismo** al odio.

El misterio de la redención trabaja para la unidad de los hijos de Dios. Los lejanos que han sido acercados somos nosotros. No pierdas esa perspectiva.

Los pronombres que refieren a Cristo deben ser enfáticos. Identifícalos.

La promesa a Jeremías se extiende a un futuro lejano. Será un rey humano, descendiente de David, pero más que de su carne, del espíritu que animaba a este rey. Traerá una justicia que no juzgue, sino que salve.

II LECTURA   Los versos anteriores a este paso (2:2–20) muestran a los nuevos bautizados resucitados con Cristo y triunfando con él. Los versos de este domingo (vv. 13–18) nos hacen descender a la tierra y nos dicen cómo se ha adquirido tal situación. Presenta Pablo cómo el Señor ha acercado a los que estaban separados y con todos ha constituido una sociedad, creando un hombre nuevo en su persona. Ese acercamiento ha sido posible por la sangre de Cristo.

Jesús ha destruido la barrera, representada por la observancia de la Ley de Moisés. Ésta creó entre algunos judíos el legalismo y la tentación de la intolerancia. Jesús, al destruir esta barrera de la Ley, puso en su lugar la ley de la gracia, que une a todos los hombres. No hay personas, tendencia o doctrinas, técnicas o inventos que sean excluidos de la reconciliación, de la salvación y de esta gracia traída por el Señor, que ha destruido el odio en su cuerpo.

Al reunirnos en su Cuerpo místico por su amor, Él se ha convertido en nuestra paz.

EVANGELIO   El evangelio cuenta la vuelta de los enviados a informar a Jesús de su misión. En el hilo narrativo de san Marcos, sin embargo, en tanto que los enviados o apóstoles realizan el encargo de Jesús, hemos leído la suerte trágica de Juan Bautista, el precursor del Mesías. De este modo, queda acentuado el riesgo capital que implica el profetismo, y no cabe esperar otra cosa para los enviados. Esta amenaza que viene de los poderes reales no se percibe si omitimos la decapitación

Vino para anunciar **la buena nueva** de la paz,
tanto **a ustedes**, los que estaban **lejos**,
como a los que estaban **cerca**.

Así, unos y otros podemos **acercarnos** al Padre,
por la acción de **un mismo** Espíritu.

En la conclusión baja el ritmo.

EVANGELIO   Marcos 6:30–34

Lectura del santo Evangelio según san Marcos

En aquel tiempo,
los apóstoles **volvieron** a reunirse con Jesús
y le contaron **todo** lo que habían hecho **y enseñado**.
Entonces él les dijo:
"**Veng**an conmigo a un lugar solitario,
para que **descansen** un poco",
porque eran **tantos** los que iban y venían,
que no les dejaban tiempo **ni para comer**.

La rendición de cuentas se está llevando a cabo. Es un momento de intimidad, pero también de reposo. No precipites la lectura.

Jesús y sus apóstoles se dirigieron en una barca
hacia un lugar **apartado y tranquilo**.
La gente los vio irse y **los reconoció**;
entonces **de todos** los poblados fueron **corriendo** por tierra a
aquel sitio y se les **adelantaron**.

Prolonga el ritmo pausado en este párrafo.

Cuando Jesús desembarcó,
vio una **numerosa** multitud que lo estaba **esperando**
y se **compadeció de** ellos,
porque andaban como ovejas **sin pastor**,
y se puso a enseñarles **muchas cosas**.

La compasión aflora. Pronuncia 'en descenso' las últimas dos líneas.

---

del Bautista, pero no hay que perderla de vista para interpretar el evangelio. Sin embargo, las líneas de hoy hablan también del cuidado que Jesús dispensa al grupo de los doce, procurándoles un descanso necesario. Volvamos al reporte.

Dar cuenta del encargo recibido era el último momento de la misión. Los enviados reportan a Jesús "todo cuanto hicieron y cuanto enseñaron". Ellos realizan lo mismo que hace Jesús ('proclamaron que se convirtieran'). El grupo mismo ha sido lerdo y difícil para recibir la revelación de Jesús, pero cuando enseña es exitoso, pues la palabra predicada es de Jesús, el Heraldo del Reinado. Ésta es la única garantía de la misión. La fidelidad del discípulo o enviado se nota en el éxito de la misión, que se mide más por su profundidad y calidad que por la cantidad y extensión.

Pensemos en el descanso. Jesús responde a las aglomeraciones que causa la aceptación del evangelio, retirándose para estar a solas y orar. Lo mismo quiere hacer con los suyos. Pero el descanso no es retozo y entretenimiento. El hombre bíblico encuentra descanso en el templo, en los atrios de Dios, solazándose en las enseñanzas de la Torah y participando en los sacrificios del altar. Pero también las gentes desperdigadas por los alrededores andan en busca de descanso, y Jesús responderá como Pastor mesiánico, enseñándoles muchas cosas. A esas gentes que no peregrinan al templo de Jerusalén, Jesús les dará alivio, las curará y les dará de comer. Será un banquete diametralmente opuesto al de las clases gobernantes que han decapitado al profeta de Dios y buscan ahogar su mensaje. La comida de Jesús será una imagen preclara de lo que es el reino de Dios y su sentido para los más vulnerables y necesitados. Esta misma solicitud le compete al grupo de los doce; ahora están aprendiendo lo que significa el pastoreo mesiánico. Ellos lo prolongarán después.

XVII DOMINGO ORDINARIO

I LECTURA   2 Reyes 4:42–44

Lectura del segundo libro de los Reyes

En **aquellos** días, llegó de Baal-Salisá
   un hombre que traía para el siervo de Dios,
   Eliseo, como primicias,
   veinte panes de cebada y **grano tierno** en espiga.

Entonces Eliseo dijo a su criado:
   "**Dáselos** a la gente para que coman".
Pero él le respondió:
   "¿Cómo voy **a repartir** estos panes entre cien hombres?"

Eliseo insistió: "Dáselos a la gente **para que coman,**
   porque **esto** dice el Señor: 'Comerán todos y **sobrará**' ".

El criado repartió los panes a la gente;
   todos comieron y todavía **sobró,** como había **dicho** el Señor.

SALMO RESPONSORIAL   Salmo 144:10–11, 15–16, 17–18

R. Abres tú la mano, Señor, y nos sacias.

Que todas tus criaturas te den gracias,
Señor, / que te bendigan tus fieles; /
que proclamen la gloria de tu reinado, /
que hablen de tus hazañas. R.

Los ojos de todos te están aguardando, / tú
les das la comida a su tiempo; / abres tú la
mano, / y sacias de favores a todo viviente. R.

El Señor es justo en todos sus caminos, /
es bondadoso en todas sus acciones; / cerca
está el Señor de los que lo invocan, / de los
que lo invocan sinceramente. R.

El relato es viejo, de muchos años. Pronuncia bien los nombres propios, porque esto crea la sensación de extrañeza y distancia.

El diálogo muestra resistencias. Las palabras finales de Eliseo tienen que sonar como un hecho.

La constatación del milagro debe causar asombro ante lo maravilloso. Allí surge la conexión con Dios.

Para meditar

I LECTURA La multiplicación de los panes hecha por Eliseo tiene un sello especial; es como una viñeta de ésas que encontramos en nuestras iglesias, pequeña pero dice más que los cuadros monumentales. Es un milagro de la vida corriente, tiene un dejo de sencillez y espontaneidad que no pasa inadvertido.

En el relato de hoy alguien anónimo le llevó las primicias de su cosecha al profeta: "veinte panes de cebada y grano reciente". Las primicias le pertenecen a Dios (cf. Lev 23:17–18). El pan de cebada era lo que comía normalmente la gente pobre. Eran tiempos de carestía, originada por las continuas guerras y por la ausencia de lluvias.

Eliseo, en lugar de compartirlo con sus allegados, se aprestó a condividir el don recibido con la muchedumbre que, en este caso concreto, era un centenar de personas. La objeción del siervo de Eliseo es clara, objetiva. No le alcanzarán esos panes para nada. Pocos panes y mucha gente. Eliseo insiste y dice unas palabras, indicativas de que el Señor intervendrá para que alcancen esos panes. El resultado es admirable: comieron, se llenaron y sobró pan.

De lo que pertenece a Dios, las primicias, Elías se sirve para socorrer a la gente. Dios da de comer y en abundancia.

II LECTURA Estas palabras de Pablo presentan la conclusión de cuanto ha expuesto hasta entonces en su carta. Es la parte parenética. Después de exponer su doctrina, viene la consecuencia para la vida cristiana y para toda la comunidad.

Empieza Pablo poniendo enfrente la autoridad que le dan sus sufrimientos y su posición. Todo esto ha sido por Cristo. Las

Haz memoria de las dificultades que has experimentado para realizar tu servicio eclesial. Hermánate con Pablo y dale voz a sus palabras.

II LECTURA   Efesios 4:1–6

Lectura de la carta del apóstol san Pablo a los efesios

Hermanos:
Yo, Pablo, **prisionero** por la causa del Señor,
    los exhorto a que lleven **una vida digna**
    del llamamiento que **han recibido.**
Sean **siempre** humildes y amables;
    sean **comprensivos** y sopórtense **mutuamente** con amor;
    esfuércense **en mantenerse unidos** en el espíritu
        con el **vínculo** de la paz.

Porque no hay más que **un solo** cuerpo y **un solo** Espíritu,
    como también **una sola** es la esperanza
    del llamamiento que ustedes **han recibido.**
Un solo Señor, **una sola fe, un solo** bautismo,
    un solo Dios y Padre **de todos,** que reina **sobre todos,**
    actúa a través de todos **y vive** en todos.

Estas frases son bastante repetidas en nuestros grupos. Pronúncialas como si fueran nuevas. Frasea bien cada expresión.

EVANGELIO   Juan 6:1–15

Lectura del santo Evangelio según san Juan

En aquel tiempo,
    Jesús se fue **a la otra orilla** del mar de Galilea
        o lago de Tiberíades.
Lo seguía **mucha** gente,
    porque **habían visto** las señales milagrosas
    que hacía **curando** a los enfermos.
Jesús subió al monte y **se sentó** allí con sus discípulos.

Estaba cerca **la Pascua,** festividad de los judíos.
Viendo Jesús que **mucha** gente lo seguía, le dijo a Felipe:
    "**¿Cómo** compraremos pan **para que coman** éstos?"

Adopta la velocidad normal de un narrador.

De pronto el escenario se puebla con las gentes y la necesidad. Las intervenciones de Felipe deben mostrar la resistencia a creer lo incoherente.

palabras claves que deben desmenuzarse en actos concretos, en su vocación. Dios los ha llamado a algo, que es forjar la unidad el pueblo de Dios. Esta unidad no está basada en sentimientos o en objetivos políticos, económicos o sociales, sino en la participación en la misma fe, lo que conduce a ser miembros del único cuerpo.

Pablo dice que conjura a la comunidad, lo que manifiesta que se trataba de algo importante: quiere impulsarlos a que vayan al meollo de su ser cristianos: "mantener la unidad del Espíritu".

La unidad es algo, que entre nosotros no es importante. No está entre los valores cristianos que cultivamos a diario. Sin embargo, la redención y la caridad no se pueden entender sin el acto generoso de Jesús que murió por todos. Lo que indica que él es el principio y el centro de esos todos. Por esa razón el apóstol llama a esta unidad del cuerpo, Espíritu, esperanza, Señor, fe y bautismo, haciendo rematar todo en un solo Dios y Padre. En el fondo, la Trinidad una e indivisible es lo que funda la comunidad cristiana y ésta debe estar pendiente en sus acciones, de que se manifiesta esta unidad en la dependencia de Dios y de los hermanos. Una será la oración y otra la acción. Las acciones concretas que llevamos a cabo por nuestros hermanos, se convierten en oración al Dios Uno y Trino.

EVANGELIO La liturgia nos lleva al evangelio de san Juan.

El episodio de hoy lo conocemos como la multiplicación de los panes, aunque también los peces fueron prodigados. Dos elementos del relato nos hacen entender que se trata de una señal. Primero, el nombre del lago y, segundo, la fecha.

San Juan evoca la figura del emperador romano Tiberio César, cuando da el nombre del lago. Era la autoridad máxima, representante de los dioses en la tierra y padre y

Le hizo esta pregunta para ponerlo **a prueba,**
    pues él bien sabía **lo que iba a hacer.**
Felipe le respondió:
    "Ni doscientos denarios **bastarían** para que a cada uno
        le tocara **un pedazo** de pan".
Otro de sus discípulos, **Andrés,**
    el **hermano** de **Simón Pedro**, le dijo:
    "**Aquí** hay un muchacho que trae **cinco** panes de cebada
        y **dos** pescados.
Pero, ¿qué es eso **para tanta gente**?"
Jesús le respondió:
    "Díganle a la gente **que se siente**".
En aquel lugar había **mucha** hierba.
Todos, pues, se sentaron ahí;
    y tan sólo los hombres eran unos **cinco mil**.

Enseguida **tomó** Jesús los panes, y después de **dar gracias** a Dios,
    se los fue **repartiendo** a los que se habían sentado a comer.
Igualmente les fue dando de los pescados **todo lo que quisieron**.
Después de que todos **se saciaron**, dijo a sus discípulos:
    "Recojan los pedazos **sobrantes**, para que no **se desperdicien**".
Los recogieron y con los pedazos que sobraron
    de los cinco panes llenaron doce canastos.

Entonces la gente, **al ver el signo**
    que Jesús había hecho, decía:
    "**Éste es,** en verdad, el profeta que **había de venir** al mundo".
Pero Jesús, sabiendo que iban a llevárselo para **proclamarlo rey,**
    se **retiró** de nuevo a la montaña, **él solo.**

Dale el tono eucarístico que tienen las acciones de Jesús. Bendice desde tu corazón a Dios por sus palabras.

La reacción debe estar cargada de entusiasmo. Relátala con ese ímpetu.

---

protector de todos los habitantes del imperio. El tradicional lago o mar de Galilea, había sido rebautizado por las autoridades, para estar a tono con la ideología reinante y la pujanza socio-económica impulsada en la zona, notable en las ciudades de los alrededores y en la explotación pesquera del lago. Pero el panorama que se presenta ante Jesús no corresponde a uno de abundancia, sino de escasez para las gentes: enfermedades, ignorancia y hambre. Mucha gente sigue a Jesús por haber visto las señales que hace en los enfermos…

Otro elemento de la señal es la fecha del episodio: estaba próxima la pascua de los judíos. Sorprendentemente Jesús no va a Jerusalén, como lo hace en otras fiestas de peregrinación, a celebrar la libertad del pueblo judío, como estaba estipulado. Por el contrario, se va ¡al monte! Por si poco fuera, la gente sigue a Jesús y no lo mandado en la Ley de Moisés. Quizá Juan nos quiere llevar a otro universo, a que hagamos otra pascua… Y con pan de los pobres.

Las comunidades de los primeros cristianos entendieron esta señal en clave del maná y de la Eucaristía, alimento que Dios provee a su pueblo. Por lo mismo, cuando se reunían llevaban dones, pan, vino, abrigos, medicinas, comida que transformaban en ofrendas, oraban sobre ellas y repartían entre los más necesitados. Esto era la Cena del Señor. Lo que arrancaba a los extraños admiración: "¡Miren, cómo se aman!". La solidaridad de los cristianos nacía y se orientaba desde la Eucaristía. Era pan de Dios, pan de justicia, de libertad y de hermandad para todos los hijos de Dios.

Por eso se entiende que en el relato de san Juan, la gente quiera hacerlo rey. Todo esto es una señal. Hay que entenderla. El milagro de la Eucaristía cristiana consiste en que haya pan para todos.

XVIII DOMINGO ORDINARIO

I LECTURA   Éxodo 16:2–4, 12–15

Lectura del libro del Éxodo

En aquellos días,
    toda la comunidad de los hijos de Israel
    murmuró **contra Moisés** y Aarón en el desierto, **diciendo:**
    "Ojalá **hubiéramos** muerto
    a manos del Señor **en Egipto,**
    cuando nos **sentábamos** junto a las ollas de **carne**
    y **comíamos** pan hasta **saciarnos.**
Ustedes nos han **traído** a este desierto
    para **matar de hambre** a toda esta multitud".

Entonces **dijo** el Señor a Moisés:
    "Voy a hacer que llueva **pan del cielo.**
Que el pueblo salga a **recoger cada día** lo que necesita,
    pues quiero **probar si guarda** mi ley o no.
He oído las murmuraciones de los hijos de Israel.
Diles de parte mía:
    'Por **la tarde** comerán carne
    y por **la mañana** se hartarán de pan,
    para que **sepan que yo** soy el Señor, su **Dios**' ".

Aquella **misma** tarde,
    una **bandada de codornices** cubrió el campamento.
A la mañana **siguiente**
    había en torno a él una **capa de rocío** que,
    al **evaporarse,** dejó el suelo cubierto
    con una especie de **polvo blanco** semejante a la escarcha.

Las murmuraciones son graves. No hay que aligerarlas como si no tuvieran fundamento.

La respuesta es consecuente con las quejas. Dios cumple su parte del acuerdo con algo inesperado. Proclama las instrucciones con sentido didáctico.

I LECTURA   Ya durante la salida de Egipto se había manifestado el poder y amor de Dios por Israel. En la travesía del desierto se repiten. El desierto representa el camino por el cual Dios condujo a su pueblo a la tierra que mana leche y miel. Este camino está desde el principio marcado por las dudas, perplejidades, rebeliones, nostalgias e intentos de sustituir al Dios auténtico con lo humano.

Falta el pan y la carne en el desierto de Zin. El hombre vuelve a poner en tela de juicio el plan de Dios. Dios, con todo, busca a este hombre en su poca claridad de visión. Estos hechos de Dios sólo se pueden medir y aceptar en la fe, la misma que escasea en ese pueblo.

Habrá que tener en cuenta que el desierto no tiene un significado unívoco en la tradición bíblica: es, cierto, el lugar del encuentro de Dios con su pueblo y de la alianza (Ex 19; Os 3:16); pero también es lugar de las grandes traiciones y faltas de Israel (Ex 32). Mejor, es lugar de la prueba, donde se revela lo que hay en el corazón del hombre (Dt 8:2s). Delante de esa inmensidad de tierra, de la nada, donde falta todo signo de vida, es colocado el hombre de frente a sí mismo, a sus límites. Sabe que detrás no puede sino estar la muerte. Por otro lado está Dios, pero el hombre se plasma un Dios que obre de acuerdo a sus caprichos.

Viene a la mente el sentido de libertad. Los sentimientos, y más las necesidades primarias del beber y comer, se imponen a otros valores como la libertad. Ésta es primordial, pero el hombre lo debe aprender a lo largo de la vida. A menudo, Israel prefiere regresar a la esclavitud con tal de asegurar pan y carne. La libertad tiene un precio y sin ésta no se puede encontrar a Dios. Por esto el primer acto, la liberación de Egipto, fue el gran signo de la adquisición de esta libertad

Al ver eso, los **israelitas se dijeron** unos a otros:
"¿**Qué** es esto?", pues **no sabían** lo que era.
Moisés les dijo:
"**Éste es** el pan que el Señor **les da** por alimento".

SALMO RESPONSORIAL   Salmo 77:3, y 4bc, 23–24, 25, y 54

R. El Señor les dio un trigo celeste.

Lo que oímos y aprendimos, / lo que nuestros padres nos contaron, / lo contaremos a la futura generación: / Las alabanzas del Señor, su poder, / las maravillas que realizó. R.

Dio orden a las altas nubes, / abrió las compuertas del cielo: / hizo llover sobre ellos maná, les dio pan del cielo. R.

El hombre comió pan de ángeles, / el Señor les mandó provisiones hasta la hartura. / Los hizo entrar por las santas fronteras / hasta el monte que su diestra había adquirido. R.

II LECTURA   Efesios 4:17, 20–24

Lectura de la carta del apóstol san Pablo a los efesios

Hermanos:
Declaro y doy **testimonio** en el Señor,
de que **no deben** ustedes **vivir** como lo paganos,
que **proceden** conforme a lo vano de sus **criterios**.
Esto no es lo que ustedes **han aprendido** de Cristo;
han oído hablar de él y en él **han sido** adoctrinados,
conforme a la verdad de Jesús.
Él les **ha enseñado** a abandonar su **antiguo** modo de vivir,
ese **viejo yo, corrompido** por deseos de placer.

Dejen que el Espíritu **renueve** su mente
y **revístanse** del nuevo yo,
creado a **imagen** de Dios,
en la justicia y en la **santidad** de la verdad.

La frase final se queda en la memoria de la gente.

Para meditar

El testimonio del Apóstol es categórico, como su llamado a mantenerse fieles. No debe ser un tono impositivo el que utilices, sino uno afable y de cordialidad.

Este es el ideal cristiano, y como tal hay que plantearlo: capaz de inspirar a la entera asamblea.

---

para poder hablar y amar a un Dios que es la misma libertad. Pero faltaba enfrentarse a las necesidades vitales para entender más a este Dios, que exige la unicidad y el total desapego para poder él ser su Dios y ellos su pueblo.

La raíz de todo pecado y de toda rebelión nace en el instante en el que se insinúa en el hombre el pensamiento de que Dios, presentándose como un amigo y padre generoso, es en realidad el adversario de la felicidad y de la libertad del hombre. Es la eterna tentación adamítica con que empezó todo en el jardín del Edén (Gen 3:5s.).

II LECTURA El día de hoy continúa la parte parenética, donde Pablo especifica cómo debe ser la conducta de los efesios para que se distinga de la de los paganos. Se pone enfrente el comportamiento de los paganos, no para que desprecien esta manera de vivir, sino para que no recaigan en ella. A ellos se les predicó el evangelio que trajo consigo la liberación, que les capacitó para ver la distinción entre las dos maneras de ver la vida.

Los cristianos eran una minoría y el ambiente que los rodeaba era del todo contrario a la manera de vivir cristiana. La ciudad de Éfeso tenía una vida impregnada del helenismo. Era difícil salirse de toda esa atmósfera de la ciudad, sin el peligro de quedar en un sectarismo estéril.

Los cristianos han aprendido de Cristo. Tuvieron una enseñanza, pero no a la manera rabínica que es aprendiendo de la Ley, sino que se les anunció un suceso: la salvación, llevada a cabo por Cristo en la Iglesia. El maestro tiene un sentido secundario, pues el gran maestro es Cristo. Hay una relación dialógica entre el enseñado y el que enseña, pues por el maestro habla Cristo y a través de la palabra del maestro el alumno escucha al mismo Cristo.

EVANGELIO   Juan 6:24–35

Lectura del santo Evangelio según san Juan

En aquel tiempo,
cuando **la gente** vio que en aquella parte del lago
no estaban **Jesús** ni sus **discípulos**,
se embarcaron y **fueron a Cafarnaúm** para buscar a Jesús.

Al **encontrarlo** en la otra orilla del lago, le **preguntaron**:
"Maestro, ¿**cuándo** llegaste acá?".
Jesús le **contestó**:
"Yo les **aseguro** que ustedes no me andan **buscando**
por **haber visto** señales milagrosas,
sino por **haber comido** de aquellos panes hasta **saciarse**.
No **trabajen** por ese alimento que se **acaba**,
sino por **el alimento** que dura
para la **vida eterna** y que **les dará** el Hijo del hombre,
porque a éste, el Padre Dios **lo ha marcado** con su sello".

Ellos le **dijeron**:
"¿**Qué necesitamos** para llevar a cabo las **obras de Dios**?".
Respondió Jesús:
"La obra de Dios **consiste**
en que **crean en aquel** a quien él ha enviado".
Entonces la gente le preguntó a Jesús:
"¿**Qué** señal vas a **realizar** tú,
para que la **veamos** y podamos **creerte**?
¿**Cuáles** son tus obras?
Nuestros padres comieron **del maná** en el desierto,
como está escrito: *Les **dio a comer** pan del cielo*".

Jesús les **respondió**:
"Yo **les aseguro**:
No fue Moisés quien les dio pan del cielo,
es **mi Padre** quien les da el **verdadero** pan del cielo.

El tono y la velocidad son normales.

El diálogo va adquiriendo un tono didáctico y sapiencial. Selecciona las frases más aptas para ser retomadas en la homilía, a fin de que las matices adecuadamente en la lectura.

Enfatiza esta parte que conecta con la primera lectura. Subraya la oración que cierra este párrafo.

La revelación de Jesús debe ser refrescante, novedosa, como una invitación cálida a la unión.

El bautismo hizo posible el desnudarse del hombre viejo, dejarlo como un vestido que ya no sirve, para revestirse con el nuevo traje, que es Cristo. Pero la señoría del antiguo mundo no ha desaparecido definitivamente, de manera que el bautizado aún se encuentra bajo la influencia del mundo. Algo que todos lo vemos. A veces los ataques del mundo son muy fuertes.

El Espíritu es el que le da al cristiano la capacidad de defenderse del hombre viejo y de vencerlo. El hombre nuevo, creado por Cristo, es una nueva creación. Una clara alusión al episodio de la creación. El hombre nuevo es creado y pertenece a la iglesia

como al lugar de su nueva humanidad. En esta Iglesia se puede tener la comunión con Dios. Aparece pues, que la vida cristiana no es simplemente una corrección de algunos aspectos del carácter, sino una "nueva creación", un principio que ha sido injertado en el bautismo y conduce a cerrar definitivamente con el mundo del pecado y con todo lo que éste implica. El objetivo es llegar a ese diálogo entre alumno y discípulo, entre mi persona y Cristo. Esta fe que se hace vida, encuentra así toda su potencialidad.

| EVANGELIO | Esta lectura evangélica se encuentra después de la

de la travesía del mar de Tiberíades, cuando Jesús, caminando sobre las aguas tormentosas, se reúne con su grupo de discípulos, la noche misma del día de la multiplicación de los panes. La conversación entre la multitud y Jesús registrada hoy, también se cobija en el marco pascual. Esta conversación es un diálogo que va a ir dejando al descubierto el sentido de la alimentación a la muchedumbre y los motivos que impulsan a ésta para andar tras de Jesús.

La pregunta por cuándo, expresa la imposibilidad de que Jesús atravesara el lago en medio de la tormenta. No tenía barca. Pero allí está él, en la orilla opuesta del lago.

Porque el **pan de Dios** es aquel que baja del cielo
y da la vida al **mundo**".

Entonces **le dijeron**: "Señor, **danos** siempre de **ese pan**".
Jesús les **contestó**:
"**Yo soy** el pan de la vida.
El que viene a mí no **tendrá hambre**
y el que cree en mí nunca **tendrá sed**".

Intuyen el prodigio nocturno que sólo los discípulos experimentaron en la barca, pero quieren una confirmación. Así es el corazón humano; se mueve a lo seguro. Y entonces, Jesús les descobija los verdaderos motivos de su búsqueda.

El estómago es un poderoso motor. Pero Jesús insta a la gente a cumplir los mandamientos. Los mandamientos son obras buenas, trabajos agradables a Dios. Pero cabe también entender este trabajar, en el sentido de la fe en Jesús, como más adelante se precisa.

Jesús enseña que el alimento que ofrece es imperecedero y genera vida eterna.

Este alimento certificado por Dios, lo dará el Hijo del Hombre. El contraste de este alimento revelado es tanto con el maná, que no podía ser conservado para el otro día, como con la comida ordinaria. Jesús está hablando de la revelación de Dios. El fiel israelita sabe que la Torah es el don que nutre para la vida eterna, por ser palabra revelada de Dios. La analogía entre el maná y los dones de Dios, la Ley el primero, era ampliamente conocida. Lo que anuncia Jesús, como revelación, vendrá certificado por Dios. Esta certificación divina, los creyentes la entienden de la resurrección de Jesús. La revelación de Jesús es un alimento que

sacia completamente; no necesita otro abastecimiento.

El diálogo entre la multitud y Jesús descubre otro aspecto a tener en cuenta, cuando las gentes se alinean con sus padres del desierto que comieron el pan del cielo, maná/ley, mosaico, y el ofertado por Jesús. El pan de Jesús tiene un alcance vivificante universal. No es un pan exclusivo ni excluyente. Con esta revelación quedan rotos los moldes del judaísmo estrecho para que el pan de Dios, la revelación ofertada en la historia completa del Hijo de José, alcance a todos los hombres.

XIX DOMINGO ORDINARIO

I LECTURA   1 Reyes 19:4–8

Lectura del primer libro de los Reyes

En aquellos tiempos, caminó Elías por el desierto **un día entero**
    y finalmente se **sentó** bajo un árbol de retama,
    sintió deseos **de morir** y dijo:
    "Basta **ya,** Señor. **Quítame** la vida,
    pues yo no valgo más que mis padres".
Después **se recostó** y se quedó **dormido.**

Pero un **ángel** del Señor llegó a despertarlo y le dijo:
    "**Levántate** y come".
Elías **abrió** los ojos y vio a su cabecera
    un pan cocido en las brasas
    y un jarro de agua.
Después de comer y beber, **se volvió** a recostar y se durmió.

Por **segunda** vez, el ángel del Señor **lo despertó**
    y le dijo: "**Levántate** y come,
    porque aún te queda **un largo camino**".
Se **levantó** Elías. Comió y bebió.
Y con la **fuerza** de aquel alimento,
    caminó **cuarenta días** y cuarenta noches hasta el Horeb,
        el monte de Dios.

La pesadumbre o decaimiento del profeta debe ser notada por la asamblea. Sus frases son de alguien deprimido y sin esperanza.

Al reproducir las palabras del ángel, llénalas de entusiasmo.

El pan y el agua son milagrosos porque dan una fuerza inusual. Matiza para que el resultado se note como algo maravilloso.

I LECTURA Elías ha sido uno de los profetas más populares en Israel y entre los cristianos. Al profeta le tocó vivir en un momento de relativa armonía y pujanza económica del estado de Israel. Éste con sus relaciones con los arameos y fenicios fortaleció sus negocios e ingresos; lo prueba el matrimonio del rey Ajab con una princesa de Sidón, Jezabel.

Pero la fe yahvista entra en crisis, y no perdona ni al gran profeta Elías, que aparece del todo desanimado (1 Re 19:4–8). Andaba huyendo de la reina Jezabel (1 Re 19:2). Al profeta le echaban la culpa de la falta de lluvia, la consecuente sequía y de causar la muerte de profetas de Baal.

La crisis es un momento privilegiado en que el profeta madurará más y sentirá lo que es la fuerza del Señor. Es invitado o él se invita a desandar la ruta de Israel a la tierra de la promesa. Ahora el profeta se va de la tierra prometida al monte del Señor. Va, pues, al lugar del inicio de la fe de Israel. Como Moisés, oirá al Señor en el monte santo.

Su caminar por el desierto lo cansa. No murmura como murmuró el pueblo: lo suyo es una queja. La lamentación o queja no es una ofensa a Dios, es un acercarse al que le puede quitar el dolor. La queja es por la dureza del ministerio profético que le ha traído problemas graves: perseguido de muerte y no siente la ayuda de Dios. Por eso, su conclusión es morir.

El Señor lo visita por medio de un mensajero. Dios es capaz de hacer que el confín de la muerte se convierta en el inicio de una nueva vida. Se le ofrece un alimento frugal y simple, comida de peregrino. Por otro lado, es un alimento misterioso por su origen, no dice de dónde viene, y por su fuerza, le dará la capacidad de llegar hasta el monte

Para meditar

SALMO RESPONSORIAL   Salmo 33:2–3, 4–5, 6–7, 8–9

R. Gusten y vean qué bueno es el Señor.

Bendigo al Señor en todo momento, / su alabanza está siempre en mi boca; / mi alma se gloría en el Señor: / que los humildes lo escuchen y se alegren. R.

Proclamen conmigo la grandeza del Señor, / ensalcemos juntos su nombre. / Yo consulté al Señor y me respondió, / me libró de todas mis ansias. R.

Contémplenlo y quedarán radiantes, / sus rostros no se avergonzarán. / Si el afligido invoca al Señor, él lo escucha / y lo salva de sus angustias. R.

El ángel del Señor acampa / en torno a sus fieles, y los protege. / Gusten y vean qué bueno es el Señor, / dichoso el que se acoge a él. R.

II LECTURA   Efesios 4:30—5:2

Lectura de la carta del apóstol san Pablo a los efesios

Hermanos:
No le causen **tristeza** al Espíritu Santo,
    con el que Dios **los ha marcado**
    para el día de **la liberación** final.

Destierren de ustedes la aspereza, la ira, la indignación,
    los insultos, la maledicencia y **toda clase** de maldad.
Sean buenos y comprensivos, y **perdónense** los unos a los otros,
    como Dios **los perdonó**, por medio de Cristo.

Imiten, pues, a Dios como hijos **queridos.**
Vivan amando **como Cristo,**
    que nos amó y **se entregó** por nosotros,
    como ofrenda y víctima de fragancia **agradable** a Dios.

El Apóstol encarece a los cristianos con palabras afables y solícitas. Quiere que vivan en armonía unos con otros.

Las dos series indican lo mismo, pero la serie negativa normalmente es la que más se queda en la memoria. Por eso hay que recalcar los pares de los positivos.

La motivación teológica es la base del buen comportamiento. Inspírate en estas palabras para vivir la semana entera.

Horeb. Todo esto lleva a la reconfirmación divina de la vocación y misión profética. Dios le va a mostrar al profeta que en el encargo, en su misión, no están en juego sólo las fuerzas humanas. Allí está su caso; las fuerzas reales lo quieren matar. Pero debe contar con las fuerzas divinas, ya que el Señor es el mandante, Elías es solo un servidor. Estas fuerzas divinas lo harán imponerse sobre las fuerzas humanas. El pan y el agua ofrecidos, de alguna manera están aludiendo al evangelio de hoy.

II LECTURA Pablo mostró con una lista de vicios y virtudes, lo que significa desvestirse del hombre viejo y revestirse del nuevo (4:17–29). Ahora, inspirándose en Is 63:10 ("Pero ellos se rebelaron e irritaron su Santo Espíritu"), muestra, como consecuencia de varias recaídas en el hombre viejo, el retirarse del Espíritu Santo de Dios. Espíritu aquí lo concibe en un sentido personal. De alguna forma el Espíritu Santo se duele de los vicios del cristiano, del bautizado, por lo tanto, el revestido del hombre nuevo. A la luz anterior, Pablo exhorta a la lucha varios vicios que impiden las relaciones

fraternas, que dañan el mandato máximo y signo de nuestra pertenencia al Señor.

Positivamente, la vida cristiana se caracteriza porque participamos de la generosidad y magnanimidad de Dios, al emplear el perdón continuamente en nuestras relaciones diarias. Se intenta imitar a Dios. Pablo no había fundado esta comunidad, aunque sí había trabajado mucho por su formación, más de dos años y medio. No se propone él como modelo. Invita a la comunidad a que sean imitadores de Dios, en Cristo. El modelo está muy alto. El motivo de la imitación a Dios estaba muy extendido en

Los murmullas transparentan incredulidad, y hasta un poco de sorna. Así deben llegar a los oídos de la asamblea para que tenga oportunidad de reaccionar.

La respuesta de Jesús es la de un maestro corrigiendo con toda paciencia a sus alumnos. No aceleres el ritmo en esta sección, porque no es tan fácil de seguir.

Hay un cambio de tema que basta señalar con la pausa. El 'yo' de Jesús debe ser predominante.

EVANGELIO   Juan 6:41–51

Lectura del santo Evangelio según san Juan

En aquel tiempo,
    los judíos **murmuraban** contra Jesús, porque había dicho:
    "Yo soy **el pan vivo** que ha bajado del cielo", y decían:
        "¿No es éste, Jesús, **el hijo de José**?
¿Acaso no conocemos **a su padre y a su madre**?
¿Cómo nos dice ahora que **ha bajado** del cielo?"

Jesús les respondió:
    "**No murmuren.**
Nadie puede venir a mí, si no lo atrae el Padre,
    que me ha enviado; y a ése **yo lo resucitaré** el último día.
Está **escrito** en los profetas: *Todos serán discípulos de Dios.*
Todo aquél que **escucha** al Padre y **aprende de él,** se acerca **a mí.**
No es que alguien **haya visto** al Padre,
    fuera de aquel que **procede** de Dios.
Ése sí ha visto al Padre.

Yo **les aseguro:** el que cree en mí, tiene **vida eterna.**
Yo soy **el pan de la vida.**
Sus padres **comieron el maná** en el desierto
        y sin embargo, **murieron.**
Éste es el pan que **ha bajado** del cielo para que,
        quien lo coma, **no muera.**
Yo soy el pan vivo que **ha bajado** del cielo;
    el que coma de este pan **vivirá para siempre.**
Y el **pan** que yo les voy a dar **es mi carne**
        para que el mundo **tenga vida**".

---

la antigüedad clásica y en el Judaísmo. Por esto Pablo lo cristianiza y le añade que esta imitación sea a Cristo. Este aspecto cristológico es fundamental.

Por lo que sigue, Pablo habla de la autodonación de Jesús en su muerte: "Sigan el camino del amor, a ejemplo de Cristo que los amó hasta entregarse por ustedes". No podía ser de otra forma.

EVANGELIO Proseguimos con un nuevo desarrollo del Discurso del pan de vida: una intervención de los judíos y una elaborada respuesta de Jesús.

Para san Juan, los judíos son los adversarios principales de Jesús, a veces, intercambiables con los fariseos.

La murmuración repite la actitud del pueblo del desierto que rechazaba a Moisés, ante la falta de pan y agua. Aquí, los judíos rechazan el valor mesiánico y salvífico de la carne de Jesús, el hijo de José. La misma tentación ha acechado a la fe de todas las generaciones de creyentes, más dispuestos a aceptar que Dios salva con pan llovido del cielo pero no con la plena humanidad de Jesús. Esa tentación es la que hay que vencer contemplando la debilidad, la vulnerabilidad, la limitación en las que Dios

viene a socorrernos: la carne lastimada del hijo de José. Esta realidad, tan cercana como perturbadora, puede cambiar nuestra suerte. De otro modo, igual que los que consumieron el maná en el desierto, moriremos sin entrar en la tierra de la libertad eterna. Con la carne del Hijo de José, Jesús, Dios nos seduce, pero sólo en la medida en la que somos solidarios con la propia carne. Sin esta solidaridad no hay fe cristiana ni eucarística.

ASUNCIÓN DE LA VIRGEN MARÍA, VIGILIA

I LECTURA   1 Crónicas 15:3–4, 15–16; 16:1–2

Lectura del primer libro de las Crónicas

Este relato es fundacional del culto en el santuario. Abrígate con una actitud de reverencia y decoro. El protagonista es David.

En aquellos días,
    David **congregó** en Jerusalén a **todos** los israelitas,
    para **trasladar** el arca de la alianza
    al lugar que le **había preparado.**
Reunió también a los hijos de Aarón y a los levitas.
Éstos **cargaron** en hombros los travesaños
    sobre los cuales estaba **colocada** el arca de la **alianza**,
    tal como lo **había mandado** Moisés, por orden del Señor.

El tono del narrador debe abarcar toda la lectura.

David **ordenó** a los jefes de los levitas
    que entre los de su tribu
    nombraran **cantores** para que entonaran cantos festivos,
    acompañados de arpas, cítaras y platillos.

Introdujeron, pues, **el arca de la alianza**
    y **la instalaron** en el centro de la tienda
    que David le había **preparado.**
Ofrecieron a Dios holocaustos y **sacrificios** de comunión,
    y cuando David **terminó** de ofrecerlos,
    bendijo al pueblo **en nombre** del Señor.

I LECTURA El cronista habla de algo que para él y sus lectores es esencial: el arribo del arca de la alianza a Jerusalén. Desde sus orígenes en el desierto, el arca representaba para los primeros hebreos la presencia divina, que los acompañaba hacia la tierra prometida. Eran conscientes los hebreos de que esa presencia se quedaría en la tierra prometida, pues la tierra, en realidad, le pertenecía a Dios.

Para el pueblo lo más importante era la presencia de Dios. El arca de la alianza era el símbolo y realidad de esa presencia. De aquí que el pueblo no se pudiera entender sin esta presencia. El arca contenía las tablas de la Ley escrita, la voluntad de Dios.

Ese modo de presencia divina poco a poco va a ir dejando sentir al ser humano su precariedad, su imperfección radical. El hombre, hecho de barro, al estar frente al Creador, al Omnipotente, siente su nada. Pero, al mismo tiempo, es invitado por Dios a ser su huésped en esta morada.

El anhelo de ir a ver a Dios, de estar en su presencia, va a requerir determinados comportamientos, una conducta que trate de parecerse aunque sea de lejos, al Señor Dios.

En la letanía lauretana se alaba a María como arca de la alianza. Con su sí a la voluntad de Dios, hizo posible que Dios pudiera ser visto en su creación y pudiera tener forma humana. Como tuvo a Dios con ella, era natural que el pueblo de Dios pensara que Dios quería tenerla a ella, como persona, eternamente con él. Este es el misterio de la Asunción de María a los cielos.

II LECTURA Todo este capítulo 15 de la carta a los Corintios está dedicado a la resurrección. Un problema que

Para meditar

SALMO RESPONSORIAL   Salmo 131:6–7, 9–10, 13–14

R. Levántate, Señor, ven a tu mansión; ven con el arca de tu poder.

Oímos que estaba en Efratá, / la encontramos en el Soto de Jaar: / entremos en su morada, / postrémonos ante el estrado de sus pies. R.

Que tus sacerdotes se vistan de gala, / que tus fieles vitoreen. / Por amor a tu siervo David, / no niegues audiencia a tu Ungido. R.

Porque el Señor ha elegido a Sión, / ha deseado vivir en ella: / "Ésta es mi mansión por siempre; / aquí viviré porque lo deseo". R.

II LECTURA   1 Corintios 15:54b–57

Lectura de la primera carta del apóstol san Pablo a los corintios

Hermanos:
Cuando nuestro ser corruptible y mortal
   se revista de incorruptibilidad e inmortalidad,
   entonces **se cumplirá** la palabra de la Escritura:
*La muerte ha sido **aniquilada** por la victoria.*
*¿**Dónde está**, muerte, tu victoria?*
*¿**Dónde está**, muerte, tu aguijón?*
El aguijón de la muerte **es el pecado**
   y la fuerza del pecado **es la ley.**
Gracias a Dios, que nos ha dado **la victoria**
   por nuestro Señor **Jesucristo.**

Esta sección de la carta es muy elocuente y profunda. Procura hacer las preguntas con viveza espontánea.

apuraba a algunos grupos de esta ciudad, aunque no era algo exclusivo de sus habitantes. Los griegos sí creían en la resurrección, pero había una gama grande en cómo describían esta creencia. Compartían que que el cuerpo humano era algo indigno de la resurrección. El cuerpo estaba destinado a desaparecer.

El lenguaje de Pablo se hace craso: lo corruptible, lo mortal. El problema, pues, era lo del cuerpo. Ya los atenienses habían dejado hablando a Pablo, cuando éste empezó a hablar de la resurrección de los cuerpos.

Aquí, Pablo remata: la parte despreciada, la corruptible y mortal será transformada por la resurrección. Esta continuación de la vida actual y, más aún, de cierta transformación, había sido soñada por muchas religiones. Ahora Pablo dice que para el cristiano es central, y toma una cita de la Escritura para afirmar esta verdad. "Muerte, ¿dónde está tu victoria?".

Para algunos, cuando choca Dios con el hombre, nace la tragedia. Sin embargo, para los cristianos, donde se encuentra lo humano con lo divino, nace la vida. Dios responde a la tragedia del hombre. Responde otorgando la vida plena.

María recibió un programa, al oír el nombre que llevaría su hijo: Jesús, que quiere decir salvación. Esta salvación consiste en la unión eterna con el Señor. La muerte no pudo con la virgen María. Por eso los cristianos llamaron a este paso de la Virgen a la resurrección, la Dormición de María. Así la muerte se convertirá en un episodio pasajero en la vida del cristiano.

EVANGELIO La Asunción de María Virgen da la oportunidad para escuchar esta bienaventuranza que una mujer del pueblo le grita en público a Jesús, y lo que él responde. Podemos entenderla

EVANGELIO   Lucas 11:27–28

Lectura del santo Evangelio según san Lucas

En aquel tiempo, mientras Jesús hablaba **a la multitud,**
una mujer del pueblo, **gritando,** le dijo:
"**¡Dichosa** la mujer que te llevó en su **seno**
y cuyos pechos te **amamantaron!**"
Pero Jesús le **respondió:**
"Dichosos **todavía más** los que escuchan la **palabra de Dios**
y la ponen **en práctica**".

Refleja en tu semblante el entusiasmo de la mujer del pueblo. La respuesta de Jesús no debe sonar a reprobación, sino a contraste tan sólo.

un poco si miramos el contexto que san Lucas le eligió.

Jesús ha estado expulsando demonios y enseña que el reino de Dios es una realidad actual. Él expulsa demonios con 'el dedo de Dios', no por ser delegado de Satanás. Además, advierte a las gentes que deben redoblar su vigilancia porque las fuerzas del mal nunca están totalmente aniquiladas: una derrota las hace buscar refuerzos para reganar lo perdido. Pero también el Espíritu de Dios actúa en las personas. La alabanza pública de la mujer es un ejemplo claro.

Alguien puede bendecir en público a Dios sólo movido por el Espíritu de Dios;

esto se entendía como una forma de profecía. Y aunque esta profetisa anónima no menciona expresamente a Dios, el contexto deja ver claramente que se trata de una guerra entre dos bandos, el de Dios y su reino contra Satanás y sus huestes que denigran al Mesías. Esta mujer de la muchedumbre ya tomó partido al reconocer que Jesús es una bendición de Dios para todos, gracias a la mujer que lo llevó en su seno y lo amamantó, su madre.

En aquella sociedad, los padres marcaban a la descendencia, en tanto que las mujeres eran apreciadas por su fertilidad y por inculcar la piedad y la religión. Por esto acla-

mar la maternidad es perfectamente comprensible. Pero el Espíritu impulsa más lejos.

Jesús admite la loa, pero agrega que hay una bendición mayor a la de haber criado y educdo al Mesías, el delegado del reino de Dios: la de escuchar y guardar la palabra de Dios.

Celebramos que la Palabra hecha carne hizo incorruptible a María, la llena de gracia, como rezamos en el rosario cada día. Por su fidelidad a la Palabra, Dios la ha llevado "en cuerpo y alma a la gloria celestial", como enseña el *Catecismo de la Iglesia Católica* (966). Gracias a ella, hemos sido bendecidos con Jesús.

ASUNCIÓN
DE LA VIRGEN MARÍA

Matiza tu voz la descripción de la mujer. Puedes alargar los elementos cósmicos, para qu sea reconocible esa dimensión.

La figura del dragón es terrible. Dale más peso a la acción de Dios que es muy breve.

I LECTURA   Apocalipsis 11:19a; 12:1–6a, 10ab

Lectura del libro del Apocalipsis del apóstol san Juan

Se **abrió** el templo de Dios en el cielo
    y **dentro de él** se vio el arca **de la alianza.**
Apareció entonces en el cielo una figura **prodigiosa:**
    una mujer **envuelta** por el sol,
    con la luna **bajo sus pies**
    y con una **corona** de doce estrellas en **la cabeza.**
Estaba encinta y a punto de **dar a luz**
    y **gemía** con los dolores del parto.

Pero **apareció** también en el cielo **otra figura:**
    un **enorme** dragón, color de fuego,
    con **siete** cabezas y **diez** cuernos,
    y una corona **en cada una** de sus siete cabezas.
Con su cola **barrió** la tercera parte de las estrellas del cielo
    y las **arrojó** sobre la tierra.
Después se detuvo **delante de la mujer** que iba a dar a luz,
    para **devorar** a su hijo, en cuanto éste **naciera.**
La mujer dio a luz **un hijo varón,**
    destinado a **gobernar** todas las naciones con cetro **de hierro;**
    y su hijo **fue llevado** hasta Dios y hasta su trono.
Y la mujer huyó **al desierto,**
    a un lugar **preparado** por Dios.

| I LECTURA | La primera lectura anda alrededor del arca de la alianza, signo para Israel de la presencia de Dios en su pueblo. Esta lectura está dentro de la sección de las trompetas. Suena la séptima trompeta que proclama la victoria de Dios (Ap 10:7). La visión se concentra en lo que sucede en el cielo: "Se abrió el templo de Dios y apareció en el templo el arca de la alianza…" El autor quiere comunicar la certeza de la victoria de Dios sobre el dragón, victoria en la que participa la mujer.

Pues, dice el texto, apareció improvisamente la figura de una mujer, imagen del pueblo de Dios, de acuerdo a la simbología bíblica.

Israel aparece en la Escritura como esposa o madre. Aquí, esta mujer es el símbolo del pueblo de Dios, revestido con toda su grandeza y belleza, y protegido por el amor de su señor (el sol). La realidad más profunda de este pueblo es misteriosa, por eso habla de "un signo grande", que requiere el desciframiento de la fe. La realidad trascendente de la mujer no impide que esté metida en el fluir del tiempo o de las condiciones de la historia ("la luna bajo sus pies"), más aún, en estos momentos difíciles es cuando experimenta la ayuda divina. Es llamada en estas circunstancias a generar a su hijo. Se entiende que este hijo, este pueblo, sea el verdadero "signo grande", que habrá que reconocer en meditación y recogimiento.

Aparece también otro signo, el dragón infernal con sus cuernos. Es un signo, pero no grande, pero que requiere capacidad de descifrarlo. El dragón quisiera ser rey de la tierra, pero no tiene la fuerza, como indica el número diez de sus cuernos que, a diferencia del número siete, trae la idea de falta e imperfección. Quiere, al menos, corromper el orden del mundo; pero no podrá subvertir el orden divino, por esto sólo puede

La voz celeste debe resonar poderosa ante la asamblea.

Entonces **oí** en el cielo una **voz poderosa**, que decía:
"Ha sonado la hora **de la victoria** de nuestro Dios,
de su dominio y **de su reinado**,
y del poder **de su Mesías**".

Para meditar

SALMO RESPONSORIAL   Salmo 10bc, 11, 12ab, 16

R. De pie, a tu derecha está la reina, enjoyada con oro de Ofir.

Hijas de reyes salen a tu encuentro. De pie a tu derecha está la reina, / enjoyada con oro de Ofir. R.

Escucha, hija, mira: inclina el oído, / olvida tu pueblo y la casa paterna. Prendado está el rey de tu belleza: / póstrate ante él, que él es tu señor. R.

Las traen entre alegría y algazara, / van entrando en el palacio real. R.

II LECTURA   1 Corintios 15:20–27

Lectura de la primera carta del apóstol san Pablo a los corintios

Hermanos:
Cristo **resucitó,** y resucitó como la **primicia** de todos los muertos.
Porque si **por un hombre** vino la muerte,
también por un hombre
vendrá **la resurrección de los muertos**.

En efecto, así como en Adán **todos mueren,**
así en Cristo todos **volverán a la vida;**
pero cada uno **en su orden: primero Cristo,** como primicia;
después, a la hora de **su advenimiento,** los que **son de Cristo.**

Enseguida será la **consumación,**
cuando Cristo entregue el Reino **a su Padre,**
después de haber **aniquilado** todos los poderes **del mal.**
Porque él tiene **que reinar**
hasta que el Padre ponga **bajo sus** pies a **todos** sus enemigos.
El **último** de los enemigos en ser aniquilado, será **la muerte,**
porque **todo** lo ha sometido Dios **bajo los pies** de Cristo.

Esta lectura debe hacerse con mucha energía y vigor. Balancea muy bien las frases, para que se note siempre en el segundo miembro el peso de la conclusión.

Identifica los elementos de la manifestación de Cristo, para que haga sentido hablar de la secuencia que la lectura expresa.

Esta parte es la consumación de la victoria gloriosa. Imprímele a la voz un tono ágil y enérgico.

hacer precipitar un tercio de las estrellas. En cambio el plan divino llega a su objetivo total, que está concentrado en ese niño, nacido de la mujer. Es el Mesías, él traerá el reino divino a la tierra. Por eso trae "un cetro de fierro". Aparece inmediatamente la alusión al misterio pascual de Cristo, en quien se cumple el destino del niño.

La liturgia emplea el signo de la mujer, de acuerdo a una antigua tradición cristiana, y lo refiere a la virgen María, en cuanto que no sólo es María un miembro eximio de ese pueblo, sino que constituye el modelo, el tipo y la madre del Mesías.

II LECTURA   Esta lectura de la carta nos ofrece el paso central de la larga discusión alrededor de la resurrección. Después de haber referido Pablo la catequesis en torno a la resurrección de Cristo (15:1–11), funda en ésta la esperanza de los que poseen esa fe (vv. 12–19). Luego dice Pablo que con la resurrección final, Cristo entregará el reino al Padre y se tendrá entonces definitivamente la victoria sobre la muerte.

Sin la resurrección de los muertos seria engañoso el contenido central del anuncio misionero, por lo mismo, se vaciaría la palabra apostólica y la fe resultaría ineficaz o estúpida (v. 17); sería la peor ilusión que se

hubiera hecho un hombre. Los corintios sí habían aceptado la creencia en la resurrección, pero ese misterio lo habían adaptado o recibido de acuerdo a sus preconceptos griegos. Ellos pensaban sólo en el alma, por esto Pablo insiste en esa resurrección donde entra firmemente el cuerpo, se trata de toda la persona: alma y cuerpo. De la resurrección podemos decir con certeza que si Cristo ha resucitado, también nosotros resucitaremos, porque él es la primicia de muchos hermanos. Se introduce la figura de Cristo como "el primer Adán". Si al final entregará el Hijo todo al Padre, nuestra

EVANGELIO   Lucas 1:39–56

Lectura del santo Evangelio según san Lucas

Haz que sobresalgan las palabras de alegría y bienestar en esta proclamación. Es un evangelio entre las mujeres protagonistas, pero también para quienes las contemplamos.

En aquellos días,
María se encaminó **presurosa**
a un pueblo de las montañas de Judea,
y **entrando** en la casa de Zacarías, saludó **a Isabel.**
En cuanto ésta **oyó** el saludo de María, la creatura **saltó** en su seno.

Entonces Isabel **quedó llena** del Espíritu Santo,
y levantando la voz, **exclamó:**
"**¡Bendita** tú entre las mujeres y bendito **el fruto** de tu vientre!
¿Quién **soy yo** para que la madre **de mi Señor** venga a verme?
Apenas llegó tu saludo **a mis oídos,**
el niño saltó **de gozo** en mi seno.
Dichosa tú, que has creído,
porque **se cumplirá** cuanto te **fue anunciado** de parte del Señor".

Ensaya esta parte que es como una declamación hecha oración; sin afectaciones pero con ánimo en la voz.

Entonces dijo **María:**
"Mi alma **glorifica** al Señor
*y mi espíritu se **llena de júbilo** en Dios, mi salvador,*
porque ***puso** sus ojos en la humildad **de su esclava**.*

El cántico de María es más prolongado. Identifica bien las frases y alarga los atributos de Dios.

Desde ahora me llamarán **dichosa** todas las generaciones,
porque ha hecho en mí **grandes cosas** el que **todo** lo puede.
Santo es su nombre
*y su misericordia llega **de generación en generación***
a los que lo temen.

Ha hecho sentir **el poder** de su brazo:
dispersó a los de corazón **altanero,**
***destronó** a los potentados*
*y **exaltó** a los humildes.*
*A los hambrientos **los colmó** de bienes*
*y a los ricos **los despidió** sin nada.*

---

resurrección será en el momento en el que el designio de Dios será realizado plenamente en nosotros, alma y cuerpo. Esto ya sucedió en Cristo y en María.

Los textos no se refieren a la virgen María directamente, sino a través de la obra de su hijo. Ya el papa Pío XII en 1950 es unánime en afirmar que la base directa del dogma de la Asunción hay que buscarla en la piedad cristiana, iluminada por el gran principio teológico de la Tradición milenaria. Como en todo, María tiene una referencia directa con su hijo, con Jesús. Éste es el que explica el misterio María y el que le da toda su luz.

La fiesta de hoy está motivada por el misterio de Jesús. La muerte es el último enemigo. Si María fue querida por su hijo y preservada de todo pecado, si fue la llena de gracia, se entiende que su Hijo la haya preservado también de la muerte y la haya llevado en cuerpo y alma con él.

EVANGELIO De san Lucas se dice que es el evangelista del Espíritu Santo, el evangelista de las mujeres, el de la misericordia divina, pero también el evangelista de la alegría. Y es verdad, porque todo eso —y más— encontramos en su escrito, especialmente en pasajes como los de hoy,

que escuchamos al celebrar la fiesta de María asunta al cielo en cuerpo y alma; ella ha sido la primera en experimentar las gracias de la resurrección de Jesús, como aprendemos del Catecismo. "Causa de nuestra alegría", la alabamos en el rosario. Mujer de alegría es María, y también Isabel.

En la Biblia, con cierta frecuencia, encontramos amenazada la promesa fundamental de Dios a Abraham, de hacerlo bendición para todos los pueblos, por la falta de hijos. La falta de prole, sea por esterilidad o por deceso, es la mayor de las desgracias sobre una familia. Por eso, la realización más grande de una mujer del pueblo

Acordándose *de su misericordia,*
*vino **en ayuda** de Israel, su siervo,*
*como lo había prometido **a nuestros padres**,*
*a Abraham y a su descendencia **para siempre***".

María permaneció **con Isabel** unos tres meses
y luego **regresó** a su casa.

elegido es la de dar a luz, la de ser fecunda, "como una vid", llenarse de hijos, porque es el modo como la salvación de Dios pueda llegar a todas las gentes.

En esa línea, el evangelio de la fecha exalta la fecundidad femenina, pero la coloca en el horizonte de la salvación que Dios aporta a su pueblo, de una generación a otra. Las mujeres son la vía específica para que la misericordia de Dios llegue a sus fieles. Esto resulta importante porque las maravillosas acciones de Dios no se han quedado petrificadas en el pasado; los portentos de la salvación son para hoy; Dios los actualiza para beneficiar a sus fieles, hoy.

¿Cómo? Lo que los creyentes conocen es la santidad del Dios de Israel, pero la experimentan hecha misericordia. Una santidad sin misericordia, no pertenece a Dios, ni pueden dar cuenta de ella las mujeres de las Escrituras.

Es la misericordia de Dios la que mueve su brazo justiciero, para allanar la soberbia humana de quienes se portan como dioses. Las palabras de la Santísima Virgen María son muy vigorosas y expresan una especie de programa de igualdad entre el pueblo de Dios. De un lado, nadie puede estar por encima de los demás, ni endiosarse en un trono; de otro, los humillados son levantados,

los hambrientos saciados y la descendencia de Abraham restablecida.

La misericordia de Dios consiste en validar las promesas hechas al padre de la fe del pueblo, Abraham. Aquellas promesas de tierra y descendencia significaban la bendición para todas las gentes. Hoy podemos ver esto en María, porque ella es de la semilla de Abraham, y nos ha ganado el gozo de experimentar la santidad de Dios como misericordia, porque ha mirado nuestra humillación. Por eso decimos: "¡Glorifica mi alma al Señor!".

XX DOMINGO ORDINARIO

I LECTURA   Proverbios 9:1–6

Lectura del libro de los Proverbios

La sabiduría se **ha edificado** una casa,
  ha preparado un banquete,
  ha mezclado el vino
  y puesto la **mesa**.
Ha **enviado** a sus criados para que,
  desde los puntos que dominan la ciudad, **anuncien** esto:
  "Si alguno es sencillo, que **venga** acá".

Y a los faltos de juicio **les dice:**
  "Vengan a comer **de mi pan**
  y a beber del vino **que he preparado.**
Dejen su ignorancia **y vivirán;**
  avancen por el camino de la **prudencia**".

Anuncia el banquete con vigor pero sin alharaca. Acomoda tu voz al lenguaje poético. Interiormente disponte a aprender, a escuchar la voz de la sabiduría.

Pan y vino son ingredientes del banquete, y hay que aprender a saborear los mandamientos de la Ley. Sin aprecio por ella, no se puede aprender.

I LECTURA La dama Sabiduría invita a comer su pan, para adquirir sagacidad y prudencia. Con esto la vida sería placentera y adquiriría sentido.

El simbolismo de la comida indica un estilo de vida. La Sabiduría prepara ese banquete de una manera generosa para alimentar al hombre inexperto a esta comida, es decir, a un género de vida que le dé sabor y saciedad.

El texto habla del banquete como de una imagen del aprendizaje de la verdad, cuyo fruto da una vida tan real como la que ofrece un buen pan.

Los maestros de Israel invitan al joven fundamentalmente, pero también al hombre de años que anda errado, a dirigir sus pasos por el camino sabio, es decir, por la conducta que lleva a la felicidad, a la vida plena. En el paraíso estaba representada a Sabiduría por un árbol. El que se acercaba a él podría encontrar la felicidad.

La revelación de Dios es un don inmenso que se presenta con faz femenina; un don dulce, familiar y convincente, parecido al don de la mujer que Dios otorgó al hombre (Gen 2). Dios quiere ser conocido así como se presenta la mujer Sabiduría: como una presencia amable y hospitalaria, que no asusta y que lleva a decir, "cuán agradable es estar juntos", es provechoso y gratificante andar tras la secuela del Señor.

II LECTURA La lectura tiene tres exhortos: el tema de la sabiduría (vv. 15–17), peligro de confundir la experiencia del Espíritu (v. 18a), y una vida auténtica, sobria, guiada por el Espíritu (vv. 18b–20).

El autor recuerda de alguna manera la doctrina del tiempo oportuno. Hay que estar atentos a la hora de Dios, para aplicarla en la propia vida. Se debe "aprovechar

Para meditar

SALMO RESPONSORIAL   Salmo 33:2–3, 10–11, 12–13, 14–15

R. Gusten y vean qué bueno es el Señor.

Bendigo al Señor en todo momento, / su alabanza está siempre en mi boca; / mi alma se gloría en el Señor: / que los humildes lo escuchen y se alegren. R.

Todos sus santos, teman al Señor, / porque nada les falta a los que lo temen; / los ricos empobrecen y pasan hambre, / los que buscan al Señor no carecen de nada. R.

Vengan, hijos, escúchenme: / les instruiré en el temor del Señor; / ¿hay alguien que ame la vida / y desee días de prosperidad? R.

Guarda tu lengua del mal, / tus labios, de la falsedad; / apártate del mal, obra el bien, / busca la paz y corre tras ella. R.

II LECTURA   Efesios 5:15–20

Lectura de la carta del apóstol san Pablo a los efesios

Hermanos:
Tengan cuidado de portarse no como insensatos,
    sino como **prudentes**, aprovechando el momento **presente**,
    porque los tiempos **son malos.**

No sean **irreflexivos**, antes bien,
    traten de entender **cuál es** la voluntad de Dios.
No se embriaguen, porque el vino lleva **al libertinaje.**
Llénense, más bien, del Espíritu Santo;
    expresen sus sentimientos con salmos,
    himnos y **cánticos espirituales**,
    cantando **con todo el corazón** las alabanzas al Señor.
Den **continuamente** gracias a Dios Padre por **todas las cosas**,
    en el nombre de nuestro Señor **Jesucristo.**

El tema es el de llevar una vida sensata y sabia. La moderación y la sensatez deben notarse en tu tono de voz tranquilo y pausado, en tu porte sereno, en tu prestancia a servir la palabra.

Más que un reproche este es un consejo encarecido. Señala las actitudes negativas con toda claridad, pero a las positivas ponles entusiasmo y vitalidad, para que la asamblea se pueda contagiar de la fuerza de la palabra.

el tiempo presente, porque los días son malos". No se puede huir del tiempo presente, pero hay que examinarlo y aprovechar de lo bueno, recordando que también el mal está metido dentro.

Se llama a no confundir la genuina experiencia espiritual con el sentimentalismo, en el que fácilmente caemos los hispanos. Los cultos internos y sentimentales tienen mucho éxito entre nosotros. Se confunde sentirse bien con estar bien. Ciertas formas de algún movimiento de renovación, acusan este peligro. Fácilmente se confunden los movimientos o ansias interiores de disfrute, con las llamadas o consolaciones del Espíritu.

De alguna manera la frase de "discernir lo que agrada a Dios" significa buscar la voluntad de Dios. Esta frase se oye mucho y se concretiza poco. Jesús la puso en su oración del Padrenuestro. Es un deseo nuestro y, en el fondo, es un ofrecernos a Dios para que se lleve a cabo su plan, empezando con nosotros.

La tercera exhortación es muy importante: llenarse del Espíritu es un anhelo desde el tiempo del desierto: "¡Ojalá todo el pueblo del Señor fuera profeta y recibiera el espíritu del Señor!" (Num 11:29). Aquí se refiere al estilo de vida del bautizado, que debe manifestar la abundancia o presencia plena del Espíritu.

La vida cristiana debe manifestar la exaltación, la alegría del Espíritu, que explota en el grupo comunitario en alabanza y exhortación. Desgraciadamente confunden algunos la alegría externa o la exaltación, con la vivencia espiritual profunda. Siempre será cierto que por los frutos conoceremos si el Espíritu habita en nosotros o sólo se trata de sentimientos, cuyos veneros están en otra parte.

Mide las oraciones y las frases que la componen para que no tengas que recomponer el acento cuando la oración resulte más larga o se abrevie. Juan avanza enganchando palabras que se repiten en registros diversos. Identifica el sentido del párrafo y borda sobre él.

La puntuación es muy importante. No corras en estas frases porque se pierde la orientación total; tampoco arrastres el ritmo, porque sucede lo mismo.

El elemento nuevo del parágrafo es la unidad con el Padre. Procura que la novedad la perciban los oyentes.

Esta es como una conclusión. Señala bien la pausa antes de estas dos líneas, y luego ve bajando el ritmo, pero conserva la intensidad. La última oración es la que se quedará en la mente del auditorio. De allí conviene comenzar la homilía.

EVANGELIO Juan 6:51–58

Lectura del santo Evangelio según san Juan

En aquel tiempo, Jesús dijo **a los judíos:**
"Yo soy **el pan vivo** que ha bajado del cielo;
el que coma de este pan **vivirá** para siempre.
Y el pan que yo les voy a dar **es mi carne,**
para que el mundo tenga vida".

Entonces **los judíos** se pusieron a discutir entre sí:
"¿**Cómo** puede éste **darnos a comer** su carne?"

Jesús les dijo: "Yo **les aseguro:**
Si no comen la carne del Hijo del hombre y **no beben** su sangre,
no podrán **tener vida** en ustedes.
El que come mi carne y **bebe** mi sangre,
tiene **vida eterna** y yo lo resucitaré **el último día.**

Mi carne es **verdadera** comida y mi sangre es **verdadera** bebida.
El que come **mi carne** y bebe **mi sangre,**
permanece en mí y yo en él.
Como **el Padre,** que me ha enviado,
posee la vida y yo vivo **por él,**
así **también** el que me come vivirá **por mí.**

Éste es el pan que **ha bajado** del cielo;
no es como el maná que comieron sus padres, pues murieron.
El que come de este pan **vivirá** para siempre".

EVANGELIO La lectura de hoy retoma el último verso del domingo anterior, del discurso en Cafarnaum, y se distingue por la dureza de sus enseñanzas que causan verdaderos estragos entre los escuchas, judíos y discípulos de Jesús. Esta sección del discurso se entiende en clave eucarística, pues habla de la consumición de la carne y sangre del Hijo del Hombre, como condición indispensable para ver el día escatológico, es decir, el del juicio de Dios al mundo incrédulo.

Decir Hijo del hombre es un modo de decir 'humano', aquí Jesús. Pero no tanto en cuanto creatura, o enaltecido, ni siquiera descendido del cielo, sino violentado. Al hablar de carne comida y de sangre bebida, queda más que clara la violencia padecida. Carne y sangre soportan la vida humana, pero separadas son sinónimo de muerte violenta. Más todavía, se trata de la humanidad sacrificada, violentada, de Jesús, el revelador de Dios.

La vida re-produce vida. Pero la condición para que la muerte violenta de Jesús sea re-productiva, dé vitalidad, es consumir-su carne y su sangre. Es lenguaje de sabiduría, pues refiere al banquete sagrado donde lo que se consume es la ofrenda sacrificial que tiene poder sobre lo más exclusivo de Dios: la vida. Al comer y beber en el banquete se apropia uno de la vida de Dios, la eterna.

Esta enseñanza de Jesús está actualizada en cada comunidad cristiana que se reúne en su nombre, y suplica la vuelta del Señor, pues es un alimento que nos lanza al futuro, que nos hace trabajar con la esperanza del retorno glorioso del Señor, anunciando el Evangelio de la vida, como decimos en la misa: "… hasta que vuelvas".

XXI DOMINGO ORDINARIO

La renovación de la alianza es clave para mantener la fidelidad. Plantea la disyuntiva de Josué con apremio y seriedad. Dale cauce a la prestancia de Josué y su familia.

La protesta de fidelidad pasa por tu corazón y por tu voz. La asamblea debe poder percibir la autenticidad de tus palabras.

I LECTURA   Josué 24:1–2a, 15–17, 18b

Lectura del libro de Josué

En aquellos días, **Josué** convocó en Siquem
   a **todas** las tribus de Israel y reunió a los ancianos,
   a los jueces, a los jefes y a los escribas.
Cuando **todos** estuvieron en **presencia** del Señor,
   Josué le dijo al pueblo:
   "Si no les agrada **servir** al Señor,
   digan aquí y ahora a **quién quieren servir:**
   ¿a **los dioses** a los que sirvieron sus antepasados
   al otro lado del río Éufrates,
   o a los dioses **de los amorreos,** en cuyo país ustedes habitan?
En cuanto a mí toca, mi familia y yo **serviremos** al Señor".

El **pueblo** respondió:
   "Lejos de nosotros **abandonar** al Señor para **servir**
     a otros dioses,
   porque el Señor **es nuestro Dios;**
   él fue quien **nos sacó** de la esclavitud de Egipto,
   el que hizo ante nosotros **grandes prodigios,**
   nos **protegió** por todo el camino que recorrimos
   y en los pueblos **por donde pasamos.**
Así pues, también nosotros **serviremos** al Señor,
   porque **él** es nuestro Dios".

I LECTURA Siquem es un lugar apto para dominar: conecta el oriente con el occidente y el norte con el sur. Por lo tanto era estratégico y un centro político, religioso y literario.

Las tribus se reunieron por última vez ante Dios, al concluir la conquista. Habla Josué y las tribus del pueblo de Dios escuchan. Empieza hablando de los Padres o patriarcas, que antes habían adorado a otras divinidades. Hay un punto de referencia al origen del grupo. Todo, porque hay que hacer en estos momentos una elección.

El pueblo es invitado a hacer una elección definitiva: o por el Señor Dios o por otros dioses. En realidad, cuando se cuenta esta historia, en Josué y su grupo está hablando el grupo que viene del destierro y quiere poner las bases sobre las cuales se reedificará la "nación": ¿Aceptarán los dioses vencedores (asirios o caldeos) o volverán a la alianza con el Señor Dios ancestral? El hecho de que la alianza se renueve en Siquem, indica que la elección de fe no se hace de una vez para siempre, sino que cada individuo o generación debe renovarla, mirando a sus orígenes y a su destino.

El "servir", al que son invitados los oyentes, es una expresión de gratuidad plena de parte del hombre. El servicio es una adhesión plena y total a su voluntad, un amor que exige en contrapartida acciones concretas en la vida.

Josué también insta a salir de una comunidad tribal, para convertirse en una comunidad del Señor donde Dios no sea concebido de modo pagano, como parte integrante por raza, política o economía. Se trata de una decisión que está fundada completamente en una voluntad libre y que

Para meditar

SALMO RESPONSORIAL   Salmo 33:2–3, 16–17, 18–19, 20–21, 22–23

R. Gusten y vean qué bueno es el Señor.

Bendigo al Señor en todo momento, / su alabanza está siempre en mi boca; mi alma se gloría en el Señor: / que los humildes lo escuchen y se alegren. R.

Los ojos del Señor miran a los justos, / sus oídos escuchan sus gritos; / pero el Señor se enfrenta / con los malhechores, / para borrar de la tierra su memoria. R.

Cuando uno grita, el Señor lo escucha / y lo libra de sus angustias; / el Señor está cerca de los atribulados, / salva a los abatidos. R.

Aunque el justo sufra muchos males, / de todos lo libra el Señor; / él cuida de todos sus huesos, / y ni uno solo se quebrará. R.

La maldad da muerte al malvado, / y los que odian al justo serán castigados. / El Señor redime a sus siervos, / no será castigado quien se acoge a él. R.

II LECTURA   Efesios 5:21–32

Lectura de la carta del apóstol san Pablo a los efesios

Hermanos:
Respétense unos a otros, por reverencia a Cristo:
    que las mujeres **respeten** a sus maridos,
    como si se tratara **del Señor,**
    porque el marido **es cabeza** de la mujer,
    como Cristo es cabeza y **salvador** de la Iglesia, que es **su cuerpo.**
Por tanto, así como la Iglesia **es dócil** a Cristo,
    así **también** las mujeres sean dóciles a sus maridos **en todo.**

Maridos, **amen** a sus esposas como Cristo amó a su Iglesia
    y **se entregó** por ella para santificarla,
    purificándola con el agua y la palabra,
    pues él quería presentársela a sí mismo toda **resplandeciente,**
    sin mancha ni arruga ni cosa semejante,
        sino **santa e inmaculada.**

Los consejos domésticos siempre acomodan y son actuales. Hay que conservar el equilibrio, para que la unión del esposo y la esposa se vea beneficiada. No caigas en la tentación 'de cargarle la mano' a alguno de los géneros.

La imagen es de Cristo esposo santificando a su esposa. Entrega estas líneas con profundo respeto.

Esta parte exhortativa debe ser bien recibida y consensuada. Concluye disminuyendo la velocidad y no te olvides de hacer la pausa antes de la fórmula conclusiva.

será definitiva y completa: abarca a todo el ser humano y para siempre.

Hay momentos especiales en que uno se debe decidir por algo o alguien, sin tener por adelantado ninguna seguridad, sino la fe prolongada en esperanza. Entonces uno pone la vida en la palma de sus manos y la ofrece toda entera, con las consecuencias que vendrán después.

II LECTURA El compromiso de una persona por algo o por alguien, se debe especificar. Pablo especifica en qué consiste concretamente la vida espiritual de la que ha hablado anteriormente. Toma un código doméstico familiar, con exhortaciones a varios miembros de la familia. De esa forma el bautizado traducirá en actos esta vida espiritual.

Tras la afirmación de un principio general de sometimiento mutuo (v. 21), viene la instrucción a la mujer. Pone una conducta de la mujer, fundada en lo que es ley natural y, luego, apunta un motivo cristológico. Recalca la relación matrimonial, fundándola en el comportamiento entre Cristo y la Iglesia.

Hay algo de machismo en el lenguaje, propio del tiempo. No se puede dejar de lado que la vida cristiana y, en concreto, la matrimonial, tiene un rasgo recíproco. Se alude al respeto recíproco: entenderse, escucharse, entregarse.

La motivación cristológica es central. Aquí está lo propio de este sacramento del matrimonio. La sumisión de la Iglesia a Cristo, es mucho mayor que la que puede tener una mujer con su marido. La instrucción al marido retoma las motivaciones cristológicas precedentes y ofrece pautas claras y siempre válidas para el matrimonio cristiano. Se destaca el centro de todo matrimonio del punto de vista cristiano: la donación, el amor expresado en actos.

Así los maridos **deben amar** a sus esposas,
    como **cuerpos suyos** que son.
El que ama a su esposa se ama **a sí mismo,**
    pues nadie **jamás** ha odiado a su propio cuerpo,
    sino que **le da** alimento y calor, como **Cristo** hace con la
       Iglesia,
    porque somos **miembros** de su cuerpo.
*Por eso **abandonará** el hombre a su padre y a su madre,*
    *se unirá a su mujer y serán los dos una **sola carne**.*
Éste es un **gran** misterio, y yo lo refiero a Cristo y a la Iglesia.

Forma breve: Efesios 5:2a, 25–32

EVANGELIO   Juan 6:55, 60–69

Lectura del santo Evangelio según san Juan

En aquel tiempo, **Jesús** dijo a los judíos:
    "Mi carne es **verdadera** comida
    y mi sangre es **verdadera** bebida".
Al oír sus palabras, **muchos discípulos** de Jesús dijeron:
    "Este modo de hablar **es intolerable,**
    ¿**quién** puede admitir eso?"

Dándose cuenta Jesús de que sus discípulos **murmuraban,**
    les dijo:
    "¿**Esto** los escandaliza?
¿Qué sería si vieran al Hijo del hombre **subir** a donde
    estaba antes?
El Espíritu es **quien da la vida;** la carne **para nada** aprovecha.
Las palabras que les he dicho son **espíritu y vida,**
    y a pesar de esto, algunos de ustedes **no creen**".
(En efecto, Jesús sabía **desde el principio** quiénes no creían
    y quién lo habría de **traicionar**).

El tono inicial es un tanto abrupto. Procura no hacerlo tan dramático que te vuelvas el centro de atención y no las palabras del evangelio.

Cambia el ritmo identificando muy bien las partes del discurso. Las partes rápidas no deben ser precipitadas. Las repeticiones hay que pronunciarlas cuidadosamente.

Se termina aludiendo al Génesis, donde está expuesto el pensamiento primigenio, por lo tanto, fundamental del matrimonio: ser una sola carne. La unidad que se da en el acto amoroso, se debe trasladar a la vida concreta de todos los días. La relación marital imita la relación de Cristo con su Iglesia. Es un misterio que se vislumbra observando y experimentando la convivencia marital.

El amor que implica este misterio y lo transparenta, es designado con la palabra *agápe*, es decir, un amor que no tiene nada de posesivo y despótico, sino que expresa un don total. El hombre y la mujer en un matrimonio no podrán igualar totalmente la unión de vida y donación de Cristo con su Iglesia, pero son su sacramento, su imagen visible ante el mundo. Ni el marido ni la esposa podrán llegar a tanto, pero como seres creados, sentirán la igualdad entre los dos y así procederán en su vida.

EVANGELIO   Lo que hoy escuchamos son las reacciones ante las difíciles palabras de Jesús; primero la del grupo de seguidores y luego las del grupo de los doce.

El grupo de discípulos reacciona como los judíos: murmuran y rechazan la enseñanza sobre la carne de Jesús y la necesidad de consumirlo para obtener vida eterna. El escándalo al que pueden estar refiriendo las palabras de Jesús es probablemente el modo como esa ascensión va a tener lugar: su muerte violenta en cruz. Si las puras palabras les parecen insoportables, ¿cómo van a aceptar la cruda realidad? Un Mesías crucificado es la piedra de escándalo para la fe discipular. La revelación de un pan que vivifica y que consiste en la carne del Mesías violentado no es para corazones aniñados

En este párrafo desemboca la exposición completa. Pero más que ir marcando la 'salida', tu voz y tu ritmo pueden crear una expectativa, si pronuncias con vigor las palabras de Pedro.

Después **añadió:**
"Por eso les he dicho que **nadie** puede venir a mí,
si el Padre no se **lo concede**".

Desde **entonces,**
muchos de sus discípulos se echaron para **atrás**
y ya **no querían** andar con él.
Entonces Jesús les dijo **a los Doce:**
"¿También ustedes quieren **dejarme?**"
Simón Pedro le respondió:
"Señor, ¿**a quién** iremos? **Tú tienes** palabras de vida eterna;
y nosotros **creemos** y sabemos que **tú eres** el Santo de Dios".

ni para voluntades mediocres. La cruz requiere de personas dispuestas a jugarse la vida por Dios, por su proyecto de dar vida. Hoy nadie predica la cruz de Cristo, pues en el fondo no aceptamos que Dios opera en la humillación y deshonra de su Mesías. El seguir a Jesús no consiste sólo en aceptar la doctrina del Pan de vida, sino en ser capaces de contemplar al mismo Crucificado "donde estaba antes". Es decir vivir mirándolo.

Cuando la desbandada es general, el grupo de los doce se consolida en la confesión de Pedro, provocada por el reto directo de Jesús. Las palabras de Simón van a tono con el discurso del Pan de vida pronunciado por Jesús. Con los Doce, Pedro busca 'palabras de vida eterna'.

Pedro confiesa que Jesús es el Santo de Dios pues pronuncia palabras de vida verdadera. En las palabras de Jesús, Pedro y los demás han podido reconocer que Jesús es alguien movido por el Espíritu de Dios que vivifica a los que lo reciben. Por eso, sus palabras son santas. Por lo mismo, hay que entender que lo que pronuncia Jesús santifica, llena de vida, pues la santidad de Dios y la vida eterna son equivalentes,

son vasos comunicantes. El efecto de la santificación es la vitalidad. Si algo resta vitalidad no puede santificar, no viene de Dios. La santidad, por el contrario, genera vida, plenitud, comunión y solidaridad entre los que comparten el Espíritu de Dios.

Las de Jesús no son palabras que haya que venerar y mantener como en una urna o un cofre, sin que sufran alteración, para que no se perviertan. Su revelación es Pan de vida, incorruptible porque el mismo Espíritu de Dios la anima y la hace llegar a quienes la comen y beben. Es carne y sangre que da vida de Dos al mundo.

XXII DOMINGO ORDINARIO

I LECTURA   Deuteronomio 4:1–2, 6–8

Lectura del libro del Deuteronomio

En aquellos días, habló Moisés al pueblo, diciendo:
"Ahora, Israel, **escucha** los mandatos y preceptos que te enseño,
para que los pongas **en práctica**
y puedas así **vivir** y entrar a tomar posesión de la tierra
que el Señor, **Dios de tus padres,** te va a dar.

No añadirán **nada** ni quitarán **nada** a lo que les mando:
Cumplan los mandamientos del Señor **que yo** les enseño,
como me **ordena** el Señor, mi Dios.
Guárdenlos y cúmplanlos
porque ellos son **la sabiduría** y la prudencia de ustedes
a los **ojos** de los pueblos.
Cuando tengan noticias de **todos estos** preceptos,
los pueblos se dirán:
'**En verdad** esta gran nación es un pueblo **sabio y prudente**'.

Porque, ¿**cuál** otra nación hay tan grande
que tenga dioses **tan cercanos** como lo **está** nuestro Dios,
siempre que lo invocamos?
¿**Cuál es** la gran nación cuyos mandatos y preceptos
sean **tan justos** como **toda** esta ley que **ahora** les doy?"

Moisés es maestro y guardián de los preceptos divinos. Pero no debe adoptar un tono riguroso, sino amable y exhortativo. Hay que convencerse de que caminar con el Señor es aprender sabiduría.

Las preguntas finales crean el sentido de que algo más viene. Es la respuesta que se queda en el corazón de la asamblea.

I LECTURA El texto supone la existencia de una comunidad judía que se encuentra en el destierro, con la cultura y sabiduría de otras naciones. En este ambiente es natural que tope con el peligro de dejarse llevar por un sentido de inferioridad y abandone su legado ancestral, fundado en la ley de Dios. Por eso, el texto insiste en lo que es motivo de cohesión del pueblo. Saliéndose de aquí, tienen el peligro de perderse en la asimilación, como sucedió con tantos pueblos tan poderosos de la antigüedad. Israel debe convencerse de que es un pueblo sabio e inteligente sobre todo porque

Dios le está cercano, no en grandes templos, de hecho su gran templo había sido destruido, sus fastuosas liturgias también se habían esfumado. Es grande Israel y debe estar seguro de sí, porque Dios está con él.

La sabiduría le viene al pueblo de observar la Ley, pues le da un conocimiento verdadero de Dios, un conocimiento para vivir, interior, donde descubre la presencia divina. Es lo que siempre ha buscado Israel desde su salida de Egipto y es lo que le recuerda la tierra prometida, sobre todo ahora que la ve perdida.

II LECTURA La Carta de Santiago no parece tener un esquema muy claro, al menos para nosotros. Son características sus llamadas de atención a que hay algo que no va con lo predicado por el Señor. La comunidad parece estar formada principalmente por judeocristianos, judíos que aceptan el mesianismo de Jesús.

La palabra que dio origen a los cristianos no es visualizada sólo como doctrina, sino como fuerza viva que cambia a toda la persona, le quita toda suciedad al hacerla cambiar de costumbres, es decir, al asumir

Para meditar

SALMO RESPONSORIAL   Salmo 14:2–3a, 3bc–4ab, 5

R. Señor, ¿quién puede hospedarse en tu tienda?

El que procede honradamente / y practica
la justicia, / el que tiene intenciones leales /
y no calumnia con su lengua. R.

El que no hace mal a su prójimo / ni difama
al vecino, / el que considera despreciable al
impío / y honra a los que temen al Señor. R.

El que no presta dinero a usura / ni acepta
soborno contra el inocente. / El que así obra
nunca fallará. R.

II LECTURA   Santiago 1:17–18, 21b–22, 27

Lectura de la carta del apóstol Santiago

Hermanos:
Todo beneficio y **todo don perfecto** viene de lo alto,
    del **creador** de la luz, en quien no hay **ni cambios ni sombras.**
Por su propia voluntad **nos engendró** por medio del Evangelio
    para que **fuéramos,** en cierto modo, primicias de sus creaturas.

Acepten **dócilmente** la palabra que ha sido **sembrada** en ustedes
    y es **capaz** de salvarlos.
Pongan en práctica esa palabra y **no se limiten** a escucharla,
    engañándose **a ustedes mismos.**
La religión pura e intachable **a los ojos** de Dios Padre,
    consiste en **visitar** a los huérfanos y a las viudas
        en sus tribulaciones,
    y **en guardarse** de este mundo corrompido.

EVANGELIO   Marcos 7:1–8, 14–15, 21–23

Lectura del santo Evangelio según san Marcos

En aquel tiempo,
    se acercaron a Jesús los fariseos y algunos escribas venidos
        de Jerusalén.

Margin notes:

Haz del agradecimiento a Dios el sentimiento dominante para acoger esta lectura. El vocabulario no es común, y por eso tu pronunciación debe ser muy clara.

El agradecimiento lleva a la solidaridad. Las dos primeras oraciones como que razonan el principio de salvación, pero la tercera expone las consecuencias; mira bien el fraseo y sigue el ritmo de la conjunción 'y' hasta la pausa breve de la coma.

Esta polémica o enfrentamiento sobre las prácticas fariseas, es agria pero no violenta. Respeta los términos sin cargar las tintas contra los fariseos, ni le pongas menosprecio al discurso de Jesús.

---

un estilo de vida nuevo. Esto es creer firmemente.

La palabra está plantada firmemente con la adhesión a la fe bautismal y exige dar frutos. Por esto habla de que la verdadera religión consiste no tanto en hablar de Dios, sino en socorrer al necesitado y en una vida moral e integra (v. 26–27).

Santiago insiste en la coherencia entre la palabra y la vida, profesar la fe y practicarla, el culto y la solidaridad. El día de hoy, delante está la palabra de Dios y no las obligaciones y prescripciones. Debe insistirse en la libertad: la palabra de Dios es exigente, pero se trata de esa exigencia evangélica

que presupone hombre libres y que busca en el que la recibe, una libertad más grande.

EVANGELIO Escuchamos fragmentos de una discusión particular y unas instrucciones generales.

En la discusión, las prácticas 'impuras' de los discípulos de Jesús se ven confrontadas por gentes de probada autoridad religiosa y moral. Sin embargo, con palabras del profeta Isaías, Jesús descobija la hipocresía de los adversarios y denuncia la práctica abusiva del *korbán*, que, por cierto, omite la lectura de hoy. Los intereses detrás de las normativas de pureza no buscan la santidad

de las gentes, acercarles a Dios, sino alimentar el estatus quo de quienes detentan la autoridad y el poder desde el centro. Por eso las palabras de Jesús calan hondo.

La parte segunda es una enseñanza dirigida a toda la gente enunciando el principio general de 'impureza'. Lo que tampoco alcanzamos a escuchar en la lectura de hoy es la instrucción en privado a los discípulos, ya en casa.

El foco principal del evangelio confronta la tradición que impone ritos y prácticas como condición indispensable para relacionarse con Dios y se olvida del corazón. Los fariseos buscaban extender la pureza propia

Viendo que algunos de los discípulos de Jesús
       comían **con las manos impuras,**
    es decir, **sin** habérselas lavado,
    los fariseos y los escribas le preguntaron:
    "¿**Por qué** tus discípulos comen con manos **impuras**
    y **no siguen** la tradición de nuestros mayores?"
(Los fariseos y los judíos, **en general,**
    no comen **sin lavarse antes** las manos hasta el codo,
    siguiendo la tradición **de sus mayores;**
    al volver del mercado, no comen **sin hacer primero**
       las abluciones,
    y observan **muchas otras cosas** por tradición,
    como **purificar** los vasos, las jarras y las ollas).

Jesús les contestó:
    "¡**Qué bien** profetizó Isaías sobre ustedes,
    hipócritas, cuando escribió:
*Este pueblo me honra **con los labios,***
    *pero su corazón **está lejos** de mí.*
*Es **inútil** el culto que me rinden, porque enseñan **doctrinas***
       *que no son sino preceptos **humanos**!*
Ustedes dejan a un lado **el mandamiento** de Dios,
    para **aferrarse** a las tradiciones de los hombres".

Después, Jesús llamó a la gente y **les dijo:**
    "**Escúchenme** todos y **entiéndanme.**
Nada que entre **de fuera** puede **manchar** al hombre;
    lo que **sí** lo mancha es lo que **sale de dentro;**
    porque **del corazón** del hombre salen las intenciones **malas,**
    las fornicaciones, **los robos,** los homicidios, los adulterios,
    las codicias, **las injusticias,** los fraudes,
    el desenfreno, **las envidias,** la difamación,
       el orgullo y la frivolidad.
Todas estas maldades salen **de dentro** y manchan al hombre".

Esta es la parte más fuerte, pero no hay que modularla con exaltación, sino como lo que es, una denuncia muy seria.

El listado de vicios pronúncialo con claridad, pero no como quien lanza pedradas a la asamblea. Todos somos escuchas de la Palabra. La salida de la lectura debe hacerse como conclusión.

de los sacerdotes en funciones en el templo de Jerusalén a los fieles más alejados del santuario. Aquellos modos de mantener la pureza eran insostenibles para la mayoría de los fieles que vivían en contacto con paganos y en circunstancias que en nada se parecían a las del templo. Al seguir esas prescripciones de la tradición, los fieles se iban convirtiendo en un grupo cerrado, en un gueto, que no santifica, es decir, que no difunde la presencia de Dios entre las gentes, sino que vive cuidándose de no contaminarse por los de afuera. Acaban empequeñecidos, acomplejados.

Jesús distingue entre el mandamiento de Dios y las tradiciones humanas. Habla del *korbán,* que era la ofrenda que se destinaba al altar y no podía emplearse para ningún otro fin. Jesús enseña que la devoción del fiel que destina al altar sus bienes, no puede nunca anular el mandamiento de Dios; asistir a los padres y a los miembros de la familia es superior a las exigencias del altar. Dios no quiere esas ofrendas, porque van marcadas de injusticia. Aquí, Jesús denuncia la corrupción que pone preceptos humanos como si fueran divinos.

La tradición consiste en mantener vigente, viva, la salvación de Dios para su pueblo. La unión entre Dios y sus fieles es el culmen de la salvación. Esta unión se manifiesta en normas y modos de vivir (mandamientos o preceptos) que los guías y maestros tienen el deber de enseñar bien y hacerlos comprensivos, para que vayan al corazón. Hay que discernir cada precepto: o de Dios o de los hombres. Investir a los preceptos humanos de carácter divino es idolatría, por muy atinados y piadosos que parezcan. Si esto nos sucede, estamos ante la traición de la tradición, y como discípulos fieles a Jesús, hay que revertirla.

XXIII DOMINGO ORDINARIO

I LECTURA   Isaías 35:4–7a

Lectura del libro del profeta Isaías

El primer párrafo debe estar lleno de entusiasmo.

Esto dice el Señor:
   "**Digan** a los de corazón apocado:
   '**¡Ánimo! No teman.**
He aquí que su Dios,
   vengador y **justiciero,**
   viene ya para salvarlos'.

Esta descripción del futuro es esperanzadora y repleta de felicidad.

Se **iluminarán** entonces los ojos de los ciegos
   y los oídos de los sordos **se abrirán.**
Saltará como un venado el cojo
   y la lengua del mudo **cantará.**

La salvación alcanza a la misma creación. Tu voz debe crecer para abarcarla también.

Brotarán aguas en el desierto
   y **correrán** torrentes en la estepa.
El páramo se convertirá **en estanque**
   y la tierra seca, **en manantial**".

I LECTURA   El tono del himno es de alegría. Dios es el salvador de su pueblo. Por esto en el v. 4 aparece el tenor que da el sentido al texto: "Sean fuertes, no teman, ahí está su Dios… él los salvará". Esta presencia debe quitar toda ansia y preocupación. En el AT, cuando Dios va a empezar una acción importante, comienza diciéndole al hombre que no tema. El temor paraliza y no deja obrar. Aquí va a obrar Dios algo fuerte, que sólo él puede llevar a cabo. Los tres primeros versos, omitidos en nuestra lectura, son una auténtica explosión de alegría. Dios con su visita (v. 4), va a regenerar el desierto; pondrá vida allí donde resulta imposible hacer germinar algo.

Después se afirman las consecuencias de la visita divina: los ojos de los ciegos se despegarán, los oídos de los sordos se abrirán y la lengua del mudo lanzará gritos de alegría. El hombre es curado en las dos funciones necesarias para poder dar a los demás este mensaje de alegría.

En los versos finales (vv. 6–7a) el profeta describe las maravillas que hace Dios en la naturaleza, en esa tierra dura que por la bendición divina se convierte en algo envidiable. Aparece el agua abundante en el desierto y de esa tierra dura y rocosa fluyen torrentes incontenibles. En el futuro inmediato el pueblo sentirá esta ayuda divina. Es como una nueva obra de creacion.

La mirada del profeta está fija en el futuro pintado con la hipérbole. El pueblo se debe guiar por esta confianza de que en el próximo futuro el Señor cambiará su suerte, como cambiará la naturaleza dañada.

La presencia de Dios no es para aniquilar al hombre y destruirlo, sino para darle

Para meditar

SALMO RESPONSORIAL   Salmo 145:7, 8–9a, 9bc–10

R. Alaba, alma mía, al Señor.
O bien: **Aleluya.**

El Dios de Jacob mantiene su fidelidad perpetuamente, / que hace justicia a los oprimidos, / que da pan a los hambrientos. / El Señor liberta a los cautivos. R.

El Señor abre los ojos al ciego, / el Señor endereza a los que ya se doblan, / el Señor ama a los justos, / el Señor guarda a los peregrinos. R.

El Señor sustenta al huérfano y a la viuda / y trastorna el camino de los malvados. / El Señor reina eternamente, / tu Dios, Sión, de edad en edad. R.

II LECTURA   Santiago 2:1–5

Lectura de la carta del apóstol Santiago

No es una enseñanza sobre la igualdad, sino sobre la desigualdad: la preferencia de los cristianos por los pobres. Describe con viveza las prácticas que denuncia el Apóstol.

Hermanos:
Puesto que ustedes **tienen fe** en nuestro Señor Jesucristo
    glorificado, **no tengan** favoritismos.
Supongamos que entran al **mismo tiempo** en su reunión
    un hombre con un anillo de oro, **lujosamente** vestido,
    y un pobre **andrajoso,** y que **fijan ustedes** la mirada
    en el que lleva el traje **elegante** y le dicen:
    "Tú, **siéntate aquí, cómodamente**".
En cambio, le dicen al pobre:
    "Tú, **párate allá** o siéntate aquí **en el suelo,** a mis pies".
¿No es esto tener **favoritismos** y juzgar con criterios **torcidos**?

Páusate luego de la llamada fraterna y dale vigor a la pregunta. Inspira profundamente para que el aire te alcance hasta el final; o bien, practica cómo dividir las frases, para que no se corten al ser pronunciadas.

Queridos hermanos,
    ¿**acaso** no ha elegido Dios **a los pobres** de este mundo
    para hacerlos **ricos** en la fe
    y **herederos** del Reino que prometió **a los que lo aman**?

ánimo y ayudarlo a empezar de nuevo a caminar, ver y hablar. Cuando el sufrimiento y dolor nos visite, es importante acordarse y acogerse a este Dios que protegiendo nuestra identidad, nos ayuda a que nosotros mismos salgamos de nuestros problemas, sin perder nuestra autoestima.

II LECTURA La diferencia social ha tenido como criterio mayor la riqueza. La división entre pobres y ricos data tal vez desde que el hombre empezó a relacionarse en grupos. Lo cierto es que la revelación divina tomó desde el principio este tema. El Cristianismo puso énfasis especial en rechazar el mal reparto de la riqueza.

La carta de Santiago trata especialmente con este tema. Si antes dijo que la religiosidad auténtica consiste en socorrer a huérfanos y viudas (2:6), ahora recuerda que la primera recepción a los pobres, es no discriminarlos, no verlos como distintos de los que más tienen.

Los favoritismos nacen de guiarse por las apariencias, de juzgar con parcialidad. Esto desacredita a la Iglesia, que es una sociedad o comunidad donde se reúnen todos como hermanos y la única diferencia son las encomiendas en favor de los demás. Donde Cristo es el señor y donde no deben valer las medidas antisociales del mundo: poder, riqueza, formación de escuela o condición social. La fe en el Señor Jesús, cuya gloria máxima se manifestó en la cruz, hace incompatible el culto a la personalidad, a la riqueza o al poder. Dios tiene solicitud mayor por los pobres. La comunidad fundada por Jesús está cimentada en esta actitud de ayuda al pobre como su centro de preocupación. La elección preferencial por los pobres no es invención de la teología de la liberación, su autor es Dios.

Los milagros de Jesús ya no nos sorprenden. Por lo mismo hay que prepararnos mejor, para poder percibir y comunicar lo que tienen de extraordinario. Marca bien el momento del milagro, desde la súplica de la gente, hasta su constatación.

El coro final hay que distinguirlo de la descripción. Este coro es el clímax de la narración, y funciona como una verdadera conclusión. Hay que disminuir la velocidad para salir de la lectura.

EVANGELIO   Marcos 7:31–37

Lectura del santo Evangelio según san Marcos

En aquel tiempo,
   salió Jesús de la región de Tiro y vino de nuevo, por Sidón,
   al mar de Galilea, **atravesando** la región de Decápolis.
Le llevaron entonces a un hombre **sordo y tartamudo,**
   y le suplicaban que **le impusiera** las manos.
Él **lo apartó** a un lado de la gente,
   le **metió** los dedos en los oídos y **le tocó** la lengua con saliva.
Después, mirando al cielo, **suspiró** y le dijo:
   "¡Effetá!" (que quiere decir "¡Ábrete!").
Al momento se le **abrieron** los oídos,
   se **le soltó** la traba de la lengua y empezó a hablar
     sin dificultad.

Él les mandó que no lo dijeran a **nadie;**
   pero cuanto **más** se lo mandaba,
   ellos con **más insistencia** lo proclamaban;
   y todos estaban **asombrados** y decían:
   *"¡**Qué bien** lo hace todo!*
Hace **oír** a los sordos y **hablar** a los mudos".

EVANGELIO Sabemos perfectamente bien que sólo en la medida en la que escuchamos crece nuestra capacidad para hablar y entablar comunicación. Escuchar es fundamental, porque es el primer paso para luego articular las palabras, hacerlas nuestras y, transformadas, pronunciarlas. Parece mentira, pero usamos sólo las palabras que hemos recibido. Hablamos de lo que escuchamos. Y este proceso de apropiarnos de la palabra nos humaniza. Por lo mismo, cabe pensar que la Palabra de Dios nos hace más humanos. Pronunciar palabra de Dios no nos despersonaliza, nos reorienta a ser imagen y semejanza del Creador. Y al momento de la palabra sigue el de la sintonía.

Sintonizar, por tanto, nos exige apertura mental y disposición a reunir en el corazón tanto la información que la persona nos proporciona, como los modos, actitudes, e intensidad con los que ella misma se brinda. Sintonizar significa crear comunión, mirar el rostro del otro, acoger y abrazar al hermano o hermana para solidarizarnos en un proyecto común. Sintonizar con la palabra de Dios nos lleva a ser testigos de la Palabra, no como algo ajeno o extraño a nosotros, sino como algo que habita en nuestro interior.

Esa palabra interiorizada nos hace realidad el Reino, porque es palabra del Espíritu.

La curación de hoy es Evangelio porque verla nos humaniza, nos crea comunión y nos hace mensajeros del Reino. Por eso cierra con un coro que aguarda la venida de Dios, como Isaías entrevé en 35:5–6:

Entonces, los ojos de los ciegos se abrirán y las orejas de los sordos escucharán.

Entonces, el cojo saltará como un ciervo y será clara la lengua de los impedidos.

Donde esto está sucediendo, en cualquier lugar, es el lugar del reino.

XXIV DOMINGO ORDINARIO

I LECTURA   Isaías 50:5–9a

Lectura del libro del profeta Isaías

La vocación del siervo es profética; él se convierte en el mensaje. Baja el ritmo en las oraciones del sufrimiento.

En aquel entonces, dijo **Isaías**:
   "El Señor **Dios** me ha hecho oír sus **palabras**
      y yo no he opuesto **resistencia**,
   ni me he **echado** para **atrás**.
Ofrecí la **espalda** a los que me **golpeaban**,
   la **mejilla** a los que me **tiraban** de la barba.
No **aparté** mi rostro de los **insultos** y **salivazos**.

El auxilio divino va creciendo, y lo mismo tu voz, hasta alcanzar vigor y presencia irresistibles.

   Pero el Señor me **ayuda**,
   por eso no quedaré **confundido**,
   por eso endurecí mi **rostro** como **roca**
   y sé que no quedaré **avergonzado**.
Cercano está de mí el que me hace **justicia**,
   ¿quién luchará **contra** mí?
¿Quién es mi **adversario**? ¿Quién me **acusa**?
Que se me **enfrente**.
El Señor es mi **ayuda**,
   ¿quién se **atreverá** a **condenarme**?"

I LECTURA El profeta recuerda que la palabra de Dios plasma al hombre, no al revés. El hombre no tiene la fuerza para dar consistencia ni a él ni a otra persona. Esta lectura pone a consideración una de las figuras más enigmáticas del AT y, por otro lado, una de las más queridas en el Cristianismo naciente. Desgraciadamente no se leyó el texto completo, que abarcaría también los versículos 1–4. En esta figura enigmática se ven coagulados muchos de los rasgos característicos de personajes importantes como Moisés, Elías y Jeremías, entre otros. El mismo pueblo de Israel tomó cuerpo en esta figura del Siervo.

El Siervo oye a Dios, o sea, lo obedece. El Señor envía a su Siervo a una misión importante que le traerá grandes sufrimientos. Éstos son físicos, pero sobre todo internos: el desprecio, oposición y el sentir su trabajo inútil. El pueblo lo rechaza. Con todo, Dios lo ayudara y le dará la fuerza para salir adelante en su misión.

Al final, el Siervo exige a sus oponentes un proceso. El Siervo no hizo más que ejecutar el mandato divino. Los que se opusieron y lo despreciaron, obraron contra el Señor Dios, quien estaba detrás del Siervo.

La reciprocidad es algo constitutivo del intermediario en la Biblia.

Lo nuevo en este himno es la libre y consciente aceptación del sufrimiento por los demás. De aquí se ve coherente la exigencia de Jesús de exigir la cruz al que lo quiera seguir. Desgraciadamente hemos tratado de vivir una relación con Dios y con los demás, donde el primer objetivo que nos ponemos, es dejar lo más lejos posible la cruz, el espíritu de sacrificio por los demás.

Para meditar

SALMO RESPONSORIAL   Salmo 114:1–2, 3–4, 5–6, 8–9

R. Caminaré en presencia del Señor, en el país de la vida.
O bien: Aleluya.

Amo al Señor, porque escucha / mi voz suplicante; porque inclina su oído hacia mí, / el día que lo invoco. R.

Me envolvían redes de muerte, / me alcanzaron los lazos del abismo, / caí en tristeza y angustia. / Invoqué el nombre del Señor: / "Señor, salva mi vida". R.

El Señor es benigno y justo, / nuestro Dios es compasivo; / el Señor guarda a los sencillos: / estando yo sin fuerzas me salvó. R.

Arrancó mi alma de la muerte, / mis ojos de las lágrimas, / mis pies de la caída. / Caminaré en presencia del Señor, / en el país de la vida. R.

II LECTURA   Santiago 2:14–18

Lectura de la carta del apóstol Santiago

Santiago es maestro fraterno. Plantea las cuestiones pacientemente, sin maneras ríspidas.

Hermanos míos:
¿De qué le **sirve** a uno decir que tiene **fe**,
  si no lo **demuestra** con **obras**?
¿Acaso podrá salvarlo esa **fe**?

El ejemplo es elocuente, enseña por sí mismo. Dale su ritmo y su pausa.

Supongamos que algún hermano o hermana **carece** de ropa
  y del alimento **necesario** para el día,
  y que uno de **ustedes** le dice:
  "Que te vaya bien; **abrígate** y **come**",
  pero no le da lo **necesario** para el **cuerpo**,
  ¿de qué le **sirve** que le digan eso?
Así pasa con la fe;
  si no se traduce en **obras**, está completamente **muerta**.

Haz la salida de la lectura como una verdadera conclusión: ve disminuyendo el ritmo.

Quizá alguien podría decir:
  "Tú tienes **fe** y yo tengo **obras**.
A ver cómo, **sin obras**, me demuestras tu **fe**;
  yo, **en cambio**, con mis **obras** te demostraré mi **fe**".

II LECTURA El capítulo 2 en la Carta de Santiago habla de la correcta interpretación de la fe cristiana. La parte que hoy leemos emplea la diatriba. El tono polémico es evidente. A veces se ha querido exponer lo expuesto aquí por Santiago como opuesto a lo que pensaba Pablo. Pero es sólo cuestión de óptica. Desde luego que no hay oposición. Pablo polemiza contra los cristianos judaizantes, quienes ponían la salvación como producto de la observancia de los mandatos, olvidándose del aspecto de la gratuidad.

Santiago tiene enfrente a los laxos, los que no hacían caso de una conducta coherente con los que afirmaban en su creencia cristiana. Santiago empieza con una afirmación (v. 14) y cierra con la misma (17a). En medio está el ejemplo de una conducta que no es correcta si se le quita la acción.

La fe consiste en pensar, querer y obrar. Es la fe una entidad dinámica que hace actuar al hombre y, no sólo una vez, sino que inspira una actitud y conducta abierta a la continuación de este obrar.

La fe y el amor pertenecen a la exigencia y al ejemplo de Jesús, que puso ambos aspectos juntos.

La afirmación de que una fe que no corresponde a los hechos está muerta (v. 17), es dura. Pero es necesaria para abrir los ojos de muchos cristianos que han reducido su fe, entonces como ahora, a las afirmaciones catequísticas o a las ceremonias rituales sin espíritu. No hay que andar separando la doctrina de la práctica. No son dos opuestos, sino dos hojas de una misma puerta, que necesitan estar las dos abiertas para

EVANGELIO   Marcos 8:27–35

Lectura del santo Evangelio según san Marcos

En aquel tiempo,
   Jesús y sus discípulos se **dirigieron** a los poblados
      de **Cesarea de Filipo**.
Por el camino les hizo esta **pregunta**:
   "¿**Quién** dice la gente que soy **yo**?"
Ellos le **contestaron**:
   "**Algunos** dicen que eres Juan el **Bautista**;
   otros, que **Elías**;
   y otros, que alguno de los **profetas**".

Entonces él les preguntó:
   "Y **ustedes**, ¿**quién** dicen que soy **yo**?"
Pedro le respondió:
   "**Tú** eres el **Mesías**".
Y él les ordenó que **no** se lo dijeran a **nadie**.

Luego se puso a explicarles que era **necesario** que el **Hijo**
      del hombre padeciera **mucho**,
   que fuera **rechazado** por los **ancianos**,
   los **sumos sacerdotes** y los **escribas**,
   que fuera entregado a la **muerte** y **resucitara** al tercer día.

Todo esto lo dijo con **entera** claridad.
Entonces **Pedro** se lo llevó **aparte** y trataba de **disuadirlo**.
Jesús se volvió, y mirando a sus discípulos, **reprendió** a **Pedro**
      con estas palabras:
   "¡**Apártate** de mí, **Satanás**!
Porque tú no **juzgas** según **Dios**, sino según los **hombres**".

Después llamó a la **multitud** y a sus discípulos, y les **dijo**:
   "El que quiera venir conmigo, que **renuncie** a sí mismo,
   que cargue con su **cruz** y que me **siga**.
Pues el que quiera **salvar** su vida, la **perderá**;
   pero el que **pierda** su vida por mí y por el **Evangelio**,
      la **salvará**".

La primera ronda de respuestas no debe pasar desapercibida; es el primer escalón para algo más completo. Reprodúcela con claridad y no la desdibujes ni un poco con tu lenguaje facial o corporal.

Este momento marca otro escalón. No hagas de las palabras de Pedro el momento culminante. El relato prosigue con la presentación del Hijo del hombre.

El misterio pascual de Jesús es difícil de entender, pero es el corazón de la fe cristiana. Cada línea es vigorosa y pide ser recibida en su integridad.

Las palabras de Jesús son reprobatorias. No las suavices, pero tampoco las cargues de ira o encono.

Esta máxima resumen el discipulado cristiano. Es la tarea nuestra y lo que nos corresponde implementar. No te excluyas como si ya hubieras cumplido tu tarea.

---

poder pasar, para poder entrar en relación con nuestro Dios.

EVANGELIO ¿Quién es Jesús? Tarde o temprano el grupo de discípulos tiene que plantarse frente a esa pregunta para darle respuesta, a sabiendas de que responderla será un proceso siempre incompleto; primeramente, porque no se responde con recursos de cristología sino de discipulado; es decir, no con definiciones sino con seguimiento; ni tampoco en tercera persona ("Jesús es…") sino en segunda, como Pedro: "Tú eres…" Y a esto

el evangelio de hoy nos ayuda mucho, porque nos pone en el horizonte que verdaderamente importa, el camino de la vida que pasa por la muerte.

En el camino que apunta a Jerusalén, Jesús y sus discípulos pueden ver que el pueblo sueña con la restauración por mano de algún enviado divino. Anhelos legítimos de un cambio que coloque la justicia por encima de todos pero al alcance de todos, que destierre la enfermedad y el miedo, que garantice pan para todos y dé certeza de la presencia de Dios con los suyos. La gente tiene ideales y por eso clama por dignidad,

libertad e igualdad. Pero la mayoría se queda en casa, estancada. Hay que salir a caminar. Es necesario sentir hambre de transformación; y aunque no es fácil despertar a sociedades narcisistas o autosatisfechas, siempre hay lugares para la esperanza.

El camino de discípulo comienza por 'negarse a sí mismo'; no para quedarnos vacíos o diluidos sino para afirmarnos en su Palabra de vida, porque la vía a Jerusalén tiene destino de vida. En juego está la vida, es decir, vivir delante de Dios, el único capaz de abolir la cruz y la muerte, que son marcas de la identidad de su Cristo.

XXV DOMINGO ORDINARIO

I LECTURA   Sabiduría 2:12, 17–20

Lectura del libro de la Sabiduría

Los **malvados** dijeron entre sí:
   "Tendamos una **trampa** al justo,
   porque nos **molesta** y se **opone** a lo que hacemos;
   nos echa en cara nuestras **violaciones** a la **ley**,
   nos reprende las **faltas**
   contra los **principios** en que fuimos **educados**.

Veamos si es **cierto** lo que dice,
   vamos a ver qué le pasa en su **muerte**.
Si el **justo** es **hijo** de Dios,
   él lo **ayudará** y lo **librará** de las manos de sus **enemigos**.
Sometámoslo a la **humillación** y a la **tortura**,
   para conocer su **temple** y su **valor**.
Condenémoslo a una **muerte ignominiosa**,
   porque dice que hay quien **mire** por él".

La voz de los malvados teje la conjuración. No hagas contacto visual con la asamblea durante todo este párrafo.

Identifica los puntos a recalcar. Mira la función de Dios y subráyala con tu lenguaje facial y el tono de voz.

SALMO RESPONSORIAL   Salmo 53:3–4, 5, 6, 8

R. El Señor sostiene mi vida.

Oh Dios, sálvame por tu nombre, / sal por mí con tu poder. / Oh Dios, escucha mi / súplica, atiende mis palabras. R.

Porque unos insolentes se alzan contra mí, / y hombres violentos me persiguen a muerte, / sin tener presente a Dios. R.

Pero Dios es mi auxilio, / el Señor sostiene mi vida. / Te ofreceré un sacrificio voluntario / dando gracias a tu nombre que es bueno. R.

Para meditar

I LECTURA El texto de Sabiduría, leído en la liturgia, describe la vida del justo, que vive conforme a la voluntad de Dios. A ese tipo de vida se opone el del impío, que no sólo desprecia tal manera de vivir, sino que niega su validez y combate a los que la practican.

La manera de vivir de los impíos excluye toda dimensión trascendente y cualquier norma moral. En lugar de Dios, el hedonismo rige su conducta. Por eso, la misma presencia del justo les resulta tal afrenta que hasta quieren eliminarlo. Al final, abogan por la prueba de la muerte.

Dicen que entonces verán los justos que se equivocaron, pues no gozaron de nada, según ellos; los impíos no aceptan que haya vida después de la muerte.

Los injustos piensan que la confianza del justo en Dios, es falsa e inútil, porque Dios no lo ayudará. Piensan tener razón con su manera de vivir egoísta y soberbia, aprovechándose de todo y de todos. Pero se equivocan. La razón asiste a los justos.

La experiencia hace ver que precisamente por esa conducta injusta de pocos, la mayoría de los habitantes del mundo sufren y tienen problemas. Además, cada vez es más claro que ese disfrutar de las cosas y de los hombres no da la felicidad y, suprema prueba, la muerte confronta la pregunta de las preguntas, de si el futuro tiene que ver algo o no con el hombre.

II LECTURA Santiago habla de la sabiduría y de su práctica consecuente. Así, después de mentar el tema (vv. 13–14), presenta la Sabiduría divina (v. 17), en contraste a la humana (vv. 15–16).

La sabiduría divina se distingue por la pureza. Igual que en el culto, hay que despojarse de todo lo que pueda manchar al

II LECTURA   Santiago 3:16—4:3

Lectura de la carta del apóstol Santiago

Hermanos míos:
Donde hay envidias **y rivalidades,**
   ahí hay **desorden** y **toda clase** de obras malas.
Pero los que tienen la sabiduría que **viene de Dios**
     son puros, ante todo.
Además, son **amantes** de la paz, comprensivos, **dóciles,**
   están **llenos** de misericordia y buenos frutos,
   son imparciales y **sinceros.**
Los pacíficos **siembran** la paz y cosechan frutos **de justicia.**

¿De dónde vienen las luchas y los conflictos **entre ustedes?**
¿No es, **acaso,** de las malas pasiones,
   que **siempre** están en guerra **dentro** de ustedes?
Ustedes **codician** lo que no pueden tener y acaban **asesinando.**
Ambicionan algo que **no pueden** alcanzar,
   y entonces **combaten** y hacen la guerra.
Y si no lo alcanzan, es porque **no se lo piden** a Dios.
O si se lo piden y **no lo reciben,**
   es porque **piden mal,** para **derrocharlo** en placeres.

EVANGELIO   Marcos 9:30–37

Lectura del santo Evangelio según san Marcos

En aquel tiempo,
   Jesús **y sus discípulos** atravesaban Galilea,
   pero él no quería que **nadie** lo supiera,
   porque iba **enseñando** a sus discípulos.

El primer párrafo paralela a los insensatos con los sabios, y llega a culmen con la frase final. Tu ritmo debe ayudar a la asamblea a captar esto.

Aparece la constatación que la asamblea debe discernir que procede de conductas insensatas. Pero no adoptes un tono de superioridad frente a la asamblea. Procura no hacer contacto visual con ella durante este párrafo.

La lectura es similar a la del domingo pasado, pero tienes la oportunidad de resaltar otros aspectos.

---

hombre para presentarse ante Dios. De allí derivan otras características: pacífica, comprensiva, dócil. La sabiduría se expande en una práctica de amor misericordioso y da buenos frutos. Finalmente el apóstol anota dos rasgos propios de la sabiduría: no discrimina y no finge.

Se detiene el autor, en la docilidad; ese escuchar al otro con calma y aprecio, es el antídoto perfecto para evitar las discordias y peleas en la comunidad. Se trata de lo que hoy exigimos o deseamos: una actitud abierta a todos y a cualquier problema.

La paz abraza la integridad en todo y en todos. Su fruto inmediato es la justicia. Santiago se pregunta retóricamente por la raíz de la enemistad y rivalidad en la comunidad. La pone en la ambición. Esta ambición, ese querer tener o ser más, deja al hombre vacío y empobrecido. Sólo si el cristiano se reconoce pobre puede pedir a Dios que lo llene de sus bienes, entre los cuales están también los materiales. Y, algo importante, necesitamos de los demás y ellos de nosotros. Mas el punto ordinario de partida será abrirse a las necesidades de los otros y no encerrarnos en nuestro yo, en nuestra ambición que usa a los demás de trampolín.

EVANGELIO La segunda enseñanza profética sobre el misterioso destino del Hijo del hombre sirve de espejo a los intereses mezquinos de sus discípulos, cuando los catequiza sobre quién es el mayor.

Para comenzar, ellos no se asumen iguales. Por eso, y delante de la entera casa, pero especialmente ante los doce, Jesús zanja el punto, y pone de cabeza el modo de pensar y de relacionarse entre los creyentes;

Las palabras de Jesús deben tener tono amable pero firme.

Les decía:

"El Hijo del hombre **va a ser entregado**
en manos de los hombres;
le darán muerte, y **tres días** después de muerto, **resucitará**".
Pero ellos **no entendían** aquellas palabras
y tenían **miedo** de pedir explicaciones.

Llegaron a **Cafarnaúm,** y una vez en casa, les preguntó:
"¿De qué **discutían** por el camino?"
Pero ellos se quedaron **callados,**
porque en el camino habían discutido
sobre **quién** de ellos era el **más importante.**
Entonces Jesús se sentó, llamó a **los Doce** y les dijo:
"Si alguno quiere ser **el primero,**
que sea el último **de todos** y **el servidor** de todos".

Después, tomando a **un niño,**
lo puso en medio de ellos, **lo abrazó** y les dijo:
"El que reciba **en mi nombre** a uno de estos niños,
a mí me recibe.
Y el que me reciba **a mí,** no me recibe a mí,
sino a aquel que **me ha enviado**".

La asamblea puede visualizar los gestos de Jesús. Dale intensidad a este cuadro y prepara adecuadamente la salida de la lectura.

Hay que ser esclavo de todos y anfitrión solícito.

Jesús no da una estrategia —como asumen muchos medios eclesiásticos— para alcanzar la primacía o el poder, ni para ejercer el liderazgo efectivo; más bien exige a aquéllos que aspiran a llevar la voz cantante, a tomar decisiones y a ser honrados: que renuncien a tales aspiraciones y se subordinen a todos y sirvan (*diakonos*) a todos.

Las palabras del evangelio transparentan las pugnas en las iglesias domésticas. En las casas donde se agrupaban los creyentes, no sería nada raro que los de mayor prestancia social desempeñaran funciones de dirigencia y llevaran la voz cantante en la toma de decisiones, mientras que los de abajo, los insignificante en la escala social (mujeres, esclavo/as y niño/as, huérfanos y viudas) fueran relegados. Tales parámetros 'normales' son los que Jesús anula.

En la estructura de la casa, el diácono o servidor (esclavo o no) era un subordinado, sin voz propia, sin autoridad y en actitud de obediencia total y absoluta ante el señor de la casa. Cuando se dice y repite que la Iglesia —la reunión de todos los creyentes en Jesús— no es democrática, y que se ejecuta la voluntad de uno o de unos pocos (jerarquía) sobre los demás (laicos), hay que recordar estos textos de la obligación diaconal hacia los más débiles e insignificantes, y tomar en cuenta su voz. Ellos deben pesar en la toma de decisiones.

En la dinámica del reinado de Dios, no se trata de colocar en la cúspide social a los de abajo y poner a los de arriba abajo. Esto también acaba generando violencia y opresión en casa. Más bien, hay que actuar de modo que los pequeños y últimos sean servidos y recibidos en la casa, pues son Jesús. Por eso, en la Iglesia también decimos que los pobres son sacramento de Cristo.

XXVI DOMINGO ORDINARIO

I LECTURA   Números 11:25–29

Lectura del libro de los Números

En aquellos días,
   el Señor **descendió** de la nube y **habló** con Moisés.
Tomó del **espíritu** que **reposaba** sobre Moisés
   y se lo dio a los **setenta** ancianos.
Cuando el espíritu **se posó** sobre ellos, se pusieron a **profetizar.**

Se habían **quedado** en el campamento dos hombres:
   uno llamado **Eldad** y otro, **Medad.**
También sobre ellos se **posó** el espíritu,
   pues aunque no habían ido a la reunión, **eran** de los **elegidos**
   y ambos comenzaron a **profetizar** en el **campamento.**

Un **muchacho** corrió a **contarle** a Moisés
   que Eldad y Medad estaban **profetizando** en el **campamento.**
Entonces **Josué,** hijo de Nun,
   que desde **muy joven** era **ayudante** de Moisés, le dijo:
   "Señor mío, **prohíbeselo".**
Pero **Moisés** le **respondió:**
   "¿Crees que voy a ponerme **celoso?**
Ojalá que todo el **pueblo** de Dios fuera **profeta**
   y **descendiera** sobre todos ellos el **espíritu del Señor".**

I LECTURA Las reglas son necesarias para toda asamblea o comunidad. Pero esas ordenanzas deben tener límite: la libertad, que es una función fundamental de todo ser humano.

Dios había dejado sus instrucciones a Moisés para estructurar a su pueblo. Ahora hay una petición de Moisés: participar el poder. La razón es la imposibilidad de que uno solo lleve a cabo bien toda la responsabilidad. Hay que participarla.

Conocemos lo sucedido. Por eso la cuestión. ¿Con qué derecho Eldad y Moldad profetizan si no participaron en la celebración de la imposición de su cargo, donde se participaba el Espíritu?

Moisés no tiene envidia, ni se ciega en la regla; desearía que todos participaran de ese don.

La autoridad y los oficios en la comunidad de Dios son servicios en favor de los demás, no en favor de uno. El egoísmo es el peligro más nefasto y el más profundo contra el cual debe luchar toda autoridad para poder funcionar bien. Más, tratándose de la asamblea de Dios. Josué debe comprender que todos los que guían al pueblo son servidores, no patrones.

El deseo de Moisés se cumple con el bautismo en Cristo Jesús que nos transforma en pueblo de Dios, comunidad profética. El Espíritu Santo la guía por medio de hombres a los que participa de su fuerza.

II LECTURA Después de haber hablado Santiago en 4:1–12 de las discordias como causa de todos los males, enjuicia a los ricos en 4:13–5:6. Los versos de 5:1–6 van contra la injusticia social de los ricos. Es, tal vez, el paso más duro de la carta. Les anuncia un castigo que deben pagar por su arrogancia y soberbia. La

Para meditar

SALMO RESPONSORIAL   Salmo 18:8, 10, 12–13, 14

R. Los mandatos del Señor alegran el corazón.

La ley del Señor es perfecta / y es descanso del alma; / el precepto del Señor es fiel / e instruye al ignorante. R.

La voluntad del Señor es pura / y eternamente estable; / los mandamientos del Señor son verdaderos / y enteramente justos. R.

Aunque tu siervo vigila / para guardarlos con cuidado, / ¿quién conoce sus faltas? / Absuélveme de lo que se me oculta. R.

Preserva a tu siervo de la arrogancia, / para que no me domine: / así quedaré libre e inocente / del gran pecado. R.

II LECTURA   Santiago 5:1–6

Lectura de la carta del apóstol Santiago

Lloren y **laméntense,** ustedes, **los ricos,**
    por las desgracias que **les esperan.**
Sus riquezas se han **corrompido;**
    la polilla se **ha comido** sus vestidos;
    enmohecidos están su oro y su plata,
    y ese moho será una prueba **contra ustedes**
    y **consumirá** sus carnes, como el fuego.
Con esto ustedes han atesorado **un castigo** para los últimos días.

El salario que **ustedes** han **defraudado**
    a los trabajadores que segaron sus campos
    está **clamando** contra ustedes;
    sus gritos **han llegado** hasta el oído del Señor de los ejércitos.
Han vivido ustedes en este mundo entregados **al lujo y al placer,**
    engordando como reses para el **día** de la matanza.
Han condenado a los **inocentes** y los han matado,
    porque **no podían** defenderse.

Santiago se lamenta por la conducta y suerte de los ricos. Ellos no pertenecen a la comunidad. Tu voz no debe ser lastimera, sino firme, de profeta que condena las malas acciones.

Línea tras línea, la lectura denuncia los oprobios. No aminores el filo social con una voz timorata pero tampoco con la exaltación de esos líderes políticos y demagogos que gritan sin compromiso auténtico.

catástrofe que se les avecina, ellos la han preparado.

Santiago se dirige en estas invectivas contra la injusticia social que está tan arraigada en todas las sociedades pasadas y actuales. Se coloca en la teología de los pobres del Señor. Bajo esta luz lee su situación. La riqueza y el poder son una bendición divina y la pobreza una maldición y castigo para los idólatras (cf. Sal 1:3; 112; Dt 28). Pero la experiencia enseña que a menudo la pobreza es causada por la injusticia, perpetrada por gente sin escrúpulos y egoísta. Durante el tiempo de la organización tribal, Israel no

tuvo prácticamente pobreza, había una responsabilidad comunitaria. La pobreza apareció en la época real y desde entonces se oyen por todos lados los gritos de protesta contra la injusticia y los gritos de auxilio para los pobres.

El resto de Israel es descrito como un pueblo pobre, que pone toda su confianza en Dios. Estos pobres son la herencia del pueblo de Dios mesiánico. De aquí una espiritualidad de la pobreza, que no justifica la escasez material, sino que la denuncia como ocasionada por la injusticia y trabaja por la equidad querida por Dios.

Hay en Santiago también un eco de la predicción profética y apocalíptica, que condena la riqueza retenida y a los ricos. En el fondo, la riqueza genera seguridad, que sólo puede el hombre poner en Dios. Las invectivas de Santiago contra los ricos, son una invitación a la conversión, a desprenderse de la injusticia y a no identificar su persona con los bienes.

Finalmente Santiago ve el mal de la riqueza creada por la injusticia contra los demás: los obreros robados, los campesinos abusados, etc. Esa riqueza impide ahora y en el futuro tener la experiencia de la

La tentación del exclusivismo acecha siempre. Dale a la voz de Juan un aire de presunción y orgullo, como de quien ha hecho algo notable y digno de aplauso.

Jesús reprueba lo hecho, pero no le des tono severo a la corrección. Marca bien las frases porque cada sección tiene su foco propio.

El resto del evangelio tiene como motivo prevenir el escándalo. Recalca la frase 'gente sencilla…', es la favorita de Jesús.

Los últimos tres segmentos conforman una sola unidad; tienen la misma esctructura. Haz notable esto recalcando la frase inicial.

EVANGELIO   Marcos 9:38–43, 45, 47–48

Lectura del santo Evangelio según san Marcos

En aquel tiempo, **Juan** le dijo a Jesús:
   "Hemos visto a uno que **expulsaba** a los demonios
      en tu nombre,
   y como **no es** de los nuestros, se lo **prohibimos**".
Pero Jesús le respondió:
   "**No** se lo prohiban,
   porque no hay **ninguno** que haga milagros **en mi nombre**,
   que luego sea capaz de hablar mal **de mí**.
Todo aquél que no está **contra** nosotros, está a **nuestro** favor.

Todo aquél que **les dé a beber** un vaso de agua
   por el hecho de que **son de Cristo**,
   les aseguro que **no se quedará** sin recompensa.

Al que sea **ocasión de pecado**
   para esta gente sencilla que cree en mí,
   más le valdría que **le pusieran al cuello** una de esas **enormes**
   piedras de molino y lo **arrojaran** al mar.

Si tu mano te es **ocasión** de pecado, **córtatela**;
   pues más te vale **entrar manco** en la vida eterna,
   que ir con tus dos manos al lugar de castigo,
   al fuego **que no se apaga**.
Y si tu pie te es **ocasión** de pecado, **córtatelo**;
   pues más te vale entrar **cojo** en la vida eterna,
   que con tus dos pies **ser arrojado** al lugar de castigo.
Y si tu ojo te es ocasión de pecado, **sácatelo**;
   pues **más te vale** entrar tuerto en el Reino de Dios,
   que ser **arrojado** con tus dos ojos al lugar de castigo,
   donde el gusano **no muere** *y el fuego* **no se apaga**".

misericordia de Dios, que es la razón de su venida entre nosotros.

EVANGELIO En la Palestina del tiempo de Jesús había hombres santos, curanderos y rabinos que expulsaban demonios. Este era el signo más claro de trabajar por Dios y su Ley. Los demonios era fuerzas malignas que se apoderaban de las personas volviéndolas asociales, agresivas, temibles y 'enfermas', a las que, incluso, herían en su cuerpo. Muchas de esas conductas patológicas tienen ahora explicaciones psico-neurológicas y sociales,

pero no entonces, cuando los exorcistas eran el único recurso.

Para sacar un demonio, el exorcista invocaba el nombre de alguien poderoso y más fuerte que el propio demonio, para increparlo a salir y abandonar a su víctima. Los demonios, como la sociedad humana, tendrían sus jerarquías, pero frente al poder del Dios de Israel, nada pueden.

El nombre de Jesús no es exclusivo del grupo. Jesús rompe esas barreras exclusivistas y excluyentes, porque el de Dios, es un proyecto inclusivo, en el que todos y todas podemos sumar 'en nombre de Jesús'; porque es Jesús el que opera. Todo poder

que hace daño a las personas, que las deshumaniza, que las esclaviza y que se erige en lugar de Dios, es un demonio. Por desgracia (o por fortuna), el mundo no es bicolor, y nosotros mismos podemos sufrir de daltonismo… Incluso las etiquetas o clasificaciones que colocamos sobre las personas (abiertas/cerradas, de derecha/de izquierda, conservador/liberal, católico/protestante, etc.) pueden impedirnos trabajar solidariamente a favor del Reinado de Dios, fomentando nuestro narcisismo excluyente. Hay que sumar con Jesús que va a Jerusalén, dándole un vaso de agua…

XXVII DOMINGO ORDINARIO

I LECTURA   Génesis 2:18–24

Lectura del libro del Génesis

En aquel día, dijo el Señor Dios:
   "**No** es bueno que el hombre **esté solo.**
Voy a hacerle a alguien **como él,** para que **lo ayude**".
Entonces el Señor Dios **formó** de la tierra
   todas las bestias del campo
   y **todos** los pájaros del cielo
   y los llevó ante Adán para que **les pusiera nombre**
   y así **todo ser viviente** tuviera el nombre puesto **por Adán.**

Así, pues, Adán **les puso nombre**
   a todos los animales domésticos,
   a los **pájaros** del cielo y a **las bestias** del campo;
   pero **no hubo** ningún ser **semejante** a Adán para ayudarlo.

Entonces el Señor Dios
   hizo caer al hombre en un **profundo sueño,**
   y mientras dormía, le sacó **una costilla**
   y **cerró la carne** sobre el lugar vacío.
Y de la costilla que **le había sacado** al hombre,
   Dios formó **una mujer.**
Se la llevó al hombre y éste **exclamó:**

   "**Ésta sí** es **hueso** de mis huesos
   y **carne** de mi carne.
Ésta será llamada **mujer,**
   porque ha sido formada **del hombre**".

Este relato catequético es muy plástico. La voz de Dios debe transmitir entusiasmo.

Distingue el tono del narrador. El arte de manejar el ritmo le dará viveza e interés renovados a cada línea.

Las palabras del varón son de admiración y asombro. Distínguelas muy bien del nivel del narrador.

I LECTURA   En los primeros capítulos (1–11) del Génesis, se ofrece una antropología básica. Responden estos capítulos a preguntas fundamentales, entre otras: ¿Cuál es el origen del hombre? ¿Para qué fue creado? Se exponen ciertos constitutivos de la raza humana. Entre estas cualidades o rasgos fundamentales del ser humano está la complementariedad del hombre, creado hombre-mujer.

Este pequeño relato empieza con una constatación de Dios: "No es bueno que el hombre esté solo". Para quitar esta soledad Dios creó a los animales. Al no haber una relación entre iguales con los animales, la soledad humana continuaba. Por esto Dios hizo a Adán-el hombre una compañera, una igual a él. Para Dios la sexualidad humana es buena y tiene una doble finalidad: el hombre y la mujer se acompañan y completan, y aseguran la supervivencia de la raza humana. La mujer es un ser que está delante del hombre (así dice el texto hebreo). Hay entre los dos una relación dialógica, de comunión. Además, los dos son de la misma materia.

La alegría del hombre (v. 23), muestra su satisfacción completa, y al tener frente a sí una persona igual en dignidad y naturaleza, puede entrar en una auténtica relación. No es cierto que el hombre solitario sea la idea de perfección humana, como lo pensaba el autor de "Emilio", quien en la soledad de la naturaleza había encontrado su felicidad.

Dios conduce a la mujer hacia el hombre como queriendo indicar el misterio del amor humano, que se muestra como un regalo, como un encuentro gratuito. El hombre reconoce en Eva a alguien con quien puede hacer alianza, comunión con él, la que comparte la carnalidad y la interioridad.

Por eso el hombre **abandonará** a su padre y a su madre,
y se **unirá** a su mujer y serán los dos **una sola carne.**

Para meditar

SALMO RESPONSORIAL   Salmo 127:1–2, 3, 4–5, 6

R. Que Dios nos bendiga todos los días de nuestra vida.

¡Dichoso el que teme al Señor / y sigue sus caminos! / Comerás del fruto de tu trabajo, / serás dichoso, te irá bien. R.

Tu mujer, como parra fecunda, / en medio de tu casa; / tus hijos, como renuevos de olivo, / alrededor de tu mesa. R.

Ésta es la bendición del hombre / que teme al Señor. Que el Señor te bendiga desde Sión, / que veas la prosperidad de Jerusalén / todos los días de tu vida. R.

Que veas a los hijos de tus hijos. / ¡Paz a Israel! R.

II LECTURA   Hebreos 2:9–11

Lectura de la carta a los hebreos

El tono es doctrinal. El texto no es tan simple, por lo que exige primero descubrir cómo están las frases entrelazadas unas con otras. La puntuación es una guía excelente.

Hermanos:
Es verdad que ahora **todavía** no vemos el universo entero
  sometido al hombre; pero sí **vemos ya** al que *por un momento*
  Dios hizo **inferior** *a los ángeles,*
  a **Jesús,** *que por haber sufrido* **la muerte,**
  está coronado de **gloria y honor.**
Así, por la gracia de Dios, la muerte que **él sufrió**
  redunda **en bien de todos.**

Proclama con naturalidad estas densas líneas.

En efecto, el creador y Señor de **todas** las cosas
  quiere que todos sus hijos **tengan parte** en su gloria.
 Por eso **convenía** que Dios consumara **en la perfección,**
  mediante el sufrimiento, a **Jesucristo,**
  autor y **guía** de nuestra salvación.

La conclusión está muy bien delineada. No te precipites por terminar la lectura.

El santificador y los santificados
  tienen **la misma** condición humana.
Por eso no se avergüenza de llamar **hermanos** a los hombres.

El sexo no es sólo un atributo del cuerpo, sino algo más interno, que lleva a la relación estrecha de dos libertades que se dan y en esto imitan a Dios, que se puede definir como el que da. La relación matrimonial no descansa en el deseo sexual o en intereses de raza o economía, sino en el fundamento sólido del designio divino.

II LECTURA La Epístola a los Hebreos es un comentario cristiano del AT. Su autor muestra, primero, el señorío de Jesús sobre los ángeles, y luego, que Jesús es muy superior a los seres angélicos,

demostrando que es plenamente hombre. Esto parece francamente contradictorio.

El autor, con el Salmo 8 (vv. 6–7), explica la frase de que el ser humano es "un poco inferior a los ángeles y todo lo sometiste bajo su poder". Hay una especie de contradicción en el mismo Salmo y de aquí la admiración y la pregunta en el mismo Salmo: "¿Qué es el hombre?".

Con la aparición de Jesús, nuestro autor ve llegada la respuesta: Jesús condividió con nosotros los hombres la humanidad, se abajó siendo Dios. Jesús, además, se hizo solidario con los pecadores, que no es

adhesión en sus pecados, sino aportación de misericordia, manifestándolo en su vida y muerte voluntaria.

Establecida la divinidad del Hijo (cap. 1), el autor se concentra en la humanidad de Jesús. Esta humanidad fue revestida de gloria en el misterio pascual, porque Jesús aceptó el sufrimiento del desprecio y de la muerte. Es a lo que se refiere el paso que habla de esta inferioridad respecto a los seres angélicos. Los ángeles no pueden padecer ni morir. En cambio, Jesús aceptó morir, experimentando el abandono de Dios en lugar de los pecadores (v. 9).

EVANGELIO　Marcos 10:2–16

Lectura del santo Evangelio según san Marcos

Se trata de una disputa. Haz notar el tono insidioso en la consulta que le hacen a Jesús.

En aquel tiempo, se acercaron a Jesús unos **fariseos**
　　y le preguntaron, para ponerlo **a prueba**:
　　"¿Le es lícito a un hombre **divorciarse** de su esposa?"

Él les **respondió**:
　　"**¿Qué** les prescribió Moisés?"
Ellos contestaron:
　　"Moisés **nos permitió** el divorcio
　　mediante la entrega de **un acta** de divorcio a la esposa".
Jesús les dijo: "Moisés prescribió **esto**,
　　debido a la **dureza** del corazón de ustedes.
Pero desde **el principio**, al crearlos,
　　Dios los hizo **hombre y mujer**.
*Por eso **dejará** el hombre a su padre y a su madre*
　　*y **se unirá** a su esposa y serán los dos una sola carne.*
De modo que ya no son dos, sino una sola carne.
Por eso, lo que Dios **unió**, que **no lo separe** el hombre".

La respuesta de Jesús es la de un maestro que enseña con autoridad, pero no con autoritarismo. Dale tono conclusivo a las dos últimas líneas de este párrafo.

Ya en casa, los discípulos
　　le **volvieron** a preguntar sobre el asunto.
Jesús les dijo: "Si uno se divorcia **de su esposa** y se casa **con otra**,
　　comete adulterio **contra la primera**.
Y si ella se divorcia **de su marido** y se casa con otro,
　　comete **adulterio**".

Vinculado a lo anterior, este párrafo tiene un motivo nuevo. La reprobación a los discípulos es lene. El tono es paternal y amable. La conclusión es consecuente con esto.

Después de esto,
　　la gente le llevó a Jesús unos niños para que **los tocara**,
　　pero los discípulos trataban **de impedirlo**.

Pero Jesús, además, es guía de salvación por ser hombre perfecto al parcicipar de la sufriente humanidad hasta lo más bajo, la muerte. La muerte lo hermana a todos los hombres. Por eso, el autor contempla en ese abajamiento la gloria o culmen de la humanidad de Jesús: una gracia de Dios. Gracias a este perfeccionamiento, Jesús es sacerdote perfecto. Pues, identificándose con el hombre pecador, consigue la salvación para todos y se convierte en guía o líder perfecto de todos. Jesús, pues, no se avergüenza de llamar a los hombres sus hermanos. Es un sacerdote perfecto. Jesús apareció en su vida solidarizándose con los

pecadores, para escándalo de los "piadosos", llevando esto más allá de la suprema vergüenza, la de morir como un condenado por Dios.

Dice el autor al final de esa lectura "El que se consagra y el consagrado tienen el mismo origen". No es, pues, un sacerdote extraño a los hombres. Como dijera el papa Francisco: "Huele a ovejas", y mucho.

EVANGELIO　San Marcos apunta que la pregunta a Jesús es una prueba o tentación, aunque no se ve en qué consista, ya que el repudio o divorcio era asunto estipulado y legal. Quizá lo tramposo

de la pregunta venga de un contexto ulterior donde la autoridad del señor de casa ha sido socavada con las enseñanzas de Jesús.

En efecto, Jesús ha venido 'poniendo patas arriba' los modos de ejercer autoridad en casa (y en la comunidad de creyentes). ¿Trastocará el orden matrimonial?

El repudio no es un derecho arbitrario del varón. Para el repudio, Deuteronomio exige un motivo suficiente que impida convivir como marido y mujer en los términos socio-culturales de su momento. Como otras leyes, ésta le puso coto a la arbitrariedad masculina, exigiendo un acto público y legal, que le impidiera tomar y dejar mujer a

Al ver aquello, Jesús se **disgustó** y les dijo:
"**Dejen** que los niños **se acerquen a mí** y no se lo impidan,
porque el **Reino de Dios** es de los que **son como ellos.**
Les **aseguro** que el que no reciba el Reino de Dios **como un niño,
no entrará** en él".

Después **tomó en brazos** a los niños
y **los bendijo** imponiéndoles las **manos.**

Forma breve: Marcos 10:2–12

su antojo. Otras normas, como las de la dote para las casaderas y limitar el número de esposas, buscaron también poner freno a los abusos contra ellas y protegerlas socio-económicamente. Esto es lo que los adversarios no consideran al alegar Dt 24:1–4. Por si poco fuera, Jesús introduce al Creador en un asunto legal donde no se necesitaba, al parecer.

Vinculando Gen 1:27 con 2:24, Jesús afirma la unidad permanente de ambas creaturas, el varón y la mujer. Aquí entra en fuerza otra vez la inversión para recuperar la igualdad. No es cuestión de repudiar a la mujer, sino, con palabras del Génesis, de que el varón deje padre y madre para unirse a su mujer. Este movimiento en el texto es sutil, pero real. No es más cuestión de los derechos de uno sobre los derechos de otro. No dos sino una sola humanidad ha de resultar de la unión de la carne. Pero igualdad y unidad son los principios fundamentales —y revolucionarios, en medios clasistas y etnocentristas— del proyecto creador para el matrimonio de varón y mujer, como Jesús lo entendía en el siglo I.

La cláusula final establece que no compete al hombre separar 'la carne' unida por Dios. El punto asienta la indisolubilidad del matrimonio, y es categórico, pues ningún rabí se atrevería a impugnarlo. Asunto diferente será si el ideal creacional, invocado por Jesús, era y es salvaguardado legal, educativa y socialmente, con sus condiciones básicas de igualdad y de unidad como ahora nos parece que debiera. La indisolubilidad del matrimonio, no es automática (ipso facto), sino un fruto que resulta de cultivar la estabilidad de la unión, y es tarea conjunta (ideal) que laboran tanto los contrayentes como la comunidad. Es el ideal del Paraíso. Perdida la condición relacional del matrimonio (igualdad y unidad), pierde éste su sentido y horizonte.

XXVIII DOMINGO ORDINARIO

I LECTURA   Sabiduría 7:7–11

Lectura del libro de la Sabiduría

Supliqué y se me concedió la **prudencia;**
   invoqué y **vino sobre mí** el espíritu de sabiduría.
La **preferí** a los cetros y a **los tronos,**
   y en comparación con ella **tuve en nada** la riqueza.
No se puede **comparar** con la piedra más preciosa,
   porque **todo** el oro, junto a ella, es un **poco** de arena
   y la plata es **como lodo** en su presencia.

La tuve en más que la **salud** y la **belleza;**
   la preferí **a la luz,** porque su resplandor **nunca** se apaga.
Todos los bienes me vinieron **con ella;**
   sus manos me trajeron riquezas **incontables.**

SALMO RESPONSORIAL   Salmo 89:12–13, 14–15, 16–17

R. Sácianos, Señor, de tu misericordia, y toda nuestra vida será alegría y júbilo.

Enséñanos a calcular nuestros años, /
para que adquiramos un corazón sensato. /
Vuélvete, Señor, ¿hasta cuándo? / Ten
compasión de tus siervos. R.

Por la mañana sácianos de tu misericordia, /
y toda nuestra vida será alegría y júbilo; /
danos alegría, por los días en que nos
afligiste, / por los años en que sufrimos
desdichas. R.

Que tus siervos vean tu acción / y sus
hijos tu gloria. / Baje a nosotros la bondad
del Señor / y haga prósperas las obras de
nuestras manos. R.

Habla un sabio, pero sin aires fatuos de grandeza. La verdad es sencilla y directa. Llénate de esa actitud y pronuncia con ese espíritu la lectura.

Estas palabras dilas con vigor contagioso; también tu amor por la prudencia se debe notar.

Para meditar

I LECTURA La sabiduría siempre fue cultivada en Israel, sólo que en la época helenista (ss. IV-III) cobró un cariz especial, pues los griegos pretendían poseer la quintaesencia de la sabiduría.

El autor de Sabiduría hace hablar a Salomón en primera persona, un artificio literario muy común en este tiempo. Este rey sabio recién ha reconocido su fragilidad y debilidad: "Yo soy un hombre mortal, igual que todos… idéntica es la entrada de todos en la vida e igual es la salida" (Sab 7:1–7). Luego alaba a la sabiduría por sus ventajas.

El griego asegura que con seguir su intelecto y los consejos de los sabios, ya obtuvo la sabiduría, la felicidad. El judío no. La sabiduría es un don, un regalo de Dios. Por esto la petición de Salomón (v. 7), a Dios, se entiende.

La sabiduría no consiste en poder discernir el bien del mal, sino en algo mucho más importante; es un don que lleva a la vida divina. Por lo tanto, se participa en la vida de Dios, al recibir su espíritu. La palabra 'espíritu' indica lo interno que da vigor y que transforma lo que penetra. Por lo mismo,

se pide una transformación radical sólo posible por el don del espíritu.

Entendida así, la sabiduría ofrece bienes materiales y hasta los más personales como la salud y belleza, pero el autor lo que pide es esa fuerza divina que transforme toda su existencia y lo acerque al sentir, al juzgar divino. La sabiduría es aquí la misma verdad de la vida, el camino que lleva a la amistad de Dios.

II LECTURA Esta lectura es una auténtica joya meditativa sobre la palabra de Dios.

II LECTURA   Hebreos 4:12–13

Lectura de la carta a los hebreos

Hermanos:
La **palabra** de Dios es viva, **eficaz**
    y más **penetrante** que una espada de **dos** filos.
Llega hasta lo **más íntimo** del alma,
    hasta **la médula** de los huesos
    y **descubre** los pensamientos e intenciones del corazón
Toda creatura **es transparente** para ella.
Todo queda **al desnudo** y al descubierto
    ante los **ojos** de aquél a quien debemos **rendir** cuentas.

Eres nuncio de la palabra de Dios ante la comunidad de fe. Anuncia con orgullo interno esta lectura poderosa y transformante. Tú eres vehículo de esa palabra.

EVANGELIO   Marcos 10:17–30

Lectura del santo Evangelio según san Marcos

En aquel tiempo, cuando salía Jesús **al camino,**
    se le acercó **corriendo** un hombre,
    se **arrodilló** ante él y le preguntó:
    "**Maestro** bueno, ¿qué debo **hacer** para **alcanzar** la vida eterna?"
Jesús le contestó:
    "**¿Por qué** me llamas bueno? Nadie es bueno sino **sólo Dios.**
Ya sabes los mandamientos:
No matarás, no cometerás **adulterio**,
    no **robarás**, no levantarás **falso** testimonio,
    no cometerás fraudes,
    honrarás a tu padre y a tu madre".

Entonces **él** le contestó:
    "Maestro, **todo eso** lo he cumplido desde **muy** joven".
Jesús lo miró **con amor** y le dijo:
    "Sólo **una cosa** te falta: Ve y vende **lo que tienes,**
    da el dinero **a los pobres** y así tendrás un tesoro **en los cielos.**

La historia es muy popular y dramática. Mantén un tono de voz que permita a la asamblea notar la importancia del encuentro. Evita la afectación y gestos inmoderados.

La voz del Maestro es serena y bondadosa pero firme.

La invitación al seguimiento pronúnciala con verdadero cariño. No la aceleres ni precipites la reacción.

Desde el principio, la palabra de Dios está actuando. El cosmos es un efecto de la palabra divina; por lo mismo, la refleja. Esa palabra empieza a oirse como orden divina dada a Adán: no comerás del árbol del centro. Va a ir caminando la palabra de Dios entre promesas y prohibiciones, entre amenazas y perdones. Poco a poco va forjando un pueblo que será el prototipo de lo que Dios quiere hacer con la humanidad: una comunidad hermanable, donde convivan en paz los hombres y donde no haya pobres.

Esta palabra entra también en lo más profundo del hombre. Lo examina y le hace ver su situación. Le hace ver al hombre sus pensamientos, sentimientos y querencias más íntimos. Nada escapa a su tajo.

Además, algo muy importante es que la palabra es crítica, pone al hombre ante una decisión divina: escoger entre el bien y el mal, entre la vida y la muerte. La palabra de Dios es Dios mismo.

Su palabra a menudo pone al hombre al desnudo. Lo pone en crisis, como a David (2 Sam 12:1–14), como a la samaritana (Jn 4:29). La palabra hace ver al hombre su situación real ante Dios.

A la palabra de Dios debe corresponder nuestra palabra, nuestra vida entera.

EVANGELIO   El episodio de hoy enfoca el asunto de las riquezas, pero a la luz del segundo anuncio del destino del Hijo del Hombre. Escuchamos del joven rico, seguido de una enseñanza a los discípulos y un intercambio con Pedro. Todo esto en el camino a Jerusalén, es decir, bajo el signo de la cruz, pero con la vida eterna como tela de fondo, que es por lo que pregunta aquel joven.

Después, **ven** y sígueme".
Pero al oír **estas palabras,**
el hombre se **entristeció** y se fue **apesadumbrado,**
porque tenía **muchos** bienes.

Jesús, mirando **a su alrededor,** dijo entonces a sus discípulos:
"**¡Qué difícil** les va a ser a los ricos **entrar**
en el Reino de Dios!"
Los discípulos quedaron **sorprendidos** ante estas palabras;
pero Jesús **insistió:**
"Hijitos, **¡qué difícil** es para los que confían **en las riquezas,**
entrar en el Reino de Dios!
Más fácil le es a un camello **pasar** por el ojo de una aguja,
que a un rico **entrar** en el Reino de Dios".

Ellos se asombraron **todavía más** y comentaban entre sí:
"Entonces, ¿**quién** puede salvarse?"
Jesús, mirándolos **fijamente,** les dijo:
"Es **imposible** para los hombres,
mas no **para Dios.** Para Dios **todo** es posible".

Entonces **Pedro** le dijo a Jesús:
"Señor, ya ves que nosotros **lo hemos dejado todo**
para seguirte".

Jesús le **respondió:**
"Yo les **aseguro:**
Nadie que **haya dejado** casa, o hermanos o hermanas,
o padre o madre, o hijos o tierras,
por mí y por **el Evangelio,**
dejará de recibir, **en esta vida,** el ciento por uno en casas,
hermanos, hermanas, madres, hijos y tierras,
junto con **persecuciones,**
y en el otro mundo, la **vida eterna**".

Forma breve: Marcos 10:17–27

Debe notarse un aire de decepción en la misma voz de Jesús.

Infunde certeza a las expresiones sobre la salvación.

Baja la velocidad pero no la intensidad ni el volumen de la voz en este párrafo.

Participar del reino es gracia de Dios; por eso quizá, Jesús dirige la mirada a la bondad de Dios y luego a los mandamientos. Los que todo mundo conoce y que regulan las relaciones con el prójimo, pues los primeros cinco regulan los deberes con Dios. Practicar los mandamientos muestra la bondad de Dios y la hacen eficaz en el mundo.

Jesús pone un mandato nuevo "No defraudes". Aunque esto puede referir a no negarse a tener relaciones sexuales con el cónyuge (1 Cor 7:5), se trata aquí de no escatimar al pobre lo debido, ni retrasar su salario, ni abusar de él (cf. Dt 24:14: Sir 4:1). Esta novedad nos lleva a los lugares donde el evangelio era escuchado. Lo laboral debía ser neurálgico entre patrones y jornaleros cristianos. Otro tanto vale del mandamiento con el que Jesús cierra (honrar a los padres); es el mismo con el que argumentó que el mandamiento de Dios no debe ser anulado por las tradiciones humanas (Mc 7:10); esto debía ser también algo perturbador en las comunidades.

Del amor de Jesús por el joven fiel a los mandamientos de Dios nace el repartir los bienes a los pobres y seguir a Jesús.

Repartir bienes a los pobres es una gracia recibida de Dios mediando los pobres. Ellos son sacramento de salvación para los ricos.

La vida mendicante del discípulo de Jesús no es un medio para seguirlo mejor; sino la *conditio sine qua non* de pertenecer al Cristo. En este renglón, somos deudores permanentes, pues nuestra 'pobreza' está todavía lejos de 'corresponder' al amor de Jesús. Recordemos que Jesús se encuentra camino a Jerusalén, y en esa ruta los pobres y menesterosos son los primeros beneficiados... "Sin pobres no hay Paraíso".

XXIX DOMINGO ORDINARIO

I LECTURA   Isaías 53:10–11

Lectura del libro del profeta Isaías

Recita este bello poema equilibrando el lado doloroso con el de la compensación.

El Señor quiso **triturar** a su siervo con el sufrimiento.
Cuando **entregue** su vida como expiación,
    verá a sus descendientes, **prolongará** sus años
    y por **medio de él** prosperarán los designios del Señor.
Por las fatigas de su alma, **verá** la luz y se **saciará;**
    con sus sufrimientos **justificará** mi siervo a muchos,
    cargando con los crímenes de ellos.

Para meditar

SALMO RESPONSORIAL   Salmo 32:4–5, 18–19, 20 y 22

R. Que tu misericordia, Señor, venga sobre nosotros, como lo esperamos de ti.

La palabra del Señor es sincera / y todas sus acciones son leales; / él ama la justicia y el derecho, / y su misericordia llena la tierra. R.

Los ojos del Señor están puestos en sus fieles, / en los que esperan en su misericordia, / para librar sus vidas de la muerte / y reanimarlos en tiempo de hambre. R.

Nosotros aguardamos al Señor: / él es nuestro auxilio y nuestro escudo. / Que tu misericordia, Señor, venga sobre nosotros, / como lo esperamos de ti. R.

I LECTURA   Estamos con el cuarto canto del Siervo del Señor (Is 52:13—52:12) es el más importante. El texto presentado por la liturgia está tijereteado.

El poema describe de manera majestuosa los sufrimientos de un hombre justo, difamado por sus contemporáneos, pero amado por Dios. Ante todo, las imágenes y las palabras de este bellísimo poema, son manejadas con maestría. La primera frase: "creció como brote, como raíz en tierra árida…" (v. 2) muestra la concisión y expresividad de una imagen y un sentido. Pero, desde luego, lo que cuenta es su sentido religioso.

Este hombre con su sufrimiento salvó a muchos. A los discípulos del profeta les vendrían a la memoria figuras como Moisés, Elías, Samuel, Jeremías. Pero el texto se lanza al futuro. No es el sufrimiento en sí lo que recalca el autor, sino su fruto redentor, vicario; "Rehabilitará a todos porque cargó con sus crímenes" (v. 11).

¿Cuál es la razón de ese sufrimiento? No un gusto de Dios, sería enfermizo, sino un designio suyo; es signo de manifestación y perseverancia fiel en Dios. Expiar por otros se irá revelando como una manifestación del supremo amor.

Quién haya sido el Siervo, se preguntaron y se preguntan muchos. Entre éstos se encuentra la reina de Candaces, que preguntó a Felipe sobre esa identidad. Felipe, fiel a la interpretación de la comunidad cristiana, vio en este Siervo a Jesús, Mesías sufriente, obediente al designio del Padre, quien de esa forma salvó y redimió a la humanidad.

El profeta recuerda que es urgente vivir el paso de una vida centrada en uno mismo, a una vida abierta comunitariamente hacia los demás. Habría que tener más en cuenta a los incapacitados y pobres de tantas partes

El lenguaje es elaborado y las frases complejas. Busca el mejor sentido para comunicar esta palabra con eficacia.

El exhorto a la misericordia debe sonar como lo que es una sincera y cálida invitación.

II LECTURA   Hebreos 4:14–16

Lectura de la carta a los hebreos

Hermanos:
Puesto que Jesús,
    el **Hijo** de Dios, es nuestro **sumo sacerdote,**
        que ha entrado en el cielo,
    mantengamos **firme** la profesión de nuestra fe.
En efecto,
    no tenemos un sumo sacerdote
    que no sea capaz de **compadecerse** de nuestros sufrimientos,
    puesto que **él mismo** ha pasado
    por las **mismas pruebas** que nosotros, **excepto** el pecado.

Acerquémonos, por tanto,
    con **plena** confianza al trono de la gracia,
    para recibir **misericordia,** hallar la gracia
    y obtener ayuda en el momento **oportuno.**

Distingue en el ritmo de tu lectura las intervenciones de los personajes, del tono del narrador.

EVANGELIO   Marcos 10:35–45

Lectura del santo Evangelio según san Marcos

En aquel tiempo,
    se **acercaron** a Jesús Santiago y Juan,
    los hijos de Zebedeo, y le dijeron:
    "**Maestro,** queremos que **nos concedas** lo que vamos a
        pedirte".
Él les dijo:
    "¿**Qué es** lo que desean?"
Le respondieron:
    "Concede que nos sentemos uno **a tu derecha**
    y otro **a tu izquierda,** cuando estés en tu gloria".

de nuestro mundo y de nuestro medio y tratar de imitar, aunque sea de lejos, a ese Siervo que sufrió y murió "por muchos".

 II LECTURA Con una invitación al ánimo: "Mantengámonos firmes en nuestra confesión de fe" (v. 14), empieza nuestra lectura. El fundamento de esta confianza es que tenemos un sumo sacerdote que ya penetró en el cielo. Un triunfador que, además, es comprensivo con nosotros.

La causa de que este sacerdote sea solidario con nosotros consiste en que fue expuesto a toda clase de pruebas, incluyendo la misma tentación o tentaciones. Por esto, en las pruebas más duras que pueda tener un ser humano, siempre encontrará éste en Jesús, sumo sacerdote, la persona que lo sabrá comprender y ayudar.

Fundado en lo anterior, estamos invitados los lectores a acercarnos a Jesús, calificado como trono de gracia. No es un trono donde resplandezca el poder y el dominio, como era usanza entre los reyes y príncipes. Es el favor, la bondad, la gracia, completada con la misericordia, lo que está a nuestra disposición. Lo único que se nos exige es un poquito de libertad: acercarnos.

EVANGELIO El camino de Jesús desde Galilea hasta Jerusalén está marcado con los anuncios de la pasión del Hijo del Hombre. Estos anuncios le dan un poderoso marco cristológico a las enseñanzas, milagros y episodios que ocurren en el trayecto; es como si Jesús quisiera que la experiencia de su cruz y resurrección modelara a su grupo de discípulos, para que ellos puedan después obrar con esos principios

Jesús les replicó:
"**No saben** lo que piden.
¿**Podrán** pasar la prueba que yo voy a pasar
y **recibir** el bautismo con que seré bautizado?"
Le respondieron: "**Sí podemos**".
Y Jesús les dijo:
"Ciertamente **pasarán** la prueba que yo voy a pasar
y **recibirán** el bautismo con que yo seré bautizado;
pero eso de sentarse a mi derecha o a mi izquierda
no me toca a mí concederlo;
eso es para quienes está **reservado**".

Cuando los otros diez apóstoles oyeron **esto**,
se **indignaron** contra Santiago y Juan.
Jesús reunió entonces **a los Doce** y les dijo:
"Ya saben que los jefes de las naciones
las gobiernan **como si fueran** sus dueños
y los poderosos **las oprimen**.
Pero no debe ser así **entre ustedes**.
Al **contrario**:
el que quiera ser **grande** entre ustedes, que sea su **servidor**,
y el que quiera ser **el primero**, que sea el esclavo **de todos**,
así como el **Hijo** del hombre,
que **no ha** venido a que lo sirvan, sino **a servir**
y a **dar su vida** por la redención de **todos**".

Forma breve: Marcos 10:42–45

Este es otro momento. La importancia de las palabras de Jesús es muy grande. La segunda parte de la enseñanza debe desembocar sin ímpetu, más bien con calma.

hondos que el Maestro les inculca, no sin dificultades.

Jesús anuncia ahora a los Doce, el destino que le aguarda en la ciudad santa. Del grupo se destacan los hijos del Zebedeo. Hasta aquí, Santiago y Juan, junto con Pedro, fueron los primeros en ser llamados al seguimiento de Jesús, y a ellos Jesús les da un nombre nuevo; ellos lo acompañaron al resucitar a la hija de Jairo, y luego a la montaña, donde fueron testigos de la gloria del Mesías; esas condiciones, al parecer, les han valido cierta prestancia ante el grupo, y ellos quieren hacerla valer, ahora que se acercan a la capital, donde el reino de Dios está por manifestarse pronto. Est funda la petición de ser lugartenientes del Mesías.

Sin duda que ellos han escuchado el anuncio de la suerte trágica del Mesías, pero no se arredran. Los de Zebedeo están dispuestos a "beber la copa" y a "ser bautizados", como Jesús, con una muerte violenta. Porque están convencidos de que la gloria llegará a los tres días. Ellos hablan de ese momento posterior, cuando el poder del Mesías irradie esplendoroso. Lo que no han acabado de digerir, ni ellos ni los otros, es el tipo de relación que exige la gloria de Dios. Por eso la instrucción siguiente.

El poder y la grandeza es el registro de dominio entre las naciones, pero no en el reino de la gloria del Mesías. "No ha de ser así entre ustedes". El reino del Mesías es de otro tipo; es un reino de gloria, de humillación y fuerza. Los convocados en el nombre de Jesús, la Iglesia, se relacionan con criterios de servicio y simplicidad. Esa es la gloria del Mesías, no una perfecta organización en escalera, donde los de arriba se benefician imponiendo a los de abajo, sino vincularse en la entrega total de la vida por los demás, como el Hijo del Hombre. Esa es la señal más grande de la fe en la resurrección y la gloria de Dios.

XXX DOMINGO
ORDINARIO

El grito de alegría es por el retorno de los exiliados. El cumplimiento de la salvación causa un gusto que obliga a la alabanza exultante al Señor.

El Señor es el que obra. Tu voz debe cantar sus maravillas.

Las dos frases son capitales. Hay que pronunciarlas con ternura y simplicidad. En el tono que empleas con tus hijos para asegurarles tu cariño.

I LECTURA   Jeremías 31:7–9

Lectura del libro del profeta Jeremías

Esto dice el Señor:
  "**Griten** de alegría por Jacob,
  regocíjense por el mejor de los pueblos;
  proclamen, alaben **y digan**:
  'El Señor **ha salvado** a su pueblo,
  al grupo de los **sobrevivientes** de Israel'.

He aquí que yo los **hago volver** del país del norte
  y los congrego desde los **confines** de la tierra.
Entre ellos vienen el **ciego y el cojo,**
  la mujer **encinta** y la que acaba de dar a luz.

Retorna una gran **multitud;**
  vienen llorando, pero yo **los consolaré** y los guiaré;
  los llevaré a **torrentes** de agua
  por un camino llano en el que **no** tropezarán.
Porque yo soy para Israel **un padre**
  y Efraín es mi **primogénito**".

I LECTURA   Este trozo literario está dentro de lo que se ha llamado el librito de la consolación del profeta Jeremías (caps. 30–31), páginas imbuidas de una gran esperanza que cuaja en el oráculo sobre la nueva alianza (31:31). El texto de hoy forma la primera parte de un díptico, que habla del retorno de los exiliados. La otra parte se abrirá a toda la humanidad. Ahora bien, el texto actual es una relectura del texto jeremiaco, ya que data de después del exilio, del tiempo de Esdras (caps. 7–8), y refleja esa situación de desamparo que entonces sufría lo que formaba el pueblo de Israel en la provincia que entonces se llamaba *Jehud* y correspondía al antiguo reino de Judá.

Era una situación difícil la de aquellos que formaban el pueblo de Dios: pobres, humildes y desamparados, Dios les miró con un ojo afectuoso.

En el texto, Dios promete el regreso glorioso a ciegos, lisiados, mujeres embarazadas y parturientas. En su diversidad estas personas tienen en común la dificultad, si no la imposibilidad, de caminar. No están en condiciones de hacer el viaje de retorno a través del desierto. Es decir, son las personas menos adaptadas. Pero el Señor precisamente irrumpe en la historia cuando es un tiempo de desgracia. Las mujeres traen en sí el resto. La experiencia del dolor y destrucción que ha vivido el pueblo en tierra extranjera, ha dado lugar, por intervención divina, a un nuevo inicio.

El canto que fue de tristeza y dolor, ahora es de alegría para los que pueden regresar y así se reconfirma la paternidad de Dios. En realidad se comporta como un padre para Efraín, su primogénito.

Para meditar

SALMO RESPONSORIAL   Salmo 125:1–2ab, 2cd–3, 4–5, 6

R. El Señor ha estado grande con nosotros, y estamos alegres.

Cuando el Señor cambió la suerte de Sión, /
nos parecía soñar: / La boca se nos llenaba
de risas, / la lengua de cantares. R.

Hasta los gentiles decían: / "El Señor ha
estado grande con ellos". / El Señor ha estado
grande con nosotros, / y estamos alegres. R.

Que el Señor cambie nuestra suerte, /
como los torrentes del Negueb. / Los que
sembraban con lágrimas, / cosechan entre
cantares. R.

Al ir, iban llorando, / llevando la semilla; /
al volver, vuelven cantando, / trayendo sus
gavillas. R.

II LECTURA   Hebreos 5:1–6

Lectura de la carta a los hebreos

Hermanos:

Todo sumo sacerdote es un hombre **escogido** entre los hombres
  y está **constituido** para intervenir **en favor** de ellos ante Dios,
  para **ofrecer** dones y sacrificios **por los pecados.**
Él **puede** comprender a los ignorantes y extraviados,
  ya que **él mismo** está envuelto en **debilidades.**
Por eso, así como **debe** ofrecer sacrificios
  por los pecados **del pueblo,**
  debe ofrecerlos **también** por los **suyos propios.**

Nadie puede **apropiarse** ese honor,
  sino sólo **aquel** que es llamado **por Dios,** como lo fue Aarón.
De **igual** manera, Cristo no se confirió **a sí mismo**
  la dignidad de sumo sacerdote;
  se la **otorgó** quien le había dicho:
*Tú eres mi Hijo, yo te **he engendrado** hoy.*
*O como **dice** otro pasaje de la Escritura:*
*Tú eres **sacerdote eterno**, como Melquisedec.*

El primer párrafo es argumentativo.
Fíjate en las conjunciones o enlaces causales,
'por', 'por eso' que ayudan a relanzar el
pensamiento. Ensaya el ritmo y la cadencia
de las palabras para que no te pierdas.

En este párrafo cuida de la referencia
a la Escritura para que se distinga del resto
del argumento. Aquí también, la frase final
funciona como culmen de la exposición más
que como conclusión.

II LECTURA   Al definir el sumo sacerdocio, el autor no quiere dar un elenco de todas sus funciones, sino que se concentra en la mediación entre Dios y los hombres, que se ejecuta en el sacrificio de expiación.

El autor insiste en el aspecto humano del sumo sacerdote. Jesús comparte la humanidad, es decir la debilidad, con todo ser humano. El siguiente punto es la compasión, del la que ya trató antes (4:15). Para la mediación es necesaria la solidaridad entre el sumo sacerdote y los pecadores. El sumo sacerdote debe sentir la compasión o, como dice más exactamente el texto, la indulgencia o moderación. El sumo sacerdote ejerce esta indulgencia con los que pecan involuntariamente y no por culpas conscientes (Nm 15:30–31). Por el contrario, la redención de Cristo cubrirá todos los pecados.

El sumo sacerdote debe reconocer su humildad y que la iniciativa viene de Dios: "Nadie puede tomar tal dignidad para sí mismo si no es llamado por Dios, como Aarón" (v. 4). Cristo también fue llamado por Dios a esa dignidad. Cristo ha sido nombrado por Dios mismo sumo sacerdote. Para esto cita el Sal 2:7. Este sacerdocio es consecuencia de haber sido designado por Dios como su hijo. La segunda cita proviene del Sal 110:4, que alude a un sacerdocio distinto del de Aarón. Esto porque sólo este sacerdocio de Melquisedec permanece para siempre y no se termina jamás.

EVANGELIO   Este episodio es el broche al camino de Jesús con sus discípulos, que inició tras haber curado a un ciego en las afueras de Betsaida; aquel ciego comenzó a percibir "a los hombres como árboles que caminan". Eso parece que ha venido sucediendo en todo el camino,

EVANGELIO   Marcos 10:46–52

Lectura del santo Evangelio según san Marcos

En aquel tiempo,
   al salir Jesús **de Jericó** en compañía de sus discípulos
      y de **mucha gente,**
   un ciego, llamado **Bartimeo,**
      se hallaba sentado al borde del camino pidiendo **limosna.**
Al oír que el que pasaba era **Jesús Nazareno,** comenzó a gritar:
   "**¡Jesús,** hijo de David, **ten compasión** de mí!"
Muchos lo reprendían para que **se callara,**
   pero él **seguía** gritando todavía **más fuerte:**
   "¡Hijo de David, **ten compasión** de mí!".

Jesús se detuvo entonces y dijo: "**Llámenlo**".
Y llamaron al ciego, diciéndole:
   "**¡Ánimo!** Levántate, porque **él te llama**".
El ciego **tiró** su manto;
   de un salto **se puso en pie** y se acercó a Jesús.
Entonces le dijo Jesús: "**¿Qué quieres** que haga por ti?"
El ciego le contestó: "Maestro, **que pueda ver**".
Jesús le dijo: "**Vete;** tu fe **te ha salvado**".
Al momento **recobró la vista** y comenzó a **seguirlo**
      por el **camino.**

La repetida oración de Bartimeo es una súplica que la asamblea en pleno puede acompañar desde su corazón. En esas instancias dale inflexión suplicante a tu voz.

Esta parte es muy animada. Busca acelerar un poco en las descripciones y detenerte un tanto en los diálogos.

pues los que siguen a Jesús no acaban de comprender sus enseñanzas ni sus milagros. Los anuncios de la muerte vergonzosa y de la resurrección gloriosa no encuentran acogida en el grupo de discípulos, que son instruidos, una vez y otra, sobre lo que significa ser discípulo del Mesías. La curación de hoy contrasta con aquella de Betsaida, en muchos aspectos, pero el principal es que Bar Timeo se pone a seguir a Jesús en el tramo de la ruta que va a Jerusalén.

El hijo de Timeo es un pordiosero que, cuando Jesús pasa cerca, tiene que vencer la oposición de las gentes, para conseguir su propósito: coger la compasión del Mesías. Él sabe que Jesús Nazareno es el Hijo de David, el Maestro.

Jesús le abre el futuro a Bartimeo, cuyo nombre significa "hijo del honor", y le transforma la vida. Un pordiosero "hijo del honor" suena a paradoja. Pero la fe de Bartimeo valida el significado de su nombre, cuando se pone a seguir al que se ha compadecido de su ceguera. Bartimeo le honra.

Y aquí surge, a querer o no, el contraste con los de Zebedeo (y con Pedro) en el seguimiento de Jesús; a una pregunta de Jesús ellos pidieron sitios de gloria, éste 'poder ver'. Aquéllos fueron llamados a seguirlo, éste lo hace de propia iniciativa; aquéllos parecen rechazar un camino de pobreza y sufrimientos, en tanto que el pordiosero abandona todo para poder acercarse al Hijo de David. Con estos rasgos, san Marcos deja claro que el liderazgo en las comunidades cristianas no significa necesariamente seguir a Jesús. Para poder seguirlo, los discípulos deben primero mirarse transformados por el misterio pascual del Mesías; si esto no sucede, seguiremos trabajando por un reino intrascendente.

TODOS LOS SANTOS

I LECTURA   Apocalipsis 7:2–4, 9–14

Lectura del libro del Apocalipsis del apóstol san Juan

La visión es grandiosa. Primero el censo o sello de los salvados. Las instrucciones angélicas deben serle claras también al auditorio, no te precipites al leerlas.

Yo, Juan, vi a un **ángel** que **venía** del oriente.
Traía consigo el **sello** del **Dios vivo** y gritaba con voz **poderosa**
   a los **cuatro ángeles** encargados de hacer daño
   a la tierra y al mar.
Les dijo: "**¡No hagan daño** a la tierra, ni al **mar**, ni a los **árboles**,
   hasta que terminemos de **marcar** con el **sello**
   la frente de los **servidores** de nuestro **Dios**!"
Y pude oír el **número** de los que habían sido **marcados**:
   eran ciento **cuarenta** y **cuatro mil**,
   procedentes de **todas** las **tribus** de Israel.

Alarga el fraseo en las palabras que hablan del número y de la totalidad. A la aclamación, eleva el tono de voz.

Vi luego una **muchedumbre** tan grande,
   que **nadie** podía contarla.
Eran individuos de **todas** las **naciones** y **razas**,
   de **todos los pueblos y lenguas**.
Todos estaban **de pie**, delante del **trono** y del **Cordero**;
   iban **vestidos** con una túnica **blanca**;
   llevaban **palmas** en las **manos** y **exclamaban**
     con voz poderosa:
"La **salvación** viene de nuestro **Dios**,
   que está **sentado** en el **trono**, y del **Cordero**".

I LECTURA | Con el sexto sello (6:12) se vinieron encima los cataclismos. La enumeración de los sucesos se detiene en una gran escena (7:2–4, 9–14) donde hay dos grupos: uno separado del resto de la humanidad (7:4–8) y otro que abarca una multitud inmensa (7:9–17). Como sabemos, el Apocalipsis pertenece a un género literario propio, que emplea muchas formas literarias. En el trasfondo, es un género específico, en el que la fantasía lo corriente. Alude al AT: la salida de Egipto, la caída de Jerusalén, un signo dado por Dios para preservar a su pueblo del castigo. El vidente califica a los signados con el sobrenombre de "siervos", nombre se usa en Isaías a los pocos fieles a Dios, en contraposición de los impíos que son los que se han alejado de Dios. Los protagonistas de la primera escena son los que han sido fieles a Dios, no obstante las pruebas sufridas, sean judeocristianos o los elegidos del pueblo, los salvados de la economía anticotestamentaria.

Luego se alude a una multitud enorme, variada e incalculable en que se cumple la promesa hecha a Abraham (Gen 15:5; 22:17). Están de pie ante el trono, con las palmas, signo de la victoria y el vestido blanco que indica la pureza ante el sacrificio. En coro, alaban al Dios que salva y al cordero, protagonista en la victoria escatológica. Luego el vidente identifica a los protagonistas de la visión. Viene una pregunta y una respuesta que resume quiénes son los que llevan el vestido blanco (v. 14): han salido de la gran tribulación y han lavado sus vestidos.

El encuentro escatológico definitivo es el que tiene la Bestia y el Cordero, que ya empezó y donde fue vencida la Bestia. Este capítulo 7 intenta presentar al ejército con el cual el Cordero enfrentó el combate escatológico, por eso "los que han lavado sus

Retoma el tono del narrador, pero ten en cuenta la alabanza siguiente que deben pronunciar con entusiasmo.

Y todos los **ángeles** que estaban alrededor del **trono**,
   de los **ancianos** y de los **cuatro** seres **vivientes**,
   cayeron rostro en tierra delante del trono
   y **adoraron** a **Dios**, diciendo:
"**Amén**. La alabanza, la gloria, la sabiduría,
   la acción de gracias, el **honor**, el poder y la **fuerza**,
   se le **deben** para **siempre** a nuestro **Dios**".

Prolonga el 'Amén' como si tuviera un punto y aparte. Luego prosigue con ímpetu.

Entonces uno de los ancianos me preguntó:
   "¿**Quiénes** son y de **dónde** han venido
   los que llevan la **túnica blanca**?"
Yo le respondí:
   "Señor mío, **tú** eres quien lo **sabe**".
Entonces él me **dijo**:
   "Son los que han **pasado** por la gran **persecución**
   y han **lavado y blanqueado** su **túnica**
   con la sangre del **Cordero**".

El diálogo final descríbelo sin prisas. La respuesta del anciano busca causar sorpresa.

Para meditar

SALMO RESPONSORIAL   Salmo 23:1–2, 3–4a, 5–6

R. **Ésta es la clase de hombres que te buscan, Señor.**

Del Señor es la tierra y cuanto la llena, / el orbe y todos sus habitantes: / Él la fundó sobre los mares, / él la afianzó sobre los ríos. R.

¿Quién puede subir al monte del Señor? / ¿Quién puede estar en el recinto sacro? / El hombre de manos inocentes / y puro de corazón, / que no confía en los ídolos. R.

Ése recibirá la bendición del Señor, / le hará justicia el Dios de salvación. / Éste es el grupo que busca al Señor, / que viene a tu presencia, Dios de Jacob. R.

---

vestidos con la sangre del Cordero" serían los mártires, ellos han triunfado participando con su muerte, en la muerte sacrificial del Cordero. Por eso participan de su victoria; derrotaron el mal no con las armas sino con la muerte sacrificial. A ellos y a los que a través de los siglos se han juntado al grupo, está dedicada la fiesta del día de todos los santos.

II LECTURA Todo hombre ha querido ver a Dios. Este intento no ha pasado de deseo. Pero en todas las religiones se ha pretendido ofrecer la llave para alcanzar la visión divina. El texto de hoy está

dentro de la sección que va de 2:29 a 3:10, cuyo tema es la generación de parte de Dios. Los tres versos que leemos hoy, interpretan 2:29 que termina con la frase: "Cualquiera que obra la justicia ha nacido de él" (es decir, de Dios).

Se explica qué significa haber "nacido de Dios". Dice san Juan qué significa ser hijo de Dios y recibir en regalo su amor. Ser llamados hijos de Dios es el gran regalo otorgado por el Padre a los seguidores de Jesús. Sin embargo, en nuestro mundo, estos hijos de Dios no son reconocidos, son ignorados y ni se les tiene en cuenta, más aún, se les desprecia y combate. Pero para san Juan tal

estado de cosas prueba precisamente que los cristianos son hijos de Dios, pues su suerte se identifica con la del Hijo. En su evangelio, dice Juan hasta el cansancio que los hombres no reconocieron al Hijo como enviado de Dios. Más aún, se le opusieron.

Ahora declara que nuestra filiación divina la obtenemos por el bautismo, y que todavía no se manifiesta en gloria, sino en humildad, aunque llegará un día, al final, en que seremos asimilados a Jesús, condividiendo su vida gloriosa. Ya desde ahora, sin embargo, estamos participando de su resurrección.

II LECTURA   1 Juan 3:1–3

Lectura de la primera carta del apóstol san Juan

Queridos hijos:
Miren cuánto **amor** nos ha tenido el **Padre**,
    pues no sólo nos **llamamos** hijos de **Dios**, sino que lo **somos**.
Si el **mundo** no nos reconoce,
    es porque **tampoco** lo ha **reconocido** a él.

Hermanos **míos**,
    ahora **somos hijos** de Dios,
    pero aún **no** se ha **manifestado** cómo seremos al fin.
Y ya sabemos que, cuando él se **manifieste**,
    vamos a ser **semejantes** a él,
    porque lo **veremos** tal cual es.

Todo el que tenga **puesta** en Dios esta **esperanza**,
    se **purifica** a sí **mismo** para ser tan puro como **él**.

EVANGELIO   Mateo 5:1–12a

Lectura del santo Evangelio según san Mateo

En aquel tiempo,
    cuando Jesús vio a la **muchedumbre**,
    subió al monte y se sentó.
Entonces se le acercaron sus **discípulos**.
Enseguida comenzó a **enseñarles**, hablándoles así:

"**Dichosos** los pobres de **espíritu**,
    porque de ellos es el **Reino** de los **cielos**.
Dichosos los que **lloran**,
    porque serán **consolados**.

Esta es una de las convicciones más arraigadas del Cristianismo. Proclámala con todas sus letras, con un gran sentido de dignidad.

Esta es la expresión de la esperanza cristiana. Hay que pregonarla con firmeza y solidaridad, porque esta esperanza nos une en nuestro trabajo de cada día.

La frase resume y da salida a lo expuesto en la lectura. El llamado a no pecar, a vivir puro, hay que asimilarlo cada día.

Es el Evangelio en una nuez. Piensa por cuál de los motivos pregonados por Jesús podríamos sentirnos dichosos.

Las hemos repetido muchísimas veces, por eso hay que refrescarnos los oídos y el propósito de ajustarnos a sus criterios para asemejarnos a Jesús. Dale a tu voz un tono de pregonero. Recita con ritmo menos acelerado cada bienaventuranza, y alarga un tanto la pausa de cada punto.

El autor saca las consecuencias de lo dicho. La filiación divina se debe manifestar en una manera concreta de vivir, en una conducta coherente. La conducta es descrita como pura (v. 3): ser puros "como él es puro". Resuena toda la comprensión de la pureza que tenía el hombre anticotestamentario. Es un huir del pecado. El cristiano recibió el don de Dios, pero lo debe manifestar aquí en la tierra con una manera de vivir como Jesús, conformando su vida al don recibido. De no vivir de acuerdo a lo que somos, hijos de Dios, el mundo seguirá sin aceptar al Señor y sin reconocer los signos de su venida y de su redención.

EVANGELIO La palabra de Dios da fuerzas para rebasar los propios límites humanos. Las bienaventuranzas son palabra de Dios.

Cada bienaventuranza es una declaración de felicidad. Pero sorprende que Jesús declare dichosos a quienes el mundo tiene por desgraciados. Pobres, afligidos, perseguidos, necesitados de justicia,… son gentes a las que nadie toma como ejemplos a imitar, más bien a evitar. Pero el Evangelio de Jesús asegura que el reino es justamente de ellos, y no cuando se hayan muerto, sino ya ahora. Esto lo podemos imaginar porque

sólo la presencia amorosa de Dios puede invertir aquella condición miserable en una de dicha. No son palabras absurdas o incoherentes ni de consuelo barato; las palabras de Jesús son verdaderas.

Comencemos por despejar el equívoco de que la dicha o felicidad que Jesús anuncia se encuentra en la condición desgraciada de las personas. Nada más lejos de la verdad. La dicha anunciada por el Evangelio está en otro motivo: que el reino de los Cielos es de ellos. Esto está afirmado en la primera y en la octava bienaventuranza, como motivo actual y vigente. Sabemos que el

Dichosos los **sufridos**,
porque **heredarán** la **tierra**.
Dichosos los que tienen **hambre** y **sed** de **justicia**,
porque serán **saciados**.
Dichosos los **misericordiosos**,
porque **obtendrán misericordia**.
Dichosos los **limpios** de **corazón**,
porque **verán** a Dios.
Dichosos los que **trabajan** por la **paz**,
porque se les **llamará** hijos de **Dios**.
Dichosos los **perseguidos** por causa de la **justicia**,
porque de ellos es el **Reino** de los **cielos**.
Dichosos serán ustedes, cuando los **injurien**,
los **persigan** y **digan** cosas falsas de ustedes **por** causa **mía**.
Alégrense y salten de contento,
porque su **premio** será **grande** en los **cielos**".

La actualidad de esta bienaventuranza nos tiene que despertar a vivir el Evangelio com más radicalidad.

reino de los Cielos es un modo de referirse a Dios. Bien podemos decir que son dichosos porque "Dios es de ellos", Dios es su posesión. Pobres son los afligidos, los desposeídos, los que ansían la justicia.

Las bienaventuranzas colocan al hombre en una pista diferente; en lugar de buscar los bienes y las riquezas como fuente o causa de dicha, el que quiera seguir a Jesús tiene que afanarse por Dios, por poseerlo, por tenerlo. Ser pobre sin tener a Dios es una doble desgracia. Ser rico y tener a Dios es un espejismo, pues el dinero exige atención y cuidados que separan del prójimo y de Dios; Jesús lo dirá en otros lugares:

"...no pueden servir a Dios y al dinero" (Mt 6:24). Los ricos tienen otro dios que los hace felices.

Por el contrario, la dicha que se encuentra en la pobreza nace de la conciencia de profunda unidad con Dios, de saberse *su* creatura y vivir orientado únicamente hacia él, depende de Dios, no de sus benefactores. Dios se vuelve su único soberano. Entonces ocurre la inversión: la persona pobre se goza en Dios. Las palabras de Jesús son verdaderas porque son creadoras de una verdad nueva, gracias a Jesús de Nazaret.

El reino de Dios no es, pues, un objeto, sino una persona en acción, realizando un proyecto de vida, como lo describen tres bienaventuranzas. Y son los pobres los que lo realizan. Pobres son los misericordiosos, los limpios de corazón, los constructores de paz. Así, la persona que decide ser pobre, no es alguien inutilizado, sino protagonista, ejecutor del reino de Dios, pero actúa con el sello de Jesús: misericordioso, limpio, pacífico, pobre; el Bienaventurado por excelencia.

TODOS LOS
FIELES DIFUNTOS

I LECTURA   Sabiduría 3:1–9

Lectura del libro de la Sabiduría

Las almas de los justos están en las **manos** de Dios
    y no los alcanzará **ningún tormento.**
Los insensatos **pensaban** que los justos habían muerto,
que su salida de este mundo era una **desgracia**
y su salida de entre nosotros, una completa **destrucción.**
Pero los justos están en **paz.**

La gente **pensaba** que sus sufrimientos eran un **castigo,**
pero ellos esperaban **confiadamente** la inmortalidad.
Después de **breves** sufrimientos
Recibirán una **abundante** recompensa,
pues Dios los puso a **prueba**
y los halló **dignos** de sí.
Los probó como **oro** en el crisol
y los aceptó como un holocausto **agradable.**

En el día del juicio **brillarán** los justos
como **chispas** que se propagan en un cañaveral.
Juzgarán a las naciones y **dominarán** a los pueblos,
y el Señor **reinará** eternamente sobre ellos.
Los que confían en el Señor comprenderán la verdad
y los que son **fieles** a su amor permanecerán a su lado,
porque **Dios ama** a sus elegidos y cuida de ellos.

Lecturas alternativas: Sab 4:7–15; Isa 25:6–9.

Es un discurso docto, sabio, pero sin petulancias. La reflexión sobre la muerte de los justos que sufren tiene sentido fatalista. La última línea del párrafo revierte el pensamiento.

La idea prosigue aquí, pero es revertido por un sentido teológico de purificación. La insensatez va cobrando sentido.

El momento de la manifestación es el del juicio. Sube tu volumen de voz en este momento, y termina con un aire casi triunfante el párrafo.

I LECTURA El autor de Sabiduría, un docto judío piadoso, quiere confortar la fe de sus correligionarios que viven en un mundo impregnado de materialismo. Él opone a esto su concepción, extraída de la Biblia. Un punto importante para el autor es la fe en una vida más allá de la muerte. Emplea la distinción entre alma y cuerpo y afirma que las almas de los justos están en las manos de Dios. Estar en las manos de Dios significa entrar a una vida nueva, permanecer en el amor pleno de Dios, ese amor que empezamos a tenerlo aquí en la tierra.

La creencia en la otra vida está aparejada con la fe en la retribución después de nuestra muerte. El justo sabe que sus fatigas a favor del prójimo, además de haber encontrado el gusto que da el dar, tendrán su recompensa con Dios: "Aunque a los ojos de los hombres sean castigados, recibirán grandes favores" (3:4–5). No se refiere el autor a todos los hombres, sino a los fieles, que encontrarán una comunión amorosa con Dios: "Los fieles a su amor seguirán a su lado, porque quiere a sus devotos, se apiada de ellos y mira por sus elegidos" (v. 9).

Esta esperanza en la vida eterna que en tiempo de este autor sapiencial no era aceptada por la mayoría, pronto se iluminará con la resurrección del Señor Jesús.

II LECTURA Habiendo puesto a Abraham como el modelo del justo por haber tenido fe en la promesa de Dios (Rom 4), Pablo trae a colación una figura bíblica, Adán, insistiendo en que lo que podría minar la promesa hecha a Abraham, es tomada y superada por Cristo, nuevo Adán.

Pablo va a mostrar cómo obra la fe en los tiempos de desgracia. El hecho de que yo sea justo delante de Dios, proviene de la

Para meditar

SALMO RESPONSORIAL Salmo 22:1–3a, 3b–4, 5, 6

(SALMOS ALTERNATIVOS: Sal 25:6 y 7b, 17–18; 27:1, 4, 7, 8b, 9a, 13–14.)

R. El Señor es mi pastor, nada me falta.

El Señor es mi pastor, nada me falta: / en verdes praderas me hace recostar, / me conduce hacia fuentes tranquilas / y repara mis fuerzas. R.

Aunque camine por cañadas oscuras, / nada temo, porque tú vas conmigo: / tu vara y tu cayado me sosiegan. R.

Preparas una mesa ante mí / enfrente de mis enemigos; / me unges la cabeza con perfume, / y mi copa rebosa. R.

Tu bondad y tu misericordia me acompañan todos los días de mi vida, / y habitaré en la casa del Señor / por años sin término. R.

II LECTURA Romanos 6:3–11

Lectura de la carta del apóstol san Pablo a los romanos

Pronuncia estas palabras sabiéndote beneficiario de estar incorporado a Cristo Jesús. Siéntete transformado, para que la asamblea despierte la misma conciencia.

Hermanos: ¿No saben ustedes que todos los que hemos sido
   incorporados a **Cristo Jesús**
   por medio del **bautismo**,
   hemos sido **incorporados** a su **muerte?**
En efecto,
   por el **bautismo** fuimos **sepultados** con él en su **muerte,**
   para que, así como **Cristo resucitó** de entre los **muertos**
   por la **gloria del Padre,**
   así también nosotros llevemos una **vida nueva.**

Sé consecuente con las expresiones paulinas. Desde la profundidad del abdomen dale voz a estas líneas.

Porque, si hemos estado **íntimamente unidos** a él
   por una **muerte semejante** a la **suya,**
   también lo estaremos en su **resurrección.**
Sabemos que **nuestro viejo yo** fue **crucificado** con **Cristo,**
   para que el **cuerpo del pecado** quedara **destruido,**
   a fin de que **ya no sirvamos** al **pecado,**
   pues el que ha **muerto** queda **libre** del **pecado.**

No aceleres en esta parte, porque el pensamiento es complejo. Las expresiones complicadas como 'viejo yo' y 'cuerpo del pecado' pronúncialas con pausa, para que el oído se familiarice y no las deseche por incomprensivas.

---

fe. Así se restablece una nueva relación instaurada por Dios. Es lo que Pablo describe como estar en paz con Dios.

Pasa Pablo a enfrentar las tribulaciones y sufrimientos. Pablo no idealiza la situación en que se encuentran los cristianos justificados. Donde hay sufrimiento interviene de nuevo Dios, ofreciéndonos su amor, que abre nuevas posibilidades. Aparece la esperanza para salir de las dificultades. Esta esperanza no es vana, no es opio del pueblo, sino que tiene la solidez que le viene de Dios.

Al enfrentarse a la muerte, Pablo trae a cuento la muerte de Cristo. Ante la muerte de Cristo, Dios no interviene de forma tributaria,

no hace correr la sangre de la venganza. Más bien, abre un gesto de reconciliación posible quitando a la muerte su carácter definitivo a favor de los que están unidos a Cristo. Con su resurrección Cristo nos está diciendo que Dios no ha abandonado a la humanidad. No hay que despreciar a la muerte, pero no es ésta la que da el sentido último a la realidad que lleva a la vida. Ésta se encuentra en Dios y la esperanza es un motor que lleva al cristiano a ver el mundo, incluyendo la muerte, con otra perspectiva. En el fondo, esa esperanza se funda en Jesús y en su victoria contra el mal.

La contemplación de la muerte de Cristo lleva al cristiano a una confianza firme en el compromiso que Dios ha tomado con relación a nosotros, más allá de nuestros deseos o méritos. Ante la vista del resucitado, podemos ver de otra forma a la muerte. Hoy la iglesia conmemora a los difuntos fieles, es decir, a los que pusieron en Dios su esperanza, que los condujo a la unión definitiva con Dios.

EVANGELIO Los maestros de espiritualidad cristiana recomiendan meditar de vez en cuando sobre la muerte, no por necrofilia o masoquismo,

Aquí vale adoptar un tono esperanzador, entusiasta. Separa y categoriza la frase final.

Por lo tanto,
   si hemos **muerto en Cristo**,
   estamos **seguros** de que **también viviremos** con él;
   pues **sabemos** que **Cristo** una vez **resucitado**
      de entre los **muertos**,
   ya **nunca morirá**.
La muerte ya no tiene dominio sobre él.

Lecturas alternativas: Rom 5:17–21; 8:14–23; 8:31b–35, 37–39; 14:7–9, 10c–12; 1Cor 15:20–28; 15:51–57; 2Cor 4:14-5:1; 5:1, 6–10; Flp 3:20–21; 1Tes 4:13–18; 2Tim 2:8–13.

EVANGELIO   Juan 6:37–40

Lectura del santo Evangelio según san Juan

En **aquel** tiempo,
   Jesús dijo a la **multidud**:
"**Todo aquel** que me da el **Padre** viene hacia **mí**;
   y al que **viene** a mí **yo** no lo echaré **fuera**,
   porque he **bajado** del **cielo**,
   no para hacer **mi voluntad**,
   sino la **voluntad** del que **me envió**.

Y la **voluntad** del que **me envió**
   es que **yo no pierda nada** de lo que **él** me ha **dado**,
   sino que lo **resucite** en el **último día**.
La **voluntad** de mi Padre **consiste** en que **todo** el que vea al **Hijo**
      y **crea en él**,
   tenga **vida eterna** y yo lo **resucitaré** en el **último día**".

Lecturas alternativas: Mt 5:1–12a; 11:25–30; 25:31–46; Lc 7:11–17; 23:44–46, 50, 52–53; 24:1–6a; 24:13–16, 28–35; Jn 5:24–29; 6:51–59; 11:17–27; 11:32–45; 14:1–6.

Adopta la actitud de discípulo y de saberte caminando hacia Jesús con toda la asamblea y los demás fieles cristianos. Esta parte pronúnciala con autoridad, convencido de su verdad. Pero no mires a los demás por encima. No. Son ellos la razón de tu ministerio.

Identifica tus palabras con las del Cristo. Expresan tu compromiso más íntimo: Buscar la vida de todos. Transparenta ahora tu entrega total a la comunidad que, con su fe, te sostiene.

---

sino para mirar nuestra vida desde su final y ante Dios.

Sabemos muy poco del más allá, aunque esa falta de información la suplimos con espiritismo, adivinación y mediaciones enajenantes. Pero la liturgia nos coloca sobre la pista sólida de las Escrituras: la certeza de que Jesús no dejará que se pierda ni uno solo de sus fieles.

En las Escrituras aprendemos que la muerte es el precio del pecado; toda cratura humana lo paga. Sólo que hay una gran diferencia entre permanecer en la muerte o no; diferencia que viene de la resurrección

en el último 'día', de la que Jesús habla. Ésa que lo convirtió en 'Primogénito de entre los muertos'. Él es nuestra única y certera garantía.

Las palabras de Jesús introducen al creyente en la dinámica de la relación entre Padre e Hijo. El que cree en Jesús, el Enviado del Padre, se sabe en sus manos, y sabe también que él tiene pleno poder para resucitar y dar vida. ¿Cómo ocurre esto? San Juan dice que mediante la contemplación del Hijo. Obviamente que se trata de un mirar al Enaltecido, que en el lenguaje de san Juan, es el levantado en cruz. Allí nace

la posibilidad de ser resucitado, de tener vida nueva. Ciertamente que lo más difícil de vencer, lo escandaloso, consiste en aceptar que en la carne de ese Ajusticiado, Dios se revela "uno de nosotros"; que esa carne crucificada es "carne de Dios", como anotaba uno de los padres apostólicos.

Hoy celebramos que podemos participar en de la "carne de Dios", contemplarla, como garantía de "que nadie se pierda".

XXXII DOMINGO ORDINARIO

I LECTURA   1 Reyes 17:10–16

Lectura del primer libro de los Reyes

En aquel tiempo, el profeta **Elías** se puso en **camino** hacia
    Sarepta.
Al llegar a la **puerta** de la ciudad, encontró **allí** a una **viuda**
    que recogía **leña**.
La llamó y le **dijo**:
    "**Tráeme**, por favor, un poco de **agua** para beber".
Cuando ella se **alejaba**, el profeta le **gritó**:
    "Por favor, tráeme **también** un poco de **pan**".
Ella le **respondió**:
    "Te **juro** por el Señor, tu Dios,
    que no me queda ni un **pedazo** de pan;
    tan **sólo** me queda un **puñado** de **harina** en la tinaja
    y un poco de **aceite** en la vasija.
Ya ves que estaba **recogiendo** unos cuantos **leños**.
Voy a **preparar** un pan para **mí** y para mi **hijo**.
Nos lo **comeremos** y luego **moriremos**".

Elías le dijo: "**No temas**.
Anda y **prepáralo** como has dicho;
    pero **primero** haz un **panecillo** para mí y **tráemelo**.
Después lo **harás** para **ti** y para tu **hijo**,
    porque así dice el Señor **Dios** de **Israel**:
    'La tinaja de harina no se **vaciará**, la vasija de aceite
        no se **agotará**,
    hasta el día en que el Señor envíe la **lluvia** sobre la **tierra**'".

Las tradiciones de Elías son populares y profundas, llenas de vitalidad. El hombre de Dios es padre del profetismo, y protector de viudas y huérfanos. Con viveza en la voz, entrega los diálogos de este episodio.

La respuesta debe transmitir confianza, sobre todo en la segunda parte.

I LECTURA El relato de hoy viene del ciclo de Elías (1 Re 17–19; 21; 2 Re 1:1–17), y está colocado en un lugar importante, entre la estadía de Elías en el arroyo Qerit (17:2–6) y la resurrección de una niña (17:17–24). Es como el preludio del gran debate que tendrá Elías sobre la adoración exclusiva del Señor Dios frente a las demás divinidades.

Elías fue enviado por Dios con poder para llevar a cabo una reforma en varios campos. Los milagros muestran la confirmación de parte de Dios para la misión de Elías.

El profeta llegó a Sarepta. No se nos dice cómo llegó. Por lo anterior se ve que fue por andar huyendo del rey y por falta de alimento en Israel, dada la sequía.

El relato consta de tres escenas, marcadas por las dos personas que dialogan. En la segunda escena está el punto saliente: el diálogo entre el profeta y la viuda. Aparece Elías como el portavoz del Señor.

La narración de la viuda de Sarepta se lee teniendo en cuenta el evangelio de este día (Mc 12:38–44). La elección de ambos textos para el mismo día, es coherente. En ambos está una viuda y su acción en el centro. La relación es significativa. Existe diferencia entre estas dos viudas, aunque en su gesto muestren lo mismo: su donación completa. Además, este episodio de la viuda de Sarepta es una clara ilustración de cómo el misterio del corazón, lo que uno piensa, sólo es conocido por Dios. La reina Jezabel, también una fenicia, tenía un corazón negro, egoísta; en cambio, la de Sarepta lo tenía blanco.

Elías exigió a la viuda un acto extraordinario, pidiéndole confiar en su palabra profética y en el Dios de Israel como el verdadero señor de la lluvia. Aceptó y así su

Recalca las palabras del cumplimiento profético. Tras el primer punto y seguido, retoma la lectura como si hubieras olvidado continuarla. Dale aire de novedad a las líneas finales.

Entonces ella **se fue**, hizo lo que el profeta le había **dicho**
 y **comieron** él, ella y el niño.
Y tal como había dicho el **Señor** por medio de **Elías**,
 a partir de ese momento ni la tinaja de harina se **vació**,
 ni la vasija de aceite se **agotó**.

Para meditar

SALMO RESPONSORIAL   Salmo 145:7, 8–9a, 9bc–10

R. Alaba, alma mía, al Señor.

Que mantiene su fidelidad perpetuamente, que hace justicia a los oprimidos, que da pan a los hambrientos. El Señor liberta a los cautivos. R.

El Señor abre los ojos al ciego, el Señor endereza a los que ya se doblan, el Señor ama a los justos, el Señor guarda a los peregrinos. R.

El Señor sustenta al huérfano y a la viuda y trastorna el camino de los malvados. El Señor reina eternamente, tu Dios, Sión, de edad en edad. R.

II LECTURA   Hebreos 9:24–28

Lectura de la carta a los hebreos

Como preparación, puedes indagar un poco sobre el Día de la Expiación, para sintonizar mejor con esta lectura. Esta instrucción catequética busca mostrar que Jesucristo es el verdadero y perfecto sacerdote del Dios único. Tu tono de voz es de maestro simple y genuino.

Las acciones únicas de Jesucristo deben ser recalcadas; alarga las frases de 'una sola vez' y semejantes.

Hermanos:
Cristo no entró en el santuario de la **antigua** alianza,
 construido por mano de **hombres** y que sólo era **figura**
  del **verdadero**,
 sino en el cielo **mismo**, para estar ahora en la **presencia**
  de Dios, **intercediendo** por nosotros.

En la **antigua** alianza, el **sumo sacerdote** entraba **cada año**
 en el **santuario**
 para ofrecer una **sangre** que no era la **suya**;
 pero **Cristo** no tuvo que ofrecerse una y otra vez a **sí mismo**
  en **sacrificio**,
 porque en tal caso habría tenido que padecer **muchas veces**
  desde la **creación** del **mundo**.

---

pobre vida se convirtió en la ocasión donde se manifestó la maravilla de la misericordia providente divina sobre los hombres: "El cántaro de harina no se vació ni la aceitera se agotó, como lo había dicho el Señor por Elías" (v. 16).

II LECTURA La lectura de hoy (9:24–28) retoma la temática propuesta antes, insistiendo en la unicidad del sacrificio de Cristo. Los versículos 22–23 son el punto saliente de nuestro texto y anuncian el principio discursivo cultual: "Sin efusión de sangre no hay perdón". Este principio

enunciado tiene la finalidad de convencer de la necesidad de la muerte de Cristo: "Era necesario purificar las cosas que no son más que símbolos de las realidades divinas, estas mismas realidades divinas necesitan sacrificios superiores" (v. 23).

Pasa enseguida a probar la unidad del sacrificio de Cristo. Para esto acude el autor al misterio pascual del Señor, raíz de la liberación del hombre.

Al adquirir Cristo el objetivo de entrar al cielo, recibió su sacrificio su singularidad y finalidad. Se distingue del esfuerzo humano de adquirir el perdón (Lev 16). La erección de

la tienda de la alianza fue un símbolo. Este santuario es terrestre (9:1), hecho por manos humanas, un arquetipo del santuario auténtico. Todo eso era símbolo del sacrificio de Jesús.

Cristo, al ofrecerse a sí mismo en la cruz, no es en sí eterno, pero por su objetivo adquirió una eterna actualidad. El hecho de estar Cristo presente, frente de Dios, hace inútil un nuevo sacrificio.

El autor pone en relieve las diferencias entre el culto celebrado en el templo y el ofrecido por Cristo. Los sacrificios antiguos eran eficaces, pero esta eficacia era pasajera,

De **hecho,** él se manifestó **una sola** vez, en el momento
    culminante de la historia,
    para **destruir** el **pecado** con el sacrificio de **sí mismo.**

Así como está **determinado** que los hombres mueran
    una sola vez
    y que después de la **muerte** venga el **juicio,**
    así también Cristo se ofreció **una sola vez** para quitar
        los pecados de **todos.**
Al final se manifestará por **segunda** vez,
    pero **ya no** para quitar el pecado,
    sino para **salvación** de aquéllos que lo aguardan
    y en él tienen puesta su **esperanza.**

EVANGELIO   Marcos 12:38–44

Lectura del santo Evangelio según san Marcos

En aquel tiempo, enseñaba **Jesús** a la multitud y le **decía:**
    "¡Cuidado con los **escribas**!
Les **encanta** pasearse con amplios ropajes y recibir **reverencias**
    en las calles;
    buscan los asientos de **honor** en las sinagogas
        y los **primeros puestos** en los **banquetes;**
    se echan sobre los bienes de las viudas haciendo **ostentación**
        de **largos** rezos.
Éstos recibirán un castigo muy **riguroso**".

En una ocasión Jesús estaba sentado frente a las **alcancías**
    del templo,
    mirando cómo la gente echaba allí sus **monedas.**
Muchos ricos daban en **abundancia.**

El punto climático es la muerte de Jesús. No aceleres en esta parte final. Busca hacer más vivo el contraste con la segunda venida, y haz una salida de la lectura en descenso.

Las advertencias no deben ser pronunciadas con aspavientos, ni con voz alterada, sino como advertencias que entren en el corazón de los oyentes. La expresión del castigo tampoco debe ser furibunda.

Aunque distinto, el episodio ilustra lo previo. La pausa entre un párrafo y otro debe ser un tanto más prolongada que la de un simple punto y aparte (cuatro números).

---

por un tiempo. El sacrificio de Cristo coincide con "el cumplimiento de los tiempos".

Al final del texto se introduce la diferencia entre la primera venida de Cristo en la carne por su muerte redentora y la segunda venida, que será gloriosa (sin ninguna relación con el pecado). Esta fe en la segunda visita de Cristo daba ánimo a los primeros cristianos para morir. Se recitaba a menudo la jaculatoria "Ven Señor Jesús". Pudieron haberse equivocado los cristianos en el día o fecha de la venida, pero en el núcleo del mensaje no, lo mantuvieron firme.

Esta esperanza debe impregnar nuestra existencia hoy como ayer. La violencia y el esfuerzo por poseer medios materiales hace olvidar el fin, la finalidad de la vida: estar definitivamente con el Señor.

EVANGELIO   San Marcos agrupa el quehacer de Jesús en Jerusalén, en tres jornadas centradas en el templo, corazón del sistema político-religioso. Hoy escuchamos parte del tercer día, con las instrucciones a propósito de la higuera seca y una serie de enseñanzas y controversias diversas contra el templo y su aparato. Hacia el final, es que tenemos las advertencias sobre los escribas (12:38–40) y el conocido episodio de la viuda que "echó todo cuanto tenía…".

Los escribas eran los maestros del pueblo, teólogos de la Escritura y expertos en cuestiones legales. Había escribas muy cercanos a los gobernantes y a la elite sacerdotal, pero la mayoría de ellos era pobre y dependía de la organización caritativa del templo y de donativos de estudiantes y fieles piadosos. En general, los escribas eran muy apreciados entre el pueblo; lo que no evitaba que hubiera abusos y conductas reprobables, como la denunciada hoy.

Jesús reprueba la frivolidad de los letrados con cuatro expresiones, es decir en

Dale profundidad a la voz de Jesús. Disminuye la velocidad conforme te acercas al final

En esto, se acercó una **viuda pobre** y echó dos **moneditas**
  de muy **poco valor.**
Llamando entonces a sus discípulos, Jesús les **dijo:**
  "Yo les **aseguro** que esa **pobre viuda** ha echado en la alcancía
  más que todos.
Porque los demás han echado de lo que les **sobraba;**
  pero **ésta**, en su **pobreza**, ha echado **todo** lo que tenía para
  vivir".

Forma breve: Marcos 12:41–44

su totalidad. Pero lo peor es que despojan a las viudas so capa de amplias plegarias. Esta codicia es doblemente vergonzosa porque las viudas, junto con forasteros y huérfanos, representan a lo más vulnerable de la sociedad. Ellas y ellos son protegidos especiales del Señor y debían ser protegidos por los escribas, expertos en derecho. Pero, ¿qué sucede? ¡Que los protectores devoran los bienes de las viudas! "…Y, para exhibirse, hacen largas oraciones": la codicia barnizada de piedad. Para esos vanos, codiciosos e hipócritas, Jesús augura un juicio terrible, como la misma Ley anticipa. ¡A Dios invocan y él juzgará!

Seguramente habría letrados cristianos con vicios similares a los de los escribas de Jerusalén. "Te lo digo a ti mi hijo, entiéndelo tú mi nuera". La comunidad está advertida, y no debe tolerar ningún abuso —ni monetario, ni social, ni sexual, ni legal…— de parte de la gente más educada, cuya función es validar el derecho y la justicia, y que está 'más cerca de Dios'. Ejercer los ministerios eclesiales no debe ser plataforma para adquirir riqueza, vivir cómodamente a expensas de otros, ni solapar abusos. Es la advertencia de Jesús a su comunidad.

Jesús no critica ahora el sistema del templo (ya lo ha hecho, cf. 11:11), ni se sirve de la viuda para animar a sus seguidores a dar limosnas al templo. Más bien, contrasta con toda claridad el proceder de los escribas con el de la viuda pobre, en cuestión de la entrega a Dios. No nos confundamos, entregar los bienes al templo no significa necesariamente confiarse en Dios. Hay diferentes tipos de confianza, pero la viuda pobre ilustra la entrega o donación total. Y esto va acorde con la línea trazada por Jesús para seguirlo en su proyecto del reinado de Dios.

XXXIII DOMINGO ORDINARIO

Las lecturas son 'otoñales', llevan a pensar en la brevedad de la vida, su final y el juicio. Transmite la sabiduría del hombre bíblico con firmeza y serenidad. Nada de angustia o nerviosismo.

Marca bien la distinción entre los dos grupos.

Dale un nuevo impulso a estas tres líneas finales. Ya nadie las esperaba.

I LECTURA   Daniel 12:1–3

Lectura del libro del profeta Daniel

En aquel tiempo, se levantará **Miguel,**
    el **gran príncipe** que defiende a tu pueblo.

Será aquél un tiempo **de angustia,**
    como **no lo hubo** desde el principiot del mundo.
Entonces **se salvará** tu pueblo;
    todos aquellos que están escritos **en el libro.**
Muchos de los que duermen en el polvo,
    despertarán: unos para la vida **eterna,**
    otros para el **eterno castigo.**

Los guías sabios **brillarán** como el esplendor del firmamento,
    y los que **enseñan** a muchos la justicia,
    resplandecerán como estrellas por **toda** la eternidad.

Para meditar

SALMO RESPONSORIAL   Salmo 15:5, 8, 9–10, 11

R. Protégeme, Dios mío, que me refugio en ti.

El Señor es el lote de mi heredad y mi copa, mi suerte está en tu mano. Tengo siempre presente al Señor, con él a mi derecha no vacilaré. R.

Por eso se me alegra el corazón, se gozan mis entrañas, y mi carne descansa serena: porque no me entregarás a la muerte ni dejarás a tu fiel conocer la corrupción. R.

Me enseñarás el sendero de la vida, me saciarás de gozo en tu presencia, de alegría perpetua a tu derecha. R.

I LECTURA El libro de Daniel es el único libro apocalíptico en el AT, género que tuvo un desarrollo macizo en el siglo II a.C. El género se alimenta del contexto de sufrimiento y persecución, al que son sometidos los elegidos. En este cuadro dramático en que Dios mismo parece reducirse a espectador, se revela a un vidente lo que hay escondido detrás de los acontecimientos que se están llevando a cabo.

Daniel trata de consolar al pueblo judío y de animarlo a resistir, a no ceder a la propaganda y maneras de vivir a la griega. Los justos, los observantes de la Ley mosaica, son perseguidos, por lo que se preguntan sobre el sentido de su situación. El pequeño trozo literario que leímos del libro de Daniel (12:1-3) describe el momento crucial y decisivo del plan tramado por Dios, a través del príncipe Miguel. La acción final está precedida de angustia. Tal vez detrás esté la situación persecutoria del rey Antíoco IV Epífanes, quien pretendió imponer la cultura griega con sus consecuencias. Esto causó un gran sufrimiento a la gente honesta y piadosa. La historia va entrecruzada de bien y de mal, pero los justos deben conocer dónde está cada parte.

Miguel representa al ángel protector de Israel y significa la cercanía concreta de Dios a sus fieles. La salvación consiste en el término de la opresión y también un aumento de vida para el que muere en la fe. En estos momentos se espera el don de una vida que supere la precedente y no se limite a la sobrevivencia. La gran esperanza y argumento decisivo para perseverar, es la seguridad de la resurrección.

II LECTURA El autor ha hablado de muchas formas sobre la eficacia del sacerdocio de Cristo. Sin embargo,

II LECTURA   Hebreos 10:11–14, 18

Lectura de la carta a los hebreos

Hermanos:

En la **antigua alianza** los sacerdotes **ofrecían** en el templo,
diariamente y de pie, los **mismos sacrificios,**
que **no podían** perdonar los pecados.
Cristo, en cambio, ofreció **un solo sacrificio** por los pecados
y se sentó **para siempre** a la derecha de Dios;
no le queda sino **aguardar** a que sus enemigos
sean puestos **bajo sus pies.**
Así, con **una sola** ofrenda,
hizo perfectos **para siempre** a los que ha **santificado.**
Porque **una vez** que los pecados han sido **perdonados,**
ya **no hacen falta** más ofrendas por ellos.

La lectura no marca parágrafos. Distribúyela por los puntos. Fíjate en los contrastes y las frases de enlace, para que no leas como si fuera un informativo noticioso. Recuerda ir haciendo el aterrizaje o la salida de la lectura hacia el final.

EVANGELIO   Marcos 13:24–32

Lectura del santo Evangelio según san Marcos

En aquel tiempo, Jesús dijo a sus **discípulos:**
"Cuando lleguen **aquellos días,** después de la gran **tribulación,**
la luz del sol **se apagará,** no brillará la luna,
caerán del cielo las estrellas
y el universo entero **se conmoverá.**
Entonces **verán venir** al Hijo del hombre sobre las nubes
con **gran poder** y majestad.
Y él **enviará** a sus ángeles a congregar **a sus elegidos**
desde los **cuatro** puntos cardinales
y desde lo **más profundo** de la tierra a lo más alto del cielo.

La lectura es dramática, pero no hay que imprimirle un sentido de angustia o nerviosismo que no permitan captar el mensaje. Jesús quiere darles seguridad y confianza a los suyos en medio de las catástrofes. El Hijo del hombre es quien rescata a los fieles de Dios.

---

siente necesidad de volver sobre el tema. Contrapone dos clases de sacerdocio: los sacerdotes en el AT estaban ocupados en ofrecer sacrificios continuamente porque éstos eran ineficaces. En cambio, Jesús, sumo sacerdote, con un solo sacrificio obtuvo la plena comunión con Dios. La acción de Jesús no fue superficial. Sólo lo íntimo, lo interno soluciona problemas, no lo superficial. Por eso Jesús llegó al fondo del problema y lo resolvió de una vez para siempre.

La carta dice que Jesús ha ganado para nosotros su misma perfección: "Porque con un solo sacrificio llevó a perfección definitiva a los consagrados" (v. 14). Fuimos llamados a ser perfectos como él, no por nuestras fuerzas, sino por un regalo, el de él. Nos procuró esa caridad, de forma que todas nuestras acciones diarias sean un sacrificio agradable a Dios. Ya nos ha introducido en la vida divina, pero hay algo que todavía debemos realizar, podríamos caer. Por esto él nos empuja a llevar a cabo esa alianza nueva de la que habla el verso omitido, el 16.

Como nuestro ser sigue inclinado hacia el mal, sólo Jesús puede "escribir su ley en nuestro corazón". Por su muerte en la cruz, Jesús nos enseña que existe el corazón de la humanidad renovada: es el corazón de Cristo obediente que nos lo podemos adjudicar si nos adherimos a él. Como ya se cumplió esto, no necesitamos otros "sacrificios". Basta su sacrificio, al que hay que modelar toda nuestra vida.

EVANGELIO Escuchamos parte de la respuesta de Jesús a la pregunta de los discípulos por el momento en que sucederán las señales terribles que anticipan la ruina del templo y de Jerusalén, que es entendida como el fin del mundo.

San Marcos se vale del lenguaje apocalíptico, que mediante imágenes catastróficas y terribles comunica que Dios hace oír su voz y actúa en lo que sucede en la historia.

La línea primera es fundamental.
Es el enlace con lo previo.

Entiendan esto con el ejemplo de la **higuera.**
Cuando las ramas se ponen **tiernas** y brotan las hojas,
    ustedes saben que el verano **está cerca.**
Así también, cuando vean ustedes que suceden **estas cosas,**
    sepan que el fin **ya está cerca,** ya está a la puerta.
En verdad que **no pasará** esta generación
    sin que **todo esto** se cumpla.
Podrán dejar **de existir** el cielo y la tierra,
    pero mis palabras **no dejarán** de cumplirse.

Estas frases son categóricas y hay que pronunciarlas con contundencia.

Nadie conoce el día ni la hora.
Ni los ángeles del cielo **ni el Hijo;**
    solamente **el Padre**".

Generalmente, se entiende que Dios interviene para hacer justicia y validar el derecho de los oprimidos y los perseguidos frente a los opresores y poderosos impíos. Es tal la maldad que reina en el mundo que la vida de los fieles a Dios se ha vuelto insoportable. Bajo esas circunstancias, el fiel clama a Dios para que ponga orden y salve.

Las parábolas de hoy dejan ver, por un lado, que la venida del Hijo del Hombre será tan reconocible y natural como el cambio de estaciones; pero hay que mantenerse observando atentamente. Por otro, en el ejemplo del señor que se va de viaje, Jesús exhorta a sus discípulos a estar siempre preparados porque el regreso puede ocurrir en cualquier momento.

El Hijo del Hombre es una figura que le da un sentido nuevo a la historia, pues le infunde esperanza a los perseguidos, gracias al poder y a la gloria que ahora él tiene junto a Dios. La comunidad abusada y oprimida se ve en el Hijo del Hombre, muerto y resucitado. Pero desconocer el momento de su venida, le exige vivir fielmente sus enseñanzas y descifrando las señales de los tiempos. La comunidad de san Marcos se mira en los retoños de la higuera que hablan de una nueva comunidad de creyentes que se llena promisoriamente de hojas y brotes... ¿Se convertirán en higos?

Jesús nos despierta una realidad que a veces olvidamos: somos personas escatológicas. Las y los cristianos somos personas empujadas por la esperanza de la segunda venida de Jesús. Por eso nos reunimos en Iglesia: para hacer visible la esperanza de los hijos e hijas de Dios.

NUESTRO SEÑOR JESUCRISTO, REY DEL UNIVERSO

I LECTURA   Daniel 7:13–14

Lectura del libro del profeta Daniel

La visión consta de un solo párrafo.
Los cambios de ritmo son importantes. Marca los momentos de la introducción y recepción de la autoridad. Acelera un tanto en las tres líneas siguientes y disminuye en la última, para terminar.

Yo, **Daniel,** tuve una visión nocturna:
Vi a alguien **semejante** a un hijo de hombre,
   que **venía** entre las nubes del cielo.
Avanzó hacia el anciano de muchos siglos
   y fue **introducido** a su presencia.
Entonces **recibió** la soberanía, la gloria **y el reino.**
Y **todos** los pueblos y naciones
   de **todas** las lenguas lo servían.
Su poder **nunca** se acabará, porque es un poder **eterno,**
   y su reino **jamás** será destruido.

Para meditar

SALMO RESPONSORIAL   Salmo 92:1ab, 1c–2, 5

R. El Señor reina, vestido de majestad.

El Señor reina, vestido de majestad, el Señor, vestido y ceñido de poder. R.

Así está firme el orbe y no vacila. Tu trono está firme desde siempre, y tú eres eterno. R.

Tus mandatos son fieles y seguros, la santidad es el adorno de tu casa, Señor, por días sin término. R.

I LECTURA Estamos ante el inicio propiamente del libro apocalíptico de Daniel. Empieza con la pieza más famosa y que ha influido a todos los movimientos mesiánicos del tiempo de Jesús, para no decir que el título de Hijo del hombre fue el preferido por el Señor para designar en su vida terrena la clase de mesianismo que él pretendía.

En este capítulo Daniel presenta una síntesis de cómo ve él la historia humana. Ésta es un encuentro entre fuerzas hostiles, representadas por los animales. En el fondo, cada uno de estos animales está representando distintos imperios que han pasado sin dejar mucho beneficio a la humanidad. El vidente ve, sobre todo, el terrible mal que han procurado a la libertad y dignidad humanas.

Estas fuerzas bestiales siguen vivas a lo largo de la historia humana y, de alguna manera, están presentes hoy. El Señor Dios con su poder detiene y aniquila a esas fuerzas, a esos imperios. Pero, lo más importante, el Señor Dios diseña un tipo de comunidad de tipo humano, no bestial. Esta figura del Hijo del hombre representa el jefe o guía que instaurará el nuevo orden mundial.

El lugar de donde salen las bestias es el mar, un lugar que recuerda siempre el mal a Israel. Traen el caos. En cambio, el Hijo del hombre se mueve en un ámbito celestial, positivo. Hay necesidad de un mundo verdadero, humano. Los poderes bestiales se arrogan la autoridad y el dominio para emplearlo mal; en cambio, el Hijo del hombre recibe todo el poder humildemente de Dios mismo, del Anciano de días. En este Hijo del Hombre Jesús reconoció su tarea mesiánica, de instaurador del reinado de Dios,

II LECTURA   Apocalipsis 1:5–8

Lectura del libro del Apocalipsis del apóstol san Juan

Hermanos míos:
Gracia y paz a ustedes, de parte de **Jesucristo,**
   el testigo **fiel**, el **primogénito** de los muertos,
   el **soberano** de los reyes de la tierra;
   aquél que **nos amó** y **nos purificó**
   de nuestros pecados con **su sangre**
   y ha hecho de nosotros un reino de sacerdotes
     para su Dios y Padre.
A él **la gloria y el poder** por los siglos de los siglos. Amén.

Miren: él viene entre las nubes, y **todos** lo verán,
   aun aquéllos que lo **traspasaron.**
Todos los pueblos de la tierra harán duelo **por su causa.**

   "**Yo soy** el Alfa y la Omega, dice **el Señor Dios,**
   el que es, el que era y **el que ha de venir,**
   el **todopoderoso**".

EVANGELIO   Juan 18:33b–37

Lectura del santo Evangelio según san Juan

En aquel tiempo, preguntó **Pilato** a Jesús:
   "¿**Eres tú** el rey de los judíos?"
Jesús le **contestó**:
   "¿Eso lo preguntas **por tu cuenta** o te lo han dicho otros?"
Pilato le respondió: "¿**Acaso** soy yo judío?
Tu **pueblo** y los sumos **sacerdotes** te han **entregado** a mí.
¿Qué es lo que has **hecho**?"
Jesús le contestó:
   "Mi Reino no es de este **mundo.**

Marginal notes:

El comienzo del libro se torna en una alabanza a Jesucristo. Pronúnciala con entusiasmo, sobre todo en las frases que nos benefician.

Estas líneas deben resonar ante la audiencia, no como algo acabado, sino como algo permanente. No disminuyas la velocidad; termina la lectura creando expectación por algo más.

Marca la voz de los protagonistas de este diálogo con cambios de ritmo en la lectura. Uno más rápido para Pilato menos acelerado para Jesús.

Estas palabras son muy conocidas, pronúncialas con firmeza y serenidad completas. La frase final es la conclusión.

II LECTURA Este libro de revelación se abre con un bello canto de alabanza a Cristo (1:5–8). Ha sido muy empleado este texto desde su origen. Ha servido de inspiración a los grandes pintores de los ábsides de las basílicas cristianas: el *Pantocrator* que se impone con su fuerza, presencia y amabilidad. Su traducción ha sido Omnipotente, uno de los muchos nombres de Dios en el AT.

Frente a este Señor reinante, el vidente invita a sus lectores a que lo alaben. La alabanza no es en sí una seca y urbana fórmula de "muchas gracias", sino es un reconocer las cualidades y acciones divinas. Por esto el vidente invita a aclamar a Jesús como *testigo* (mártir) fiel (que ha muerto por nosotros) y el *primogénito de los muertos*, es decir, el que ha resucitado abriendo ante las creaturas la renovación total. *El príncipe* de los reyes de la tierra.

Empieza presentando la acción llevada a cabo por Jesús. Es el que nos ama, porque ha muerto por nosotros, y sigue derramando su bondad sobre el fiel cristiano. El fruto de su amor es la liberación de nuestros pecados, convirtiéndonos en reyes y sacerdotes. Participamos de su reino, sirviendo a los demás y somos sacerdotes porque nos ofrecemos por los demás.

Este Jesús vendrá glorioso al final como juez, trayendo en su carne los signos de su pasión. A través de los siglos la fe nacerá siempre de la contemplación de este amor, como se lee en san Juan "Mirarán al que ellos mismos atravesaron" (19:37). Al final, todas las gentes reconocerán que por este amor han sido salvadas: "se darán golpes de pecho por él" (v. 7).

Concluyendo viene una autopresentación de Dios (Ex 3:13–15) "Yo soy…" significaba que Dios estaba cerca de su pueblo,

Mantén el ritmo en la lectura. Baja un poco el volumen de la voz para la última línea.

Si mi **Reino** fuera de este mundo,
    mis **servidores** habrían luchado
    para que **no cayera** yo
    en manos de **los judíos**.
Pero **mi Reino** no es de **aquí**".

Pilato le dijo: "¿Conque tú eres **rey?**"
Jesús le contestó:
    "Tú lo has dicho. **Soy rey.**
Yo **nací** y vine al **mundo** para ser testigo de la **verdad**.
Todo el que es de la **verdad**, escucha mi **voz**".

guiándolo a través de la historia. Ahora viene a hacer esta misma acción el Hijo, Jesús el Mesías. Por Jesús tenemos acceso a Dios. Ya sabemos por adelantado lo que vendrá, porque lo hemos visto con la fe en Cristo ya realizado: la victoria definitiva sobre el mal y, algo muy importante: la irradiación del amor de Jesús sobre los salvados.

| EVANGELIO | Nos ha costado, pero ya hemos aprendido que Jesús reina distinto a como gobiernan los reyes de este mundo que defienden 'su realeza' con armas y aniquilando a sus enemigos. Con el diálogo entre la autoridad romana más importante en Palestina, Poncio Pilatos y Jesús, el propio "rey de los judíos", san Juan quiere que entendamos cómo es la realeza de Jesús.

El reino de Jesús no nace de este mundo, pues no se guía con los criterios de la ganancia y la opresión. Esta es la clave de la realeza de Jesús, porque lo que él hace tiene el sello de su origen, o en otras palabras, uno se comporta según de dónde venga. Las obras de Jesús son de arriba, no de abajo. Por eso no tiene ejército alguno.

Las palabras de Jesús sobre su realeza deben ser tomadas con la mayor seriedad, porque hemos decidido hacernos sus discípulos, seguidores de la verdad. Sólo que no pocas veces estamos dispuestos a empuñar las armas para 'defender la verdad', o para hacerla valer por la fuerza, y hasta creamos milicias o 'soldados de Cristo'. Incluso en sentido metafórico, este diálogo nos empuja a reconsiderar cómo entendemos la realeza de Jesús, y si somos discípulos fieles, pueblo de reyes... ¿De dónde?

Palabra de Dios 2015

Carmen Aguinaco y Feliciano Tapia

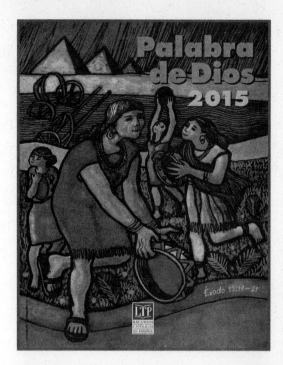

Palabra invita a estar a gusto con la palabra de Dios.
Para cada domingo, este libro ofrece textos completos
de las tres lecturas bíblicas, reflexiones sobre las lecturas
escritas por especialistas en las Escrituras, y sugerencias
para compartir la esperanza, la fe y la doctrina social de
la Iglesia.

Este libro camina al ritmo del ciclo B, que arranca con el
Primer Domingo de Adviento, 30 de noviembre de 2014,
y llega hasta Cristo Rey 22 de noviembre de 2015.

Palabra de Dios es para:

- **Familias**
- **Ministros de la liturgia**
- **Catequistas**
- **Grupos parroquiales**
- **Cristianos y cristianas en general**
- **¡y más!**

Palabra de Dios también
está disponible como un
libro electrónico a través
de Amazon Kindle, Barnes
& Noble Nook®, Google
Play, y Apple iBooks.

Barnes & Noble Nook®, Google Play, y Apple
iBook: 978-1-61833-094-9 **$6**
Amazon Kindle: 978-1-61833-095-6 **$6**

¡Accesible y fácil de usar!

En rústica, 8⅜ x 10⅞, 160 páginas | 978-1-61671-162-7
Código de pedido: PD15

1–4 ejemplares: **$8** cada uno | 5–99 ejemplares: **$7** cada uno
100–499 ejemplares: **$6** cada uno | 500 o más: **$5** cada uno

A15PDD1L

www.LTP.org ¤ 800-933-1800

LTP
RECURSOS
CATÓLICOS
EN ESPAÑOL